Curso de Tarô

e Seu Uso Terapêutico

Veet Pramad

Curso de Tarô

E Seu Uso Terapêutico

MADRAS

Editor:
Wagner Veneziani Costa

Produção e Capa:
Equipe Técnica Madras

Revisão:
Elaine Garcia
Silvia Massimini
Valéria O. Morais

Tiragem:
3 mil exemplares

ISBN 85-7374-595-9

MADRAS EDITORA LTDA.
Rua Paulo Gonçalves, 88 — Santana
02403-020 — São Paulo — SP
Caixa Postal 12299 — CEP 02013-970 — SP
Tel.: (0_ _11) 6959.1127 — Fax: (0_ _11) 6959.3090
www.madras.com.br

Dedico este trabalho a Eleodoro Ortiz,
sem o qual este livro nunca
teria sido escrito.

Quero agradecer também a Jossina e a Oswaldo, que abriram seu acervo para mim.

Ao Ticão, que colocou à minha disposição seu *scanner* e sua casa.

A Júlio Cesar Barbosa, Nonato e Fernando Molina, que me passaram as manhas e resolveram meus problemas de marinheiro de primeira viagem com os computadores.

A meus irmãos Gurudev, Angelita, José Cesar e Deuzane, pelo que eles sabem.

A Mangala e Alok, pelo seu apoio, ouvidos e palpites.

Índice

Capítulo 6

Capítulo 7

Capítulo 8

Capítulo 9

Capítulo 10

Capítulo 11

Capítulo 12

Capítulo 13

Capítulo 14

Capítulo 15

Capítulo 16

Apêndice I

Apêndice II

Apêndice III

Apêndice IV

Introdução à Primeira Edição

A maior dificuldade que tive como amante e depois como profissional do Tarô, foi a inexistência de trabalhos profundos, científicos e práticos onde pesquisar a base teórica necessária para o vôo da imaginação e da intuição.

Durante a década de 1980, percorri livrarias européias e latino-americanas, só encontrando trabalhos fragmentários e superficiais. Extremamente moralistas e dissociativos, com muito pouca ou nenhuma referência aos Arcanos Menores, esses textos foram, enfim, dignos representantes de um tempo que já se foi.

Afortunadamente, em 1984, chegou às minhas mãos *O Livro de Thoth,* de Aleister Crowley, cujo baralho tinha me seduzido profundamente e já trabalhava com ele desde que o achei na Livraria Argentina de Madri, em 1981. Este texto me abriu os olhos a todo um fundamento científico, firmemente estruturado acima da cabala hebraica e dos Quatro Elementos, e para uma proposta realmente aquariana, que casava perfeitamente comigo, especialmente no que se refere a: "Fazer o que tu queres é a Lei."

Meus problemas, porém, não estavam totalmente resolvidos, já que Crowley nunca descia aos significados concretos das cartas. Assim, na maioria dos casos, não só faltava o fio condutor entre as idéias gerais e a interpretação prática da carta, como também os significados particulares que encontrava nos textos disponíveis nada tinham a ver ou eram contraditórios com as formulações arquetípicas do mago inglês. Durante alguns anos, baseando-me em minha intuição e na necessidade óbvia de concretizar os significados das cartas nas leituras, fui me desprendendo das fundamentações científicas de Crowley e elaborando uma relação de significados concretos que distanciavam-se das interpretações tradicionais, especialmente no que diz respeito aos Arcanos Menores e aos Maiores que Crowley reformulou.

Em 1986, impulsionado pela vontade de dar uma apostila a meus alunos de Brasília, comecei a escrever e a melhorar o texto em cada curso. Pouco a pouco, este livro foi tomando forma. Tenho certeza de que, apesar de suas deficiências, será de grande utilidade e gratificação para os interessados no Tarô, especialmente para os que trabalham com o baralho de Crowley com uma abordagem de autoconhecimento e transformação.

Eu teria ficado muito feliz se, em 1980, quando comecei a percorrer esse caminho maravilhoso, a Existência tivesse colocado algo semelhante a este manual de Tarô à minha disposição.

Distingo nesta obra três partes, em função de meu grau de paternidade. Quando falo em numerologia, cabala, mitologia, astrologia e símbolos, minha função foi de compilador e peneirador de dados de toda uma série de textos que relaciono na bibliografia. Na hora de passar os significados gerais das cartas, baseado nos conceitos clássicos atualizados por Crowley e nos dados anteriores, incluí novas idéias e paralelismos, inéditos num manual de Tarô. O terceiro nível são as interpretações para as diferentes posições da Leitura Terapêutica, fruto de anos de leituras realizadas com todo tipo de pessoas em três continentes: funcionários públicos, monges tibetanos, diplomatas, *hippies*, artistas, policiais, ladrões, camponeses e andarilhos do caminho real.

Cabe dizer que os significados nas dez posições não devem ser aplicados literalmente nas leituras, mas estudados com cuidado, por enriquecerem consideravelmente o significado geral de cada carta. São uma boa pista de decolagem para a intuição do leitor. Ao mesmo tempo, ajudam o tarólogo ou "tarotista" a familiarizar-se com os mecanismos de interpretação das cartas, em função de sua posição e aspectos.

Não vou dizer que este livro ou algumas de suas passagens foram recebidas de mentores ou entidades espirituais. Mas tenho a certeza de que a Existência conspirou para ajudar-me a ter hoje este ensaio pronto para vocês. Espero que gostem e que tirem proveito.

Veet Pramad

Introdução à Segunda Edição

Desde que escrevi a primeira edição já se passaram mais de seis anos, meia dúzia de revoluções solares e o mundo muda cada vez mais rapidamente. Embora estejamos longe de uma humanidade amorosa, meditativa, consciente e espiritual dos profetas da Era de Aquário, podemos ver tremendas transformações que indicam que os tempos mudaram e uma Nova Era se aproxima, queiramos ou não.

Se, desde a Idade da Pedra até 1940, a maior parte da população se dedicava a plantar e pastorear rebanhos, isto é, a produzir comida, depois de um breve período de predominância dos operários industriais, hoje é o setor terciário quem preenche mais folhas de pagamentos. As lanchonetes Mc Donald's têm hoje mais funcionários que toda a indústria siderúrgica dos EUA.

Com a autotransformação, excepcionalmente pacífica, do mundo socialista (que, como o muro de Berlim, dividia econômica, política e militarmente o planeta),[1] caiu o último grande obstáculo. Finalmente estamos vivendo numa aldeia global com uma economia mundial, global e integrada, que opera por cima dos estados-nações, criando mercados comuns, tendendo a criar supra-estados, como a União Européia e mostrando o caminho para um governo planetário.

O espaço e o tempo mudaram. A revolução das comunicações acabou com o tempo e a dos transportes com as distâncias — o espaço. Pegar o telefone (contas a parte) e falar com o vizinho é tão simples como falar com um cidadão japonês e marcar um encontro no final de semana. A humanidade, especialmente a computadorizada, está acostumando-se ao instantâneo. Aqui e agora, não quero esperar!

A população multiplicou-se três vezes de 1914 a 1990, já chegando a seis bilhões de habitantes, que a cada ano vão arrasando as florestas, os recursos hídricos e energéticos, a terra fértil, milhares de espécies, a pesca, ameaçando transformar o Planeta Azul num imenso deserto.

Jamais nós, humanos, nos matamos desse jeito. Nos primeiros 93 anos do século foram massacradas 187 milhões de pessoas, especialmente em guerras em que, pela primeira vez na história, a população civil foi o alvo principal. Esse genocídio sistemático e ininterrupto mostra que estamos regredindo a padrões de barbarismo e selvageria nunca alcançados. Jamais os governantes se tinham sentido com tanto direito sobre as vidas humanas e tão despreocupados com a imensa desigualdade que vivemos.

O planeta, que desde o século XVI era eurocêntrico, deixou de sê-lo com as quedas sucessivas dos Impérios transoceânicos europeus, que chegaram a manter sob suas botas um terço da população mundial. Não obstante, a Europa e os países que se industrializaram no século XIX continuam concen-

1 - Assim como no passado não tão distante — há 500 anos, o tratado de Tordesilhas dividia o planeta entre as coroas de Portugal e Espanha.

trando o poder econômico e científico-tecnológico, assim como possuem o mais alto padrão de vida. Suas populações, que no início do século representavam um terço do planeta, passaram a ser um sexto. Suas indústrias estão desaparecendo e procurando mão-de-obra barata nos NICs.[2]

A mulher quebrou o padrão machista milenar que a deixava cuidando da família, presa ao lar, e foi à luta. Já em 1980, mais da metade das mulheres norte-americanas casadas trabalhava fora de casa, representando também a metade dos estudantes universitários, dos empregados em bancos, corretores de imóveis, 35% dos professores universitários e 30% dos especialistas em informática. As mulheres do Primeiro Mundo estão mais interessadas na realização profissional que no casamento e em ter filhos, isto é, o homem não é mais o referencial principal de suas vidas. E a partir desse padrão de autocentramento e independência econômica, constituem 95% das pessoas que participam do movimento esotérico e da procura do autoconhecimento em geral.

Como resultado dessa transformação, a família patriarcal nuclear, na qual o homem se diz superior à mulher e os adultos às crianças, tradicional célula básica da sociedade, desde o fim das sociedades matrilineares está sofrendo os maiores reveses em toda a história da humanidade. As estatísticas[3] falam por si mesmas:

Estas famílias, que em 1960 representavam 44% nos EUA, caíram para 29% em vinte anos. Se em 1930 a Grã Bretanha tinha 6% da população morando só, em 1991 já eram mais de 25%; se em 1938 acontecia um divórcio para cada 58 casamentos, em 1985 era um para cada 2,2.

Em 1991, 58% das famílias negras norte-americanas estavam sendo comandadas por mulheres, sendo que 70% dos nascimentos eram filhos de mães solteiras. Em 1985, a metade dos partos da Suécia foram também de mulheres solteiras.

Se o fundamentalismo islâmico, constituído em governo, regrediu esse processo nos países árabes, relegando a mulher à condição de propriedade do macho, e no Brasil os níveis de pobreza e os radicais cristãos estão ganhando posições, sempre graças ao fracasso dos políticos, na Europa as igrejas estão ficando vazias. Quando mulheres e homens oficialmente católicos foram às urnas para aprovar leis mais liberais em matéria de divórcio e aborto, vimos como a autoridade moral do Vaticano tinha se deteriorado. E quem se interessa pela espiritualidade procura interlocutores mais sintonizados com o Oriente e seus caminhos individuais e meditativos do que com rebanhos que esperam o Paraíso como prêmio à sua obediência e autocontrole.

A economia mundial, acionada pelos interesses das multinacionais, inspirada, desde 1970, na teologia do "livre mercado", pretende colocar no olho da rua mais da metade da força de trabalho, acabar com a soberania nacional dos países devedores e desmoronar seus estados para, sem nenhum controle, abocanhar o resto do bolo.

Estes milhões de desempregados e suas famílias se juntarão às legiões de indigentes que, sem teto, sem terra, sem escola, sem saúde, sem seguro-desemprego, podem cair nas garras do crime organizado, ou nos esquadrões de choque dos movimentos da direita ou

2 - NICs: Newly Industrialized Countries. Países Recém-Industrializados.

3 - Estas estatísticas procedem de "*Era dos Extremos*", de Eric Hobsbawn.

do fanatismo religioso mais radicais. A desigualdade vergonhosa que já existe só tende a aumentar vertiginosamente, podendo levar a crises sociais de magnitude continental incomparáveis a tudo o que até agora conhecemos, se os setores mais conscientes da sociedade não conseguirem desmascarar o neoliberalismo multinacional e seus agentes locais e mobilizar a população, revertendo o processo da miséria.

"A fábrica do futuro terá só dois empregados: um homem e um cachorro. O homem estará ali para alimentar o cachorro e a função deste será evitar que o homem toque as máquinas", disse Warren Bennis, professor de Administração de Empresas da Universidade de Southern Califórnia.

Os que pretendam voltar à Natureza encontrarão a maioria das terras arrasadas pelos monocultivos e os bosques destruídos pela tala e a criação de pastos para alimentar vacas, isto é, produzir hambúrgueres. Os bosques, principais reguladores do clima, estão desaparecendo. A selva tropical pode reduzir-se a umas manchas verdes no ano de 2025.

Com a dissolução da família, das igrejas e dos vínculos laborais, rompem-se os fios que mantinham a coesão da sociedade, como já anunciou Margarete Thatcher: "Não há sociedade, só indivíduos."

Os passageiros deste Planeta de *fin de siècle*, decepcionados repetidamente por seus líderes mais carismáticos, pelas religiões, pelos políticos de esquerda e direita, pela corrupção e pelas falsas promessas, estão tornando-se cada vez mais anti-sociais e individualistas. Os velhos valores, inspirados no lema Liberdade, Igualdade e Fraternidade, que mobilizaram os povos na procura de uma sociedade feliz e justa, ficaram ocultos por trás da propaganda comercial e do "salve-se quem puder". Hoje, no Brasil, virou moda os jovens da classe média-alta queimarem mendigos em via pública.

Estamos vivendo as dores de parto de um Novo Tempo, não sabemos quanto podem durar as contrações, ninguém quer escutar a parteira, e tanto a mãe como o bebê correm sério perigo. As perspectivas para a humanidade como um todo são desalentadoras.

Estamos metidos numa centrífuga, chacoalhados por todos os lados, e não adianta instalar grades ou contratar segurança para proteger-nos dos excluídos, porque amanhã podemos também estar na rua.

Temos de aceitar que num futuro próximo não poderemos sobreviver com nosso salário num emprego convencional, trabalhando por tempo integral e, se nos acostumamos a isso, chegou a hora de desacostumar.

Esperamos que Nostradamus estivesse enganado quando escreveu que dois terços da humanidade vão desaparecer, mas o barco da civilização está naufragando. Nem a Internet nem as armas mais sofisticadas dão condições dignas de vida aos 800 milhões de indigentes, produto da economia de livre mercado, cujos beneficiários contemplam a degradação desde seus portos seguros e inventam novas mentiras para continuar tendo a humanidade sob controle.

Se tudo isso tivesse um propósito, bem poderia ser o de estimular-nos a mudar em profundidade.

Embora a maioria continue presa na armadilha da esperança, não podemos esperar sentados pela volta de Jesus, Nosso Senhor; por ganhar na loto; que tal partido tome o poder ou que os economistas achem a fórmula mágica. Ou talvez pelos ETs?

Também não adianta jogar a culpa no governo, no chefe, no azar, na mamãe, na esposa ou nos filhos. Essa atitude apenas esconde a possibilidade de fazer alguma coisa para melhorar e assumir a parcela de responsabilidade que temos com nossas vidas. É hora de tomar vergonha na cara, desligar o Fantástico, apoderar-se de um bote salva-vidas e sair remando. Não sabemos que formas específicas pode tomar nossa canoa, talvez exercendo a cidadania e ocupando as ruas toda vez que se deflagram pacotes ou se cometem atos de violência contra os mais carentes, talvez estendendo pontes para áreas verdes, preservando-as e criando *habitats* ecológicos e solidários, mas com certeza mudando internamente, escutando nosso coração, esclarecendo, confrontando e dissolvendo nossos medos e padrões adquiridos de comportamento.

São muitas as pessoas que chegam até os tarólogos, numerólogos, astrólogos e outros "ólogos" de plantão procurando soluções como quem quer comprar cebolas na feira: vou ser feliz? Meu marido me engana? Será que vender cachorro-quente vai dar certo? Eu me caso ou compro uma moto? Que me tem reservado o todo-poderoso destino?, perguntam ansiosos. Responder a estas e outras perguntas é a maior barbaridade que podemos fazer, pois lhes estamos negando sua liberdade, escondendo que, especialmente hoje, no amanhecer do terceiro milênio, o destino delas está em suas próprias mãos e privando-as da oportunidade de autotransformar-se.

Assim, o Tarô e outros instrumentos de autoconhecimento são uma faca de dois gumes, dependendo de como sejam usados. Quem faz futurologia insiste em deixar seus consultantes como meros espectadores, amarrados e amordaçados na platéia, enquanto que na tela passa o filme de sua vida.

No entanto, usados com outro objetivo, podem ajudar-nos a melhorar nossas vidas, desvelando os mecanismos e atitudes involutivas que nos deixam presos à programação e dando métodos de trabalho concretos e específicos para, redirecionando a energia, sermos mais nós mesmos e desenvolvermos com maior alegria, amor e prazer nossos potenciais internos, até sua conseqüente realização. É neste sentido que venho trabalhando na elaboração de um sistema de leitura adequado para os novos tempos, que chamarei "Leitura Terapêutica" e que explico no terceiro capítulo.

Hoje em dia temos uma grande responsabilidade histórica. Trata-se de ajudar a transformar os espectadores em atores, apoiando-os e impulsando-os a que, por seus próprios pés, tomem o trem da evolução, saindo de Miseriápolis rumo a Si-mesmolândia. Não podemos continuar alimentando a idéia de que são brinquedos nas mãos do destino, com o qual nós, os *experts,* temos linha direta, mas que cada um é capaz de criar sua própria realidade. Nosso papel é ajudá-los a encontrar seu caminho, para que possam superar as tempestades que se aproximam e realizar o mais plenamente possível suas capacidades.

Para poder desenvolver o trabalho com o Tarô neste sentido, é imprescindível conhecermos e trabalhar nossos conflitos para, pelo menos na hora de colocar as cartas, estar nesse estado de silêncio e de paz interior, no qual a mente com suas crenças, dúvidas e apegos não interfira no necessário salto intuitivo da interpretação, evitando assim evacuar em cima de nossos clientes toneladas de projeções, desperdícios e preconceitos. Cuidado com os médiuns que recebem informações, mas cujo estado interior está em tensão e que portanto não podem filtrá-las convenientemente.

E, na hora de abrir o Tarô, a orientação para silenciar possíveis resquícios de insegurança será entregarmo-nos de coração à leitura, sabendo que o Tarô, como um cristal ou uma planta medicinal, já tem em si mesmo elementos que facilitam nosso trabalho.

Também é muito importante, especialmente para o iniciante, usar um baralho atual, isto é, que corresponda com os tempos que estamos vivendo, do qual velhas idéias, dogmas e preconceitos já desmascarados tenham sido eliminados. Ainda existem baralhos deste século que nos mostram o Demônio como um monstro antinatural, que aprisiona a humanidade, ou a Força como uma mulher muito elegante, que fecha a boca de um leão, isto é, que domina as "baixas paixões", ou o Arcano XX, intitulado "o Julgamento", mostrando o mistério cristão da ressurreição dos mortos. Cuidado com eles, porque estão passando por baixo dos panos uma visão falsa, dissociativa e absolutamente disfuncional, quando não contraproducente da realidade e com a qual é impossível realizar um trabalho terapêutico. Também é certo que quem já estudou com um Tarô "limpo" pode usar qualquer baralho.

Gostaria de sugerir a meus leitores o Tarô de Thoth, de Aleister Crowley, o Osho Zen Tarô, de Ma Deva Padma, e o Tarô redondo Motherpeace, de Vicki Novel e Karen Vogel. Por ser estes dois últimos menos conhecidos e usados, optei por ilustrar este ensaio com as cartas de Marselha, Golden Dawn, Waite e do Tarô Egípcio. Também para mostrar a evolução de cada carta.

Facilitará muito nosso trabalho que os Arcanos Menores estejam estruturados em quatro séries, cada uma fazendo referência aos aspectos energético, emocional, mental e físico do ser humano.

Também é fundamental usar um sistema de leitura adequado, isto é, que corresponda ao nosso propósito de esclarecer os fatores que freiam, aqui e agora, a pessoa em seu caminho, que revele os anseios mais profundos do ser e que dê uma orientação concreta a respeito do que se pode fazer para eliminar os primeiros e dar apoio aos segundos.

Esta segunda edição é fruto de toda uma reelaboração de dados, o que significa:

- o estudo de símbolos que não foram contemplados na primeira edição;
- a inclusão de elementos de mitologia grega e egípcia;
- a apresentação de meditações e trabalhos práticos relacionados com as cartas;
- a relação explícita de cada carta com as Essências Florais, que considero de grande ajuda no processo de cura e transformação. Foram usadas as de Bach, as californianas, as do *kit* de estudo da FES (Flower Essence Society) e as do grupo de "As Sete Ervas". Para diferenciá-las, coloquei um asterisco sobre os florais californianos, dois sobre os de estudo e três sobre os das Sete Ervas, deixando os de Bach sem asterisco;
- o incremento de ilustrações.

Hoje, estou concluindo este ensaio que entrego de coração para meus companheiros de viagem, aficionados e profissionais do Tarô.

Veet Pramad

CAPÍTULO 1

O Uso Terapêutico do Tarô

Atualmente, o Tarô é usado a partir de duas visões radicalmente diferentes e excludentes, que são a adivinhatória ou futurológica e a terapêutica.

Enquanto o Tarô adivinhatório pretende conhecer o futuro, o Tarô Terapêutico procura a transformação do ser humano. Para isso, trabalha esclarecendo os bloqueios, medos e padrões de comportamento que dificultam sua realização plena e dá orientações precisas para resolvê-los.

Estas visões discrepam em três questões que devem ficar bem claras:

1. A Questão do Destino

Para quem faz futurologia, o Tarô é um intermediário entre o todo-poderoso destino e os simples mortais. Assim, estes são reduzidos a espectadores de suas próprias vidas.

Para o Tarô terapêutico, somos os cozinheiros de nosso destino, continuamente o estamos criando a partir de nossas escolhas e em qualquer momento podemos mudá-lo. Futuro e destino são a resposta do universo a nossos atos, omissões e pensamentos, como a força física de ação e reação que no Oriente é conhecida como Lei do Karma. É claro que nossa capacidade de transformar nossas vidas, isto é, de criar nosso futuro segundo nossos desejos, será proporcional à nossa consciência. O Tarô bem usado é uma ferramenta para mudar o destino, pois nos ajuda a tomar consciência do que realmente está atrapalhando nossa realização e mostra quais atitudes são necessárias para liberar-nos.

2. A Questão da Responsabilidade

Para o Tarô Divinatório, o ser humano é um perfeito irresponsável. Que responsabilidade pode ter alguém cuja vida está amarrada ao destino, até o ponto de poder conhecer seu futuro? Liberdade e responsabilidade caminham juntas. Se insistimos em mostrar para nossos consulentes que suas vidas são o produto de estranhas e imprevisíveis forças como sorte, azar, vontade divina, quando não de trabalhos de magia nos quais intervêm entidades não encarnadas, estamos degradando seres humanos à categoria de escravos que nunca poderão libertar-se por si mesmos.

Segundo a visão terapêutica, somos totalmente responsáveis pela vida que levamos. Parar de colocar a responsabilidade (ou a culpa) de nossa situação nos outros, no(a) companheiro(a), nos pais, no chefe, no governo, no destino... é o primeiro passo para mudar. A felicidade e a fortuna são questões de escolha e não de sorte.

3. A Questão do Bem e do Mal

O bem e o mal não são verdades absolutas. O que é bom para uma pessoa hoje, pode não sê-lo amanhã. O que é bom para mim, pode não ser para você. Quem pretende ajudar a curar a alma não pode trabalhar com verdades absolutas ou doutrinas, pois não existem doenças e sim doentes. No entanto, considerar que existe um aspecto nosso, particularmente íntimo, que não foi atingido pelas manipulações e chantagens da programação familiar, em que repousa a essência do ser humano, o Ser Superior ou Supra-consciência, pode ajudar-nos muito no nosso trabalho. Estas considerações são alheias ao Tarô divinatório, que geralmente toma emprestados seus conceitos de bem e mal das religiões oficiais, doutrinando ainda mais seus consultantes e dificultando que sejam eles mesmos.

No jogo de Tarô temos três grupos de cartas: Os Arcanos Maiores são Arquétipos ou Idéias Universais presentes no inconsciente coletivo, que mudam com a evolução da humanidade. Representam também estados de consciência e suas manifestações práticas, que vão da potencialidade absoluta do Louco até a realização plena do Universo.

As Figuras da Corte ou Cartas da Realeza deixam de ser pessoas, homens e mulheres com determinadas características físicas ou psíquicas que vão aparecer ou desaparecer, trazendo alegrias ou desgraças, para virar 16 tipos de personalidade que, dependendo da posição na qual aparecem, indicam máscaras ou atitudes a serem tomadas.

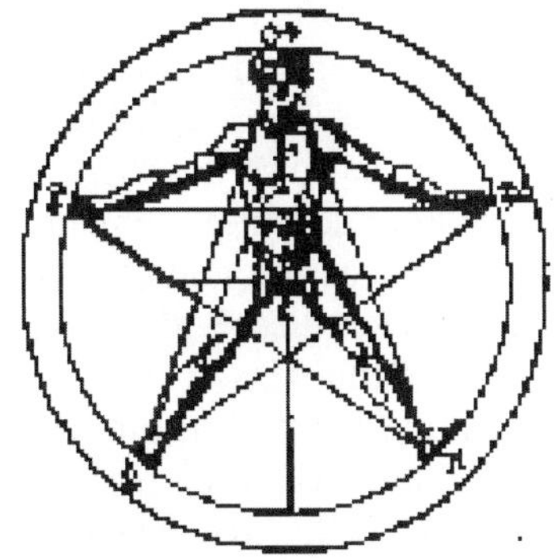

Os quarenta Arcanos Menores são expressões de nossa vida cotidiana em quatro aspectos: os de Paus (Bastões) ou de Fogo mostram como o consulente expressa sua energia, abrangendo fundamentalmente o mundo profissional, sem deixar de olhar também para as manifestações instintivas. Os de Copas ou de Água mostram nosso estado emocional. Os de Espadas ou de Ar indicam como está nossa mente e quais são seus mecanismos mais habituais. Finalmente, os Discos (Pentáculos, Ouros ou Moedas) ou de Terra falam de nossa relação com nosso corpo físico e com o mundo material em geral.

Observem como acabamos de estabelecer um paralelismo exato entre a estrutura do Tarô e a do ser humano, o que facilita a entrada em profundidade nos campos obscuros da psique.

Os velhos sistemas de leitura tipo “Presente, Passado e Futuro” não servem mais se queremos colocar o centro da questão na autotransformação do ser, nos padrões de comportamento, sistemas de crenças, bloqueios e medos que precisam ser dissolvidos e nas atitudes a serem tomadas.

Assim, desenvolvi, em 1987, a Leitura Terapêutica, a partir da tradicional Cruz Celta, sistema baseado numa disposição de dez cartas, sendo que o número inscrito em cada uma delas indica em que ordem ela foi extraída do baralho.

Vejamos cada uma das dez posições:

1 e 2 Momento atual
3 Resultado interno
4 Âncora
5 Método
6 Caminho de crescimento
7 Necessidade essencial ou interna
8 Relacionamentos
9 Infância
10 Resultado externo

Uma sessão de Tarô Terapêutico não é algo muito diferente de uma consulta com um profissional da saúde. Em primeiro lugar, não o visitamos porque sentimos curiosidade, nem porque pretendemos conhecê-lo melhor, mas, porque estamos doentes, porque alguma coisa nos incomoda ou nos impede de realizar nossos objetivos.

Não ficamos satisfeitos com uma receita de um analgésico para nossa dor de cabeça nem com a promessa de que vamos nos sentir melhor tomando tal remédio.

Queremos, em primeiro lugar, que nosso médico avalie nossos sintomas, talvez descubra algum outro que nos tinha passado inadvertido e identifique a doença.

Do mesmo modo, no Tarô Terapêutico, as cartas do Momento Atual, que mostram as dificuldades pelas quais estamos passando, são os sintomas de uma doença formada por um conjunto de padrões de conduta programado, que podemos chamar de máscara ou *script*, denunciada pelas cartas da posição da Âncora.

Em segundo lugar, queremos saber as causas de nossa doença e o que devemos fazer para, uma vez curados, não voltar a ficar doentes.

Para isso, o curador quer conhecer nossos hábitos alimentares, se gostamos de nosso trabalho, se fazemos exercício, se estamos passando raiva em casa ou no trabalho, se nossas expectativas de realização pessoal estão se materializando, se vivemos um forte conflito emocional, etc.

A dor de cabeça que sentimos pela manhã pode ser o sinal de alarme de um fígado intoxicado por altas taxas de gordura e de raiva. Talvez estejamos compensando nossas insatisfações profissionais e familiares com os prazeres da mesa.

Precisamos limpar o fígado, nos alimentarmos melhor e parar de acumular raiva. Tudo bem, mas ainda assim não ficamos satisfeitos. Precisamos descobrir as causas profundas que nos levam a aceitar situações com as quais no fundo não concordamos. Se não formos até as raízes mais profundas do assunto, mudaremos, talvez, de compensações e sintomas, mas continuaremos insatisfeitos e doentes.

No Tarô Terapêutico, temos as cartas da posição da Infância, que mostram as origens inconscientes da Âncora, as causas profundas que nos levam à doença. Aqui tomamos consciência dos traços de personalidade adquiridos para obter uma certa aprovação familiar fundamental para a sobrevivência psíquica da criança.

Insisto em afirmar que nossas dificuldades e doenças não procedem de agentes externos, mas estão dentro e bem dentro de nós. Estes agentes externos — vírus, germens, chefe chato, corrupção, FMI, marido ou esposa que infernizam nossa vida — podem agir no momento em que o permitimos, seja abaixando nossas defesas biológicas ou desvalorizando-nos.

O Tarô Divinatório geralmente coloca as causas de nossos problemas no mundo externo. Procura saber se nosso(a) companheiro(a) nos está traindo, se o sócio está nos roubando, se alguém jogou um mau-olhado em nossa loja. As soluções também são externas: vai aparecer o homem/mulher de minha vida? Vou me casar com fulano? Minha empresa ou meu namoro vão dar certo? Vou ganhar na loto?

Neste aspecto, de colocar as causas dos problemas/doenças e suas soluções fora de nós e desligadas de nossos padrões de comportamento, sistemas de crenças e conflitos emocionais, a visão futurológica do Tarô e as consultas de hospital muito se assemelham.

"— Doutor, tenho tais e tais sintomas, dói aqui e acolá" — Muito bem, você vai tomar este analgésico para a dor, este antibiótico para acabar com o vírus ou bactéria que está causando a enfermidade e este anti-inflamatório. Assim, você vai ficar bom numa semana e poderá voltar a trabalhar e a levar sua vida normal."

Uma vez que compreendemos o conflito interno, que temos um diagnóstico, chega a hora da ação, de aplicar o remédio. Não basta o saber, o fazer, a práxis é insubstituível. Precisamos de um método de trabalho que mude nossa vida. O doutor se preocupará prioritariamente em cortar essas raízes, sugerindo atitudes, iniciativas e remédios que nos levem a recuperar a saúde. No tarô terapêutico, temos aqui as cartas da posição do Método.

O profissional sabe muito bem que o organismo é um sistema auto-integrado, que procura o equilíbrio continuamente, tendo seus próprios caminhos para o retorno à saúde. É mais correto, então, falar em ajudar o corpo a recuperar-se. Muitas vezes esses caminhos são confundidos com os sintomas da doença e eliminados. Um exemplo é certo tipo de gripe infantil, que na verdade é um processo de desintoxicação. Perdem o apetite, isto é, o organismo se recusa a ingerir mais toxinas; sobe a temperatura, para favorecer a eliminação e o nariz se enche de catarro. Muitas vezes as mães obrigam as crianças a comer ou pelo menos a tomar um copinho de leite enquanto aplicam antipiréticos e antibióticos.

No Tarô Terapêutico, a tendência que o ser tem de recuperar sua saúde é expressada nas cartas da posição da necessidade interna. Também queremos saber como vamos evoluir durante o tratamento, isto é, como vai ser nosso caminho de recuperação e que atitudes deveremos tomar para atingir os resultados esperados. Tudo isso é mostrado pelas cartas do Caminho de Crescimento e dos Resultados Externo e Interno.

É claro que podemos dispor várias cartas para cada posição, formando assim um mapa do processo que o indivíduo está vivenciando, dando as orientações precisas para que dê uma bela guinada na vida.

CAPÍTULO 2

A Grande Viagem

Abordar os Arcanos Maiores é uma grande aventura. Encará-los com um método sistemático, estudando cada carta por meio de seus símbolos e correspondências cabalísticas, astrológicas e numerológicas poderia parecer aos não-iniciados uma leitura árida, enquanto que fornecer uma lista de significados práticos deixaria o leitor perguntando-se: mas de onde vem tudo isso?

Eis a razão deste capítulo: suscitar, com cada Arcano Maior, determinadas reverberações internas que facilitem uma visão pessoal das cartas. Vendo como estas refletem nossas vidas e que aspectos e atitudes de nós mesmos aparecem nelas, iremos conhecendo-as mais facilmente e teremos um referencial mais vivo quando, a partir do capítulo IV, iniciarmos o estudo sistemático.

Consideraremos a seqüência dos Arcanos Maiores como a Grande Viagem do ser humano na procura de si mesmo e de sua realização pessoal, e cada uma das 22 cartas como um determinado estado de consciência que vai desde a absoluta potencialidade do Louco até a realização pessoal, plena consciência ou síntese final do Universo.

Esta abordagem estaria muito dificultada se, como em muitos baralhos antigos e alguns modernos, colocarmos o Louco no final da seqüência como Arcano XXII e não no início como Arcano 0. Nesta posição, o Louco vai entrar em contato com cada uma das 21 cartas restantes, que serão desafios e provas através dos quais ele irá se transformando. O Louco é o recém-nascido, puro, espontâneo e inocente. Representa o estado potencial das coisas. Alguns autores lhe atribuem o significado de inconsciência. Nada mais falso. O bebê sabe muito bem o que quer e o que não quer (melhor do que muitos adultos), o que gosta e o que não gosta; ele não duvida, age a partir de referenciais internos profundos, tais como seus instintos, que, salvo graves problemas intra-uterinos, se conservam intactos. Sua memória corporal, que ainda não foi bloqueada por tensões psicofísicas, engloba as lembranças de toda sua evolução. Estaremos então mais perto da verdade se dissermos que o bebê é potencialmente consciente, em vez de afirmar que é inconsciente. Como veremos neste capítulo, esta diferença de abordagem é muito importante. É óbvio que o bebê desconhece o mundo tão complexo ao qual chegou, a mente dos adultos e suas neuroses. Ainda não sabe nada da opressão e violência com os mais fracos, da falta de amor e das guerras. Está desinformado sobre os gastos militares que, em 1987, consumiram 1,3 milhões de dólares por minuto, enquanto no mesmo tempo 30 crianças morriam de fome. Também não sabe que o valor gasto com desenvolvimento de um míssil balístico intercontinental[4] daria para alimentar 50 milhões de crianças; permitiria a construção de 160 mil escolas e a abertura de 340 mil centros de saúde.

---

4 - De *World Military and Social Expenditures*, 1983. (Washington D.C.: World Priorities)

Realmente o bebê, que acabou de encarnar neste nível de evolução chamado planeta Terra, não precisa saber nada disso para crescer saudável e feliz. O que precisa é de amor e apoio.

Da mesma maneira que uma semente tem em si mesma todos os elementos para transformar-se em uma grande árvore, precisando apenas de água e terra fértil, o recém-nascido é um ser perfeito, integrado e completo em si mesmo, que se desenvolve a partir de uma estrutura energética central nos aspectos físico, emocional e mental e de um átomo divino no plano espiritual. Nada está faltando. A verdadeira sabedoria está dentro do bebê. Não é preciso embuti-la, não é necessário educá-lo. A escola e a universidade são apenas detalhes informativos, frente ao Amor insubstituível, para afirmar-se, para desenvolver seus potenciais, para desabrochar, para lembrar o que já sabe.

Assim, como mostra a carta, o bebê-Louco chega sorrindo, maravilhado diante do desconhecido, livre de medos, preconceitos e bloqueios emocionais, vivendo a eternidade em cada momento. A partir desta absoluta potencialidade, o Louco começa a entrar em contato e a desenvolver em si mesmo uma primeira polaridade, começa a expressar-se de duas maneiras fundamentais, que se correspondem com os dois princípios básicos que operam no Cosmo: O Princípio Masculino ou *Yang* e o Princípio Feminino ou *Yin* que, no Tarô, recebem os nomes de: "O Mago" e "A Sacerdotisa", respectivamente. A primeira expressão *Yang* do recém-nascido é o pranto ou o riso, no momento do nascimento. Um ou outro dependerão, fundamentalmente, se são conhecidas e respeitadas as leis da natureza. Se é o bebê que nasce e sua mãe, devidamente auxiliada, que dá à luz ou se é o doutor que faz mais um parto.[5]

Depois, o neonato vai mamar, relacionar-se e comunicar-se, gritar de alegria, de fome ou de frio, descobrir pouco a pouco o que o rodeia, concretizar arroubos de sua imaginação, vai criar, transformar uma lata num tambor, vai descobrir seus limites e vai tentar superá-los; isto é, vai sair de seu espaço interior para agir no mundo exterior. Tudo isso é expressão do Mago, Arcano I.

A Sacerdotisa, Arcano II, está relacionada com as forças que levam o bebê à interiorização. São aqueles momentos em que este fica quieto, tranqüilo e silencioso, às vezes com os olhos bem abertos como se enxergasse, através do que olha, um mundo que está além da visão dos adultos, talvez em outro tempo, talvez interior; ou então, chupando o dedo, totalmente receptivo e conectado consigo mesmo, talvez compreendendo intuitivamente tudo o que acontece. Nestes momentos, a criança nos surpreende com uma expressão de serenidade e sabedoria que apenas os Iluminados conseguiram resgatar.

Enquanto o bebê vai manifestando-se nestas duas polaridades, também vai entrando em contato com o mundo mais concreto, com o que pode e não pode fazer, o mundo das regras, dos desejos e das expectativas dos outros. Este contato acontece através da mãe e do pai, que são "A Imperatriz" e "O Imperador", Arcanos III e IV, respectivamente.

Os pais são os que mais influenciam a vida de cada um, pelo que fazem e pelo que deixam de fazer. São mais importantes para nosso desenvolvimento que os irmãos, a escola, os amigos, a sociedade, o sistema econô-

5 - Ver: "*Nascer sorrindo ou nascer chorando*" de Frederic Leboyer (São Paulo, Brasiliense, 1996).

mico, a nacionalidade, a classe social ou a religião; a ponto de determinar, em alto grau, o futuro do criança, tal como diz o refrão: "Tal pai, tal filho".

Apesar dos esforços que podemos fazer para reverter a programação familiar, é muito difícil acabar totalmente com ela, tal como afirma Eric Berne, parafraseando o *Panchatantra*, um dos textos hindus mais antigos:

> *"Estas cinco coisas tereis de vossos pais, seis anos depois de sair do útero: a duração de vossos dias, vossa sorte, vossa riqueza, vossa instrução e vosso túmulo."*

Quando o espírito começa a encarnar, o faz na sua mãe, a Imperatriz. Ela é a primeira que dá a forma e, portanto, limites a esse ser. O faz entrar no mundo da vida e da morte: lhe dá a possibilidade de nascer e, ao mesmo tempo, assina sua sentença de morte.

A emoção da mãe no momento da concepção, seja o prazer do orgasmo, seja o amor ou a rejeição pelo parceiro, seja o medo ou o desejo de ficar grávida, será a primeira pedra do corpo emocional de seu filho, que durante a gestação e alguns meses depois estará completamente fundido com o de sua mãe. Assim, já desde o útero a mãe influi enormemente no desenvolvimento físico e psíquico de seu filho, aceitando-o ou rejeitando-o, amando-o ou odiando-o, e/ou criando expectativas que geralmente dificultam o crescimento da criança.

A mãe pode sentir-se premiada pelas forças da Vida, que lhe confiaram a gestação e os cuidados de um ser perfeito, através do qual ela tem a possibilidade de resgatar sua própria perfeição ou ser castigada com uma obrigação terrível, da qual é preferível livrar-se o quanto antes possível.

> *Se a raiva de todas as frustradas do mundo se juntasse, imediatamente o planeta explodiria, com mil vezes mais força que se o fizesse pela explosão simultânea de todas as armas que os machos acumularam.*
>
> *Heliodoro Ortiz*

O bebê vai perceber muito bem como muda sua vida se tiver ou não o amor de sua mãe. Uma mãe amorosa e nutritiva (e não só de leite) é, para a criança, como um colete salva-vidas para alguém que caiu de um barco no meio do oceano sem saber nadar. Infelizmente, para a humanidade e para a vida, é difícil, hoje, achar mulheres que estejam verdadeiramente disponíveis para seus filhos, que sejam capazes de adaptar suas vidas para estar junto com eles e que possam abrir seus corações para os recém-chegados. E é assim porque, neste planeta, a imensa maioria das mulheres, especialmente as casadas, se sentem tremendamente frustradas. Isso não é à toa, mas graças a um sistema grosseiramente machista, que há milênios massacra a mulher por todos os ângulos.

Podemos também constatar que muitas mulheres continuam vendendo-se aos machos, renunciando à sua individualidade e liberdade, à realização de seus sonhos e ao desenvolvimento de seus potenciais, ao seu prazer e sexualidade, para ter a aparente segurança, *status* e proteção que eles e a sociedade machista dizem que dão.

Deixam de lutar pela própria felicidade e dignidade e fazem de sua renúncia e sofrimento um mérito que tem o aplauso de todas as religiões. Algumas mulheres competem com o macho no mundo deles, chegando até a ser muitas vezes mais destrutivas. A mulher aceitou o contrato de sua degradação: disse sim para seu amo e não para

> *A obediência não precisa de inteligência. Todas as máquinas são obedientes. A obediência tira-lhe o peso de qualquer responsabilidade, pois esta fica com a fonte de onde a ordem vem. Assim, você é muito livre: não pode ser condenado pela sua ação. A desobediência é uma grande revolução. É assumir responsabilidade sobre si mesmo.*
>
> *Osho Rajneesh*

si mesma. Isso acaba gerando tanta raiva que estrangula a sua capacidade de amar e a deixa incapaz de sentir outra coisa que não seja rancor e desejos de vingança. E, claro, acaba vingando-se nos mais fracos, que são seus filhos, e de um modo ou outro transmite-lhes sua frustração.

A mãe dificilmente aceita as manifestações da individualidade da criança e tolera suas iniciativas; suas expressões espontâneas são como um insulto que questiona sua própria escravidão. Ela diz a seu filho nas entrelinhas: "Eu renuncio, me humilho e obedeço, você tem de que fazer a mesma coisa. Não pode ser livre, feliz, nem receber amor, assim como eu não sou livre, não sou feliz nem me sinto amada."

A mãe fecha os olhos para o amor sem limites que seu filho lhe dá e vira as costas ao que, sem dúvida, melhoraria sua auto-estima, perdendo uma chave importante para sua libertação, quando despreza os sentimentos de seu filho. O bebê ama, seu coração está aberto, pede contato, atenção, carinho e, quando o recebe, se emociona e grita de alegria. Seus olhos brilham como estrelas.

Mas, na maioria das vezes, a mãe não tem tempo, existem outras prioridades, outras obrigações mais importantes. O bebê-criança se sente rejeitado e abandonado, e passa pela amarga experiência de comprovar que pedir amor, expressar suas emoções e seguir seus impulsos são coisas que, salvo exceções, o levam a sofrer. O prazer que aparece naturalmente, quando a criança atua espontaneamente, desaparece. A família o substitui pelo pseudoprazer de ser premiado se segue os padrões de conduta entre os quais o mais sagrado é obedecer.

Quanto mais espontâneo é, quanto mais é ele mesmo, mais é desaprovado, invalidado, criticado e, portanto, acaba sofrendo mais. Assim, primeiro, a criança acaba acreditando que seu amor não vale nada, que ele mesmo não vale nada e que, por alguma insolência do destino, não merece carinho nem atenção. Seu ser enfraquece, perde a confiança em si mesmo e no mundo, e acaba deixando de guiar-se por seus sentimentos. Perde, como diria Don Juan, o caminho de seu coração.

A mãe não só corrompe as emoções de seu filho, mas também seus instintos. Pouco a pouco, vai negando-lhe o contato físico, primeiro os peitos, depois o colo e até o abraço pode ser-lhe retirado. Mãe e filho vêem-se privados desta fonte de prazer, amor e paz que é o contato íntimo entre eles. Mais tarde, o contato da criança com seu próprio corpo também é podado pela mãe: "Se você continuar pegando no pinto, ele vai cair", "Se você não tirar a mão da xoxota, vão sair vermes." Em segundo lugar, e estando cada vez mais carente de amor e aprovação, a criança começa a fazer qualquer coisa para consegui-los: obedece a ordens absurdas, que muitas vezes são contrárias à sua natureza, esconde suas emoções, aprende a fingir e a mentir porque o caminho direto para conseguir o que quer foi interditado.

Começa a manipular os outros, desempenha os papéis mais incríveis, faz qualquer coisa para deixar satisfeita a sua mãe ou pelo menos para que ela lhe dê atenção, mesmo que com um chinelo na mão.

A criança perde o contato com seu amor e fica achando que amar é obedecer, que amar é agradar aos outros, que amar é sacrificar-se, renunciar. "Como nosso Senhor Jesus Cristo, que tanto nos amou, que renunciou à sua própria vida e se deixou crucificar para salvarnos", repetem pastores e padres.

E a criança começa a pedir caprichos, bobagens, tudo o que a televisão e as vitrines lhe enfiam pelos olhos, já que não se atreve a pedir diretamente o que realmente está querendo e precisando: amor, contato e apoio. E mamãe diz: "Se você se comportar bem, vou te comprar um chocolate". Com o tempo, a criança vai transformando-se em alguém que não é e nunca foi, traindo seu verdadeiro ser para, no melhor dos casos, conseguir apenas umas migalhas de aprovação. E a vovó diz: "Parece que o Zezinho está mais comportado".

Enquanto a mãe padroniza as emoções e instintos da criança, esta vai aproximando-se cada vez mais de seu pai, o Imperador. O pai programará especialmente a mente de seu filho, que já estava trabalhando parcialmente desligada das emoções e instintos originais.

A mãe deixou, com a cumplicidade do pai, seu filho carente; este se vira amorosamente para o pai, esperando amor, e recebe, normalmente, uma boa dose de lixo.

Faz séculos que os machos trancaram seus sentimentos e, quando papai não é totalmente omisso com seu filho, enche-lhe a cabeça com idéias: idéias de autoridade, disciplina, ordem, trabalho, dinheiro, sociedade, ser útil e/ou importante na vida.

Com métodos mais fascistas que socráticos, obriga-lhe a aceitar o inaceitável, a respeitar o irrespeitável, a ser "razoável", servil e obediente, a ser competitivo, a endurecer-se, a procurar o dinheiro e o poder como uma compensação pela falta de amor e liberdade.

Se a fêmea se vendeu ao macho, este vendeu-se aos mais poderosos, virou uma formiga, mais ou menos importante, incapaz de questionar sobre si mesmo. Ficou cego, estéril, covarde, rígido e babaca. Se teve "sorte" e conseguiu subir algum degrau na hierarquia do poder, de tanto competir e amolar suas armas, transformou-se em uma casca vazia, num velho abutre insensível, distante e frustrado.

Este é o exemplo que muitos pais passam para seus filhos. Exemplo que a criança engole sem mastigar, para ter a aprovação do pai. Este mostra o caminho "certo", dá os "objetivos práticos" e deixa a criança "preparada" para a vida. Para uma vida de escravo, claro. O pai possibilita a existência dos exércitos e o falso progresso que destrói a vida.

Acontece que a criança percebe muito bem a raiva que seus pais lhe passam em seus "não perturba", "sai de cima", "idiota", "já falei mil vezes", "obedece", "você não serve para nada", etc.

O impacto é tão forte que, para não sofrer, a criança nega suas próprias percepções e prefere acreditar nas desculpas que seus pais lhe dão: "É para seu bem", "Dói mais em mim", "Você tem que saber comportar-se e eu devo ensinar a você", "Se você não sabe se comportar, ninguém vai gostar de você". Para poder sobreviver psiquicamente a estes impactos, a criança deforma sua visão da realidade, não dá mais valor ao que vê, à sua própria experiência, à sua própria verdade, à sua intuição. Vai adormecendo sua mente e acredita no que seus pais e professores lhe contam, no que assiste na TV, no que as religiões ensinam, qualquer coisa para ser aceito.

Resumindo, podemos dizer que, por meio do trabalho da Imperatriz e do Imperador, o Louco enfraqueceu seu Eu, até o ponto em que perdeu sua espontaneidade e ficou com medo de tomar iniciativas e expressar idéias próprias. Já não acredita mais em si mesmo, pensa que não merece amor, perdeu seu entusiasmo e capacidade de maravilhar-se pela vida e trancou seus instintos. Se transformou num frustrado, num mendigo de atenção, num monstro, incapaz de entregar-se e amar. Pode tentar ocultar todos estes traços com qualquer fantasia, sem saber que tudo o que escondeu continua trabalhando internamente, manipulando-o até limites insuspeitos.

São quatro os fatores principais que possibilitam esta sinistra transformação:

- A sensibilidade, abertura e entrega amorosa da criança.
- A necessidade de amor e aprovação que ela tem.
- A superioridade física dos pais.
- A dependência material da criança.

Continuando com nossa seqüência, o Louco vai encontrar-se com o Hierofante, o Arcano V, que traz as doutrinas com as quais a sociedade lhe dá o toque final, a falsa personalidade que a criança foi obrigada a adquirir. O Hierofante é o poder ideológico, os fundamentos religiosos, filosóficos e "científicos" que ajudam a sustentar o poder econômico, o Sistema, o Imperador.

O Hierofante abençoa os exércitos de jovens que o velho Imperador manda para a morte. Um dia não muito distante, o Hierofante do Ocidente morava no Vaticano. Hoje são os meios de comunicação, o Quarto Poder, que fabrica a informação, e a pseudocultura massificada e massificante, anticriativa e idiotizante, que, acabando com a sabedoria popular, impõem sistemas de valores totalmente alheios a cada povo. "Valores" especialmente decadentes, crenças pasteurizadas, destiladas nas agências de inteligência internacional a partir de elementos judaico-cristãos.

A criança e o adolescente, privados de seus referenciais internos, caem nas garras destes mercadores de sonhos. Para encher seu vazio de identidade, os jovens procuram alguma coisa, algo para "ser alguém", mas só podem tomar aquilo que está disponível no mercado. Assim, começam a consumir lixo, andrajos com os quais tentam reconstruir sua auto-imagem, mais simples ou mais sofisticada, mais alternativa ou neoliberal, mais Ipanema ou mais Nova York, mais barata ou mais cara, porém, sempre falsa e cuja representação nunca poderá dar gratificações profundas e duradouras. Por outro lado, os critérios de seleção de andrajos já foram facilitados pelos pais. A criança e o adolescente podem aceitá-los ou, desligados de si mesmos, podem procurar os opostos em uma revolta de forte ca-

Radiografia de um mocordo

ráter autodestrutivo. Assim, o Ser verdadeiro vai ficando preso, tal como a inspiração do artista deixa ver no diamante acima.

Para encobrir essa terrível sensação de medo, fraqueza, mediocridade, frustração e falta de amor, o jovem se veste de orgulhoso, de especial, de invulnerável, de herói, de mártir, de sábio... Já está pronto para ocupar um posto na sociedade, para ser um militar, um advogado, um político, um padre, um juiz, um bandido, um intelectual, um membro de tal ou qual partido, um Zé Ninguém ou um Fulano de Tal, um número, um conjunto de rótulos... Já está civilizado, é uma ovelha no rebanho dos sem vontade própria, sem emoções aparentes, sem critérios próprios, sem um corpo próprio, já que até sua estrutura corporal foi viciada com múltiplas tensões.[6]

No *Tao Te King* está escrito: "O Ser e o Não-Ser se engendram mutuamente". Isto indica não só que toda qualidade contém seu oposto em maior ou menor grau, mas também mostra que quando intensificamos, um aspecto da realidade estamos na verdade, fortalecendo seu oposto. Em outras palavras, quando empurramos o pêndulo para a direita, estamos criando uma força que o levará inexoravelmente para a esquerda. Aplicando esta lei a nosso assunto, podemos concluir que quanto maior é a programação também maior é a necessidade de resgate do Ser verdadeiro. O ponto de maior robotização é o início da libertação.

Em palavras do Osho:

> *"A confusão é uma grande oportunidade. O problema com as pessoas que não estão confusas é grande. Se você está realmente confuso, você está abençoado. Agora, alguma coisa é possível: você está no limiar."*

Quando aceitamos nossa ignorância, quando a mente se rende e diz: "desisto de ter uma explicação para tudo", estamos dando o primeiro passo para a verdadeira sabedoria.

Quanto mais programados estamos, menos energia disponível temos, já que a estamos utilizando para bloquear-nos, de maneira que menor será o fluxo vital e, portanto, será menor também o prazer e a alegria que seremos capazes de sentir. A programação é uma ameaça para as Forças da Vida. Quanto maiores são o bloqueio e a confusão, também será maior nossa necessidade vital de achar uma saída e, portanto, a possibilidade de encontrá-la será também maior.

Não podemos esquecer que, ao se perguntar aos sete sábios da Grécia a respeito de qual é a força maior, a resposta foi unânime: "a necessidade".

Em nível social, podemos dizer que, quanto mais alienante é o *status quo*, mais luminosas são as faíscas de beleza e consciência que, atravessando

6 - Ver *O Corpo Traído*, de Alexander Lowen (São Paulo, Summus Editorial, 1983).

todas as barreiras e polícias do pensamento, nos ajudam a manter-nos vivos e vibrantes. Os poetas, músicos e artistas em geral, com sua linguagem sutil, conseguem tocar nossas fibras sensíveis, favorecendo nosso contato interno e ajudando-nos a sentir prazer.

Uma dessas luzes é a carta do chefe índio Seattle ao presidente dos EUA quando, em 1854, o governo pretendia comprar o território da tribo:

> *"Como podereis comprar ou vender o céu, o calor ou a terra? Se possuíssemos a frescura das águas e a fragrância do ar, de que maneira V. Exa. poderia comprá-las?*
>
> *Cada pedaço desta terra é sagrado para meu povo. Cada espinho do pinheiro, cada rio murmurante, cada bruma nos bosques, cada clareira, cada zumbido de inseto é sagrado nas lembranças e nas vivências de meu povo.*
>
> *Nós somos uma parte da terra e ela faz parte de nós. As flores perfumadas são nossas irmãs; o cervo, o cavalo e a grande águia são nossos irmãos. As rochas escarpadas, o aroma das pradarias, o ímpeto de nossos cavalos e todos os homens são da mesma família.*
>
> *Assim, o grande chefe de Washington, mandando dizer que quer comprar nossa terra, está pedindo demais a nós, índios.*
>
> *O grande chefe disse que nos reservará lugares onde poderemos viver confortavelmente. Ele será nosso pai e nós seus filhos. Prometemos pensar em vossa idéia de comprar nossa terra. Mas não será fácil porque para nós esta terra é sagrada. A água cintilante que corre nos riachos e nos rios não é só água, mas também o sangue de nossos ancestrais. Os rios são nossos irmãos, eles saciam nossa sede, levam nossas canoas e alimentam nossos filhos.*
>
> *Se nós vendemos nossa terra, vós deveis vos lembrar e ensinar a vossos filhos que os rios são nossos irmãos e também vossos e vós deveis, doravante, dar aos rios a ternura que mostrais para um irmão.*
>
> *Sabemos que o homem branco não entende nossos costumes. Para ele, um pedaço de terra é igual ao pedaço de terra vizinha, pois ele é um estranho que chega e se apossa da terra que precisa. A terra não é sua irmã, mas sua inimiga e, uma vez conquistada, o homem branco vai mais longe. Sua insaciabilidade arrasará a terra e a transformará num deserto.*
>
> *Não sei, nossos costumes são diferentes dos vossos. A imagem de vossas cidades faz mal aos olhos do homem vermelho. Mas isso talvez seja porque o homem vermelho é um selvagem e não entende.*
>
> *O ar é precioso ao índio, pois todas as coisas participam do mesmo sopro — o animal, a árvore, o homem —, eles dividem todos o mesmo sopro. O homem branco parece não se lembrar do ar que respira. O vento, que deu a nosso avô seu primeiro fôlego, recebeu também seu último suspiro. Pensaremos, portanto, na vossa oferta de comprar nossas terras. Mas, se nos decidirmos a aceitá-la, eu porei uma condição: O branco deverá tratar os animais selvagens como irmãos. O que é o homem sem os animais? Se os animais desaparecerem, o homem morrerá dentro de uma grande solidão.*
>
> *Ensinai também a vossos filhos aquilo que ensinamos aos nossos:*

"que a terra é nossa mãe". Dizei a eles que a respeitem, pois tudo o que acontecer à terra, acontecerá também aos filhos da terra.

Ao menos sabemos isto: todas as coisas são interdependentes. Não foi o homem que teceu o fio dessa teia de sua vida, ele não passa de um simples fio dessa teia. Tudo o que ele fizer para essa teia estará fazendo para si mesmo.

Nosso Deus e vosso Deus é o mesmo e sua piedade é igual para o homem branco e o vermelho. Esta terra lhe é preciosa, danificá-la é acumular desprezo para seu criador."

Grande é o poder da beleza. O poder da verdade é maior, mas é preciso algo ainda mais poderoso para conseguir abrir alguma fenda na sinistra armadura da falsa personalidade. Se a programação foi gravada a sangue e Fogo (ameaças, castigos, críticas, culpa, abandono, rejeição, etc.), será preciso algo que mexa com nosso sangue (emoções) e nosso Fogo (instintos), para que alguma coisa aconteça. A paixão, onde o amor e o desejo instintivo se complementam, é o melhor abridor de latas. Não é uma surpresa que a próxima carta da seqüência seja os Amantes, Arcano VI. Quando o Louco se apaixona, não só começa a ver o mundo de outro modo, mas também começa a ver a si mesmo com outros olhos. O fato de que exista alguém que o ame tal como ele é, que o escute com atenção, que não lhe exija um determinado tipo de comportamento e que não tente manipulá-lo, faz com que o Louco aumente sua auto-estima, comece de novo a gostar dele mesmo, a acreditar nele mesmo, em suas idéias, em seu amor e amplie os limites aos quais a programação o tinha confinado.

Apaixonado, ele acha a coragem necessária para lutar pelo que quer, vai abrindo-se, tira a gravata ou o sutiã psíquico e se entrega cada vez mais ao amor e à paixão.

Quando está amando, pode ser total no aqui e no agora. Sente que está sendo autêntico consigo mesmo, pode se deliciar com os momentos felizes e inclusive pode transcender. Pode chegar a sentir que não está amando somente uma pessoa: às vezes, seu amor vai além da sua amante. O Louco se surpreende amando o pôr-do-sol; os filhos do vizinho parecem-lhe adoráveis; pinta um sentimento de fraternidade com o carteiro, etc. Em algum momento, pode sentir-se unido em amor ao Universo todo. Esta sensação extasiante o leva a sentir-se também conectado consigo mesmo e isso o deixa pleno de gratidão.

Por meio do amor, o Louco tem encontros reais consigo mesmo, a amante é a porta para sua primeira recuperação. Sua energia vital se multiplica imediatamente e intui que sua vida poderia ser bem diferente. Chega a perguntar-se: este estado de prazer que estou vivendo procede de meu relacionamento amoroso e sexual com Maria Aparecida ou com Chico, ou é a expressão de algo muito meu, que sempre esteve aqui dentro e que posso resgatar sempre que quiser?

Aí o grande dilema: tentar dar continuidade a este momento, em que a espontaneidade e a paixão levam à felicidade, assumindo o direito de seguir os impulsos mais íntimos, ou continuar a rotina mecânica, escravizante, mesquinha e sem prazer. Esta eleição entre ser ele mesmo ou continuar sendo escravo da programação é o momento de consciência dos Amantes.

Essa alternativa libertadora é algo muito perigoso para o sistema, que se mantém enquanto tem escravos para alimentá-lo. Na verdade, o mais perigoso para o sistema é o Amor, especialmente quando chega acompanhado de uma sexualidade[7] livre e consciente. Por isso, a libertação sexual foi sempre reprimida por qualquer tipo de poder

Assim, a sociedade patriarcal, dos gregos até nossos dias, considera o amor como "uma doença que enfraquece os homens (não as mulheres), minando-lhes a inteligência, quebrando a força de vontade, tornando-os depreciáveis e dignos de lástima". (Ovídio, 43 a.C. — 17 d.C.)

Não é por acaso que, estando no poder personagens tão reacionários como Reagan, M. Tatcher e João Paulo II, a AIDS tenha-se transformado numa séria ameaça para a humanidade, impondo um comportamento mais puritano e levando muitas pessoas a voltar à segurança da família tradicional que, questionada faz séculos, se vê, assim, reforçada, como coluna e célula básica do sistema.

Os Amantes levam o Louco a uma opção fundamental: ter de escolher entre dois caminhos. Por um lado, o risco do desconhecido, da entrega ao amor, da espontaneidade e do prazer; por outro lado, o que é conhecido: as rotinas, o autocontrole, o medo, os velhos padrões de comportamento.

Mudar significa abandonar todo um esquema de vida, de auto-imposições, que por outro lado lhe dá segurança e proteção. Mudar significa fazer as malas para uma viagem, na qual tanto o itinerário como o destino não estão muito claros. Interiormente, o Louco sabe que deve abandonar aquilo que não lhe satisfaz mais e sente o impulso de encarar o desconhecido. Para isso sobe no Carro, Arcano VII da seqüência.

Ainda não realizou seu potencial nem consegue ser espontâneo todo o tempo; não sabe muito bem que direção tomar, só quer tornar permanente um estado de plenitude e prazer que conheceu. Como os Cavaleiros do Rei Arthur, sai a procurar o Graal, sem saber que está dentro de si mesmo. Deixará as mordomias de Camelot, abandonará os apegos externos, para lançar-se à aventura de descobrir-se, embora continue carregando sua armadura de medos, bloqueios e mecanismos de defesa.

Esse vislumbre de felicidade que o Louco teve através da paixão pode conseguir-se por outros caminhos, como a meditação, o encontro com um Ser Iluminado, o uso ritual das chamadas plantas de poder ou também com algumas experiências na fronteira entre a vida e a morte.

No momento em que o Louco abandona suas prisões-proteções externas, suas rotinas mais sufocantes e se joga na vida, inevitavelmente se produz um ajustamento interno e externo que favorece a continuidade de sua evolução. Este ajustamento não era possível porque as rotinas e hábitos de comportamento o deixavam impermeável às Forças da Existência. Mas agora que está mais aberto e disponível, o Louco pode produzir-se, pode ter um encontro com seu próprio *karma*. Desde o início de sua programação, o Louco começou a destruir-se e a fazer os outros sofrerem, especialmente se virou um poderoso. Agora, para atingir níveis superiores de consciência e prazer, vai ter de reequilibrar sua balança *kármica*, vai ter de saldar suas contas, do mesmo jeito que um exagerado consumidor de álcool, carnes e laticínios terá de sub-

7 - Ver *A Revolução Sexual*, de Wilhelm Reich (São Paulo, Círculo do Livro, 1987.

meter-se, algum dia, a uma dieta purificadora se quiser melhorar sua saúde.

No encontro com o Arcano VIII — O Ajustamento ou a Justiça, na maioria dos baralhos —, o Louco limpa uma boa parte de seu passado e assim pode assinar a paz consigo mesmo e com o mundo, para continuar seu crescimento mais equilibrado e fluido.

Aqui não existe escolha, a Justiça atua inexoravelmente, seguindo a necessidade de equilibrar o Universo. Para que este não seja destruído, o insustentável deve ser removido. Esta é uma lei totalmente natural, por trás da qual não existe nenhuma inteligência agindo. É possível que, para o caminhante, os efeitos imediatos deste ajuste não sejam agradáveis e provavelmente ele saia muito mexido deste encontro, se não profundamente desestruturado. Algumas de suas máscaras vão cair, especialmente aquelas que escondiam sua vulnerabilidade; então, compreenderá que não pode continuar seu caminho de crescimento enquanto não se conhecer melhor. Para isso, o Louco entra em contato com o Arcano IX: o Ermitão.

Ele dirige aqui sua atenção para dentro de si. É sua primeira interiorização voluntária e consciente. O Louco começa a estudar-se. Sua abordagem é fundamentalmente analítica, utilizando os níveis inferiores da mente para conhecer-se, para identificar seus medos, bloqueios e padrões de comportamento, talvez para investigar, na sua infância, as origens da negatividade que inibe sua evolução. Com este trabalho, vai desvendando camadas de seu inconsciente, tomando contato e assumindo sua verdadeira vontade, seus desejos proibidos e "inconfessáveis". Assim, começa a discernir entre seu Ser Verdadeiro e o veneno que lhe foi injetado. Movido por esta nova consciência, o Louco faz terapia, yoga, Tai Chi Chuan, melhora sua alimentação e ritmos de vida, se autodestrói menos. Faz seu mapa astrológico, consulta o tarólogo de plantão, estuda seus biorritmos e passa o final de semana no mato.

Pouco a pouco, vai centrando-se e chega o momento em que sua lâmpada se acende. Já pode iluminar, facilitar o caminho dos que podem ver a luz. Sua atitude pode ser nutritiva, o que aprendeu de si mesmo e as técnicas que usou podem ajudar outras pessoas. Este é um ponto muito perigoso, já que o Louco pode usar suas descobertas para seguir adiante, transformando sua vida, ou deixar que seu ego se apodere delas e, convertendo-as em doutrinas, comece a vendê-las ou a usá-las para autopromover-se. Isto representaria um retrocesso até o Hierofante. Um Hierofante talvez mais alternativo e moderno, mas sempre um fanático vendedor de receitas.

O Louco, mais centrado e consciente, deixa sua relativa solidão de anacoreta para voltar ao mundo, ao agito, isto é, ao Arcano X: à Fortuna, ou se preferir, à Roda da Fortuna. Ele, que pertenceu a este mundo competitivo e agressivo, compulsivo e idiotizante, degradado e degradante, "que no budismo tibetano se conhece como A Roda do Samsara" — a inércia da inconsciência que cegamente nos arrasta ao fundo do poço do sofrimento —, hoje é capaz de vê-lo de fora. Já não se deixa hipnotizar com as luzes de néon, com as marchas triunfais e as bandeiras gloriosas, com a telenovela e a Copa do Mundo, com as "maravilhas da tecnologia", com o concurso de Miss Universo. Já não morde a isca, vê a loucura autodestrutiva dos humanos. Vê os escravos subjugados mantendo no poder os escravos dominadores. Estas e outras percepções reafirmam sua individualidade e seu centro. O Louco percebe que pode viver no mundo sem ser seu escravo e que cada situação que a Existência lhe manda pode ser aproveitada como uma oportunidade para, não só aprender, mas para polir sua expressão mais autêntica e verdadeira. Vivendo a energia da Roda da Fortuna, o Louco começará a ver quão maravilhoso e único ele é. Se descobrirá como um ser bonito, sensual, cheio de vida, potenciais e merecimentos.

Valorizará mais sua própria harmonia, começando a respeitar-se e considerar-se, a gostar de seu corpo, de suas maneiras mais íntimas, de seu sexo. Isto é, o Louco começará a amar-se, entrando no estado de consciência do Arcano XI, tradicionalmente chamado "A Força", rebatizado por Crowley como "Lust", que literalmente significa "A Luxúria". Este é um estado de integração em que o Louco recupera seu entusiasmo, brilho, alegria e força. O Louco diz aqui: "eu me amo e gosto de mim". Sem este reconhecimento amoroso de si mesmo, dificilmente poderia enfrentar as provas que se avizinham e atingir o "eu o amo e gosto de você". Este amor que sente por si mesmo transborda da taça de seu coração, levando-o a integrar-se amorosamente com o Universo, do qual começa a sentir-se parte integrante.

No Pendurado, Arcano XII, o Louco se entrega de coração aberto à Existência. Pode ser um apóstolo capaz de universalizar seus sentimentos de amor e êxtase e ver o próximo como seu irmão. Aqui, ele pára de procurar, pois descobre que procurar é perder o presente. E a vida e a realidade decorrem só no presente.

Nos Amantes, o Louco se apaixonou por uma pessoa, que o levou a sentir-se feliz. Embora esta felicidade tenha sido momentânea, possibilitou tomar decisões que o levaram a libertar-se de uma parte da programação e a mudar sua vida. Aqui, a paixão por ele mesmo é o que lhe dá a força e a coragem para estacionar a mente e entregar-se à vida. Assim, atingirá o ápice de sua autotransformação na próxima carta: "A Morte", Arcano XIII.

Comprovamos mais uma vez que o amor é a força transformadora por excelência, a energia que leva à evolução do Universo, da sociedade e do ser humano.

Agora podemos entender melhor a mensagem revolucionária de Jesus Cristo: "Amai-vos uns aos outros."

A ausência de amor determina a escravidão. Sua presença nos liberta e quando flui, abundantemente, atingimos o êxtase.

No Arcano XIII, o Louco vive a morte de seu robô, aquele papagaio medroso, repetidor de doutrinas. É a agonia do escravo. Suas defesas começam a quebrar-se e pelas fendas aparece a essência do Ser Divino que todos somos.

O caminho de recuperação de seu ser está aberto!

O Louco, irradiando amor, com o coração em chamas, abre a tampa da garrafa-programa, libertando as primeiras borbulhas de sua fragrância mais íntima. Esta libertação, embora possa ser algo repentino, na verdade é o fruto de todo um processo — não isento de esforço e muitas vezes de dor — que começou nos Amantes e exigiu um confronto sem concessões com a programação infantil.

Nestes momentos, a essência do ser permeia as manifestações do Louco. Sua natureza mais autêntica está fluindo e tomando forma e expressões concretas. Esta é a fase de consciência que chamamos "Arte", Arcano XIV, ou

Temperança em outros baralhos, pois tudo aquilo que flui como uma expressão espontânea do ser é, sem dúvida, arte. O caminhar se transforma numa dança, a palavra em poesia, o silêncio em meditação. Cada gesto está impregnado da divina beleza que tem a essência do ser.

Esta é a segunda iniciação do Louco. Aqui ele já pode fazer, já pode realizar a partir de seu centro. Fazer é a expressão da própria mudança. Não nos serve pensar, dizer ou sentir, se não fazemos nada.

O fazer nos leva a novas transformações, a novos desafios, especialmente quando este fazer tem a qualidade do "não-fazer",[8] vinda de uma profunda calma interior, isenta de expectativas e conectada com os ritmos cósmicos.

O Louco, transformado pelo Amor e pela práxis, continua o caminho do resgate da totalidade de seu próprio ser e sua realização pessoal. Começa por seus instintos, representados pelo Arcano XV: o Demônio. Aqui, o desafio do Louco é permitir que estes se expressem espontaneamente, que desabrochem e voltem a ser as raízes de sua força vital. Os instintos foram, durante séculos e também na atualidade, de forma mais sutil, negados, reprimidos ou sublimados, rodeados de tabus, considerados fonte de dor e doenças, exilados nas mais profundas masmorras do inconsciente, para depois serem manipulados e usados pela propaganda e pelos meios de comunicação em benefício do sistema. Este resgate libera tanta energia que permite remover velhas prisões, couraças físicas e psíquicas com as que o Louco continuava se identificando. Aqui, na passagem pela Torre, Arcano XVI, estas são destruídas e sua vitalidade é tal que já não precisará deste tipo de proteção. Não defenderá doutrinas, largará a ilusão para afirmar-se na realidade.

Na Estrela, Arcano XVII, o Louco recuperará sua mente e se sintonizará com as energias cósmicas. Perceberá a falsidade de toda uma gama de crenças, definições, preconceitos e argumentos, deixando seu intelecto receptivo, acordado, realista e intuitivo. O Louco se transforma num agente das forças evolutivas e aprende a interpretar os sinais que a Existência lhe envia, sintonizando-se com ela. A partir daqui, estará com força e claridade suficientes para encarar e resolver o lado mais sinistro de sua sombra, para resgatar em profundidade seu corpo emocional, em seu encontro com a Lua, Arcano XVIII. Isso significa enfrentar os medos mais terríveis e as ameaças mais horríveis que, nos seus primeiros sete anos de vida, bloquearam seu coração. Tomará consciência do que realmente foi sua infância e trabalhará para desmascarar os mecanismos que apagam sua consciência, escravizando-o e impedindo-o de expressar espontaneamente seus sentimentos. O Louco encarará estes monstros frente a frente. Confiando em si mesmo, não deixará que os fantasmas uivantes da Lua consigam enfeitiçá-lo e os transformará em poeira do caminho. Do outro lado, achará as emoções mais puras, autênticas e profundas, sua ternura e sensibilidade mais sutis. E, submergindo no mais profundo das trevas, o Louco atinge a luz: o Sol, Arcano XIX. É o seu sol interno, sua chama divina, seu Ser Espiritual. Aqui, o Louco resplandece, pois tomou contato com a eternidade, conseguiu atravessar todos os véus que escondiam o Ser de Luz que sempre foi e será.

8 - Ver na carta da Arte, Arcano XIV, o não-fazer ou *wu wei*.

Aqui, o Louco diz: "Eu sou um Ser Divino, sou a Divindade."

No Eão, Arcano XX, Julgamento em muitos baralhos, o Louco vive a reintegração de suas partes recém-resgatadas. Instintos, intelecto, emoções e Espírito fundem-se em um novo ser. Este processo de natureza alquímica significa um grande salto qualitativo de consciência, comparável a um renascimento. Aparece aqui o Novo Homem, a Nova Mulher, completo(a) e perfeito(a), livre de todas as travas, divino(a), disposto(a) a viver um tempo novo, uma Nova Era. No Universo, Arcano XXI, o Louco culmina sua tarefa, realiza suas potencialidades, vai até às últimas sínteses, concretizações e conseqüências e transcende.

Isso implica uma transcendência. O Louco alcança um novo ciclo na espiral da evolução. Então, apenas resta celebrar, livre e feliz, o êxtase da dança da Vida.

CAPÍTULO 3

O Que é o Tarô?

Origens e História — Revirando as Páginas do Tempo

A maneira mais fácil de responder a esta pergunta é fazendo uma descrição: o Tarô é um baralho de 78 cartas, também chamadas Arcanos ou Mistérios, das quais 22 são os Maiores e 56 os Menores.

Os Arcanos Maiores são maravilhosos quadros de alto valor simbólico, expressão das forças que estão operando no nível macrocósmico, permeando simultaneamente o Universo, o Sistema Solar, nosso planeta, a sociedade, o ser humano e cada partícula da existência.

Os Arcanos Menores são cartas geralmente mais simples e com menor carga simbólica que representam aspectos do comportamento humano.

No Tarô clássico e seus derivados, que, mesmo afastados gradualmente da tradição, continuam estruturalmente ligados a ela, os 56 Arcanos Menores estão formados por quatro séries: Paus ou Bastões, Copas, Espadas e Discos, Ouros ou Pentáculos. Cada uma destas quatro séries possui 14 cartas, das quais quatro são as chamadas Figuras da Corte: o Cavaleiro, a Rainha, o Príncipe e a Princesa, na disposição matriarcal do Tarô de Crowley, e Rei, Rainha, Cavaleiro e Valete, na patriarcal da maioria dos baralhos.

As outras dez cartas de cada série estão numeradas do Ás até o Dez.

O uso trivial do Tarô deu lugar ao baralho comum, no qual se perdeu uma figura da corte e os 22 Arcanos Maiores ficaram reduzidos a um ou dois curingas, cuja imagem lembra o Louco. A descrição pode servir, mas a pergunta continua no ar: O que é o Tarô?

Muitas respostas têm sido dadas:

- É uma arte de adivinhação.
- É uma visão simbólica do cosmo.
- É um compêndio de conhecimentos esotéricos.
- É um caminho de crescimento espiritual.
- É um legado de outras civilizações.
- É uma representação simbólica da Árvore da Vida.
- É uma ilustração das forças da Natureza.
- É um instrumento de autoconhecimento.

Todas estas respostas são verdadeiras, umas e outras se complementam, mas todas limitam a resposta que estamos procurando, que parece abranger todas elas e provavelmente muitas mais. A própria necessidade de resposta nos obriga a fazer uma mudança de abordagem, já que nos acontece como aos físicos do início de século: quanto mais reduzimos o campo ocular procurando precisão, o Tarô se esvanece, como um elétron ante o microscópio eletrônico.

Zé Lógico tem de descer do jegue Cartesius, abrir bem os olhos para ver e a sensibilidade para sentir, e lembrar as palavras de don Juan:

> *"Tentar reduzir esta maravilha que nos rodeia a uma realidade mensurável é uma grande besteira."*

Na Idade Média era: "Isto é dogma de fé, acredita ou morre." Depois, com a virada do pêndulo e a entrada no Século das Luzes, passou a ser: "Só é verdade, só é objeto do conhecimento aquilo que pode ser quantificado e demonstrado cientificamente."

De maneira que os fenômenos cujas propriedades não se conseguiam medir foram considerados meras projeções subjetivas, que deveriam ser excluídas do domínio da ciência. Assim, o riquíssimo mundo da astrologia, talvez a cosmovisão melhor elaborada do mundo antigo ocidental, foi reduzida pela nova ciência newtoniana a três insípidas leis matemáticas.[9]

A humanidade foi se acostumando, com seus cientistas na cabeça, a ver o mundo como um conjunto de objetos ilhados e neutros que cumprem mecanicamente certas leis matemáticas, até o ponto de olhar ao próximo e a nós mesmos como se fôssemos seres previsíveis e programados, sem amor, sem originalidade, sem iniciativas nem espontaneidade, sem beleza, sem sensibilidade nem sentimentos, sem prazer nem possibilidade de transcendência. Uma pena, não é? E o pior é que qualquer um que fique fora destes parâmetros é considerado perigoso. É melhor desistir de conceituar o Tarô e aproximar-se dele usando os símbolos como pontes. Assim, encontraremos um conjunto de paralelismos entre as cartas e as idéias fundamentais, mitos e lendas das culturas antigas, como da Índia védica, o Egito faraônico, a Grécia clássica, o taoísmo chinês, a Cabala hebraica, o gnosticismo, etc.

O Tarô é freqüentemente chamado "O Livro de Thoth". Alguns autores acreditam que Thoth introduziu o Tarô no Egito. Este foi um personagem mítico, a quem os antigos egípcios atribuíam a invenção dos hieróglifos, da linguagem e da astrologia, e que foi colocado no panteão dos deuses com a tarefa de transportar as almas dos que acabaram de desencarnar para o outro lado do rio que separa o mundo dos vivos do mundo dos mortos. Em quase todas as grandes civilizações existiram personagens equivalentes a Thoth: Hermes na Grécia, Mercúrio em Roma, Anhuman na Índia, Quetzalcoalt no México, etc. São instrutores de povos que, divinizados, simbolizam os princípios e conhecimentos que passaram adiante. Thoth foi um ser humano? Para nosso estudo, esta resposta não é fundamental. Poderia ter sido um alto iniciado, um mensageiro da Atlântida que desembarcou, ou talvez pousou, no Egito, com a missão de passar para uma nova civilização uma tradição que estava por perder-se.

Outros estudiosos afirmam que foram os ciganos que inventaram o Tarô. Não cabe dúvida que estas tribos chegaram à Europa com o Tarô embaixo do braço, ou pelo menos foram eles que o popularizaram no Velho Mundo. Mas bem antes que os ciganos armassem suas tendas em Barcelona, Paris e Marselha, nas primeiras décadas do século XV, já existiam evidências históricas da presença do Tarô na Europa.

---

9 - Leis de Kepler: 1ª) Os planetas descrevem órbitas elípticas, sendo o sol um de seus focos. 2ª) Em tempos iguais um planeta recorre territórios iguais. 3ª) Os quadrados dos tempos das revoluções planetárias são proporcionais ao cubo dos grandes eixos das órbitas.

Um monge alemão, chamado Johannes, escreveu em Brefeld, Suíça, uma carta que se conserva no Museu Britânico, no qual comentava: "Um jogo de cartas chegou até nós neste ano de 1377. Quatro Reis, cada um sentado num trono real e levando um símbolo na mão..."

Giovanni Coveluzzo, historiador italiano de finais do século XV, escreveu a história de sua cidade natal, Viterbo. Para isso recolheu crônicas de seu ancestral, Nicholas de Coveluzzo. Giovanni escreveu: "No ano de 1379, chegou do país dos sarracenos[10] um jogo de cartas que eles chamam *naib*.

É interessante constatar, como disse o erudito e grande colecionador de Tarôs, Stuart R. Kaplan, que carta, tanto em latim *naibi*, como *naibe* em hebreu, significam também "bruxaria" e "predição".

Sabemos também que, em 1387, as cartas eram conhecidas na Espanha, já que se conserva um decreto do rei Juan I, de Castela, que naquele ano proibiu o jogo de dados, xadrez e cartas. Dez anos depois, o prefeito de Paris também as proibiu. Mais civilizado, o francês permitia seu uso aos domingos e feriados.

O primeiro baralho do qual se conservam cartas foi obra do artista francês Jacquemin Gringonneur, para a coroa francesa, tal como consta nos livros de contabilidade do tesoureiro do rei Charles VI, em 1392. Foram confeccionados, em ouro e outras cores, três jogos dos quais se conservam apenas 17 cartas na Biblioteca Nacional de Paris. Não têm títulos, nem números, mas pelo desenho podemos identificar 16 Arcanos Maiores e uma Figura da Corte: o Louco, o Imperador, o Papa, os Amantes, o Carro, a Justiça, o Ermitão, a Roda da Fortuna, o Pendurado, a Morte, a Temperança, a Torre, a Lua, o Sol, o Julgamento e o Valete de Espadas.

Podemos descartar a tese de que foi Gringonneur o inventor do Tarô, tal como afirmam alguns estudiosos, mas seria interessante perguntar-se quais foram as fontes de inspiração deste artista. É muito provável que Gringonneur tenha tido acesso a baralhos, provavelmente italianos, que se perderam nos parênteses da história ou nas fogueiras do fanatismo eclesiástico.

O Imperador e o Ermitão de Gringonneur

Se existiu um fio condutor entre o antigo Egito e o final da Idade Média, entre as doutrinas e rituais pagãos e o baralho de Gringonneur, esse fio foi o Gnosticismo que, surgindo nas províncias orientais do Império Romano, se alimentou não só do cristianismo *in loco*, mas também das doutrinas hindus, caldeias, persas e egípcias, junto com a filosofia da Grécia clássica e o conhecimento cabalístico hebraico.

Alexandria foi o centro da cultura gnóstica no século II d.C. A Igreja

10 - Sarracenos era o nome que os cristãos da Idade Média e do Renascimento davam aos muçulmanos.

O Louco e O Demônio de Visconti-Sforza

Copta absorveu muitos de seus símbolos e conhecimentos. Com os incêndios de suas bibliotecas, durante a campanha de César nos anos 48-47 a.C., depois no ano 391, pelos cristãos sob o Imperador Teodósio I, o Grande Espanhol de nascimento — e sua destruição total no século XII pelo emir Amr Ibn Ao, obedecendo ao fanático e ignorante califa Omar, a humanidade perdeu seu melhor legado cultural e provavelmente a possibilidade de saber alguma coisa concreta a respeito da origem do Tarô. O Gnosticismo conservou também muitos dos conhecimentos das seitas heterodoxas cristãs, como os Valdenses, Cátaros, Albigenses e Bogomiles, assim como dos Templários, que foram destruídos pelo Papado nos séculos XII, XIII e XIV, respectivamente. Não é menos certo que muitas tradições e textos perseguidos fora dos claustros foram conservados e copiados nas bibliotecas monásticas.

Com o início do Renascimento, o ar começa a mudar na Europa. A Igreja Católica deixa de ser hegemônica política, cultural e economicamente, e surgem, especialmente na Itália, poderosas famílias donas da terra e do comércio com o Oriente. É sob o amparo e patrocínio desses mecenas que aparecem vários baralhos.

Em 1415, encontramos, em Veneza, um Tarô de 78 cartas, com 22 Arcanos Maiores e quatro séries de 14 Arcanos Menores cada uma. Em Bolonha, surge "Il Tarocchino", com 62 cartas.

O Tarô florentino, também da época, consta de 97 cartas: 56 Arcanos Menores e 41 Arcanos Maiores, sendo 17 da seqüência clássica, 12 signos zodiacais, os quatro elementos e as virtudes cristãs. Observem que o Cavaleiro de Espadas é um centauro.

O baralho mais conhecido e importante da época é o Tarô de Marselha. São 78 cartas, seus 22 Arcanos Maiores levam título em francês, claro, exceto a Morte, e numeração romana, com exceção do Louco. Não poderia ser de outra maneira, pois o zero não existe nesta grafia.

Todos esses Tarôs eram impressos usando carimbos de madeira, de maneira que, depois, cada pessoa os coloria segundo sua própria inspiração.

Outro baralho muito interessante é o Tarô de Visconti-Sforza, que apareceu em Milão em meados do século XV, como um presente de casamento destas duas famílias. (ver: Títulos da Sacerdotisa.) Este é um baralho policromático; de suas 78 cartas, perderam-se algumas, que foram redesenhadas para possibilitar sua comercialização.

A partir do século XX, o Tarô foi divulgado na Europa pelos ciganos, que o utilizaram como um sistema de adivinhação, lendo com ele "a boa fortuna". Se foi usado com outros fins é algo que ignoramos.

Parece, pois, que até o século XVIII o Tarô era instrumento de ciganos, adivinhadores de subúrbios e "pessoas pouco respeitáveis".

Foi Court de Gebelin, pastor da Igreja Reformada, ocultista e arqueólogo francês, que resgatou o Tarô para as elites da intelectualidade européia. E, em 1781, oito anos antes da Revolução Francesa, editou seu famoso ensaio em nove volumes: "O Mundo Primitivo Analisado e Comparado com o Mundo Moderno".

No primeiro volume, fala do Tarô assim:

> *"Este livro egípcio existe. É (o Tarô) tudo o que resta, na nossa época, das magníficas bibliotecas do Egito. Este livro está formado por 77 ou 78 quadros, divididos em cinco séries, cada uma mostrando coisas que tanto são variadas quanto divertidas e instrutivas. Numa palavra, este livro é o jogo do Tarô, desconhecido em Paris, é verdade, mas muito conhecido na Itália, Alemanha e até mesmo em Provença. Os 22 Triunfos representam, de maneira geral, os líderes espirituais e temporais da sociedade, as forças físicas da agricultura, as virtudes cardinais, o matrimônio, a morte e a ressurreição. Além disso, vemos que todas estas cartas são também figuras alegóricas relativas às coisas da vida e capazes de combinações ilimitadas. Além dos Triunfos, este jogo se compõe de quatro séries de naipes: Espadas, que representam os faraós e toda a nobreza militar; Varas ou Paus, que representam os faraós; Copas, que mostram a classe sacerdotal e as Moedas, que representam os comerciantes."*

Assim pois, Court de Gebelin estava convencido de que o Tarô tinha sido inventado no Antigo Egito e que os ciganos que o popularizaram na Europa eram descendentes dos egípcios. Embora as palavras "cigano" e "egípcio", especialmente em inglês, sejam muito parecidas, hoje sabemos que os ciganos procedem do atual estado de Rajestão (Ín-

A Temperança, o Áries e o Cavaleiro de Espadas do Tarô Florentino

A Lua e O Hierofante de Marselha e A Lua e O Mundo de Court de Gebelin

O Caminho da Serpente e os Arcanos Maiores na Árvore da Vida

dia), de onde foram expulsos pelo conquistador muçulmano-mogol Timur Lenk, no século XII. A caminho da Europa, alguns passaram pelo Egito, de onde absorveram costumes e conhecimentos, talvez o Tarô, mas não são descendentes dos antigos egípcios.

Considerar o Egito como o lugar de origem do ocultismo era uma idéia muito comum na França pré-revolucionária. Só quando foram decifrados os hieróglifos egípcios, com o descobrimento pelos arqueólogos que acompanhavam o exército de Napoleão durante a conquista do Egito (1798-1799), da Pedra Roseta, é que esta teoria foi descartada.

Gebelin acreditava que a palavra "Tarô" era formada pelos vocábulos egípcios *Tar*, que significa "caminho", e *Ro* ou *Rog*, que significa "real". Tarô seria "Caminho real". Curiosamente, *Tao Te King* se pode traduzir também como "Caminho Real".

De qualquer maneira e embora Gebelin estivesse errado em algumas de suas suposições, com a publicação de *Le Monde Primitif* o Tarô saiu da clandestinidade e se converteu num dos métodos mais apreciados pelos esotéricos e magos da época. Gebelin morreu em 1874, deixando também um baralho muito parecido com o de Marselha.

Ainda no século XIX, outro religioso, também francês, abade da Igreja Católica, cabalista, filósofo e, segundo Aleister Crowley — que se considerava sua encarnação posterior —, um grande humorista, divulgou em seu *Dogma e Ritual de Alta Magia* a vinculação entre os 22 Arcanos Maiores e as 22 letras do alfabeto hebraico. Alphonse Louis Constant, mais conhecido por Eliphas Levi, parece que teve acesso a certos manuscritos, cuja origem desconhecemos, que o teriam colocado em contato com a tradição gnóstica perdida, ou pelo menos oculta.

A partir daí, Levi considerou o Tarô como de origem hebraica e os 22 Arcanos Maiores, formas pictóricas da Árvore da Vida.

Para os profanos, são necessárias algumas palavras a respeito desta árvore. Segundo os cabalistas, o Universo surgiu como sucessivas emanações do Nada. É óbvio que este Nada não é a ausência total de qualquer coisa, mas a potencialidade mais absoluta. Estas sucessivas emanações ou manifestações parciais são as chamadas Esferas de Manifestação ou *sephiroth*. Desde a primeira, chamada Kether, que significa "a Coroa" e que representa os primeiros hálitos da manifestação, até a décima, Malkut, que traduzimos como "o Reino" e que simboliza o Universo mais denso, temos dez esferas dispostas em três colunas, formando a Árvore da Vida. As 22 linhas que unem as dez *sephiroth* são os chamados Caminhos da Árvore, e se correspondem com as 22 letras do alfabeto hebraico. Percorrer todos e cada um destes Caminhos, a chamada Senda da Serpente,[11] implica uma série de aprendizados, nos quais

11- Também existe o Caminho das Flechas, que citamos na carta da Arte.

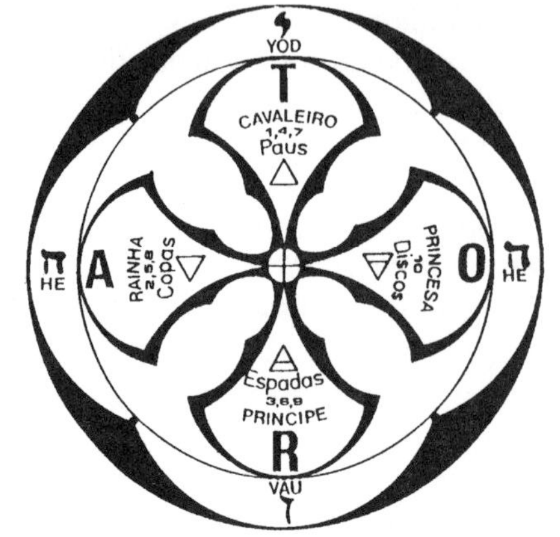

O Tetragamaton

são desenvolvidas certas faculdades extrasensoriais consideradas como poderes mágicos. Para evitar que pessoas não preparadas ou alheias à escola iniciática tivessem acesso a tais poderes, a Cabala Prática era mantida no mais estrito dos segredos. Como a relação entre os Arcanos e as letras poderia fornecer pistas, a tradição antiga, e também Levi, em seu *Dogma e Ritual de Alta Magia...*, mostravam uma seqüência diferente. Nela, a primeira letra Aleph não se corresponde com a primeira carta, o Louco, senão com o Mago, a segunda carta.

Estabelecida uma correspondência entre os Arcanos e as letras, deduziremos uma relação direta entre os Arcanos e os Caminhos. A Cabala Prática estuda os Caminhos como sucessivas iniciações que levam o caminhante desde as ataduras mais rígidas da matéria, em Malkuth, até a libertação ou fusão com a totalidade, em Kether.

Diz Levi:

"Quando o clero soberano deixou de existir em Israel; quando todos os oráculos do mundo se silenciaram na presença da Palavra que se fez Homem, falando pela boca do mais popular e gentil dos sábios; quando a Arca se perdeu, o Santuário foi profanado e o templo destruído, então os mistérios de Ephod e do Theraphim já não foram mais registrados sobre ouro e pedras preciosas, senão que foram escritos, ou melhor figurados, por certos sábios cabalistas, primeiro sobre marfim, pergaminho e sobre couro dourado e prateado, e depois sobre simples cartões, que sempre foram objeto de suspeita para a Igreja oficial, uma vez que continham uma perigosa chave para seus mistérios.

Desses cartões originaram-se aqueles Tarôs cuja antiguidade foi revelada ao erudito Court de Gebelin, por meio da ciência dos hieróglifos e dos números, e que depois excitaram fortemente a perspicácia duvidosa e as persistentes investigações de Eteilla."[12]

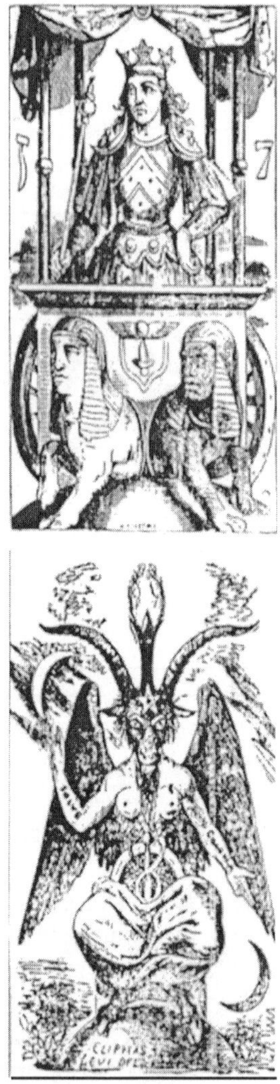

O Carro e O Demônio de Eliphas Levi

12 - Eteilla foi um discípulo de Gebelin, estudioso dos pitagóricos, e que com um baralho próprio, conhecido como O Tarô do Grande Eteilla, desenvolveu um trabalho divinatório durante a Revolução Francesa que lhe granjeou fama, discípulos e bastante dinheiro.

Levi dedicou seus esforços à reconstrução de um baralho desenhado segundo os conhecimentos esotéricos da época e em suas obras encontramos versões interessantes do Carro e do Demônio.

Outro grande estudioso do Tarô foi Gerard Encause, ou Papus (1865-1917). Este médico francês, Rosacruz e fundador da ordem maçônica dos Martinistas, apresentou suas conclusões sobre nosso tema em seu livro *O Tarô dos Boêmios*. Elaborou um baralho baseado no Tarô de Gebelin, com desenhos de inspiração egípcia e seguindo a relação Arcanos-Letras do *Dogma e Ritual de Alta Magia..*"

Talvez sua contribuição mais interessante tenha sido diagramar as 78 cartas numa série de esquemas articulados em torno do Tetragramaton. Este é um complexo simbólico formado pelas letras que compõem o nome de Deus em hebreu: Yod, He, Vau e de novo He, isto é, Jehovah. O ocultismo hebraico sustenta que os poderes e propriedades de cada ser estão contidos em seu nome. Assim, a pronúncia exata do nome de Deus era mantida no maior dos segredos e só pronunciada pelo Supremo Sacerdote, uma vez ao ano, no meio da gritaria ensurdecedora do povo. Yod representa o Princípio Masculino, ativo ou dinâmico. Corresponde às cartas de Paus e aos Cavaleiros de Crowley ou Reis dos outros baralhos. Diz-se que todas as letras procedem de Yod. A primeira, He, representa o Princípio Feminino, passivo ou receptivo. Corresponde às Rainhas e à série de Copas. Vau é o fruto das duas anteriores e a ponte entre os dois Princípios. Corresponde à série de Espadas e aos Príncipes de Crowley ou Cavaleiros dos outros baralhos. A segunda, He, marca a passagem de um ciclo completo para outro e se relaciona com as cartas de Discos ou Ouros e com as Princesas de Crowley ou Valetes em outros baralhos.

Na virada do século, os doutores Woodman, Woodford e Wynn Westcott, membros da loja franco-maçônica Quator Coronati, encontraram numa livraria londrina um livro que continha uns manuscritos muito especiais. Ali estavam as bases para a fundação de uma sociedade esotérica e outros documentos, entre os quais se encontravam as correspondências entre os 22 Arcanos Maiores e as letras hebraicas. Só que desta vez, Aleph, a primeira letra, estava atribuída ao Louco e não ao Mago. Também havia algumas notas que poderiam ter sido escritas pelo próprio Eliphas Levi, quando este visitou Inglaterra. Se estas notas eram do cabalista francês, indicariam que este realmente conhecia uma seqüência de atribuições diferentes das expostas em seu tratado *Dogma e Ritual de Alta Magia...* A partir destas correspondências, se deduzem novas atribuições com os signos astrológicos, os planetas e os elementos. Desta maneira, o Tarô integra múltiplos aspectos da sabedoria esotérica.

Em palavras de Levi:

> *"O Tarô, livro miraculoso, fonte de inspiração de todos os livros sagrados dos povos da antiguidade, é o mais perfeito instrumento de adivinhação. Pode ser usado com total confiança por causa da precisão analógica de suas figuras e de seus números. De fato, os oráculos deste livro são sempre rigorosamente verdadeiros, e até mesmo quando não predizem coisa alguma, sempre revelam algo que estava oculto e dão os mais sábios conselhos para quem os consulta. Como um livro cabalístico erudito, mostra todas as com-*

binações que revelam a harmonia preexistente entre símbolos, letras e números."

Nestes mesmos documentos, se mencionava como autoridade no assunto Fräulein Spregel, com endereço postal na Alemanha. O Dr. Westcott lhe escreveu e com sua autorização foi fundada, em 1886, por Mac Gregor Mathers, Westcott e Woodman, a ordem da Golden Dawn (Aurora Dourada). A esta fraternidade, cujo propósito principal era a obtenção da iluminação e do poder mágico, pertenceram, durante anos, personalidades como Arthur Edward Waite, o poeta irlandês William Butler Yeats, a atriz Florence Farr, a pintora Pamela Colman Smith, Lady Freda Harris, Bram Stoker, autor de *Drácula*, os cabalistas Paul Foster Case e Dion Fortune, e Aleister Crowley, entre outros. Crowley (1875-1947) foi iniciado na Golden Dawn com o nome de "Perdurabo" — o que perdura. Em 1899, atingiu o grau de Practicus e, com as novas atribuições Arcanos-Letras, dedicou-se ao estudo do Tarô, chegando a escrever um texto que foi editado com o título de *O Tarô da Golden Dawn*.

Em 1900, Mathers o nomeia líder da ordem na Inglaterra, apesar da oposição de membros mais antigos, especialmente de Waite. Em julho do mesmo ano, viaja ao México, dedicando seus esforços a comunicar-se com entidades espirituais do mundo asteca, nas pirâmides de Teotihuacán. Realiza curas e escala montanhas, o que, junto com o xadrez, era sua paixão. Em 1901, parte para Sri Lanka, onde, junto com Allan Bennet, se dedica à prática do ioga, pranaiama e dos mantras, até viver uma forte experiência espiritual, conhecida no Oriente como *dhyana* e descrita por Crowley como "a união entre o sujeito e o objeto da meditação numa explosão de música e luz, muito superior a qualquer harmonia terrena".

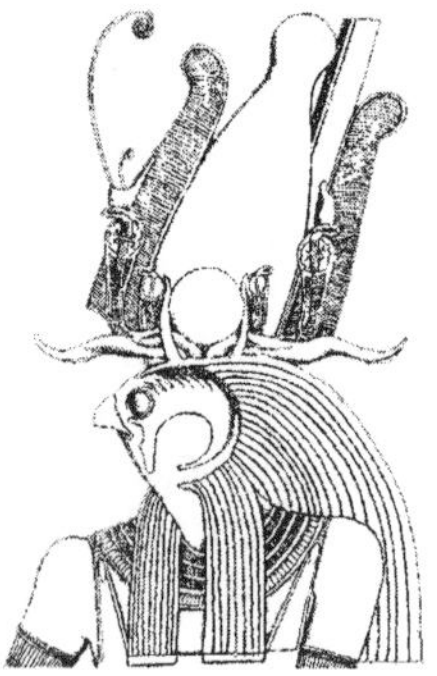
Hórus.

Seu caminho continuou pela Índia e Birmânia, onde sabemos que realizou estágios com os budistas. Em 1902, liderou uma expedição ao Chogo Ri (K-2), no Himalaia, cujo relato pode ser encontrado no "Espírito da Solidão" de seu livro "Confissões". Em novembro, o achamos em Paris, chamado por Mathers e em 1903, volta para sua casa na Escócia.

O que realmente nos interessa é sua viagem ao Egito em 1904. Em março, desembarca com sua companheira Rose Edith Kelly no Cairo, onde retoma o trabalho de magia invocando Thoth, Iao e Hórus.

No dia 18, Rose recebe uma mensagem de Hórus que os levou ao museu de Boulak. Depois de passar por várias imagens de Hórus, Rose se dirige ao segundo andar, onde o reconhece numa caixa de vidro. Crowley aproxima-se e o descobre sob a forma de Ra-Hoor-Khuit pintada sobre uma estela da 26ª dinastia.

Curiosamente, o número do registro desta figura era o 666, número da Besta do Apocalipse, nome iniciático que Crowley usava naquela época.[13]

Esta é a descrição que Crowley nos dá[14]: "No museu do Cairo, o número 666 é a estela do sacerdote Ankn-f-n-Khonsu.

13 - Assim o chamava sua mãe, fundamentalista cristã, quando o jovem Aleister aprontava.

14 - É nesta imagem que Crowley se baseia para desenhar o Arcano XX: o Eão.

Hórus tem um Disco vermelho e um Ureu verde. Sua face é verde, sua pele índigo. Seu colar, tornozeleiras e braceletes são de ouro. Sua túnica é de pele de leopardo e seu avental é verde e ouro. Verde é a baqueta do duplo poder; sua mão direita está vazia.[15] Seu trono é índigo e gnômon, vermelho o esquadro. A luz é gambodge.[16] Acima dele está o Globo Alado e a figura curvada da Ísis celestial, tocando a terra com suas mãos e seus pés."

Durante os dias 8, 9 e 10 de abril, Aiwass, ministro e mensageiro de Hoor-paar-Kraaat, o Senhor do Silêncio, outra forma de Hórus, ditou em perfeito inglês para um Crowley atônito, o texto que anuncia uma nova lei para a humanidade:

"Love is the law, love under the will."
A lei é o amor, o amor sob vontade.

"Do what thou wilt shall be the whole of the law."
Fazer a própria vontade é a totalidade da lei.

Este texto, conhecido como *O Livro da Lei*, tem três capítulos. No primeiro é Nuit, o Princípio Feminino, que expõe a doutrina para a Nova Era, pela boca de Aiwass. No segundo é Hadit, o Príncipio Masculino e no terceiro é o próprio Hórus. Estas entidades nomeiam Crowley como seu profeta e o incumbem de divulgar sua mensagem. Este demorou cinco anos para aceitar certas afirmações muito fortes, especialmente do terceiro capítulo, até que finalmente despendeu toda sua fortuna editando e divulgando o "Livro da Lei".

As forças que o tinham levado a receber esta mensagem o colocaram em contato com uma grande artista, Lady Freda Harris, para, juntos, empreenderem uma imensa tarefa, talvez o maior desafio que Crowley viveu: a elaboração de um Tarô para a Era de Aquário. Desde 1938 até 1943, Frieda pintou ao óleo, sob a direção de Crowley, as 78 cartas. Inicialmente ele pretendia criar um baralho seguindo a tradição dos modelos medievais; felizmente, Frieda não se sentia muito inspirada nesta linha e conseguiu convencer Crowley a realizar algo totalmente original. Aventuraram-se em campos mais sublimes e profundos do que aqueles permitidos pelos antigos modelos, procuraram incorporar os últimos descobrimentos da física, relacionando-os com a antiga tradição esotérica e cabalística. Estes quadros só foram publicados como cartas em 1966, isto é, 19 anos depois da morte de Crowley. Seus autores tentaram resgatar as idéias originais, o arquétipo imortal oculto pelas sucessivas distorções e expressar os Arcanos da maneira mais adequada para a Nova Era.

Segundo Crowley:

"A tarefa deste escriba tem sido a de preservar os caracteres essenciais do Tarô, que são independentes das mudanças periódicas das Eras, e atualizar aqueles caracteres dogmáticos e artísticos que ficaram ininteligíveis. A arte do progresso está em manter intacto o Eterno, mas também em adotar uma posição de vanguarda, talvez, em alguns aspectos semi-revolucionária com respeito aos acidentes sujeitos ao império do tempo."

Assim, a Papisa e o Papa voltam a ser a Sacerdotisa e o Hierofante; o Arcano XI, a Força, foi rebatizada como "o Tesão"; e a Temperança e o Julgamento passaram a chamar-se "a Arte" e "o Eão", respectivamente.

15- Na verdade, segura um chicote que estava caído no chão.

16- Esta é uma cor obtida misturando o amarelo, laranja e dourado.

Neste trabalho foram dadas explicitamente as atribuições dos manuscritos de Londres. Cada Arcano Maior recebeu também uma correspondência astrológica deduzida a partir da atribuição da carta com a letra hebraica. Assim, os Arcanos Maiores, que correspondem às três letras mães — Aleph, Mem e Shin —, são atribuídos aos três elementos principais: Ar, Água e Fogo, respectivamente, embora também poderiam relacionar-se com os três planetas transaturnianos: Urano, Netuno e Plutão.

As cartas relacionadas com as sete letras duplas — Beth, Guimel, Daleth, Kaph, Peh, Resh e Tau — são atribuídas aos sete planetas individuais: Mercúrio, a Lua, Vênus, Júpiter, Marte e o Sol. As doze cartas restantes, relacionadas com as doze letras simples, são atribuídas aos doze signos do Zodíaco. Outro aporte interessante deste Tarô é que cada Arcano Menor, com a exceção dos Ases, recebe uma dupla atribuição astrológica. Cada carta se relaciona com um planeta em um determinado signo: os Paus com os signos de Fogo, as Copas com os de Água, as Espadas com os de Ar e os Discos com os de Terra.

Cabe destacar também que os Discos não são mais aquelas moedas ou pentagramas inertes dos baralhos antigos. Pelo contrário, são discos giratórios que mudam de forma e de cor.

Outro Tarô digno de menção é o "Rider-Waite Tarô Desk", pintado por Pamela Colman Smith sob a direção de Arthur Edward Waite, publicado em 1910. As correspondências não aparecem explicitamente; no entanto, Waite introduz uma novidade muito interessante, apresentando uma cena da vida quotidiana em cada um dos Arcanos Menores (deixando de fora os Ases), facilitando, assim, a compreensão de seus significados, embora às vezes os esteja reduzindo.

Neste baralho se inspiraram muitos outros autores, entre os quais cabe destacar Salvador Dalí. Apesar de Waite manter-se parcialmente ancorado em velhas idéias (especialmente nas cartas do Demônio, da Força e do Juízo), seu pensamento a respeito do Tarô não deixa de ser interessante:

> *"O verdadeiro Tarô é simbólico. Uma vez compreendido o significado oculto de seus símbolos, as cartas se transformam numa espécie de alfabeto que é capaz de um número infinito de combinações e faz sentido em todas elas. O Tarô incorpora as representações simbólicas das idéias universais, por detrás das quais estão todos os subentendidos da mente humana. É neste sentido que o Tarô contém a doutrina secreta, que é a percepção, por uns poucos, das verdades encerradas na consciência de todos, muito embora elas não tenham sido reconhecidas claramente pelas pessoas comuns. Esta doutrina sempre existiu, foi idealizada na consciência de uma minoria, perpetuada, em segredo, de um iniciado para outro e registrada nos livros secretos de alquimia e cabala."*

Muitos baralhos têm vindo à luz nos últimos tempos, coisa típica de uma época de revelação de todo o oculto e também de consumismo selvagem. Hoje o oculto está revelado (velado duas vezes?), temos de pesquisar entre as montanhas do falso conhecimento com que o mercado nos bombardeia.

Outros Tarôs atuais, produto de um estudo sério, são o "Tarô de Aquário", o de Balbi, o de Robert Wang, o

"Tarô Mitológico", de Juliet Sharman-Burke e Liz Greene, o "Mother Peace", de Vicki Noble e Karen Vogel, que mantém uma estrutura clássica, e o "Tarô Egípcio", que desfaz as quatro séries de Arcanos Menores, continuando com a numeração 23, 24, 25... e 78.

Não é possível deixar de destacar o excelente trabalho de Ma Deva Padma (Susan Morgan): o "Osho Zen Tarô", publicado junto com um livro em 1994. Vemos, tanto nos belíssimos desenhos como nos comentários de cada carta — acompanhados de fragmentos de discursos de Osho —, a intenção extraordinariamente bem-sucedida de traduzir, numa linguagem contemporânea e integradora, os imemoriais Arcanos.

Assim, pois, não parece que esta cosmovisão tenha sido o invento de uma pessoa só. No entanto, não seria descabido pensar que poderia ter surgido numa reunião de sábios, tal como o cabalista e padre católico P. F. Case afirma que existiu em Fez (Marrocos), cidade que depois da destruição da biblioteca de Alexandria se converteu num grande centro cultural do Ocidente, por volta do ano 1200.

Tentando dar uma resposta à pergunta com que iniciávamos este capítulo, poderíamos dizer que o Tarô é a expressão plástica de arquétipos universais, presentes no inconsciente coletivo da humanidade, que aparecem, de uma maneira ou de outra, quando homens e mulheres especialmente intuitivos conseguem captá-los. A elaboração conceitual e artística destas imagens universais conta e contará com a cumplicidade de entidades espirituais que trabalham para dar ao ser humano um veículo que lhe permita orientar-se melhor na viagem de autoconhecimento ou resgate da essência divina de cada um de nós. Podemos dizer que o Tarô tem dois lados: um imortal, sem princípio nem fim, essencial, arquetípico, que podemos chamar de lado interno, e outro externo, que são as formas particulares que adota, dependendo das circunstâncias históricas e do uso que fazemos dele. Num momento de tão grave crise planetária, em que a continuidade da vida está ameaçada pelo delírio de poder de uns poucos; quando se faz absolutamente necessário que a humanidade se torne mais consciente, silenciosa e meditativa, mestres encarnados e desencarnados estão trabalhando a todo vapor para que a humanidade não perca o trem da evolução e o planeta Terra continue sendo uma gota de vida, um milagre maravilhoso na Imensidão.

CAPÍTULO 4

Ritual e Sistemas de Leitura

Abrindo o Jogo

Para atingir um bom nível de profundidade e eficiência com o Tarô, não basta ter lido uma montanha de livros. Embora uma base teórica firme e clara seja sempre necessária, é imprescindível uma boa dose de intuição para que a leitura seja algo vivo e não só um compêndio de significados colocados numa ordem mais ou menos afortunada.

A intuição é algo que podemos desenvolver de muitas maneiras. Está relacionada com o terceiro olho ou *chakra Ajna*, situado entre as sobrancelhas, conhecido também como "A Roda do Comando". É o centro intelectual, a base da mente, da visão psíquica ou clarividência e da intuição. Este centro é ativado pelo mantra "OM". Quando a vibração sonora do mantra golpeia o céu da boca, este vibra e a vibração se expande pela cabeça toda. Com a prática, podemos direcioná-la para cima, por um canal que num ponto determinado se ramifica. Uma parte continua ascendendo até o *chakra Sahasrara* e outra se defasa 90° e continua para frente, até o terceiro olho. Este também se ativa com o som iiiiii, pronunciado enquanto inspiramos. Outra maneira de desenvolver a intuição, talvez a mais interessante para os estudiosos do Tarô, é lendo as cartas, embora no início usando livros ou apostilas para interpretá-las.

Este capítulo contém uma série de orientações práticas destinadas a ajudar o principiante a realizar suas leituras. Com o tempo, cada tarólogo desenvolverá seus próprios métodos.

O Baralho

A escolha do Tarô é fundamental. Suas imagens penetram no inconsciente e vão fazer ressoar nossos arquétipos internos. O critério principal para escolher um baralho é sentir uma forte atração por ele, o que dependerá muito de sua expressão gráfica. Temos que gostar muito de nosso baralho e nos sentirmos inspirados com ele nas mãos. Um baralho que cause medo ou rejeição não deve ser usado nas leituras, mas pode ser muito importante estudá-lo para descobrir aspectos talvez não resolvidos de nosso ser, que são mexidos por tais imagens.

Também é importante que as relações entre as cartas, números, letras, signos, planetas e elementos sejam coerentes, pois enriquecem muito os conteúdos das cartas e permitem entrar, pela porta do Tarô, nos mundos fascinantes da astrologia, numerologia e cabala.

É melhor ganhar um baralho que comprá-lo. Uma vez com o Tarô na mão, o primeiro passo é personalizá-lo, isto é, magnetizá-lo com nossa energia. Para isso existem muitos métodos. Um deles é dormir sete noites consecutivas com o baralho embaixo do travesseiro do lado do pescoço próximo ao cerebelo.

Passar uma noite velando as cartas, como Dom Quixote suas armas, especialmente se a Lua está cheia, ou se existem trânsitos ou outros aspectos astrológicos favoráveis, pode ser um excelente início na relação do Tarô com seu dono.

O Tarólogo não é só o guardião da jóia, cuidando dela e protegendo-a das energias densas. Ele é também seu animador, aquele que lhe empresta sua alma. Com o uso do Tarô, o leitor pode ir resolvendo os mistérios de sua própria vida, esclarecendo seus pontos obscuros. Irá encontrando orientações que lhe ajudarão a resolver seus próprios desafios e também vai poder ajudar os outros. E o amor que for capaz de colocar nesta tarefa contribuirá na positivação de seu *karma*. Por este trabalho, o tarólogo não só pode como deve cobrar, embora sem fazer do dinheiro seu objetivo principal. Se alguém tem facilidade para ler as cartas, se sente bem quando o faz e com seu trabalho ajuda os outros, o melhor que pode fazer é dedicar seu tempo a aperfeiçoar-se e fazer do Tarô seu meio de sobrevivência. Além disso, as pessoas acabam dando mais valor àquilo que pagam. Tem mais: quem cobra, corre menos perigo de inflar seu ego, com ares de sábio desapegado ou de santo, que vive para ajudar o próximo.

Depois de personalizar o baralho, o guardião o envolverá num pano de seda roxo ou azul escuro. Estas são as cores mais Yin do espectro, mais receptivas e conservadoras, que o protegerão melhor. O baralho deve estar sempre envolvido neste pano, que abriremos só na hora da leitura, dispondo as cartas sobre ele.

É interessante que o tarólogo tenha pelo menos dois baralhos. Um para usar nas consultas e outro para estudar, meditar, mostrar, fotografar ou filmar, se for necessário. O segundo baralho deve ser tratado com todo carinho, mas não precisa ser magnetizado nem guardado num pano de seda, e pode continuar na embalagem de origem. É preferível não fotografar nem filmar o baralho de consultas, nem mostrá-lo desnecessariamente em ambientes ou com pessoas densas ou negativas (a não ser nas leituras), já que sua qualidade vibratória pode ver-se afetada. Em cada leitura, o baralho vai impregnando-se das elevadas vibrações que o leitor gera com seu amor, sua compaixão e suas invocações. Assim, vai transformando-se numa bateria de alta energia sutil, como um poderoso talismã, que em cada consulta irradia energia de amor e de cura.

O pano participa da mesma energia das cartas e deve ser tratado com o mesmo cuidado. É preferível guardar o baralho envolvido no pano dentro de uma bolsa ou embrulhado num cobertor de lã, que será aberto junto com o pano.

O Lugar

Embora possamos ler o Tarô em qualquer lugar que tenha um astral limpo, é recomendável dispor de um lugar específico. A energia que geramos quando realizamos uma consulta também carrega o local. Podemos criar um pequeno templo cuja energia favorecerá as leituras subseqüentes. Sempre que seja possível, é importante ter um quarto dedicado exclusivamente para a leitura do Tarô ou atividades afins. Em tal espaço procuraremos nosso lugar de poder. Para isso, é preferível tirar todos os móveis e depois deitar no chão, rodar e se arrastar até achar o local onde nos sentimos melhor. Sentados nele, giraremos 360° para encontrar a orientação ideal. Definida a posição da leitura, colocaremos nela uma mesa, redonda de preferência, ou um carpete ou cobertor, em cima do qual abriremos o pano de seda.

No mato, existem locais que possuem uma vibração especialmente favorável para esses propósitos: cachoeiras, rios, grandes árvores, rochas, lagos, etc. Nestes casos, é importante pedir permissão e ajuda aos guardiões espirituais do lugar.

A Leitura

A consulta de Tarô é um assunto de duas pessoas: o leitor e o consulente. Não é conveniente a presença de terceiros, especialmente de pessoas próximas ao consulente, já que sua energia pode interferir na magnetização do baralho e, algumas vezes também, na receptividade deste durante a leitura. Um intérprete pode ser aceito, mas permanecerá fora da sala durante a magnetização.

Uma vez começada a sessão, leitor e consulente devem abster-se de qualquer outra atividade, tal como fumar, beber, comer, atender telefonemas, etc., para colocar toda sua atenção na leitura. Antes de cada consulta, o leitor deve preparar-se interiormente, deixando fluir seu amor, aceitando todas as situações de sua vida, colocando de lado seus problemas particulares e seus desejos, com exceção o de ajudar o consulente.

Toda leitura deve começar com um bom relaxamento, que pode ser obtido com uns minutos de respiração profunda. Não adianta começar uma leitura com o consulente inquieto e ansioso; é preferível ajudá-lo a serenar-se e centrar-se, antes de mais nada. Nenhum objeto como chaves, óculos, carteira, celular, etc., devem ser colocados sobre o pano de seda. Também é melhor que o consulente e o leitor deixem os sapatos fora da sala de leitura. O leitor deve evitar que o consulente fale compulsivamente, dando informações que podem alterar a abordagem, essencialmente intuitiva, que a leitura deve ter. Isso não quer dizer que o leitor feche os olhos para as mensagens corporais e energéticas que o consulente passa e que devem complementar o que as cartas revelam.

Uma vez criado o ambiente propício para a leitura, e nunca antes, o leitor abrirá o pano e escolherá uma carta para representar o consulente, que chamaremos de "Carta Testemunha". Se o consulente está interessado em estudar somente um assunto específico, a carta representará tal assunto. Porém, sempre é melhor fazer antes uma leitura geral para colocar as coisas em seus devidos lugares, isto é, dar a cada assunto a importância que realmente tem, dentro de um contexto no qual o centro é o consulente.

A Carta Testemunha é uma ponte entre as cartas e o assunto estudado, que a partir de agora consideraremos como sendo o próprio consulente. Existem diferentes sistemas para escolhê-la. Há tarólogos que usam a Sacerdotisa se o consulente é uma mulher e o Mago se é um homem. Este sistema é simplista demais e deixa fora do jogo cartas importantíssimas. Particularmente prefiro não usar Arcanos Maiores, senão uma das 16 Figuras da Corte, que, com oito personagens masculinos e oito femininos, representam tipos humanos, tal como vemos no capítulo X, na seção: Figuras da Corte e Carta Testemunha. A escolha se faz a partir do signo e do ascendente do consulente. Também podemos escolher intuitivamente.

Enquanto o consulente relaxa, colocando sua atenção na respiração, o tarólogo embaralhará brevemente as cartas, para que estas percam os restos de magnetizações anteriores. Agora estaremos prontos para invocar, isto é, para pedir ajuda a entidades espirituais de alto nível evolutivo. Agora o tarólogo deve deixar-se ir, para poder ser um canal por onde as entidades invocadas possam expressar-se, sem que seus problemas, crenças e/ou projeções distorçam a leitura.

A Invocação

Existem inúmeras. Cada um deve achar a sua. Crowley sugere: "Eu te invoco, IAO, para que envies HRU, o grande anjo que preside as operações desta sabedoria secreta, e coloque sua mão invisível nestas cartas consagradas à arte, para assim conseguir conhecimento verdadeiro das coisas ocultas, para glória de teu nome inefável. Amém".

Para quem não está familiarizado com tais ou quais entidades, é preferível invocar o próprio Ser Superior. Uma maneira pode ser esta: "Divina Presença Eu Sou em Mim! Pela força do amor, eu te invoco e te peço para que, por meio destas cartas, eu possa esclarecer o momento e a trajetória do(a) irmão(ã) (nome do consulente) e possa dar-lhe as orientações e informações que o(a) ajudem a ser mais feliz. A todas as entidades da Luz, a nossos guias e nossos mestres, eu invoco e peço que formem conosco um campo de energia comum (aqui o tarólogo tentará visualizar o campo energético), para que a leitura seja a mais clara e intuitiva possível e que sirva de maior ajuda a (nome do consulente) e a mim mesmo, para maior glória da vida e da Existência toda".

A Magnetização

Concluída a invocação, durante a qual o consulente estava com sua atenção dirigida para a respiração e com os olhos fechados, o leitor o orientará a friccionar as palmas das mãos para aumentar o fluxo energético delas.

Depois o consulente, tomando o baralho com as duas mãos, o colocará no seu colo, fechará os olhos e visualizará, ou pelo menos imaginará, que cada vez que seu coração pulsa, emite uma onda luminosa cheia de energia, que desce pelo braço esquerdo penetrando e energizando as cartas.

Esta onda volta pelo braço direito, fechando assim o circuito. Como ondas do mar que vêm do oceano (coração), quebram na praia, deixando nela sua energia, e voltam para o mar suavemente. Esta operação demorará um minuto, aproximadamente.

Depois, o consulente respirará três vezes, colocando as cartas com a imagem do Arcano encostada em cada um dos centros seguintes:

- *Hara*, dois dedos abaixo do umbigo,
- *Anahata chakra*, no plexo solar,
- *Ajna chakra* ou terceiro olho, entre as sobrancelhas, e
- *Sahasrara chakra*, na coroa da cabeça.

Podemos relacionar estes quatro centros com os instintos, emoções, mente e espírito.

Cada respiração consta de quatro partes:

a) Inspiração profunda, sentindo o ar ocupando todo o corpo, da cabeça até os pés.
b) Retenção durante um segundo, visualizando ou imaginando que

toda a energia do ser se concentra e ilumina o centro onde estão colocadas as cartas.

c) Expiração lenta, levando a energia acumulada para as cartas.

d) Retenção durante um segundo, visualizando a energia vibrando nas cartas.

Às vezes, pode ser interessante que a pessoa coloque as cartas em outros *chakras* ou em algum lugar específico de seu corpo físico, onde pode existir algum tipo de problema, por exemplo rins, fígado, sexo, garganta, etc.

Como Embaralhar

Agora, o consulente devolverá as cartas ao leitor e este as embaralhará, fazendo três séries de quatro movimentos. Os três primeiros são iguais: dividindo o baralho em duas metades mais ou menos iguais e inclinando-as para dentro — como vemos na ilustração.

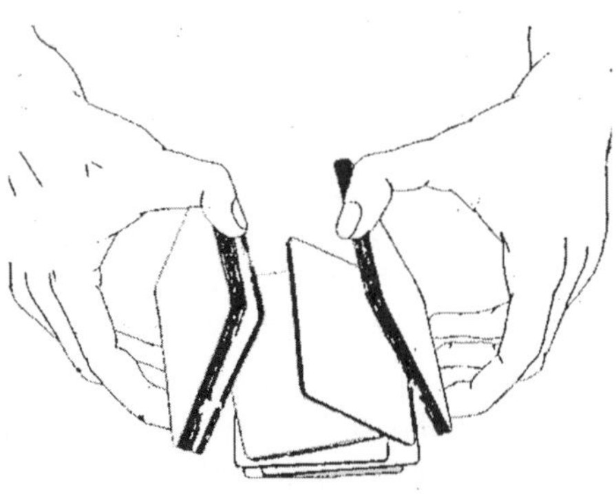

É importante não empurrá-las, para que sejam só a força da gravidade — que, como sabemos, é uma constante — e a energia do consulente os fatores que determinam a ordem final das cartas e, portanto, a leitura.

O quarto movimento de cada série consiste em segurar o baralho com

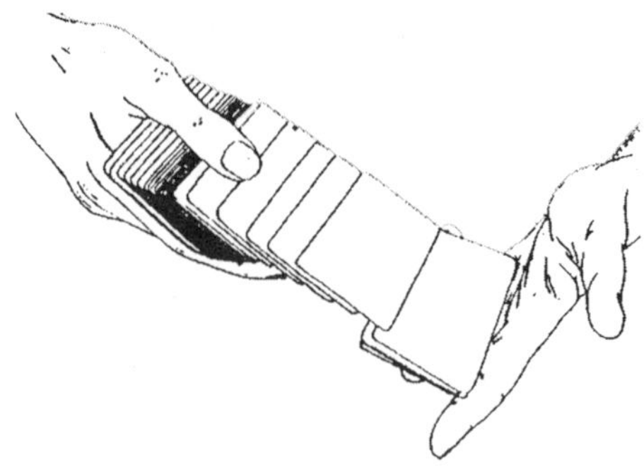

uma mão e, inclinando-o, pouco a pouco deixamos que as cartas comecem a cair na outra mão. Assim, as últimas serão as primeiras e vice-versa, tal como vemos acima.

Acabados os doze movimentos, o leitor entrega, de novo, as cartas ao consulente, pedindo-lhe que coloque a mão esquerda sobre elas por alguns segundos. Com a mesma mão, o consulente cortará uma vez para a esquerda. O leitor fechará o baralho e o colocará, sempre com a mão esquerda, no seu lado esquerdo.

Sistemas de Leitura

Existem muitos tipos de leitura. Dependendo do assunto que queremos estudar e das perguntas e motivações que o consulente traz para o Tarô, escolheremos o mais apropriado.

A Leitura Terapêutica

Esta é uma elaboração terapêutica que desenvolvi a partir da tradicional Cruz Céltica, que é um sistema baseado numa disposição de dez cartas (onze, com a Carta Testemunha), tal como vemos na ilustração seguinte, sendo que o número inscrito em cada carta indica em que ordem foi tirada do baralho.

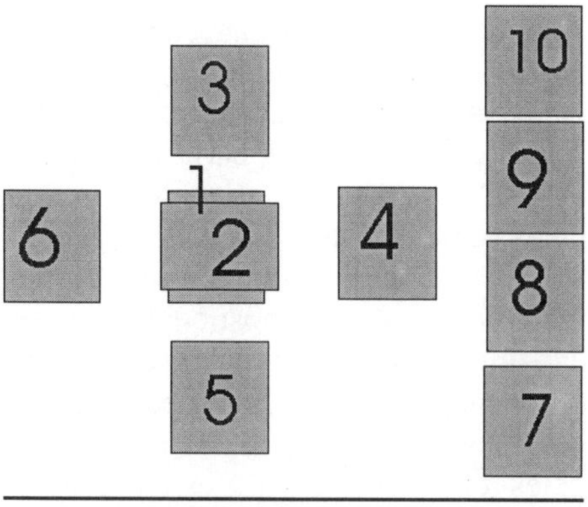

A Leitura Terapêutica

Vejamos cada uma das dez posições:

Momento Atual: Aqui temos as cartas 1 e 2. A carta nº 1 cobre a Carta Testemunha e mostra o momento que a pessoa está vivendo, sua atitude diante da vida, sua atmosfera atual. A carta nº 2 cruza a primeira. Ela nos informa de uma segunda atitude ou tendência. Também podemos ver nela os efeitos da anterior, algo que ainda não se manifestou, mas que já está sendo incubado. Há autores que vêem na primeira carta os fatores que favorecem a evolução da pessoa ou a realização de seus propósitos, e, na segunda, aquilo que bloqueia sua evolução e dificulta seus empreendimentos. Estas cartas formam a chamada "Cruz Dinâmica", que mostra um par de forças cuja resultante dinamiza a vida da pessoa.

Âncora: Esta posição, onde colocamos a carta nº 4, é considerada, tradicionalmente, a que revela o passado, mostrando situações, fatos ou atitudes pretéritas, mas que de alguma maneira influenciam ainda o momento presente. Segundo tal visão, esta carta mostra as bases do assunto, ou do comportamento e situação atual num momento distante. Eu preferi chamá-la de "Âncora", e nela estudamos o aspecto mais sombrio da personalidade do consulente — aquele conjunto de traços psíquicos que o acorrentam à sua programação, isto é, ao seu passado — e que constitui um nó a ser desfeito para que a pessoa se transforme e amadureça. Este conjunto de traços pode cristalizar-se numa máscara com que a pessoa se fantasia e se esconde para não encarar a realidade nem a si mesmo. Esta carta é um dos eixos principais da leitura. Podemos dizer que mostra o obstáculo fundamental que deve e pode ser superado, para poder avançar no caminho da realização pessoal.

Necessidade Interna: Temos aqui a carta nº 7, conhecida tradicionalmente como a do carisma: algo profundo e inerente ao ser. Na Leitura Terapêutica, veremos quais são as necessidades mais importantes e urgentes do ser interno, seu grito de socorro, pedindo atitudes coerentes com sua essência, saúde e bem-estar.

Relacionamentos: A carta nº 8 faz referência ao mundo dos relacionamentos e informa: a) como está a relação afetiva-sexual mais importante ou b) a maneira como o consulente se relaciona.

Infância: A carta nº 9 revela, segundo a tradição, as emoções mais íntimas, os medos, as esperanças, os sentimentos e desejos ocultos do consulente. Alguns autores mais modernos estudam aqui os fatores inconscientes que influenciam e empurram o consulente no momento presente.

Como estes fatores são fundamentalmente a programação infantil, que no inconsciente continua nos manipulando, na Leitura Terapêutica veremos nesta posição a infância e descobriremos também quais foram os padrões de comportamento que a criança teve de adotar para ter um mínimo de aprovação ou de atenção. Está claro que nesta carta estão as origens da Âncora.

Método: Temos nesta posição a carta nº 5, que nos mostra o método a seguir, as atitudes a tomar para ir desativando os bloqueios da Âncora. Uma segunda carta nesta posição indicaria o que fazer para fortalecer e desenvolver a própria individualidade.

Caminho de Crescimento: A carta nº 6, conhecida tradicionalmente como a carta do futuro, e que chamamos aqui "Caminho de Crescimento", fala da possível trajetória do consulente se faz alguma coisa na direção mostrada pelas cartas do método e da necessidade interna. Em nenhuma hipótese leremos esta carta como o que inexoravelmente vai acontecer. É importante não apenas ter claro, mas também fazer o consulente compreender que seu destino esteve, está e estará nas suas mãos, e que, com atenção e coragem, pode mudar sua vida.

Resultado Interno: A posição nº 3, chamada Coroa na Cruz Céltica, indica o mais sublime e elevado que o consulente pode atingir. Como isso está no lado interno, preferi chamá-la "Resultado Interno". Aqui veremos as qualidades ou potenciais que foram resgatados e/ou os bloqueios e medos que foram dissolvidos.

Resultado Externo: E, finalmente, a carta nº 10 mostra o resultado externo (Resultado final na Cruz Céltica) de todo este processo, a atitude do consulente diante do mundo, o que faz, seus projetos, etc.

As cartas não devem ser lidas na ordem em que foram colocadas sobre o pano. Operaremos assim: uma vez que temos as dez cartas em suas respectivas posições, levantaremos as que estão nas posições do Momento atual, Âncora, Relacionamentos e Necessidade interna (as de nº 1, 2, 4, 7 e 8), colocando-as sempre de cabeça para cima, isto é, não daremos importância ao fato de que algumas apareçam invertidas. A interpretação de cada carta dependerá de sua posição e da atmosfera criada pelas outras cartas.

Estas que levantamos são as chamadas cartas do diagnóstico, já que nos dão uma idéia substancial de como está o consulente e quais são seus problemas (cartas de nº 1, 2 e 8); a origem deles (carta nº 4) e o que está precisando com maior urgência (carta nº 7). É importante ver as cartas como um todo, procurando uma complementação dentro de uma unidade harmônica que faça sentido. Feito o diagnóstico, levantaremos o resto das cartas, e lendo, em primeiro lugar, a carta da Infância ou carta nº 9, reconstruiremos a história da programação da pessoa. Depois, é a vez de interpretar a carta nº 5, dando as instruções concretas, método de trabalho e técnicas específicas: exercícios, meditações, atitudes, alimentação, mudanças, atenção para determinados comportamentos, etc. Logo, leremos o Caminho de Crescimento e, finalmente, os Resultados Interno e Externo. Embora, inicialmente só tenhamos uma carta para cada posição, durante o transcurso da leitura podemos tirar do maço quantas cartas precisemos para cada posição. Para isso, colocamos a mão esquerda sobre o baralho e pedimos mentalmente três vezes as cartas que precisamos para completar nossa leitura. Por exemplo:

- Quero três cartas para o caminho de crescimento.
- Com que atitude a consulente poderia melhorar sua relação com seu marido?
- De que maneira o(a) consulente poderia afirmar-se em sua verdadeira natureza?

• O que representa tal pessoa na minha vida?

A Leitura do Mago

Esta é uma leitura simples e profunda, direcionada também ao autoconhecimento e ao crescimento pessoal que nos oferece Veet Vivarta em seu excelente trabalho *O Caminho do Mago.*[17] Mas deixemos com ele a palavra:

"Este jogo se mostra de grande utilidade frente a quaisquer experiências que nos peçam uma radiografia mais rápida e objetiva. O procedimento é simples: determinamos o assunto a ser focalizado e a seguir embaralhamos cada um dos conjuntos de lâminas — Arcanos Maiores, Cartas Menores numeradas[18] e Cartas da Realeza,[19] para finalmente escolhermos uma de cada.

Iniciamos a leitura pelo Arcano Maior, que simbolizará:

- o principal aprendizado espiritual;
- o agente alquímico em atuação no momento, ou
- a transformação que está em processo.

A seguir, a Carta Numerada (2) nos informará sobre:

- o meio através do qual posso favorecer a mudança;
- a atitude correta diante desta situação, ou
- o alinhamento com a Essência.

Por último, a Carta da Realeza (3) virá a traduzir:

- a qualidade humana a ser desenvolvida nesta experiência;
- o recurso interior com o que eu posso contar, ou
- as características de meu livre-arbítrio.

Nos casos em que percebamos a necessidade de ampliar um pouco mais o campo de visão do jogo, podemos convocar duas cartas extras. Para isto, reunimos todas as lâminas restantes dos três montes, tornamos a embaralhá-las e aí escolhemos uma (4) para assinalar:

- o padrão de comportamento ou atitude que bloqueia o caminho da transformação.
- e outra (5) que permita intuirmos
- qual o resultado de meu comprometimento com o processo de crescimento.

Deixo com vocês a observação dos notáveis paralelismos existentes entre a Leitura do Mago e a Terapêutica.

17 - *O Caminho do Mago*, Veet Vivarta (Rio de Janeiro, Francisco Alves, 1996).

18 - Arcanos menores numerados do Ás até o Dez.

19 - Figura da Corte.

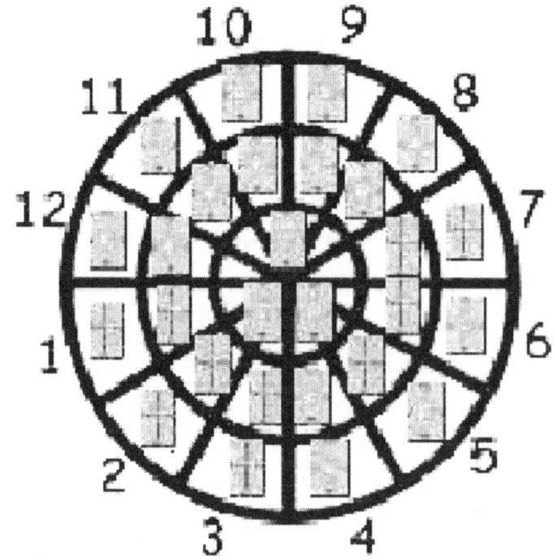

A Leitura das Casas Astrológicas

A Leitura das Casas Astrológicas

Existem duas maneiras de realizar este tipo de leitura, cuja disposição é circular:

a) Antes de começar, o leitor separa os Arcanos Maiores dos Menores, que serão magnetizados e embaralhados separadamente. O leitor pegará os Maiores e, em sentido anti-horário, colocará uma carta para cada casa, até fechar o círculo. Depois, repetirá a operação com os Menores, que serão colocados dentro do primeiro círculo, uma carta por casa. Os Arcanos Maiores representam as disposições naturais que o consulente tem a respeito dos significados de cada casa. Os Menores informam de que maneira específica este utilizará e desenvolverá as capacidades que mostram os maiores.

b) Aqui não separaremos as cartas, mas colocaremos uma carta por casa, sempre em sentido anti-horário, até completar cinco voltas às doze casas. Assim, podemos estabelecer uma certa seqüência para cada casa.

Em ambas as leituras, dividiremos a área central em três partes. A parte superior está reservada para a Carta Testemunha. Na parte inferior esquerda, que na variante A está ocupada por um Arcano Maior, teremos uma carta que mostra a natureza íntima ou verdadeira do consulente. A inferior direita, que na primeira leitura estava ocupada por um Arcano Menor, indica aqui como o consulente pode orientar melhor sua natureza para levar a cabo sua realização. Vejamos o significado de cada casa:

Primeira casa: É a casa do ascendente, a casa de Áries, governada por Marte. Vemos aqui a personalidade e a maneira de agir, movida pela necessidade de sobreviver. Mostra a aparência, a estrutura do caráter, as atitudes fundamentais diante da vida, os costumes e hábitos, e também a vitalidade e a saúde.

Segunda casa: É a casa de Touro e está regida por Vênus. Mostra nossos recursos, nossas posses e capacidades, poderes mentais, habilidades, predisposições psicológicas e situação financeira. É a casa dos legados, heranças e constituição física. Vemos também aqui como usamos o que possuímos.

Terceira casa: Governada por Mercúrio, é a casa de Gêmeos. Mostra os primeiros movimentos, aprendizados e relacionamentos: as vivências com os pais, irmãos, vizinhos e primeiros amigos. Vemos como a pessoa se comunica no ambiente mais próximo. É a casa da mente analítica, prática e técnica. A mente que reúne as observações e as informações, classifica-as e estabelece um conjunto de normas práticas, longe ainda das leis universais. É também a casa do comércio, dos contratos e das viagens curtas.

Quarta casa: É a casa de Câncer, governada pela Lua. Aqui, estudaremos nossas raízes, as experiências pré-natais e os conhecimentos adquiridos. Se refere à casa paterna, à programação infantil e também ao lar que a pessoa construirá para si própria quando adulta.

Quinta casa: É a casa de Leão e está regida pelo Sol. Mostra como exteriorizamos nossas emoções e como expressamos nossa identidade. É a casa do prazer, do amor, da criatividade, dos filhos e da satisfação de amar e de ser amado.

Sexta casa: Governada por Mercúrio, é a casa de Virgem. Representa tudo que está relacionado com as crises internas e a maneira de enfrentá-las, mostrando, assim, como a pessoa pode transformar-se e crescer. Vemos nela as atividades realizadas por necessidade, as atitudes para resolver as crises. Assim, pois, é a casa do aperfeiçoamento pessoal. É também a casa das enfermidades, da higiene e da alimentação.

Sétima casa: Esta é a casa de Libra, regida também por Vênus. A partir daqui a pessoa é estudada como ser social. Tradicionalmente é a casa do matrimônio. Na verdade, é a casa do companheiro, do casal, das associações íntimas e de negócios. Vemos aqui como o consulente se relaciona, coopera e negocia com seus sócios.

Oitava casa: É a casa de Escorpião, regida por Marte e Plutão. Aqui, os relacionamentos se aprofundam. Isso exige transformações, para que a união não acabe. Nesta casa, os companheiros se integram. É a casa da relação sexual como força de renovação, de transmutação e de aprofundamento. É a casa da morte e das experiências místicas.

Nona casa: Governada por Júpiter, é a casa de Sagitário. Temos aqui a procura do conhecimento e da transcendência. É a casa da intuição, da mente abstrata, da filosofia e da religiosidade. Refere-se a tudo o que pode expandir o campo da consciência e seus horizontes mentais: viagens, estudos, iniciações, experiências e contatos com outras culturas. É também a casa dos símbolos.

Décima casa: É a casa de Capricórnio, regida por Saturno. Mostra as realizações, os êxitos, a aprovação social, a fama e a glória. Está relacionada com a autoridade e também com a elevação espiritual.

Undécima casa: Governada por Saturno e Urano, é a casa de Aquário. Aqui vemos como a pessoa atua em grupo, que afinidades e objetivos a levam a integrar-se em grupos. É a casa das amizades, dos ideais coletivos e da imaginação.

Duodécima casa: É a casa de Peixes, regida por Júpiter e Netuno. Esta casa conclui o ciclo de experiências humanas. É onde confrontamos nossos êxitos e fracassos, onde percebemos a interação entre os condicionamentos sociais e a natureza individual. Aqui estão as inibições, as prisões, amarguras e frustrações. Também temos aqui a arte de morrer, a grande iniciação, a meditação, a mediunidade, os inimigos ocultos, a clandestinidade, os vícios e escapismos.

Resumindo:

Casa 1 — A personalidade
Casa 2 — Os recursos
Casa 3 — A mente concreta
Casa 4 — A programação familiar
Casa 5 — A criatividade, os filhos, o prazer

Casa 6 — O serviço
Casa 7 — O companheiro
Casa 8 — A regeneração
Casa 9 — A expansão. A mente abstrata
Casa 10 — A realização
Casa 11 — O grupo
Casa 12 — As restrições

A Leitura do Triângulo

Quando o consulente está interessado em conhecer o desenvolvimento de um assunto específico, esta leitura é rápida, simples e dá bons resultados.

A Leitura do Triângulo

Uma vez que o baralho está pronto para iniciar a leitura, o tarólogo pedirá ao consulente que corte uma vez e, antes de juntar as duas metades, o leitor tomará a primeira carta do corte: a carta nº 1.

Depois de juntar as partes, deixando o baralho tal como estava antes do corte, o tarólogo pedirá ao consulente que corte de novo duas vezes, deixando assim sobre a mesa três montes de cartas. Desta vez, o leitor tomará as três cartas que estão em contato com o pano e que serão as cartas nºs 2, 3 e 4, e as colocará numa fileira horizontal embaixo da carta nº 1, como vemos na ilustração acima. Agora o leitor juntará os três montes, deixando sempre o baralho na ordem inicial, e irá tirando as cartas superiores, formando uma segunda fileira de sete cartas.

A carta nº 1 identifica o assunto, revela sua essência, explica numa palavra, numa idéia só, o assunto; às vezes, pode mostrar o resultado. As cartas nºs 2, 3 e 4 mostram os fatores envolvidos no assunto, ou às vezes, o andamento que este pode tomar.

A fileira de sete cartas dá uma descrição mais detalhada da evolução do assunto. É importante destacar as cartas 1, 3 e 8, já que ocupam a coluna central da leitura.

Esta leitura é recomendável para quem começa a estudar o Tarô, já que sua estrutura facilita armar histórias a partir de significados concretos, ajudando muito o desenvolvimento da intuição.

A Leitura Cigana

São vários os sistemas ciganos conhecidos. Este é uma atualização de um deles. Com o baralho, o leitor pedirá ao consulente que corte o maço em três partes, das quais tomará as cartas em contato com o pano e juntará os montes, deixando as cartas como estavam antes de cortar. Tomando as cartas que estão acima, o tarólogo colocará sete cartas da direita para a esquerda e repetirá a operação seis vezes mais, até que tenha sete montes de sete cartas cada um.

Cada monte representa:

1. O autoconhecimento e a vida espiritual.

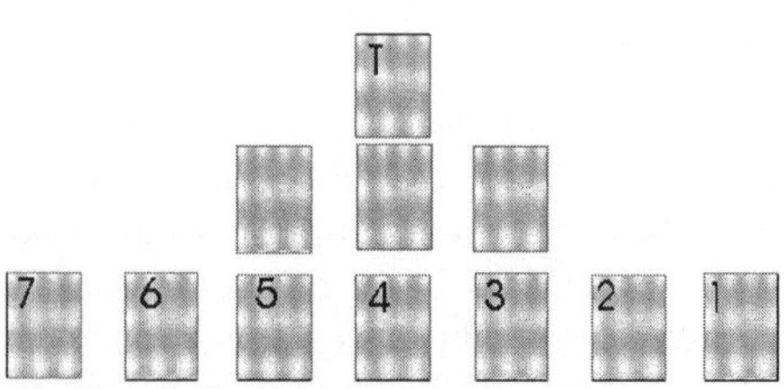

A Leitura Cigana

2. A estrutura material, a saúde, o lar e as finanças.
3. O amor e a expressão das emoções.
4. As atividades, a criatividade e o trabalho.
5. Os estudos, as viagens e a vida intelectual.
6. O inesperado.
7. O resultado final.

Esta leitura nos dará uma idéia da evolução da pessoa nestes sete aspectos durante um ano. É aconselhável, para quem se interessa por esta visão de forte tendência divinatória, realizá-la no dia de seu aniversário.

O procedimento é simples. Uma vez completados os sete montes, o leitor tomará o primeiro e formará com ele, embaixo da fileira dos seis montes anteriores, uma nova fileira, da esquerda para a direita. Acabado de ler este monte, o leitor tomará o próximo, formando uma nova fileira embaixo da anterior, até o sétimo monte. Então, terá sobre a mesa um quadrado de 49 cartas. As três primeiras cartas representam as tendências ou situações fundamentais na vida do consulente no decorrer do ano.

Leitura da Árvore da Vida

Este sistema atribui seis cartas para cada uma das dez *sephiroth*. Colocamos uma carta de cada vez, seguindo a seqüência das esferas, até completar seis voltas. No total, esta leitura utiliza 60 cartas.

As cartas 1, 11, 21, 31, 41 e 51 são relativas a *Kether* e nos dão informação a respeito da procura espiritual.

As cartas 2, 12, 22, 32, 42 e 52 correspondem a *Chokmah* e são relativas às iniciativas pessoais.

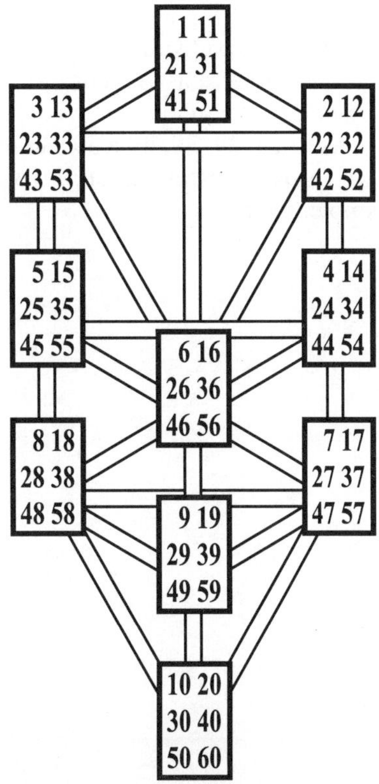

A Leitura da Árvore da Vida

As 3, 13, 23, 33, 43 e 53 são cartas de *Binah* e revelam as cargas e desgraças.

As 4, 14, 24, 34, 44 e 54 fazem referência a *Chesed* e mostram as construções materiais e os ganhos financeiros.

As cartas 5, 15, 25, 35, 45 e 55 correspondem a *Gueburah* e falam dos inimigos, das lutas e dos problemas, assim como das destruições.

As 6, 16, 26, 36, 46 e 56 são atribuídas a *Tiphareth* e estão mostrando o caminho da glória, da fama e da realização da individualidade.

As 7, 17, 27, 37, 47 e 57 têm a ver com *Netzach*, apontando como o consulente pode dar-se na esfera do amor e na expressão de suas emoções em geral.

As 8, 18, 28, 38, 48 e 58 pertencem a *Hod* e dão subsídios sobre a mente do consulente, suas viagens e sua capacidade de comunicar-se.

As 9, 19, 29, 39, 49 e 59 são relativas a *Yesod* e mostram a saúde e o psiquismo em geral.

E, finalmente, as cartas 10, 20, 30, 40, 50 e 60 correspondem à *Malkuth* e nos falam do lar e da estrutura material e financeira do consulente.

CAPÍTULO 5

As Cartas

O Louco

Títulos: No baralho medieval francês, o título desta carta é *Le Mat*, tradução de *Il Matto* dos Tarôs italianos, que significa O Bobo ou O Louco. Crowley insinua, baseando-se na forte influência egípcia que tem o Tarô, que Mat poderia muito bem proceder de Maat,[20] a deusa-abutre que, segundo esta tradição, tem o pescoço espiralado e gera todas as espécies animais. O título esotérico do Louco é "O Espírito do Éter".

Número: O Louco é o Arcano número Zero. Esta palavra procede do árabe *cifa* ou *sifr*, que significa "vazio". Dela derivam as palavras esfera e cifra e, em francês, *cifre*, cujo significado é "número". O vazio é a fonte e a condição da Existência, como o silêncio é a fonte e condição do som.

> *"E em verdade a Realidade Suprema é Silêncio e Vazio"*
>
> Arnaud Desjardin

No *Tao Te King*, presumivelmente ditado por Lao Tse a um funcionário de fronteiras chinês, no século VII a. C., está escrito:

> *"O Tao é um vazio insondável em movimento incessante, que nunca se esgota.*
>
> *O Tao que pode expressar-se não é o Tao eterno.*
>
> *O Tao que pode ser nomeado não é o verdadeiro Tao.*
>
> *Sem nome é o Princípio do Universo.*
>
> *Sem nome é a origem do céu e da terra.*
>
> *Com nome é a mãe de todas as coisas.*
>
> *Os dois Taos são o mesmo, diferenciando-se só no nome.*
>
> *A vida é emanação do Tao.*
>
> *O Tao em sua origem é Vazio.*
>
> *Uma confusão inacessível ao pensamento humano.*
>
> *No Vazio está o germe de todas as coisas.*
>
> *E este germe é a Suprema Verdade."*

O Louco
(Marselha e Waite)

Os físicos atuais chegaram às mesmas conclusões: "A distinção entre matéria e espaço vazio teve de ser abandonada finalmente pela física moderna, quando se fez evidente que as partículas virtuais podem passar a existir espontaneamente a partir do vácuo e desaparecer novamente neste último.

20 - Maat o Mut, esposa de Amon, cujo nome significa literalmente "mãe", não deve ser confundida com Ma'at, a deusa também egípcia da Justiça e da Verdade.

Os Loucos

O Zero. Representa a potencialidade absoluta da qual tudo surge e na qual tudo termina. O Zero vem do árabe sifr, *que significa vazio. O Tao transmite uma idéia paralela: "O Tao é um vazio insondável em movimento incessante que nunca se esgota, origem do Céu (Yang) e da Terra (Yin), e ele está no germe de todas as coisas", assegura o* Tao Te King. *A melhor representação gráfica do zero é a espiral, que integra o ponto sem dimensões com o infinito, dando uma idéia de movimento e geração, e mostrando que o zero é o Infinito não manifestado e o Infinito é o zero manifestado.*

Assim como o vazio oriental, o vácuo físico não é um estado do mundo das partículas. Estas formas, por sua parte, não são entes físicos independentes, mas simplesmente manifestações transitórias do vazio subjacente.

Como disse o sutra budista: forma é vazio e vazio em verdade é forma. O vazio é um vácuo vivo, que pulsa num ritmo sem fim[21] de criação e destruição. Os resultados da física moderna parecem confirmar as palavras do sábio chinês Chand Tsai: "Quando se sabe que o grande vazio está cheio de *ch'i* (energia cósmica), compreendemos que não existe coisa alguma que seja o nada." (O Tao da Física. Fritjof Capra).

Assim, tanto o zero como o vazio não são a ausência de tudo, mas a potencialidade mais absoluta.

Se consideramos a equação matemática 0 = (+ 1) + (-1) da esquerda para a direita, vemos o Zero originando os opostos, dando lugar à polaridade. Se a observamos da direita para a esquerda, podemos entender o Zero como o ponto onde os opostos se aniquilam e a polaridade se complementa. Deduzimos que o Zero não só dá origem à existência, mas também desenvolve os Princípios Positivo e Negativo e a idéia de polaridade. O Zero seria o Tao, +1, o Princípio Yang, e -1 seria o Princípio Yin que, combinando-se em diferentes proporções, originam os oito trigramas de cuja combinação obtemos os 64 hexagramas que integram a cosmovisão do I Ching.

Os maias descobriram e usaram o zero pelo menos mil anos antes que algo parecido fosse conhecido na Europa. Representavam-no com um caracol, que na glíptica maia tem a forma de uma espiral.

21 - E sem início? — "A matéria nem se cria nem se destrói, unicamente se transforma." (*Heráclito de Efeso*).

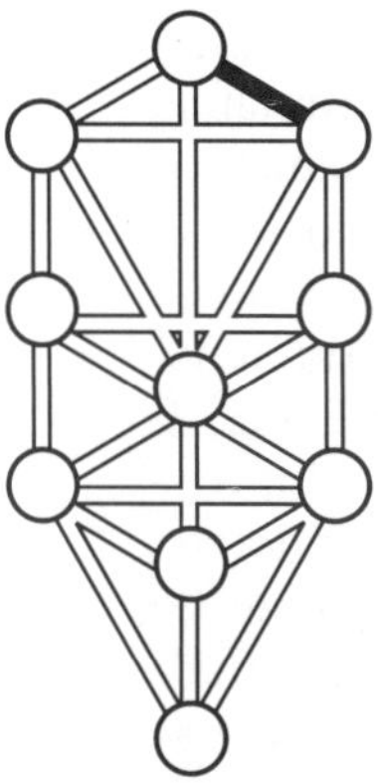

O Caminho 11º

Esta curva, símbolo de geração e regeneração periódica, mostra a permanência do ser através das flutuações e das mudanças. Não só manifesta o movimento circular, mas une o ponto original com o infinito. A espiral está mostrando que o Zero e o Infinito são duas formas diferentes de ver a mesma coisa.

O Zero é a espiral fechada, potencialmente infinita, o infinito não manifestado, não diferenciado, e o Infinito é o Zero manifestado, a manifestação do potencial.

Letra hebraica: **א**

Atribuímos ao Louco, primeira carta da seqüência, a primeira letra do alfabeto: *Aleph*, cuja tradução é "boi". Sua forma lembra um arado, que firmemente, rigidamente, abre, penetra e deixa a terra pronta para ser fecundada. Também podemos ver no arado um intermediário ou instrumento entre a força masculina do boi e a receptividade feminina da terra. *Aleph* é a primeira das três letras mães, é dourada, seu valor numérico é 1 e corresponde à nossa A. Representa o Ser Humano universal.

Caminho cabalístico: Os cabalistas consideram as dez *sephiroth* como os dez primeiros caminhos. Portanto, este será o décimo primeiro caminho. Une e equilibra *Chokmah* (a Sabedoria) com *Kether* (a Coroa). É o caminho recorrido pelos Iluminados. Em direção ascendente, conduz ao Caos, ao não manifestado, e em direção descendente representa o espírito em sua pureza, projetando-se rumo à manifestação.

No *Sepher Yetzirah*, Livro da criação, está escrito:

*"O décimo primeiro caminho é o da Consciência Deslumbrante (*Sekhel MeTzuchtzach*). Chama-se assim porque é a essência do Véu que está ordenado na disposição do sistema. Indica a relação dos caminhos pelos quais uma pessoa pode permanecer diante da Causa das Causas."*

Atribuição astrológica: O Ar é o elemento atribuído ao Louco. Apesar de alguns autores o considerarem um elemento masculino equivalente ao Fogo, o Ar é o fruto da união do Fogo, masculino, com a Água, feminino. Assim, pois, terá as características de ambos. Nos relatos mais antigos, Zeus Arhenotelus, o Senhor do Ar, combina em sua natureza os Princípios Masculino e Feminino, perfeitamente complementados, sustentando a idéia de que a Divindade integra o masculino e o feminino, coisa que encontra uma correspondência perfeita com os ensinamentos da cabala. Segundo a mitologia egípcia, o abutre se reproduz, dando lugar a outras espécies, graças à intervenção do vento, que seria o pai de toda a existência manifestada. É curioso que louco, em inglês *fool*, deriva do latim *follis*, que significa "fole": aquilo que dá ar. Outros autores atribuem esta carta ao planeta Urano.

O Louco (Experimental e Golden Dawn)

Símbolos: Segundo Crowley, para melhor entender este Arcano, é importante conhecer algumas tradições e lendas pré-cristãs.

a) Na época matriarcal e exogâmica, anterior ao rei Arthur, a sucessão ao trono se dava pela linha feminina. O rei não era rei por herança, mas pelo fato de conquistar a mão de uma princesa herdeira, em torneios e outras provas à porta fechada. Assim, pretendia-se assegurar a capacidade do novo rei, cujas tarefas fundamentais eram ser o chefe dos exércitos da rainha e o genitor da próxima herdeira. Este jovem estrangeiro, muitas vezes fantasiado de trovador ou de mendigo, aparece em alguns contos do tipo "A Bela e a Fera", no qual se unem o extremamente masculino e feminino. Nestas histórias, o trovador é sempre o louco da família, que abandona a segurança do reino de seus pais para jogar-se no mundo.

b) É interessante a lenda do Homem Verde que personifica as forças que originam a primavera. Nesta época do ano, as Forças da Vida em ascensão levam nossa natureza infantil e adolescente a manifestar-se mais abertamente. São tempos de idealismo, despreocupação, paixão, sonhos e irreflexão. A relação entre o Louco e a primavera ainda se mantém viva. Nos países anglófonos, celebra-se *o April Fool's day* ou "dia do louco". Poderíamos relacioná-lo com a festa cristã dos Santos Inocentes ou com o dia da mentira, que em alguns países, como o Brasil, se celebra também em primeiro de abril.

c) Na lenda de Parsifal, cuja primeira versão apareceu em Bretanha (França), encontramos elementos que lembram a personalidade do Louco. Sua primeira ação, atirar uma seta no cisne sagrado, mostra a irreflexão da inocência. É esta mesma inocência que lhe permite liberar-se das damas do jardim de Kundry e do ataque de Klingsor, o mago negro. Finalmente sua inocência madura vira santidade. Ele descobre Monsalvat, o monte da salvação, dentro de si mesmo e aí aparece o Santo Graal que, símbolo da plenitude interior, só é atingido pelos inocentes: Parsifal e Galahad, o filho de Lancelot. A lenda de Parsifal ilustra a idéia da máxima inocência transformando-se em fertilidade.

d) No Oriente, existe a crença de que os loucos são santos. Estariam possuídos pelo espírito de um santo. Crowley lembra que a palavra inglesa *silly,* que significa "tonto" e também "vazio", vem do alemão *selig*, que quer dizer "santo". O Louco aparece na carta com os chifres de Dionísios Zagreus, filho de Zeus e Deméter,[22] céu e terra. Hera, a esposa de Zeus, irritou-se tanto com a infidelidade do marido que mandou os titãs para que esquartejassem e cozinhassem Dionísios num caldeirão. No entanto, Zeus, com a ajuda de Atenea, conseguiu resgatar seu coração que ainda latejava e com ele preparou uma poção que deu para Semele, mortal princesa te-

22 - Em outra versão deste mito, Dionísios Zagreus seria filho de Perséfone, com a qual se uniu Zeus, sob a forma de uma serpente, numa caverna de Sicília.

Triunfo de Dionísios e Ariadne (Carraci)

bana, deixando-a grávida. Hera preparou uma armadilha para matar Semele, mas Zeus arrancou o filho não-nascido e o guardou na sua coxa, até que nasceu. Então, o entregou a Hermes para ser instruído. Dionysos ou Dionísios, "o nascido duas vezes", representa as forças do não-convencional. Seu culto se contrapõe às religiões tradicionais[23]. Dionísios não pode ser considerado somente, como o faz sua versão romana, Baco, o deus do vinho, do entusiasmo e do desejo sexual. Dionísios é o deus da libertação, da eliminação das proibições e dos tabus, das catarses, da exuberância da natureza e da vida e do êxtase através da expressão do irracional. Simboliza as forças que dissolvem a personalidade adquirida, a máscara de "civilizado" que impomos à nossa natureza animal. Assim, as orgias dionisíacas pretendiam resgatar as formas caóticas e primordiais da vida. Dionísios e Zaratrusta, ambos inspiradores de Nietzsche, tendem a fazer dos humanos seres divinos, ou melhor, a serem reconhecidos como deuses. Entre seus chifres vemos um cone fálico de luz branca, que representa a influência espiritual e não manifestada de Kether.

O Louco irrompe inesperadamente no mundo. Está vestido de verde, conforme a tradição do homem da primavera e calça sapatos dourados, cor do Sol e de Aleph.

Segura um cristal na mão direita e um galho de pinheiro em chamas na esquerda, símbolos do crescimento mineral e vegetal. As uvas que aparecem do seu lado esquerdo são símbolo de fertilidade, doçura e êxtase, e fazem referência a Dionísios ou Baco.

Descrevendo uma trajetória curva ao redor do Louco, temos a pomba,

23 - Existem autores que acham um paralelismo notável entre Dionísios e Jesus. Os dois sofreram persecuções quando nasceram, foram entregues a terceiras pessoas para serem instruídos, questionaram a doutrina oficial e seus ensinamentos, foram perseguidos, manipulados, distorcidos e degradados.

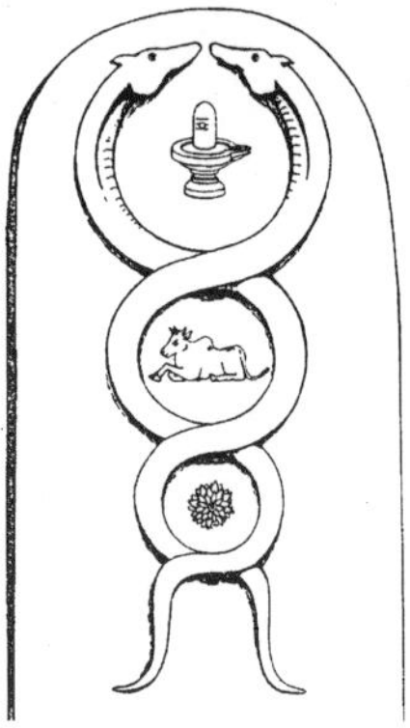

O Nagakal

o abutre, a borboleta e o Caduceu de Mercúrio.

A pomba é um símbolo duplo, que na mitologia clássica é atribuído a Vênus e na cristã representa o Espírito Santo, conjugando, assim, em sua natureza, o feminino e o masculino.

O abutre é Maat, que reforça a idéia de geração aparecendo com asas helicoidais.

A borboleta multicolorida é símbolo de renascimento e graça, transformação, leveza e inconstância.

O Caduceu é um dos símbolos conhecidos mais antigos. Nós o achamos 2.600 anos antes de Cristo na taça de Gudea, rei de Lagash (Suméria, hoje Iraque), e sobre as tábuas de pedra, *najakals*, na Índia dravidiana ou pré-ariana, mais antigas ainda, como vemos na ilustração.

Originalmente, aparece como uma vara sobre a qual se enroscam duas serpentes, simbolizando o equilíbrio entre as tendências opostas. Lembra a forma dos canais de energia prânica ou *nadis*: *ida* e *pingala*, que se cruzam no redor de sushuma, o canal central, tal como se conhece no tantrismo tibetano e hindu.

Na Grécia,[24] o Caduceu adquire sua forma completa. Sobre as serpentes, aparece uma esfera entre duas asas, que às vezes toma a forma de espelho circular e outras de ovo. O ovo é o receptáculo da essência da vida, produto da complementação dos opostos, que também dá lugar à transcendência indicada pelas asas. O Grande Espelho Tibetano mostra o segredo supremo: o mundo das formas que se reflete no espelho, não é mais que um aspecto do vazio. No mito japonês de Amaterasu,[25] o espelho circular ou solar é símbolo de harmonia e perfeição, ocupando um lugar destacado nos templos xintoístas. Em muitas culturas, é usado como um instrumento de adivinhação. Parece que Pitágoras o usava para tais fins. Para os sufis, o Universo está constituído por um conjunto de espelhos, nos quais a essência divina se contempla sob diferentes formas.

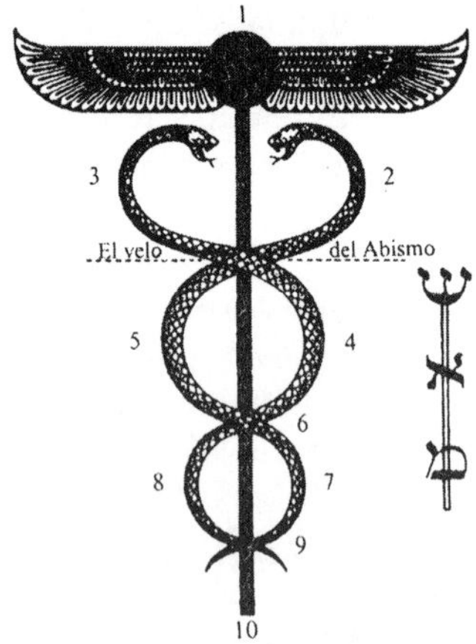

O Caduceu e as Dez Esferas.

Amaterasu

Na visão de Court de Gebelin, o bastão representa o Equador terrestre, as asas são o tempo e as duas serpentes masculina e feminina mostram o Sol e a Lua, que, durante o ano, percorrem a elíptica sobre a qual estão às vezes juntos e às vezes separados. Também há quem veja no Caduceu os quatro elementos: as serpentes corresponderiam ao Fogo e à Água, o bastão à Terra e as asas ao Ar. O Caduceu, também atribuído a Esculápio, deus romano da me-

24 - Segundo o mito patriarcal este símbolo teria sido criado quando sob a forma de duas serpentes, Zeus trançou com sua mãe Réia. Sabemos que a serpente sempre foi um símbolo da Grande Deusa. Para maiores detalhes consultar a sessão: símbolos no Arcano XIII: A Morte.

25 - Amaterasu é a deusa solar do Japão, governanta de todos os deuses, cujo emblema, o sol nascente, está na bandeira nacional. Sua luz refletida em seu espelho ilumina o céu e a Terra.

dicina, se converteu no símbolo por excelência desta ciência. É interessante observar a relação gráfica entre a Árvore da Vida e o Caduceu, tal como vemos na ilustração da página anterior.

Para os alquimistas, "o Caduceu está formado por uma vareta de ouro rodeada por duas serpentes. Estas representam os dois princípios contrários, que devem unificar-se. Esses princípios se conciliam no ouro unitário na haste, que surge, portanto, como a expressão do dualismo fundamental que ritma todo o pensamento hermético e que deve ser reabsorvido na unidade da pedra filosofal". (*Art et Alchimie*, Vao Lennep, Bruxelas, 1966)

Essa idéia de reunificação dos opostos-complementares está reforçada pela imagem das duas crianças abraçando-se entre as pernas do Louco. Sobre eles, derrama-se a bênção dos três lírios, símbolo, como as crianças, de inocência e pureza, mostrando aquelas qualidades necessárias para a ascensão do sol radiante, ou consciência adormecida, no *chakra* Muladara, até a luz de Kether. Os movimentos do Caduceu, da pomba, do abutre e da borboleta formam três círculos de luz, aludindo ao Triplo Véu da Negatividade ou aos três planos da não-manifestação anteriores a Kether: Ain, Ain Soph, Ain Soph Aur, o Nada, o Nada Ilimitado e a Luz Ilimitada, respectivamente.

O tigre, que junto com o jegue é o companheiro de Baco em suas caminhadas, representa o referencial instintivo que orienta o Louco na sua ausência total de experiências, critérios e crenças.

Embaixo, temos o crocodilo Sebek, símbolo egípcio da fertilidade adolescente.

Significados gerais: Macrocosmicamente, o Louco representa o estado anterior a qualquer manifestação, o não-ser de onde espontaneamente surge o Ser. Encarna a idéia do Potencial Absoluto, o Caos.

Essa idéia de existência não-manifestada, ou pelo menos não visível, tem um certo paralelismo com o que os astrofísicos conhecem como buracos negros.

No plano humano, o Louco é a criança com seus atributos de inocência, pureza, sensibilidade, espontaneidade, alegria, confiança, amorosidade, potencialidade, irresponsabilidade e seu sentido do aqui e do agora, que lhe permitem relacionar-se com o tempo, como só os Iluminados são capazes. Sem ceticismo, sem crenças nem critérios pré-estabelecidos, sem passado e sem expectativas, o Louco se joga no mundo do desconhecido.

Disse o mestre zen Suzuki: "Neste mundo espiritual, o tempo não está dividido em passado, presente e futuro, estas divisões contraíram-se num único momento presente, onde a vida palpita em seu verdadeiro sentido".

O Louco é o Ser Humano Universal, no qual se guardam os potenciais do super-homem, do homem e a mulher novos. Sendo que o Louco não tem nada a ver com ordem, estabilidade e raciocínio, podemos atribuir-lhe idéias de irreflexão, falta de objetivos, de resultados e de conhecimentos específicos.

Na Leitura Terapêutica

Momento atual: O consulente está a ponto de iniciar uma nova fase de sua vida, arriscando-se a dar um salto rumo ao desconhecido. É o momento imediatamente anterior a um grande desabrochar de potências e de manifestações autênticas e íntimas do consulente. Pode indicar também uma ruptura de amarras que até o momento não o deixavam agir.

Âncora: Esta pessoa está psiquicamente fixada na infância. É incapaz de responsabilizar-se por seus próprios atos e de extrair lições de suas experiências e erros. É dependente emocionalmente e parasita economicamente. É o eterno jovem incapaz de assumir responsabilidades e de qualquer realização prática, já que o que realmente o mobiliza é a procura de uma mamãe ou um papai que preencha suas carências afetivas e lhe resolva a vida. É inseguro e dependente, embora tente parecer auto-suficiente. Às vezes, dá a si próprio um ar de exótico para chamar a atenção.

Esse apego à personalidade infantil pode ser aliviado com o uso do floral de Fairy Lantern**, que também lhe ajudará a aceitar suas responsabilidades de adulto. Sua fixação no passado pode ser tratada com Honeysuckle, e a essência de Chesnut Bud pode ajudarlhe a estar mais atento e a aprender com suas próprias experiências.

Se aparece com o Cavaleiro ou o Dois de Copas (o Amor), é muito provável que possua uma estrutura de defesa de caráter oral.[26] Junto com o Cinco de Espadas — a Derrota —, pode mostrar que esta pessoa pretende obter a atenção dos outros por meio de comportamentos negativos. Neste caso, sugeriremos o uso do floral de Chicory.

Necessidade interna: O consulente está precisando resgatar seu lado infantil, isto é, viver mais cada momento, brincar, levar a vida com menos seriedade, revisar suas responsabilidades e obrigações, permitir-se ser mais es-

> *O presente corre junto com a respiração. Se estamos totalmente atentos à respiração e às sensações físicas, cairemos inevitavelmente no presente. A mente tentará pular ao passado e ao futuro, observaremos este salto e voltaremos ao presente e à respiração. Então, perceberemos como no aqui e no agora não existem problemas nem angústias. Expandiremos o momento e veremos como uma onda de prazer nos envolve e começaremos a desfrutar.*
>
> *Osho Rajneesh*

pontâneo e direto e especialmente deixar de julgar os outros e a si mesmo.

Relacionamentos: a) Uma nova pessoa está chegando, com um forte potencial para criar uma relação profunda e importante. b) Esta pessoa tem um comportamento decididamente infantil. Procura a atenção e fundamentalmente a aprovação e a proteção do outro. Pensa que pode fazer qualquer barbaridade porque seu companheiro tem a obrigação de amá-lo.

Infância: O consulente não teve infância. Não lhe foi permitido ser espontâneo, inocente e natural, brincar e/ou estar simplesmente à toa. Provavelmente, preencheram sua vida com responsabilidades e atividades organizadas, sempre com um adulto tomando conta, com expectativas de resultados, impedindo-lhe não somente viver o momento, mas criá-lo e inventá-lo. Cansou-se de escutar: "Seja responsável! Você não faz nada de proveitoso!"

Método: É importante que o consulente se abra para uma nova etapa na sua vida, dando crédito a seus potenciais e capacidades, deixando a seriedade e o medo do desconhecido de lado. Sua melhor arma será a espontaneidade.

26 - Para um estudo das estruturas de caráter, consultar: *Bioenergética*, de Alexander Lowen (São Paulo, Summus Editorial, 1982).

Sugeriremos que brinque com crianças e participe de atividades em que os resultados não interessam e o importante é o prazer da própria ação. O floral de Zannia ajudará a resgatar o lado infantil e trazer para o cotidiano a capacidade de brincar e rir. A essência de Baby Blue Eyes lhe facilitará recuperar a inocência e a confiança infantis.

Caminho de crescimento: A pessoa vai redescobrir o mundo e a si mesma; vai tomar consciência da criança que sempre foi: leve e espontânea, carinhosa e alegre, sensível e curiosa. Com esta atitude, vai jogar-se na vida como em uma aventura cheia de descobrimentos.

Resultado interno: O ser infantil recuperou seu lugar. Agora o consulente é capaz de expressar suas emoções, pensamentos e impulsos instintivos de uma maneira mais espontânea e sem preconceitos.

Resultado externo: Temos aqui a pessoa jogando-se numa nova fase de sua vida, consciente de seus potenciais, usando-os na prática, estimulada pela aventura e pelo desconhecido, e disposta a realizar novos projetos.

O Mago

Títulos: No Tarô medieval francês seu título é *Le Bateleur*, personagem medieval e renascentista que realizava em praça pública performances de mágica e malabarismo, e trazia notícias e lendas de outras regiões, acompanhando-se às vezes de algum instrumento musical. Esta palavra também pode ser traduzida como "o portador do *bâton*" ou "bastão". Aqui temos a primeira alusão a Mercúrio, que é o portador do bastão: o Caduceu. O bastão ou a vara é símbolo de poder e clarividência, instrumento mágico por excelência, especialmente associado ao fogo que dele brota. Hermes (Mercúrio) teria sido o inventor do fogo, *pyreia*, que depois Prometeu tomou e levou, dentro de sua vara oca, para os humanos.

O Mago (Marselha, Waite e Crowley)

Em Tarôs posteriores, esta carta passou a chamar-se "O Mago". Seu título esotérico é "O Mago do Poder".

Número: O número atribuído ao Mago é o Um. Se o Zero designa uma globalidade indiferenciada e vazia, esta mesma globalidade já constitui uma unidade.

O Ser emanou do Nada, como o Um emana do Zero, é seu filho consubstancial: a Unidade está cheia do que o Nada está vazio. Simbolizado por um ponto — como a Yod hebraica —, o Um concentra todas as possibilidades do Ser, que no Zero existiam num estado informal.

O Um é a referência de todo ser, cria o padrão que permite medir. Confirma a individualidade, a particularidade e a distinção. O Um é o início manifestado, a afirmação do Ser. O Um é o falo ereto, o bastão vertical, o Princípio Masculino Universal.

Simultaneamente à aparição do Um aparece o Dois, o Princípio Feminino Universal. Sem um não pode existir o outro. Para os pitagóricos[27] é o número da inteligência.

Letra Hebraica: ב

Beth é a letra atribuída ao Mago. Significa "casa", "habitação". Simbolicamente, representa o interior da boca. Seu valor numérico é dois e sua cor é amarela.

O Mago (Egípcio e Cosmic)

É uma letra dupla, masculina, que corresponde com o B do alfabeto latino.

Caminho cabalístico: Este é o caminho número 12 da Árvore, une *Binah*, o Conhecimento, com *Kether*, a Coroa. No Sepher *Yetzirah* está escrito:

*"O décimo segundo caminho é o da Consciência Brilhante (*Sekhel Bahir*). Chama-se assim porque é a essência da Ophanroda da grandeza. É chamada o Visualizador (*Chazchazit*), o lugar que faz sair a visão que os videntes percebem numa aparição".*[28]

Este caminho mostra o estado de consciência livre das aparências do mundo dos fenômenos. É o estado de bem-aventurança, do gozo do ser

O Um. Representa a totalidade da existência, a Imensidade, a Divindade. Simboliza também a individualidade do Ser, sua verdadeira e divina natureza, mais além da personalidade. É o Eu Superior ou Supraconsciência. Faz referência ao Princípio Masculino frente ao Dois, que representa o Princípio Feminino.

absorvido na contemplação espiritual, discernindo a realidade da ilusão. Podemos dizer que este é o estado de harmonização com a Consciência Universal.

Atribuição astrológica: Sendo *Beth* uma letra dupla, a atribuição astrológica do Mago será um planeta, neste caso Mercúrio. Este vizinho do Sol rege a mente racional e discriminativa: os processos de pensar, analisar, extrair experiências, comunicá-las e aplicá-las ao desenvolvimento prático das próprias habilidades nas atividades quotidianas.

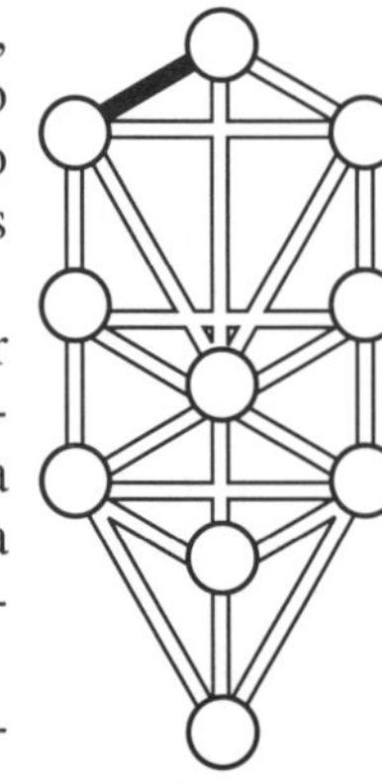
O Caminho 12º

Podemos considerar quatro níveis da mente: instintiva, discriminativa, ética e psíquica, governadas pela Lua, Mercúrio, Júpiter e Netuno, respectivamente.

O símbolo de Mercúrio se corresponde com as *sephiroth*, deixando Kether de

27 - Escola filosófica fundada por Pitágoras em Cretona, no ano 530 a. C., que funcionou em diferentes cidades, durante dez séculos. Defende que a essência das coisas se acha nos números e nos relacionamentos matemáticos.

28 - Em outras versões, é chamado "Inteligência da Transparência".

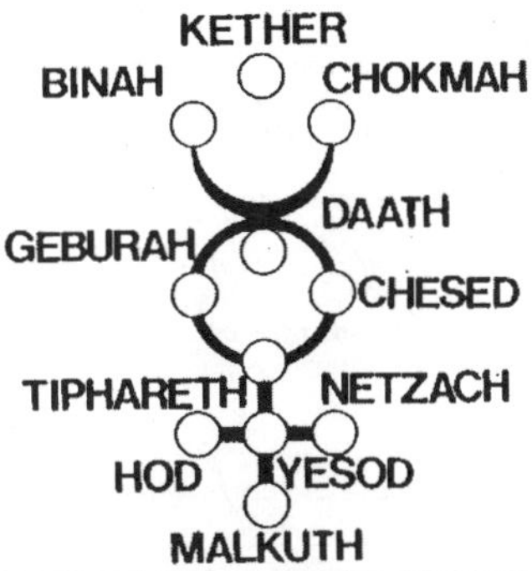

Símbolo de Mercúrio e a Árvore

fora, já que esta não pode ser atingida intelectualmente, tal como vemos na ilustração à direita.

Símbolos: O Mago, a segunda emanação de *Kether*, é considerado por alguns autores como a forma adulta do Louco. O Mago de Crowley,[29] desviando-se da tradição medieval, aparece aqui sob a forma de Mercúrio, o mensageiro dos deuses. Usa sandálias aladas, símbolo de elevação.

Está rodeado pelos símbolos dos quatro elementos ou emblemas das quatro séries de Arcanos Menores, com os quais opera: o Bastão em chamas, com o qual ele cria, a Copa, com a qual conserva, a Espada, com a qual destrói, e o Disco ou Moeda, com o qual redime. Estes quatro símbolos se relacionam também com seus quatro verbos: querer, saber, ousar e guardar silêncio.

Acima de sua cabeça temos a pena, símbolo da vontade, e o papiro, símbolo da palavra, ambos atributos de Mercúrio.

Flutuando frente à sua mão direita, está o báculo Fênix, instrumento de Thoth, deus pré-dinástico egípcio, inicialmente conhecido como Djehuti ou Zehuti. Recebeu seu nome dos gregos, que o vinculavam a seu próprio deus Hermes. Hermes e Thoth eram considerados deuses da sabedoria, escritura

Ísis e Thoth

e invenção, mensageiros e porta-vozes dos deuses.

Thoth é um deus lunar representado como um homem com cabeça de íbis, freqüentemente coroado pela lua crescente, cujo culto iniciou-se no Baixo Egito. Segundo o mito de Hermópolis, cidade onde o culto de Thoth uniu-se ao do deus-macaco local Hedj-Wer, foi Thoth que, sob a forma de um íbis, incubou, só com o poder de sua voz, o ovo de onde surgiu toda a criação.

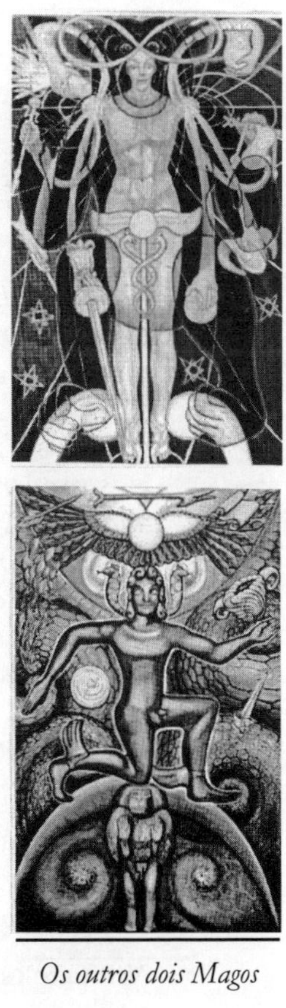

Os outros dois Magos

Uma outra lenda sugere que Thoth era o filho de Hórus e Set. Hórus teria colocado sua semente numa alface que Set engoliu e, como resultado, Thoth surgiu da testa de Set.

Thoth, dono do tempo e inventor da mú-

29 - Na verdade, este é um dos três Magos desenhados por Freda Harris: o outro tem o aspecto de Thoth e o terceiro de Quetzalcoatl. Em algumas edições aparecem os três. Neste caso, usaremos aquele de que mais gostamos.

sica, ocupou o trono terrenal, quando Hórus o abandonou, e governou uma terra pacífica e próspera durante 3.226 anos. Seu aspecto feminino seria a deusa Seshat, coberta com uma pele de leopardo e uma estrela de sete pontas acima da cabeça, e ainda um par de chifres de vaca invertidos sugerindo uma lua crescente.

A fênix é símbolo de imortalidade e ressurreição. Segundo a tradição egípcia, quando esta ave sente que suas forças se esgotam, constrói um ninho de vergônteas perfumadas que se inflamam com o calor de seu corpo. Depois de consumir-se nas chamas, a fênix renasce de suas próprias cinzas.

Junto à sua mão esquerda, e saindo dela, temos o ovo alado, conhecido como "o Ovo Órfico", que guarda a essência da vida, fruto da união dos opostos.

Seu braço direito está erguido para o céu, procurando inspiração, e com o esquerdo aponta para a terra, em sinal de realização material. Acima, aparece o Caduceu.

> *"O Caduceu é um símbolo completo da Gnose. O Sol com asas representa a alegria da vida em todos os planos. As serpentes não só são o Ativo e o Passivo, Hórus e Osíris, mas se correspondem com as qualidades da Águia e do Leão*[30]. *Este é um símbolo que une o micro ao macrocosmo; é o símbolo da operação mágica pela qual se realiza esta união, e sua aplicação é universal. É o dissolvente universal."* (O Livro de Thoth, *A. Crowley*).

Atrás, temos a luz branca de Kether e embaixo, subindo impulsivamente, aparece Hanuman, o deus-macaco da mitologia hindu, cuja missão é

30 - Ver símbolos dos Amantes.

> *A mente é sempre mesquinha, sempre é enganadora. Não pode ser de outra maneira. A mente sempre trata de limitar, de parar, porque só é possível controlar o limitado. Uma pessoa deve se dar totalmente em tudo, então ela pode conhecer o Ser da Vida.*
>
> *Notas de um Homem Louco - Osho Rajneesh*

provar a verdade, distorcendo a palavra, imitando, ridicularizando e enganando. Representa as dificuldades da mente, pois quando ela entra em ação, e com ela a palavra, o discurso e a escritura, no melhor dos casos aparece a ambigüidade e, no pior, a falsidade.

Significados gerais: O Mago encarna o Yang, dinâmico, ativo e masculino do Cosmo o Princípio Masculino Universal.

Num nível humano, representa a razão, a vontade, os conhecimentos, a habilidade, a comunicação.

Na Leitura Terapêutica

Momento atual: O consulente atravessa um momento de intensa atividade, com sua atenção e energia dirigidas para objetivos externos.

Seu enfoque diante do cotidiano e da vida em geral está sendo fundamentalmente racionalista.

Pode estar realizando e criando algumas coisas, no entanto sua paz interior está ameaçada e seu contato com suas emoções, deteriorado.

Âncora: Este ego é compulsivamente ativo, sempre com pressa e aparentemente entusiasmado, não pode parar de ir e de vir, de falar, de fazer algo, até que seu corpo desmaie. Sente-se ameaçado se perde o pique: a sociedade pode rejeitá-lo, de maneira que esconde seu cansaço.

Quando está exausto, pode mostrar irritação aguda, com risco de colapso nervoso. Tem pânico de encontrar-se consigo mesmo. Assim, é um perfeito desconhecido de si mesmo. A flor de Oak pode ajudá-lo a parar, aceitando suas limitações, e a equilibrar-se, por meio do desenvolvimento de seu lado feminino.

Junto com o Dez de Paus — a Opressão — indica uma sobrecarga de responsabilidades que assume por medo de decepcionar. Neste caso, a essência de Elm será muito útil. Com um Seis de Espadas, denuncia excessivo intelectualismo, com a conseguinte desconexão com seu corpo físico e com a natureza, que o levam ao esgotamento.

O floral de Nasturtium* aumentará sua vitalidade e o enraizará com a realidade física das coisas.

Necessidade interna: A pessoa não pode continuar deixando-se dominar pelos bloqueios que a impedem de agir. Precisa acreditar nas suas idéias, traçar objetivos, pôr a mente para trabalhar e levar a bom porto, decididamente, aquelas atividades que estimulam sua criatividade.

Infância: Só recebeu amor e apoio paternos em troca de mostrar-se ativo, inteligente, hábil, capaz e realizador. A criança se viu obrigada a desenvolver seu lado racional em detrimento do outro lado mais sensível, emocional, meigo e receptivo.

Relacionamentos: a) A pessoa se sente especialmente criativa, cheia de idéias e projetos a realizar junto com seu companheiro. b) Esta é uma pessoa que se relaciona com uma abordagem fundamentalmente intelectual. Sabe comunicar-se, fazer projetos, enrolar o próximo, mas dificilmente entrega seu coração.

Método: Orientaremos o consulente para entrar em ação. Não é hora de ficar parado, duvidando, deixando que as coisas aconteçam por si mesmas. Tem de mover-se, expressar-se, comunicar-se com os outros, exercer sua força de vontade, tomar decisões, agitar e usar seus conhecimentos e habilidades.

O floral de Cosmos o ajudará, desenvolvendo suas capacidades mercuriais de pensamento e expressão verbal.

A presença do Oito de Copas (a Indolência) ou do Sete de Discos (o Fracasso) na Âncora, indicando letargia crônica, levará a sugerir o floral de Tansy*, que favorece tomar atitudes decididas e cheias de propósito.

Caminho de crescimento: Aproxima-se uma fase ativa, cheia de idéias, projetos, movimento e talvez viagens.

Resultado interno: Por meio de todo este processo que vimos nas outras cartas, podemos dizer que o consulente conseguiu animar sua força de vontade e superar os bloqueios e medos que lhe impediam de tomar iniciativas. Hoje se sente inspirado, capaz e seguro de si mesmo.

Resultado externo: Vemos o consulente agindo no mundo com decisão e firmeza, realizando seus projetos, usando, de um modo bem realista, sua mente e desenvolvendo suas habilidades e conhecimentos. Em definitivo, cocriando sua realidade.

A Sacerdotisa

Títulos: Durante muitos anos esta carta chamou-se "A Papisa". A aparição deste Arcano tem tudo a ver com o resgate dos princípios femininos na religião e no pensar coletivo durante a segunda parte da Idade Média. O Feminino, que tinha sido progressivamente enfraquecido pelas culturas patriarcais gregas e romanas, foi negado e degradado pela Igreja Católica até o ponto em que o povo, cansado de um Deus inacessível, inflexível, julgador e castigador, sentia a necessidade de ícones que representassem o amor, a compaixão e a misericórdia. Consciente disso, o Vaticano colocava Jesus como o símbolo destas qualidades femininas, investindo também na idéia da Santa Mãe Igreja, que não germinou no inconsciente coletivo. A população queria mulheres mesmo. Assim, surgiu a lenda do Papa João, ou melhor, da Papisa Joana. Seria uma mulher que, no século IX, fantasiada de homem (claro), teria ascendido na hierarquia da Igreja até assumir o Papado, morrendo pouco depois de parto, durante a celebração da Páscoa. Note-se o paralelismo entre o sacrifício de Jesus e o da mulher. Na Itália, ao final do século XIII, uma ordem religiosa fundada por Guglielma de Boêmia acreditava que sua fundadora, morta em 1281, ressuscitaria em 1300 e iniciaria uma Nova Era, na qual os Papas seriam mulheres. Assim, elegeram a irmã Manfreda Visconti como a primeira Papisa, que foi queimada viva no ano de 1300 mesmo. Em meados do século XV, cento e poucos anos mais tarde, esta mesma família Visconti encomendou um baralho — que, segundo alguns autores como Raquel Pollack, seria o primeiro Tarô onde aparecem as 78 cartas, sem título nem número, tal como hoje as conhecemos — em que aparece este arquétipo feminino, que em outros baralhos recebeu o título de "A Papisa".

Desde o século XV, quando apareceu nos *Tarocchi* de Veneza, foi considerada a consorte do Papa. Isso com certeza não foi do agrado dos homens do Vaticano, mas manteve este título no Tarô de Marselha. Foi Court de Gebelin que, no século XVIII, acreditando que o Tarô teve origem no Egito, mudou-lhe o nome para "Grande Sacerdotisa", embora mantendo o da Papisa nos baralhos de Eliphas Levi e Papus.

Em 1800, em Besançon, sul da França, já na época pós-revolucionária em que foi revalorizada a mitologia greco-romana, aparece o Tarô de Carey, em que esta carta se intitula Juno.

Esta deusa, Hera, na Grécia, esposa de Júpiter, simboliza o Princípio Feminino em sua jovem maturidade, pleno vigor, soberano, combativo e fecundo. Inicialmente, Juno personificava o disco lunar.

Atualmente é conhecida como "A Sacerdotisa" ou "A Suma Sacerdotisa" no baralho de A. E. Waite. Esotericamente, é "A Senhora da Eternidade" e também "A Sacerdotisa da Estrela Prateada".

A Sacerdotisa (Marselha, Waite e Crowley)

Número: O Dois é o número desta carta. Surge do Zero, simultaneamente ao Um. O Um não pode aparecer, senão o dois aparece também, e vice-versa. Se

Juno

existe luz, existe sombra. Quando há sombra é porque existe luz em algum lugar. Se definimos o bem, estamos definindo o mal. Se inventamos ou acreditamos num ser, personificação absoluta do bem, estamos inventando, gostemos ou não, a personificação absoluta do mal. Não é por acaso que os religiosos mais fanáticos estão vendo e exorcizando criaturas satânicas todos os dias.

Se todos os números são múltiplos do Um, todos podem escrever-se como a soma de potências do Dois:

1=2º; 2=2; 3=2+2º; 4=2+2; 5=2+2+2º...

O Dois e o Um constituem a primeira grande dualidade de que depende o movimento e a vida. Se o Um representa a Unidade, o Dois é a Polaridade. Se o Um é o Princípio Masculino Universal, o Dois é o Princípio Feminino Universal.

UM	DOIS
Sol	Lua
Masculino	Feminino
Consciente	Inconsciente
Ativo	Passivo
Rígido	Flexível
Imutável	Mutável
Criativo	Receptivo
Força	Forma
Impulso	Contenção

Segundo a tradição chinesa, antes de qualquer distinção entre o Céu (Yang) e a Terra (Yin), o Caos tinha o aspecto de um ovo de galinha. Depois de 18.000 anos, o ovo se abriu. Os elementos pesados formaram a Terra e os leves o Céu. Segundo os pitagóricos, o Dois é o número da opinião.

A Sacerdotisa (Egípcio e Cosmic)

Na verdade, todas as manifestações do Universo são uma mistura destes dois princípios. Assim expressa um texto hermético por excelência, *O Caibalion*:

> *"Tudo é duplo, tudo tem dois pólos, tudo tem seu par de opostos."*

Os opostos são idênticos em natureza e diferentes em grau, os extremos se tocam. Todas as verdades são semiverdades, todos os paradoxos podem reconciliar-se. Tudo tem seus períodos de avanço e retrocesso; tudo se move como um pêndulo, a medida de seu movimento para a direita é a mesma para a esquerda, o ritmo é a compensação.

Em palavras de Crowley:

> *"Devemos ter sempre presente que cada símbolo é ambivalente; a insistência em qualquer das atribuições contraditórias inerentes a um símbolo é só um sinal de inaptidão, provocada pelos preconceitos... Nada é verdadeiro, a não ser em função da contradição contida nele mesmo."*

Na linguagem mais poética do *Tao Te King*:

> *"Quando o homem conhece o formoso, conhece também o não for-*

O Dois. Representa a dualidade, a ambivalência inerente a todas as coisas. É também o Princípio Feminino Universal, o Yin, *que emana do Zero, do Tao, simultaneamente ao Princípio Masculino. O feminino não é um subproduto do masculino. Tudo depende da cooperação de ambos, especialmente o movimento e a vida.*

moso; quando conhece o bom, conhece também o que não é bom. Porque o pesado e o leve, o alto e o baixo, o silêncio e o som, o antes e o depois, o Ser e o Não-ser engendram-se um ao outro."

Letra hebraica: ג

Guimel, letra dupla, feminina, cinza e de valor numérico três, está atribuída à Sacerdotisa. Em nosso alfabeto seria a G. Significa "camelo" e representa simbolicamente a garganta: um canal vazio, uma matriz onde o ar vira som. Hieroglificamente, representa toda idéia de expansão e crescimento.

Caminho cabalístico: O décimo terceiro caminho, que une *Tiphareth* (a Beleza) com *Kether* (a Coroa), é o atribuído à Sacerdotisa. É um caminho vertical, que une ambas as esferas por meio de um espaço deserto que os cabalistas chamam de "Abismo". É precisamente *Guimel*, o camelo que consegue atravessar o deserto unindo as duas esferas.

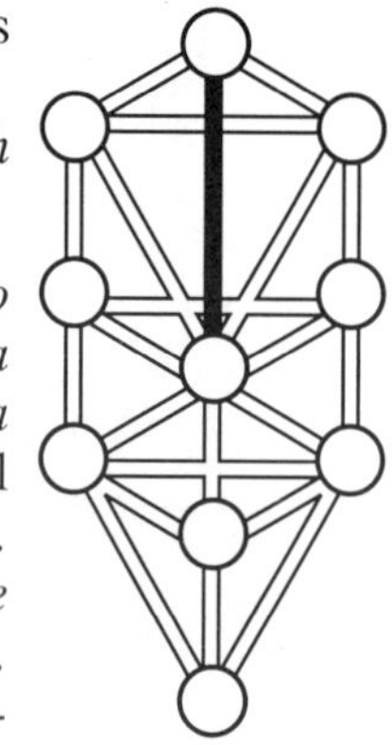

O Caminho 13º

No *Sepher Yetzirah* está escrito:

> *"O décimo terceiro caminho é chamado a Consciência Diretora da Unidade* (Sekhel Manhig HaAchdut). *Chama-se assim porque é a essência da Glória. Representa a culminação da verdadeira essência dos seres espirituais unificados".*[31]

Esta é a ascensão vertical até a fonte de luz. Equilibrando as polaridades, o Ser transcende a matéria física, atingindo a suprema experiência da fusão com a Totalidade.

Ísis.

Atribuição astrológica: A Lua é o planeta atribuído a este Arcano. Podemos considerá-la como a antítese do Sol, que representa a plenitude e a consciência da vida, tudo o que brilha com luz própria. A Lua é símbolo da infância, das coisas ocultas, do inconsciente e da ilusão. Está associada a idéias de mobilidade, flexibilidade e mudanças, em função da extrema rapidez com que percorre o zodíaco. Governa a fertilidade e o crescimento, tudo o que é cíclico e flutuante, o elemento Água, todos os seres aquáticos e os animais noturnos. Sua relação com a mulher é muito importante, estando intimamente ligada com o ciclo menstrual, o processo de gestação e o parto.

A Lua representa o povo e está relacionada com todo o primordial, o atá-

31 - Também chamado de "Inteligência Unitiva".

vico, os rituais e a magia. É a dona de nossos sentimentos e emoções mais profundos. Rege nossa imaginação, nossa sensibilidade, nossa capacidade de impressionarmos, nossos sonhos e nossa receptividade.

Junto com Mercúrio, governa a memória e com Marte, os instintos. Cria um forte apego ao passado, à mãe, ao lar e às atividades domésticas.

Símbolos: Este Arcano mostra menos símbolos que os dois anteriores. A Sacerdotisa é mais simples, mais austera, não precisa de tanta orquestração para entoar sua melodia.

É Ísis, a mais ilustre das deusas egípcias, a que protege os mortos sob suas asas e os ressuscita.

Inicialmente era a deusa do lar, mas quando tomou o nome secreto[32] de seu avô, o deus supremo Ra, seu poder se estendeu pelo Universo.

Segundo a tradição, todo ser vivo é uma gota de sangue de Ísis. É a grande iniciadora, a que possui os segredos da vida, da morte e da ressurreição.

Encarna o Princípio Feminino Universal, é a fonte mágica da fecundidade e da transformação.

Na carta, Ísis está representada sob sua forma mais espiritual: a grega Artemis,[33] equivalente à Diana dos romanos. Artemis é uma deusa virgem, filha de Latona e de Zeus, irmã gêmea de Apolo. Indomável e feroz com os homens, é a protetora do feminino diante da grosseira supremacia física dos machos.

É a deusa dos partos, protege a pureza e recompensa com a imortalidade a seus fiéis adoradores. Aparece na mitologia como o complemento de Vênus-Afrodite, tal como veremos no Arcano III: a Imperatriz.

Segundo certos psicanalistas, Artemis representa o aspecto castrador, ciumento e dominante da mãe perante a Vênus, que encarna o lado nutritivo, amoroso e doador de vida. Na mitologia hindu encontramos um paralelismo com as consortes ou aspectos femininos de Shiva: Kali e Parvati.

Artemis se cobre com um véu de luz, indicando que a luz não é a manifestação do espírito, mas o véu que o esconde de olhos não preparados. Poderíamos dizer com Crowley que "a Sacerdotisa é a Verdade (o espírito) além do véu". Na tradição da Judéia, o véu separara o profano do sagrado, os três véus de luz que separam o cognoscível do incognoscível, o compreensível do incompreensível, o Tao com nome e o Tao sem nome, a hóstia consagrada, o tabernáculo do resto do templo. A Sacerdotisa atrás do véu indica que ela é o Sagrado. Que a via feminina é a que leva o ser humano ao resgate de sua Divindade Interna, como também mostra o décimo terceiro caminho.

32 - Desejosa de aumentar seus poderes mágicos com os conhecimentos do mais sábio e hábil dos deuses, Ra, que já estava velho, Ísis tomou um pouco de saliva que caía da boca deste e, juntando terra sobre a qual Ra tinha pisado, modelou uma serpente que magicamente transformou-se numa flecha. Deixou-a numa encruzilhada e, quando "o pai dos deuses e o amo do Nilo" passou, a flecha cobrou vida e afundou profundamente seu dente de serpente na perna de Ra. Como os deuses da magia não podiam curá-lo, Ísis prometeu fazê-lo em troca de receber o verdadeiro nome de Ra, aquele que lhe conferia seu poder mágico. Urgido pela dor, Ra passou seu nome secreto do lugar que ocupava em seu coração ao de Ísis, com a condição de que esta não o revelaria a ninguém, exceto a seu filho Hórus.

33 - O culto a Artemis se originou em Creta, onde a deusa Britomartis era representada como uma jovem armada de flechas, levando consigo uma serpente ou um bebê. Os santuários de Artemis estavam nas montanhas, florestas e cavernas. Em suas celebrações, as jovens vestidas com peles de urso saíam de dentro das grutas, encenando o ato do nascimento.

Sem sair da porta se conhece o mundo. Sem olhar pela janela vê-se o caminho ao céu. Quanto mais longe vamos, menos aprendemos. Assim o sábio não dá um passo e chega, não olha e conhece, não atua e cumpre.

Tao Te King (cap. 47)

Em seu colo estão o arco e as flechas, que são, ao mesmo tempo, uma arma e um instrumento musical para encantar as suas presas, pois Artemis é caçadora, mas também feiticeira.

A Sacerdotisa representa todas as deusas virgens — o sentido de sua virgindade será visto na carta da Imperatriz —, potencialmente deusas da fecundidade e da fertilidade.

Na base da carta, junto com o camelo, Guimel, aparecem sementes, frutas, flores e cristais, símbolos do início da vida e de seu desenvolvimento. O cristal, usado por pajés de culturas tão diferentes como as de Borneo, Melanésia e Austrália, maias, navajos e hopis, é considerado um intermédio entre o espírito e a matéria, entre o visível e o invisível. O cristal é usado para curar e para adivinhar. É símbolo da sabedoria e dos poderes mágicos.

Significados gerais: A Sacerdotisa encarna o Princípio Yin Universal, o feminino, receptivo e conservador do Universo. É o oposto complementar do Mago.

Ela está numa atitude de silêncio, contemplação, serenidade e observação interior. Sua atenção está direcionada para o mundo interior, está ligada com seu íntimo, conhece seu coração. Isso faz com que tenha acesso a toda a sabedoria. Seu conhecimento não é racional, dedutivo nem analítico, mas intuitivo e instintivo.

A Sacerdotisa é conhecida como a depositária da sabedoria oculta, e em muitos baralhos aparece com o livro da *Torá* — Livro da Lei Hebraica — semi-oculto embaixo de seu manto. Entregará seus conhecimentos para aqueles que ela própria escolhe.

Não está querendo conhecer-se tal como o Ermitão, não está procurando nada. Assim, não está dividida entre o sujeito e o objeto da procura. Não existe futuro, não existe ação. Está total em seu não-fazer.

Sentada, com os olhos fechados, deixando que tudo aconteça por si mesmo, em contato com sua essência, em profunda meditação, sem mente, sem projeções no futuro nem âncoras no passado, sem objetivos, num eterno presente, deleita-se com seu próprio ser. Representa o Princípio Feminino Espiritual.

Para Jung, a Sacerdotisa está relacionada com a função psíquica da intuição.

Alguns autores, baseando-se nas qualidades da Lua, vêem neste Arcano um contínuo movimento de vaivém, augúrio de momentos favoráveis e desfavoráveis, atrações e repulsões alternando-se ritmicamente.

O Descanso de Diana (Boucher)

Na Leitura Terapêutica

Momento atual: É um momento de recolhimento, com pouco interesse para a ação. Pode mostrar uma fase de descobrimentos internos ou de dificuldades para tomar iniciativas, seja por medo, por falta de inspiração ou de objetivos claros.

Âncora: Mostra o consulente cristalizado numa atitude extremamente introspectiva, desconfiada e tímida. É incapaz de compartilhar suas emoções; seu corpo e até seu dinheiro com os outros. Tem medo de agir, de tomar iniciativas, de mostrar suas emoções, como a tartaruga, vive sempre dentro de sua casca. Pode usar uma máscara de espiritualidade e misticismo para não mostrar seu medo de entregar-se à vida.

Sua passividade, resignação, apatia e desinteresse pela vida podem ser trabalhados com o floral de Wild Rose. Sua tendência a sonhar acordado e sua falta de interesse no presente podem ser aliviadas com a essência de Clematis.

Acompanhada do Oito de Copas — a Indolência — indica um estado de permanente depressão, embora sem causa aparente, com queixas do tipo: "Não sei por que estou tão triste". Neste caso, sugeriremos o uso de Mustard.

Necessidade interna: É importante parar, acalmar-se, contatar-se internamente para identificar os desejos e emoções verdadeiros.

Relacionamentos: a) Trata-se de uma fase de distanciamento, seu(sua) parceiro(a) está cortando os laços afetivos e sexuais, e as possibilidades de reatá-los são mínimas. b) Esta pessoa teme a proximidade e se dá um ar de superioridade, de falsa espiritualidade, às vezes com um toque aristocrático ou puritano.

O consulente coloca um véu entre ele próprio e o mundo, escondendo-se e tornando-se impenetrável para os relacionamentos. Pode indicar virgindade sexual.

Recomendaremos o uso do floral de Fawn Lily para ajudá-lo a aceitar e envolver-se com o mundo, e o de Sticky Monkeyflower para superar o medo da intimidade e do contato físico, especialmente no que se refere a relacionamento sexual.

Infância: A criança foi impedida de tomar qualquer iniciativa, qualquer atitude ativa ou criativa. Sofreu muito, escutando de seus pais coisas como: "Fica quieto", "Não encosta", "Você não serve para nada", "Não perturba", "Você não acerta nenhuma."

Assim, ficou sentindo-se incapaz, e um forte "não consigo" foi gravado profundamente em seu inconsciente.

Suas atitudes expressivas e extrovertidas foram proibidas.

A criança se transformou num ser anulado, rejeitado, tímido e solitário que começou a criar um mundo de fantasias, cheio de fadas e príncipes que algum dia lhe aliviariam as dores. Assim, prefere esperar sem fazer nada do que arriscar-se a tomar qualquer iniciativa.

Método: Sugeriremos ao consulente que pare seu movimento compulsivo, volte-se para si mesmo, ligando-se a seus sentimentos, dedicando sua atenção a si próprio, e deixando de lado atividades e relacionamentos que não lhe satisfazem.

O floral de Star Tulip, também conhecida como Cat´s Ears, o ajudará a desenvolver sua sensibilidade e receptividade femininas, abrindo-se para a espiritualidade e facilitando a meditação.

Se sente atração pelas ciências ocultas, estimularemos seu estudo, assim como a meditação. Podemos sugerir a Vipasana, em que o meditador, sentado numa posição bem cômoda, preferivelmente com a coluna vertebral vertical, coloca toda sua atenção em sua respiração, fazendo desta algo agradável e profundo, deixando passar seus pensamentos sem envolver-se com eles.

Caminho de crescimento: O consulente pode entrar numa fase mais receptiva e tranqüila, mais consciente de suas emoções e desejos.

Desenvolverá sua intuição e talvez seu interesse pelo oculto. Vai sentir-se mais pleno e completo, e achará em seu interior motivações, qualidades e prazeres que antes procurava no interior.

Resultado interno: Por meio do caminho visto até agora, o consulente tem a possibilidade de resgatar sua polaridade feminina.

Perderá a angustia de estar separado de si mesmo para tornar a ser um ser silencioso e meditativo, consciente de seu rico mundo interior e aberto para a vida.

Resultado externo: Vemos esta pessoa centrada e conectada consigo mesma, usando sua intuição e sensibilidade, e dedicando-se a atividades relacionadas com o autoconhecimento e com as ciências ocultas.

A Imperatriz

Títulos: Provavelmente esta carta, que os incas teriam chamado de *Pachamama* — A Mãe Natureza, de *pacha* que significa "grande" e *mama* —, recebeu seu nome da consorte de algum imperador, já que a figura da Imperatriz não se reconhece nas sociedades matriarcais. Podemos pensar que seu nome original se perdeu séculos antes de o Tarô chegar à Europa, onde quase sempre foi conhecida como "A Imperatriz". E digo quase porque no Tarô Carey da Revolução Francesa, datado de 1791, a Imperatriz e o Imperador aparecem, sem coroa por motivos óbvios, como *La Grande Mère* e *Le Grand Père*: "A Avó" e "O Avô", respectivamente.

Um bom título poderia ser "A Vida" ou "A Natureza". Esotericamente, é conhecida como "A Filha dos Poderosos Uns".

Número: A Imperatriz é o Arcano número Três, fruto da União do Um e do Dois. Participa de suas qualidades, as complementa e equilibra. Se o Um é Yod, o Princípio Ativo ou Masculino e o Dois é He, o Princípio Receptivo ou Feminino, o Três será Vau, resultante ou síntese da ação dos dois princípios anteriores. "Não há dois sem três" diz o ditado. Assim, o Três passa a idéia de frutificação e de síntese completa e equilibrada dos opostos.

Na China, o três é considerado um número perfeito, expressão da totalidade, ao qual nada pode ser acrescentado. É a conclusão da manifestação, o número do ser humano, filho do Céu (1) e da Terra (2),

A Imperatriz (Marselha, Waite e Crowley)

A Imperatriz (Crowley, Egípcio, Cosmic)

com os quais completa a Grande Trindade.

Para os pitagóricos, o Três, soma do primeiro número ímpar (1) e do primeiro par (2), é o número do matrimônio.

O Três é um retorno à Unidade. A equação 1 = 3 está continuamente presente. Em qualquer ato, distinguimos sempre uma triplicidade: a) O princípio ativo ou sujeito; b) A ação deste sujeito ou verbo; c) O resultado ou objeto da ação.

O tempo, na verdade, é um momento contínuo, um eterno instante, apresenta-se como triplo: passado, presente e futuro. Este conceito de triplicidade é extraordinariamente antigo e o encontramos nas tradições matrilineares que expressam o eterno ciclo do início, plenitude e fim nas qualidades de iniciadora, realizadora e destruidora — ou virgem, mãe e anciã — da Deusa.

Assim, a deusa lunar se apresenta como Artemis, a lua crescente, virgem, protetora dos partos, da Natureza e do feminino; Selene, a lua cheia, a amante, esposa e mãe, geradora e criadora; e Hécate, a lua minguante negra, a sábia anciã, deusa da magia e da morte.

As Parcas, que tinham o poder absoluto sobre o destino dos humanos, eram três: Cloto, a tecelã, Laquesis, a medidora, e Átropo, a cortadora.

O Três. Representa o fruto da união dos Princípios Masculino e Feminino Universais, o Um e o Dois; integra suas qualidades e as equilibra. É a síntese completa e harmoniosa dos opostos. Também é um retorno à Unidade. Em muitas tradições, a Divindade se manifesta como Trindade.

Na tradição cigana, celebram-se Sarah, Salomé e Maria. Para os hindus, a Divindade se apresenta sob três aspectos, formas ou *murtis*: Brahma, o Princípio criador, Vishnu, o Princípio Conservador e Shiva, o Princípio Destruidor, Transformador ou Transcendente. Cada uma das *murtis* tem seu aspecto masculino e seu aspecto feminino, ou *shakti*.

A Divindade cristã se manifesta como Pai, Filho e Espírito Santo. Este dogma de fé foi instituído no Concílio de Nicéia (325 d.C.). Alguns bispos não concordaram com uma trindade composta só por elementos masculinos, mas suas vozes foram silenciadas. Hoje, alguns teólogos a definem como Poder, Sabedoria e Amor.

No Antigo Egito eram Ísis, Osíris e Hórus.

Para os huicholes mexicanos, a Trindade está formada por "Tatotzi", o Fogo Primordial, o raio; "Tatei Matinieri", A Água Primordial e "Tatewa-

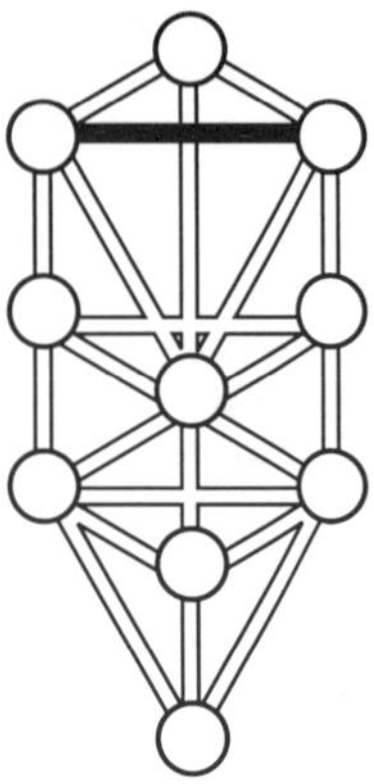

O Caminho 14º

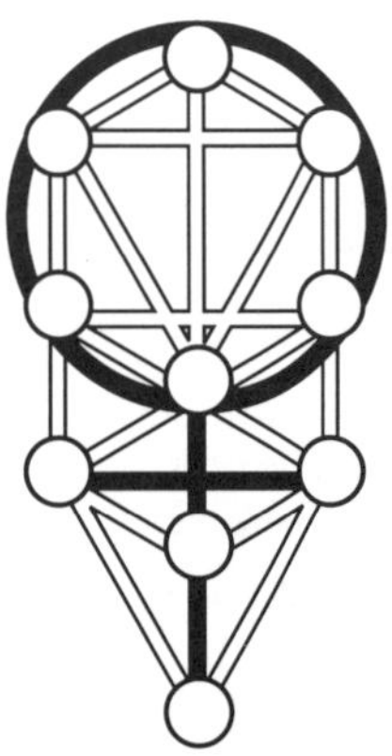

Vênus e a Árvore

rí", o Fogo Domesticado, enviado por Tatotzi, seu pai, para ajudar os humanos. Também consideram como uma unidade a trindade formada pelo peiote, o milho e o veado.

São três os elementos alquímicos fundamentais: O Enxofre, o Mercúrio e o Sal, que correspondem aos três princípios hindus ou *gunas*,[34] que movimentam o Universo.

Letra hebraica: ד

Daleth é a letra atribuída à Imperatriz. É feminina, azul, dupla e se traduz como "porta" ou "útero". Em nosso alfabeto é a D. Seu valor numérico é quatro e representa, simbolicamente, os seios femininos e tudo aquilo que é nutritivo e abundante.

Caminho cabalístico: É o décimo quarto caminho, o primeiro dos três caminhos horizontais da Árvore. Une e equilibra *Binah* (o Entendimento) com *Chokmah* (a Sabedoria), os Poderosos Uns.

Apesar de ser um caminho que não está em contato direto com *Kether* (a Coroa), pertence ao Mundo Arquetípico.

*"O décimo quarto caminho é o da Consciência Iluminadora (*Sekhel Meir*). Chama-se assim porque é a essência do Silêncio Falante (*Chashmal*). Instrui em relação aos mistérios dos grandes segredos e de sua estrutura."* Sepher Yetzirah

Atribuição astrológica: Vênus, o planeta atribuído a esta carta, engendra as forças que nos levam à procura de prazer. Rege o amor, a sensualidade, a voluptosidade, a alegria, a beleza, a doçura e os relacionamentos sentimentais. É o princípio de atração entre os seres. Vênus emite ondas de simpatia que fazem com que as pessoas desejem estar juntas, ser agradáveis com os outros e amar-se.

A Imperatriz (Experimental)

Afrodite, a mais sedutora das deusas, foi cultuada originalmente na Ásia, depois na Grécia, especialmente na ilha de Citera. Nasceu das águas marinhas fecundadas pelo sêmen de Urano, deus do Céu, quando seu filho Cronos cortou-lhe os testículos. Da espuma surgiu Afrodite, que simboliza as forças irreprimíveis da fecundidade não em seus frutos, mas no desejo apaixonado que acende entre os vivos. Por isso, é muitas vezes representada em meio às feras que a escoltam, como no hino homérico, no qual o autor começa por evocar seu poder sobre os deuses, aos quais ilude quando ela quer e sobre as feras, atiçando o desejo nas suas entranhas e levando-as a acasalarem-se, todas ao mesmo tempo, na sombra dos vales, entre as montanhas.

Podemos ver em Vênus a antítese de Marte. Enquanto este governa a ação, a força, os impulsos instintivos e a agressividade, Vênus favorece a procura da tranqüilidade, da paz e do prazer, o amor à vida fácil e o espírito idealista.

Frente ao severo, frio e rígido Saturno, Vênus alimenta as tendências para a vida alegre, frívola e despreocupada.

Seu símbolo, que lembra o *ankh*, cruz ansata ou cruz da vida egípcia, casa

34 - Veja *gunas* nos símbolos da carta da Fortuna.

perfeitamente com as dez *sephiroth* dispostas na Árvore, indicando que por meio do amor sim é possível atingir a experiência espiritual de Kether: A fusão com a Totalidade.

Sendo Vênus o planeta da harmonia, seus efeitos nos sensibilizam ante todas as manifestações da beleza. E, claro, aumenta nosso desejo de sermos bonitos e sedutores.

Símbolos: A figura central da carta é uma mulher coroada imperialmente, indicando que ela é o complemento feminino do Imperador. No entanto, suas atribuições são muito mais universais. Combina a espiritualidade com suas funções materiais, tal como vemos no símbolo de Vênus em que, acima da cruz da matéria, está o círculo do espírito.

Com os braços e o tronco ela forma o símbolo alquímico do Sal.

Assim, disse Crowley:

> *"A Imperatriz está relacionada com o Sal, o Princípio Passivo da Natureza, que deve ser energizado pelo Enxofre, Princípio Ativo, para manter o equilíbrio giratório do Universo."*

A Imperatriz segura na mão direita o lótus de Ìsis, que representa o poder feminino, a vagina arquetípica, garantia da perpetuação dos nascimentos.

Esta flor, que nasce na escuridão do barro e vai ascendendo na água, procurando a superfície para desabrocharse em plena luz, é um símbolo de procura e crescimento espiritual.

Sua forma de cálice nos obriga a relacioná-la com o Graal.

A Imperatriz está sentada num trono, símbolo da manifestação universal em seu florescimento total, suporte da manifestação gloriosa de Divindade. O Trono de Al Ilah, Alá, chamado também "O Mestre do Trono", está sobre a Água; o de Budha e o de Vishnu, em forma de lótus, representam a Harmonia Cósmica. Para o sufi,[35] o trono é seu próprio coração.

Várias chamas azuis de forma helicoidal surgem do trono, indicando que a Imperatriz procede das águas — Binah. Recordemos o mito representado em *O nascimento de Vênus*, do renascentista Sandro Boticelli (1445-1510), onde Vênus surge, sobre uma imensa concha, da espuma criada pelo sêmen de Urano em contato com o mar.

Acima estão pousados o pardal e a pomba, aves atribuídas a Vênus. A Imperatriz veste uma roupa estampada de abelhas e espirais, símbolos de laboriosidade e de geração, respectivamente.

Em seu cinto, símbolo de poder, temos os doze signos do zodíaco, indicando que sua autoridade abrange todo o Universo.

Duas Luas giratórias, perfeitamente contrabalançadas, mostram que nessa carta tudo está em equilíbrio, não existindo nenhum foco de tensão.

A seus pés, temos uma pelicana com suas crias, símbolo da maternidade mais instintiva. Segundo a lenda, quando esta ave não tem com que alimentar a sua prole, bica seu próprio peito e, morrendo, lhes dá de beber o sangue de seu coração.

Na direita, um escudo verde, cor de Vênus, com uma águia branca de duas cabeças, que representa a Tintura Branca dos alquimistas.

O chão está atapetado de flores-de-lis, símbolo de procriação. Por esse motivo, essa flor foi escolhida pelos reis da França para sua bandeira.

No fundo da carta vemos um arco ou porta, que faz referência a Daleth, e do outro lado está o monte Meru que,

35 - Sufi: membro de certa seita esotérica muçulmana.

segundo a tradição hinduísta, é o centro do Universo, residência de Shiva e Parvati.

A Imperatriz mostra o lado direito de seu rosto, o lado feminino.

Sua coroa está formada por duas luas, rematadas por uma bola e uma cruz que lembra o símbolo invertido de Vênus, e indica que sua energia frutificou e estabilizou-se no mundo material.

Significados gerais: Num nível mais abrangente, podemos dizer que a Imperatriz são as Forças da Vida, atuando e reproduzindo-se no Cosmo. Representa o Princípio Feminino Material, assim como a Sacerdotisa encarna o Princípio Feminino Espiritual.

Na natureza, representa as forças que vivificam, nutrem e favorecem o crescimento de todos os seres.

Simboliza a fecundidade em todos os planos e todas as riquezas do feminino.

Para Jung, esse Arcano representa a função psíquica do sentimento.

A Sacerdotisa, unindo-se ao Mago, virou mãe, isto é, Imperatriz. Se a primeira é considerada encarnação do Feminino Virginal, a segunda é do Feminino Maternal. A virgindade da Sacerdotisa não deve ser entendida num sentido estritamente sexual, mas faz referência a que ela conservou-se intata e íntegra em sua atitude interiorizante.

A Imperatriz entregou-se ao mundo, sua matriz desabrochou e os frutos de seu amor preencheram a terra.

Na Leitura Terapêutica

Momento Atual: Esta pessoa está dedicando-se aos outros, devotando sua atenção e cuidados, provavelmente, a seus filhos ou a pessoas necessitadas de apoio.

Rspeitar a Divindade é reverenciar a Vida, pois não existe nada mais divino que a própria vida.

Osho Rajneesh

No melhor dos casos, sua atitude transborda de um coração cheio de amor, criatividade e prazer. No pior, se esquece de si mesma, atuando assim para não encarar seus próprios conflitos, carências afetivas e problemas, e/ou para conseguir a aprovação dos outros.

Âncora: O consulente não acredita em si mesmo, acha que será amado somente se viver para cuidar e ser útil aos outros, esquecendo-se de si mesmo.

Essa "supermãe" não teve a coragem de lutar para desenvolver-se como pessoa e superar seus medos. Toda sua vida viveu como escrava e passa o exemplo para seus filhos. Essa extrema desvalorização pessoal permanente pode levar a somatizações muito graves. Junto com o Pendurado, indicando que a pessoa se sente incapaz e impotente, sem outra saída a não ser submeter-se, é possível que consiga produzir uma boa doença óssea.

Com o Oito de Copas (a Indolência) na Âncora, Momento atual ou Relacionamentos, indicando que existe uma desmotivação profunda, pode mostrar o perigo de uma osteoporose.

Essas doenças são típicas de donas de casa, que assim ficam incapazes de trabalhar e finalmente conseguem (a que preço!) que os outros trabalhem e se preocupem por elas.

Essa preocupação exagerada com os outros pode ser transmutada por um maior respeito por sua individualidade usando o floral de Red Chesnut.

As tendências a fazer dessa dedicação obsessiva uma manipulação com matizes de autopiedade e martírio podem ser revertidas com a essência de Chicory.

Sua atitude hiperserviçal, que chegaria a uma forma de escravidão com o Dez de Paus (a Opressão), cobrará tons de submissão e dificuldade para dizer não, com o Enforcado, em cujo caso indicaremos o uso de Centaury.

Com o Imperador, o Quatro ou o Oito de Espadas (a Trégua e a Interferência), teríamos alguém tremendamente rigoroso consigo mesmo, talvez "a mãe perfeita", que pretende mostrar-se como um exemplo de trabalho, dedicação e bons costumes. Neste caso, sugeriremos o uso de Rock Water.

Necessidade interna: Esta pessoa está precisando tratar-se com maior doçura e suavidade. Permitir-se as coisas boas da vida, descobrindo o prazer envolvido na expressão da criatividade e na vitalização de seu próprio corpo.

Relacionamentos: a) É um momento de amor, prazer e criatividade. É muito provável que algum espírito esteja sintonizado com o casal, com vontade de encarnar. b) Se for uma mulher casada interpreta o papel de "boa mãe" para sentir-se útil, tornar o marido e filhos dependentes dela e ainda garantir a aprovação e o afeto deles. Quem poderia rejeitar ou criticar alguém tão bonzinho e dedicado? No fundo, procura segurança.

Se solteira, arrumará o apartamento do namorado, levará a roupa suja para lavar em casa, cheirará suas blusas e ligará todas as noites para perguntar se jantou bem e aproveitar para saber a que horas chega em casa.

Se homem, pode ser que procure uma mãe que tome conta dele.

Infância: Esta criança teve uma mãe superprotetora e controladora, que castrou todos seus intentos de auto-afirmação, autonomia e resistência. Manipulou ao máximo, condicionando seu contato, atenção e falso amor ao abandono de muitas de suas iniciativas e atitudes independentes. Assim, esta criança adotou um comportamento submisso e autocontrolado.

Podemos pensar que o consulente edificou uma estrutura de defesa de caráter masoquista, especialmente se temos como carta da Âncora o Enforcado, o Nove ou o Sete de Espadas, a Crueldade e a Futilidade, respectivamente.

Método: "Coloque mais amor, prazer, beleza e sensualidade na sua vida", "Solte sua criatividade, estude e pratique aqueles aspectos artísticos que mais lhe chamam a atenção", diremos ao consulente.

Sugeriremos que use a essência de Íris*, que estimula a inspiração e a criatividade artística e ajuda a perceber e cultivar a beleza interna.

Também podemos sugerir que a pessoa assuma seus filhos, nutra-os e ame-os, superando os possíveis obstáculos, orgulhos e resistências. A essência de Borboleta Lily* alimentará atitudes mais positivas e nutritivas para com eles.

Caminho de crescimento: Junto com o Três de Copas (a Abundância) e as Princesas de Copas ou de Discos, pode prever uma gravidez.

Em geral, mostra a entrada numa fase mais amorosa e prazerosa, na qual a pessoa vai ter um papel mais nutritivo e harmônico com seu ambiente. Talvez desenvolva suas capacidades artísticas.

Resultado interno: A pessoa resgatou sua capacidade de sentir amor por si mesma e pelos outros. Hoje se sente bonita e sensual e é capaz de expressar isso.

Também pode indicar que deixou para trás os medos ou crenças negativas a respeito da maternidade.

Resultado externo: Resultados materiais positivos e gratificantes são o produto de uma atitude de entrega, amor e expressão de sua abundância interna, sensibilidade e criatividade.

Pode indicar gravidez.

O Imperador

Títulos: Provavelmente os primeiros títulos que este Arcano recebeu aludiam aos detentores máximos do poder material e político. Quando o Tarô se europeizou e seus títulos passaram a ser escritos em italiano e francês, esta carta apareceu com os nomes de *L'Imperatore* e *L'Empereur*, isto é, "O Imperador". Seu aspecto e os símbolos que leva, especialmente nos baralhos mais antigos, lembram os imperadores bizantinos e os do Sacro Império Romano.[36]

Oton III.

O mais célebre foi Carlos Magno, que ocupou o trono imperial em Aix-a-Chapelle desde o ano 768 até o 814. Conseguiu reunir sob sua autoridade todos os povos germânicos, com exceção dos remanescentes dos visigodos espanhóis. O Sacro Império Romano representava o poder temporal e, aliado ao Papado (Leão III coroou Carlos Magno como imperador em Roma no ano 800 d.C.), dominou a Europa até 843 quando, pelo tratado de Verdum, o Império foi dividido em três reinos independentes. A partir de um deles, que corresponderia à Alemanha, Oton I, o Grande, criou o Sacro Império Romano Germânico em 862, que existiu até 1806.

O Imperador (Marselha e Waite)

Seu título esotérico é "O Chefe entre os Poderosos".

Número: É o Quatro. Seu significado simbólico está intimamente relacionado com a cruz e o quadrado. Representa o sólido, o tangível e o manifestado. Faz referência ao formal, à estrutura, àquilo que está determinado. Também simboliza a lei, a ordem, a estabilidade, a organização e o governo. Mostrando a totalidade do manifestado, mostra também a totalidade do perecível. Assim, em japonês, a palavra *Shi* significa "quatro" e "morte". Quando o ser encarna, a mãe que lhe está dando seu útero e seu sangue, está ao mesmo tempo assinando sua sentença de morte.

Para os pitagóricos, o Quatro e o Nove são os números da justiça.

A quaternidade sempre aparece. São quatro os pontos cardeais, os elementos segundo o esoterismo ocidental, o número de letras que formam o nome de Deus na maioria das línguas,

36 - Conserva-se um friso do imperador bizantino Theodosius de finais do século IV, com um bastão na mão direita e uma bola arrematada pela cruz de Malta na esquerda. Também numa ilustração de finais do século X temos Oton III com os mesmos atributos.

O Imperador (Crowley, Egípcio, Cosmic)

as fases da Lua, as estações e as épocas em que podemos dividir a vida humana: infância, adolescência, maturidade e velhice.

Segundo os índios norte-americanos, são quatro as virtudes da mulher: a habilidade, a hospitalidade, a lealdade e a fertilidade; e também as do homem: a coragem, a tolerância, a generosidade e a fidelidade.

No *Popol Vuh*, texto sagrado dos maias, são quatro as criações sucessivas, correspondentes a quatro eras e a quatro sóis, sendo a atual a era do homem de milho.

São quatro os mundos cabalísticos: *Atziluh*, ou mundo arquetípico, *Briah*, ou mundo da criação, *Yetzirah*, ou mundo da formação e *Assiah*, ou mundo material.

Para Jung, a quaternidade representa o fundamento arquetípico da psique, isto é, suas funções fundamentais: Intuição, Sentimento, Sensação e Pensamento.

Considerar o ser humano integrado por quatro aspectos fundamentais — ser espiritual e energético, intelecto, corpo emocional e corpo físico

O Quatro. Representa a totalidade do universo manifestado e portanto perecível, o sólido, o tangível e o material. Faz referência ao formal, ao concreto, às estruturas e à base de todas as coisas; a seus limites e a tudo o que está determinado. Simboliza a lei e a ordem, a estabilidade e o poder material e político.

— nos permite, entre outras coisas, usar as quatro séries de Arcanos Menores de uma maneira mais profunda, terapêutica e científica.

Letra hebraica: ת

Golden Dawn, seguindo os manuscritos que a originaram, atribuía ao Imperador a letra *He*. Mas em 1904, com o ditado do Livro da Lei, em que Nuit explicou: "Todas estas velhas letras de meu livro estão corretas, mas *Tzaddi* não é a Estrela."

Crowley se viu obrigado a procurar outra carta para *Tzaddi*, que até então estava atribuída à Estrela. Sua raiz — TZ — significa "cabeça", em sânscrito, e a encontramos em palavras como Czar, César, Senhor, Senado, etc. Baseando-se nisso, Crowley atribuiu *Tzaddi* ao Imperador e *He* à Estrela. *Tzaddi*, que significa "anzol", corresponde a T e a Z do alfabeto latino. É uma letra feminina, simples, violeta, e seu valor numérico é 90.

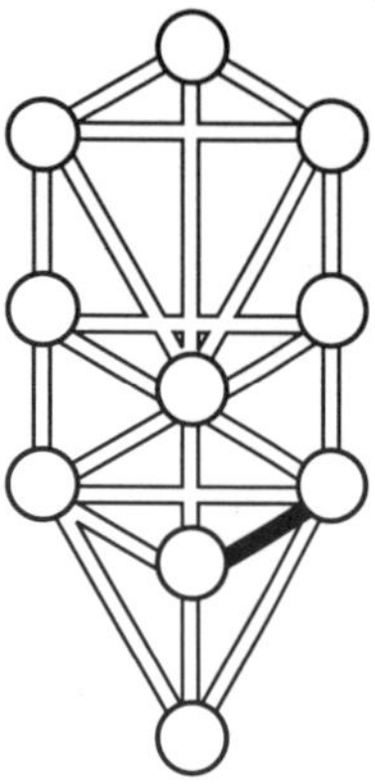

O Caminho 28º

Caminho cabalístico: Esta mudança de letras fez com que os caminhos ficassem permutados. Assim, o Imperador desce na Árvore até o vigésimo oitavo caminho, que une *Yesod* com *Netzach*, enquanto a Estrela, como corresponde à sua energia mais sutil, sobe até o quinto caminho.

*"O caminho vigésimo oitavo é chamado a Consciência Natural (*Sekhel Mutba*), porque mediante ela completou-se a natureza de tudo o que existe sob a esfera do Sol."* Sepher Yetzirah.

Atribuição astrológica: Sendo *Tzaddi* a primeira letra simples atribuída a um Arcano, será Áries, o primeiro signo do Zodíaco, o elemento astrológico que corresponde ao Imperador. Áries é um signo de Fogo, governa no corpo a cabeça e é representado por uma bigorna, símbolo de tenacidade, vontade e progresso.

A missão do ariano é iniciar, e para isso está dotado das seguintes qualidades: é entusiasta, impulsivo, de mente viva, dinâmico, ambicioso e empreendedor, direto, orgulhoso, egoísta, de paixões violentas e primitivas, conquistador, impaciente e quase sempre carece de perseverança para concluir o que começou. Adora mandar e odeia obedecer.

Áries (Jofhra)

É leal, embora inconstante, e tem muita dificuldade para enquadrar-se num padrão ou norma. É otimista e tem muita confiança em si mesmo. Fica mais atraído pelas idéias revolucionárias que pelas conservadoras e, claro, se entusiasma com tudo que é novo.

O Avô

Tem uma forte tendência a acidentar-se, ferir-se e queimar-se, especialmente na cabeça e no rosto, e a sofrer de inflamações. Governado por Marte, o verbo do ariano é "Eu sou", e a frase que complementa seus potenciais e dificuldades é: "Eu estou entusiasmado no princípio, meio e fim de meus projetos e os realizo com energia e suavidade."

Símbolos: Em todos os Tarôs, a figura central da carta é um homem maduro, que na maioria dos baralhos mostra para o espectador o lado esquerdo de seu rosto, o lado racional, lógico e masculino. As linhas de seu corpo formam ângulos agudos, indicando tensão, rigidez e uma atitude agressiva.

Um imperador mais delicado aparece no Tarô Carey: "o Avô" que, com um boné frígio (emblema dos revolucionários franceses), segura uma flor na mão.

A posição de seu corpo forma o símbolo do Enxofre alquímico, seus braços definem um triângulo e suas pernas uma cruz. "Enxofre" é o nome dado pelos alquimistas ao princípio ígneo, à veloz energia criativa, ou Princípio Masculino da Natureza. É o *Rajas* da tradição hindu.

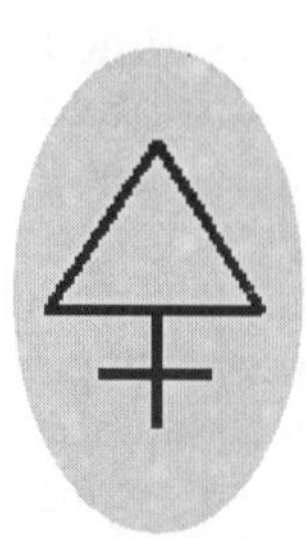

Enxofre

No baralho de Crowley, acima do trono

do Imperador há duas grandes cabras selvagens dos Himalaias, animais independentes, valentes e solitários.

A seus pés está o cordeiro, que, domesticado, tornou-se covarde, obediente, servil e dependente do rebanho e do pastor. Dá lã para seu amo, quando não acaba na brasa. Sempre foi a vítima propiciatória por excelência: o cordeiro pascal na tradição judia.

Estas imagens mostram, como disse Crowley, o papel do governo ou de qualquer poder que pretende transformar seres livres, valentes, instintivos e independentes em covardes, sem identidade nem vontade própria, identificados com o rebanho, segurando qualquer bandeira.

Do outro lado, temos um escudo com uma águia ígnea de duas cabeças, representando a Tintura Vermelha dos alquimistas. A águia é o emblema imperial por excelência, usado por Júlio César, Napoleão, Hitler e outros.

Os braços de seu trono mostram a Rosa dos Ventos, indicando que sua autoridade se dirige em todas as direções.

Em sua mão direita segura o *Ram*, cetro com a cabeça de carneiro, indicando que seu governo é fundamentalmente mental. Na mão esquerda, a feminina, segura uma bola coroada pela Cruz de Malta, para indicar que sua autoridade foi estabelecida solidamente. Se não fosse pela bola, redonda e feminina, o Imperador seria tão masculino que acabaria sendo totalmente estéril. O orbe ou bola com a cruz lembra o signo de Vênus, mostrando que a energia do Imperador frutificou.

A cor de sua roupa é vermelha em diferentes graus e, como na da Imperatriz, vêem-se abelhas. No chão há também algumas flores-de-lis. O vermelho é universalmente considerado como o símbolo fundamental do Princípio da Vida. Cor do fogo e do sangue, é interpretado segundo sua tonalidade. O vermelho vivo é brilhante, diurno, masculino, centrífugo, tonificante e excitante. É a imagem do ardor e da beleza, da força impulsiva e generosa, da saúde e da riqueza, da paixão e da guerra. Brilhante e sedutor é o vermelho das bandeiras e das embalagens das marcas mais vendidas.

O vermelho escuro é noturno, feminino, uterino, secreto, centrípeto e guardião do mistério da vida. Representa o fogo central da Terra, é da cor da libido e do coração, da ciência, dos semáforos e do conhecimento esotérico. É o púrpura dos imperadores romanos e bizantinos e dos cardeais da Igreja católica. É o símbolo do poder supremo.

Significados gerais: Em termos microcósmicos, é o poder da mente a serviço do poder e do dinheiro. Representa o sistema, o *status quo*, o poder dos interesses materiais e o peso da matéria e suas leis. No mundo atual, é o poder das multinacionais. O Imperador, olhando fixamente para um objetivo externo, frio e calculista, apesar de que pode ser impulsivo na hora de expressar sua raiva, bloqueia seus sentimentos e espiritualidade para conjugar melhor suas palavras de ordem: "Pensar em trabalhar para produzir."

Sua função psíquica, disse Jung, é o pensamento.

Em termos absolutos, o Imperador representa o Universo manifestado, material e sólido. É o Princípio Masculino material, das grandes multinacionais, do FMI, etc.

Está viciado no poder. É o líder nos assuntos materiais. Sua maneira de realizar não é fluida como a da Imperatriz; sua rigidez exige tensão e seu preço é o desgaste contínuo. Representa o pai. Sua autoridade é uma generalização do poder paterno. É a autoridade e, como o pai na família tradicional, o poder executivo, legislativo e judicial.

Na Leitura Terapêutica

Momento atual: Mostra a pessoa dedicada fundamentalmente à realização prática de assuntos materiais. Suas responsabilidades econômicas e profissionais a "obrigam" a dar as costas a seus instintos e emoções, a esquecer-se do lado lúdico da vida e encará-la de uma maneira fundamentalmente fria, racional, materialista, competitiva e agressiva.

Âncora: Temos aqui um ego incapaz de relaxar, um trabalhador compulsivo. Imagina que se não domina as pessoas mais próximas com mão de ferro, se não se impõe e tiraniza os outros, estes acabarão com ele. Assim, precisa estar por cima de todos.

Não aceita seus erros e considera as possíveis emendas a suas idéias como conspirações contra a sua legítima (?) autoridade.

Queixa-se de que ninguém faz as coisas bem, que ninguém quer trabalhar.

Indicar-lhe-emos a essência de Beech para ajudá-lo a ser tolerante, compreensivo e idealista, e a de Impatiens para amainar sua impaciência e irritação e torná-lo mais receptivo ao ritmo natural das coisas e às opiniões alheias.

A presença do Dez de Paus (a Opressão) no Momento atual, indicando que tomou consciência de sua exageração no trabalho e que está disposto a aceitar que não agüenta mais, daria chance de usar o floral de Olive.

Suas caraterísticas de dominador, indicadas pelo Dois de Paus (o Domínio) na Âncora, intransigente (Quatro de Espadas — a Trégua) e ambicioso (Quatro de Discos — o Poder), podem ser trabalhadas com a essência de Vine. A flor de Trillium pode ajudá-lo a sair de sua cegueira materialista e atingir uma percepção mais global da realidade.

Geralmente não se queixa de excesso de trabalho e quando o faz é para se auto-afirmar na frente dos outros, que não sabem ou não podem. Espera reconhecimento por seu trabalho, enquanto cancela suas emoções, já que, se permitisse tal "fraqueza", acabaria expondo suas mágoas, suas carências emocionais, suas frustrações e medos, e assim ficaria vulnerável.

Podemos dizer que o consulente tem uma estrutura de defesa de caráter psicopático.

Necessidade interna: Esta pessoa precisa ser mais dona de sua vida, independente, firme, racional e metódica.

Relacionamentos: a) Neste momento, o amor e o desejo sexual ficam em segundo plano. O que mais importa é o lado material, os negócios e os interesses financeiros, como também a auto-afirmação por meio da dominação do parceiro. O consulente pode estar virado para o trabalho como uma fuga de seu mundo afetivo. b) Temos aqui o macho reprimido e repressor, incapaz de amar. Relaciona-se, como bom imperador que é, para obter vassalos que inflem seus desejos de poder, que trabalhem para ele e o enriqueçam engordando-lhe o ego e a conta bancária.

Seu paternalismo pode levá-lo a ser protetor e até generoso, mas a menor dúvida a respeito de sua autoridade absoluta o leva à agressão, já que, por baixo de sua máscara de firmeza, morre de medo de que descubram sua vulnerabilidade e seus sentimentos.

O floral de Poison Oak** o ajudará a abrir-se emocionalmente, podendo assim aposentar a fachada de hostilidade que usa para evitar o contato íntimo.

Infância: Nesta posição, o Imperador representa o pai do consulente, um sujeito extremamente autoritário, que nunca mostrou amor pela criança. Pelo contrário, deu-lhe leis e normas de conduta para obedecer e castigos se as infringia. Tratou-a impessoalmente, como a um soldado de seu exército. Este tornou-se medroso, inseguro, sem confiança em seus sentimentos, até o ponto de tornar-se racional e frio como seu pai.

Com a Torre na Âncora, pode indicar que depois o(a) jovem rebelou-se, transformando-se numa pessoa extremamente destrutiva e compulsivamente questionadora de qualquer tipo de ordem e autoridade.

Método: Se nas posições da Âncora e do Momento atual encontramos traços de dispersão (Sete de Espadas — a Futilidade), submissão (o Pendurado) ou dependência (o Louco), sugeriremos que o consulente discipline-se, organize-se, se valorize mais, assuma suas responsabilidades especialmente consigo mesmo, lute e trabalhe em seus projetos, tomando as rédeas de sua vida. Aconselharemos o uso do floral de Blackberry* para que, fortalecendo sua vontade e capacidade de organização, possa concretizar suas idéias na prática e atingir seus objetivos.

Sugeriremos que pratique a meditação Sem Dimensões,[37] para que o ser se centre ao sintonizar-se com o Princípio da Quaternidade.

Se, pelo contrário, observamos tendências exageradas à ordem, à organização e à repressão das emoções (como indicaria a presença de um ou vários quatros nessas posições), intentaremos que a pessoa tome consciência destas tendências e avalie o preço que está pagando por isso.

Um trabalho de regressão, para tomar contato com seu lado infantil, pode levá-lo a descobrir que a rigidez e o autoritarismo não têm nada a ver consigo mesmo. Assim, talvez possa relaxar, aceitar sua vulnerabilidade e suas necessidades emocionais, chorar suas mágoas e, sendo honesto, terá a possibilidade de resolver seus problemas internos, reestruturar-se e crescer.

A essência de Rock Water pode ajudá-lo a ir dissolvendo essa atitude tão rigorosa.

Caminho de crescimento: Esta pessoa pode entrar numa fase de trabalho e realizações materiais com dedicação, firmeza, confiança e empenho.

Com um Cinco de Copas (a Frustração) ou de Discos (o Sofrimento), pode mostrar uma forte discussão com seu pai ou seu chefe, da qual sairá provavelmente mais seguro de si mesmo e mais dono de sua vida.

---

37 - Esta é uma antiga meditação sufi, atualizada por Osho Rajneesh. Tem três etapas: A primeira, de 30 minutos, começa em pé, colocando a mão esquerda no coração e a direita no ventre. O ritmo da música proporciona a freqüência respiratória. Com as mãos no ventre, inspire pelo nariz, subindo-as até o coração. Enquanto expira pela boca, leve o braço e a perna direitos para a frente, enquanto o braço esquerdo desce até a barriga. Depois volte para a posição inicial. O segundo movimento será idêntico ao primeiro, com a diferença de que serão o braço esquerdo e a perna do mesmo lado que vão para frente. No terceiro movimento, o braço e a perna direita vão para a direita, de maneira que o corpo gira 90º para a direita. No quarto, será 90º para a esquerda. No quinto, o braço e a perna direitas vão para trás, pela direita, girando o corpo 180º. E, finalmente, o sexto será pela esquerda, girando também 180º. A segunda etapa consiste em girar em sentido anti-horário com os braços abertos e a palma da mão direita para baixo, enquanto a palma esquerda fica para cima. Com os olhos semifechados focaliza a vista na mão esquerda. Quando acabar a música, deixe-se cair sobre a barriga, feche os olhos e observe seu interior durante 15 minutos.

Resultado interno: Fruto de todo este processo, o consulente conseguiu ser o senhor de si mesmo, ordenou sua vida e assentou sua autoridade sobre bases sólidas e realistas.

Sabe o que quer e está intimamente convencido de que vai consegui-lo.

Resultado externo: Esta pessoa está assumindo tarefas de responsabilidade e liderança em aspectos fundamentalmente econômicos e/ou políticos. Pode estar acumulando poder e fortuna, usando muito bem a razão nos aspectos mais práticos da vida.

Deve estar atento para não ofuscar seu lado feminino, se exagera no esforço e se deixa tomar pela tensão e pela ansiedade. A essência de Larkspur lhe facilitará a manifestação da alegria interior e de um entusiasmo contagioso, e o ajudará a alinhar seu trabalho de líder.

O Hierofante

Títulos: Durante séculos, este Arcano foi conhecido com o título de "O Papa", aludindo ao chefe da Igreja Católica. Nos baralhos mais recentes, é chamado "O Hierofante", pretendendo dar-lhe um significado menos ligado a uma determinada área cultural ou época. Essa mesma tentativa é a que levou os autores do Tarô egípcio a chamá-lo "O Hierarca".

Estamos diante do Hierofante da Nova Era, cujo trabalho está sendo e será totalmente diferente daquele que há dois mil anos foi torturado e assassinado na cruz. Disse-nos Crowley: "Embora não saibamos com precisão como será seu trabalho e qual vai ser a corrente principal da iniciação, podemos vislumbrar desde hoje, e tal como algumas profecias avisavam, o final das religiões como estruturas hierárquicas organizadas e também das seitas secretas".

O Hierofante (Marselha e Waite)

Nesta era, nada permanecerá oculto. Já estamos assistindo à integração do conhecimento ocidental com a — até agora desconhecida — sabedoria oriental, numa nova-velha corrente holística.

Os títulos esotéricos deste Arcano são "O Mago do Eterno" e também "O Mestre Triunfante".

Número: Com o Um tínhamos só um ponto, que, para ser posicionado no espaço, exigia outro ponto de referência, isto é, o Dois.[38] Com os dois pontos, temos a idéia de direção. Um terceiro ponto fora dela, o Três, define o plano e um quarto ponto, fora do plano cria a noção de volume: o sólido e material.

Com o Cinco, introduzimos a idéia de movimento, de velocidade. Como esta é a relação entre o espaço e o tempo (v = e / t), podemos dizer que com o Cinco estamos introduzindo ou "inventando" o Tempo.

O Cinco, como vemos no desenho de Leonardo da Vinci, representa o ser humano físico ou microcósmico, com

38 - Assim, também a geometria nos mostra que para definir o masculino (+, o Um) temos de definir o feminino (o Dois). O masculino não pode existir sem o feminino e vice-versa.

O Hierofante (Crowley, Egípcio e Cosmic)

Os Cinco Elementos

cinco sentidos e cinco extremidades, enquanto o Seis se relaciona com o ser humano macrocósmico ou universal.

É importantíssimo na tradição chinesa. São cinco as leis universais, os sabores, as notas musicais, os órgãos internos, os planetas e as direções. Os elementos também são cinco: Fogo, Terra, Metal, Água e Madeira, sendo que o Metal corresponde ao elemento Ar do sistema ocidental.

Seguindo a direção horária da circunferência, onde está inscrito o pentagrama da figura ao lado, temos o ciclo de *shen* ou relação criadora:

A Madeira cria o Fogo, queimando-se. O Fogo cria a Terra com suas cinzas. A Terra cria o Metal, que é encontrado em seu interior. O Metal cria a Água, fundindo-se. A Água cria a Madeira, alimentando-a.

Seguindo as linhas da estrela, encontramos o ciclo de *k'o* ou relação destrutiva:

O Fogo domina o Metal, fundindo-o. O Metal domina a Madeira, cortando-a. A Madeira domina a Terra, cobrindo-a de vegetação e segurando-a com suas raízes. A Terra domina a Água, represando-a ou formando canais por onde esta flui. E a Água domina o Fogo, apagando-o.

Na China, o Cinco é símbolo de União, produto do casamento do Yin, 2, com o Yang, 3. Enquanto que na Índia é considerado o número do Princípio Vital, também fruto da união do feminino, 2 e do masculino, 3.

Segundo o *Popol Vuh*,[39] os deuses gêmeos do milho, depois de serem sacrificados numa fogueira e atiradas suas cinzas no rio, ressuscitaram após cinco dias sob a forma de brotos de milho. Assim, para esta cultura, o Cinco é o número da perfeição e da Divindade.

No México, para os huicholes, o Cinco representa a totalidade que inclui as quatro direções e o eixo vertical. Segundo os astecas, os maias e os gregos, existiram quatro humanidades antes da atual, que seria a quinta.

No pentagrama, símbolo gráfico do Cinco, podemos ver a livre vontade, ou consciência (sem esta não é possível que a vontade seja livre), projetando-se sobre a quaternidade que integra o ser humano. Assim, ela harmoniza os

39 - Chamado também de *Livro do Conselho*, é o texto mitológico *maia*. Baseado em tradições orais, teve sua primeira cópia escrita no século XVI.

O Cinco. Representa o ser humano, microcósmico, com cinco sentidos e cinco extremidades. O pentagrama mostra a livre vontade — ou coincidência, sem a qual a vontade nunca pode ser livre — projetando-se para a Quaternidade que integra o ser. O Cinco introduz a idéia de movimento que acaba com a estabilidade, a determinação e a ordem limitada do Quatro, simbolizando, como corresponde o Gueburah, a destruição, sem a qual a transformação não seria possível.

quatro aspectos e os integra no pentagrama ascendente, símbolo do movimento evolutivo e do poder do amor.

Quando a consciência não nutre nem libera a vontade, esta cai no conflito da quaternidade programada e se perde na loucura autodestrutiva que se expressa no pentagrama descendente, símbolo do movimento involutivo, do amor ao poder e da magia negra. Para os pitagóricos, o Cinco revela a quintaessência de todas as coisas.

Se colocamos os quatro elementos ocidentais sobre o pentagrama, teremos diferentes opiniões sobre qual deve ser o quinto. Para Crowley e a Golden Dawn, este elemento é o Espírito. Outros autores, encontrando muitas semelhanças entre o Fogo e o Espírito — inclusive a letra hebraica Shin

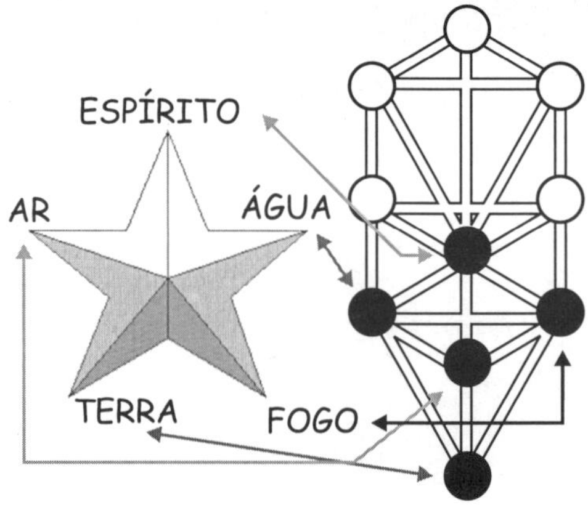

Os Cinco Elementos e a Árvore

designa ambos —, preferem colocar o Éter na ponta superior do pentagrama.

Considerando o espírito como o quinto elemento, Robert Wang nos oferece, em seu livro *O Tarô Cabalístico*, a relação entre as *sephiroth* e os cinco elementos ocidentais.

Letra hebraica: ו

É *Vau*, ou *Waw*, a letra correspondente ao Hierofante. É simples, masculina, alaranjada, e seu valor numérico é seis.

Vau significa "prego" — tem uma conotação certamente fálica — e, assim como este prende um quadro à parede, *Vau* é um agente mediador que une o Espírito à matéria.

Vau é a terceira letra do Tetragramaton e sintetiza as caraterísticas das duas primeiras: *Yod*, o masculino e espiritual, e *He*, o feminino e material.

Hieroglificamente, simboliza o nó que une o Ser ao Não-Ser.

Caminho cabalístico: *Une Chesed*, a Misericórdia, com *Chokmah*, a Sabedoria.

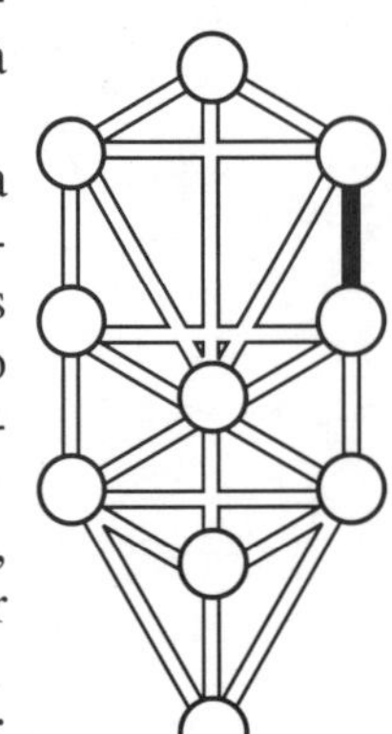

O Caminho 16º

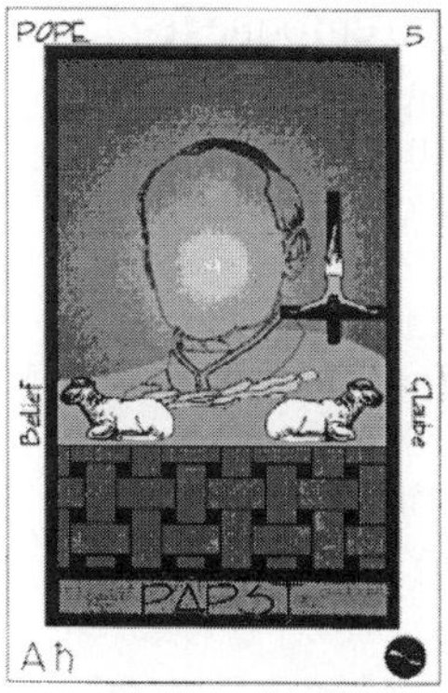

O Papa (Experimental)

Aqui, a individualidade rumo ao Espírito recebe suas influências.

Disse Crowley que "o significado espiritual deste caminho está dado pelo signo de Touro, que é o símbolo da realização mais densa do elemento Terra".

*"O décimo sexto caminho é a Consciência Perdurável (*Sekhel Nitzchi*). Chama-se assim porque é o deleite (Éden) da Glória. Como tal, não tem glória semelhante a ela. É chamado o Jardim do Éden que está preparado para (a recompensa de) os santos".*
Sepher Yetzirah

Atribuição astrológica: Touro é um signo de Terra e, como tal, prático, utilitário e realista. Se Áries é a ação, Touro é a conservação e a luta para conservar o conquistado.

Seu verbo é "Eu tenho" e sua frase de crescimento é: "Regozijo-me com minhas realizações e estou aberto às surpresas e mudanças da vida." "A missão do taurino é harmonizar os fatores opostos e facilitar a concórdia", diz Iglesias Janeiro em *A Cabala da Predição*. Este signo está governado por Vênus, é afetuoso e pacífico, mas quando não agüenta mais explode com uma fúria insuspeita.

Touro (Jofhra)

É sensual e apaixonado, embora às vezes se mostre tímido. Não gosta da especulação mental. Seu temperamento é forte, embora um pouco lento. É prudente e tenaz, paciente e acumulador. É perfeccionista e apegado a seus hábitos; assim, facilmente fica escravo de suas rotinas. Adora a boa mesa e sente atração por tudo que é belo.

É tranqüilo, não gosta de pressa, é reflexivo e com tendência à introversão. As taurinas são muito maternais.

No corpo físico, Touro governa o pescoço e a garganta, onde geralmente seus nativos sofrem de acessos e dores.

Símbolos: A figura central da carta é, na maioria dos baralhos, um homem maduro vestido com uma túnica. De todas as roupas, esta é a que tem uma conotação mais espiritual. Na carta de Crowley, a túnica é laranja, cor de *Vau*.

Com a mão esquerda, o Hierofante abençoa, e com a direita segura um báculo com aparência de chave, terminado em três anéis que representam as três Eras ou Aeons: as de Ísis, Osíris e Hórus.

Esotericamente, possuir a chave significa ser um iniciado e também ter a capacidade de iniciar (abrir a porta) ou negar-se (fechá-la).

Leva no peito um pentagrama ascendente, dentro do qual uma criança corre confiante e alegremente, simbolizando o espírito da Nova Era, onde as idéias de morte e pecado não escravizarão mais o ser humano, que assim poderá viver seu lado infantil sem medos.

O Hierofante está inscrito num hexagrama, símbolo do macrocosmo, indicando que está em equilíbrio com o Universo. Está sentado na garupa de um touro, atrás do qual se vêem dois elefantes.

O elefante é Ganesh, filho de Shiva e Parvati, deus da Ciência e das Letras, símbolo do conhecimento.

Como o touro, a tartaruga e o crocodilo, é um animal cosmóforo, isto é,

Bagwan Shree Rajneesh (Osho)

carrega o universo nas costas. É símbolo de poder e estabilidade.

O touro é Nandi, o veículo de Shiva, animal consagrado a Possêidon, deus do Oceano e das tempestades, a Dionísios, a Vênus, a Indra, etc. É símbolo de força e de arrebatadora virilidade. De fúria destrutiva, como Rudra, seu sêmen abundante fertiliza a Terra. Também é um símbolo feminino associado às divindades lunares. Segundo um antigo mito persa, a Lua deveria sua luminosidade ao sêmen brilhante que o touro primordial depositou nela. Este animal de formas cheias e movimentos lentos e sensuais, cheio de vida e de emanações telúricas, é o melhor assento da Imperatriz, como aparece no desenho do signo de Touro do Jofhra. O Hierofante está sentado no touro, regido por Vênus, seu assento é o amor, é o amor que leva o Mestre a mostrar o caminho para seus discípulos.

Diante do Hierofante, vemos uma mulher com uma espada na mão direita e a Lua na esquerda. Representa, diz Crowley, Vênus da Nova Era, aludindo ao capítulo 3º do *Livro da Lei*, no qual Hórus diz: "Quero que a mulher cinja uma espada diante de mim." É a mulher que não vai aceitar resignadamente o papel de dupla escrava: do macho e do sistema. Armada e militante, vai à luta pela sua libertação. Representa o enfoque feminino, sem o qual a sabedoria não pode ser atingida e o conhecimento é degradado a uma lista de conhecimentos, dados e crenças.

Ganesha

Nos quatro cantos da carta, temos os querubins que, à semelhança dos dragões chineses, são os guardiões dos santuários. Representam também os quatro elementos e os quatro signos fixos do Zodíaco.

Leão	Fogo	Leão	Energia-Espírito
Águia	Água	Escorpião	Emoções
Homem	Ar	Aquário	Intelecto
Touro	Terra	Touro	Corpo físico

O Hierofante, integrando a quaternidade em si mesmo, atinge a quinta-essência das coisas. Esses querubins também aparecem no último Arcano Maior, "O Universo", onde estão vertendo água enquanto aqui se secaram, parecendo máscaras, talvez para avisar que a aceitação de qualquer doutrina, sem fazer a experiência, nos leva a mascarar nossa identidade.

Seu chapéu fálico se complementa com a rosa de cinco pétalas que floresce no vitral, reforçando a idéia que passa a mulher armada: a mente masculina, racional e analítica, é insuficiente, sem o elemento feminino é impossível atingir a sabedoria.

Pelo vitral onde está inscrita a rosa, entra a luz de *Chokmah*. O nove é o número do elevado, do celestial e também de *Yesod*, a *sephiroth* associada à Lua. Temos aqui uma alegoria à Lua no céu de Nuit.

Rodeando o vitral, uma serpente e uma pomba aludem ao primeiro capítulo do *Livro da Lei* em que o Princípio Feminino, Nuit, se expressa assim:

> *"A Lei é o Amor, o Amor sob Vontade. Que os tolos não confundam o Amor, pois existe Amor e amor. Exis-*

te a pomba e existe a serpente. Escolhei bem! Ele, meu profeta, escolheu, conhecendo a lei da Fortaleza e o grande mistério da Casa de Deus."

A Casa de Deus é outro título da Torre, Arcano XVI, e nela também aparecem pomba e serpente.

A pomba, símbolo de pureza, paz e simplicidade, representa o amor, onde o instinto foi sublimado, enquanto a serpente representa aqui o amor instintivo.

"Representam as duas formas do desejo, o que Schopenhauer chamou de Vontade de Viver e Vontade de Morrer. Representam os impulsos masculino e feminino. Estas duas tendências não são incompatíveis. Isso resulta óbvio, quando entendemos a vida e a morte como duas fases de uma mesma manifestação energética." *(O Livro de Thoth*, A. Crowley*)*.

Significados gerais: O Hierofante encarna o Princípio Masculino Espiritual.

O Hierofante é o Mestre Espiritual que ajuda os caminhantes a reencontrarem sua Divindade Interna, a desfazerem os feitiços da programação, transformando sapos em príncipes. É o iluminado que faz ressoar a centelha divina em cada um de nós.

A palavra "Hierofante" vem de *hier-phaine*, que significa "revelar". É o revelador de nossa verdadeira natureza e dos mistérios da vida, é o homem ou a mulher de conhecimento, o xamã, o bruxo. Preside e executa as cerimônias e os rituais.

Cria pontes, é o pontífice, entre a matéria e o espírito, ou, como disse Paul Case, entre "a sensação exterior e a iluminação interior". Este significado teve de ser escondido durante séculos, pois a maioria das religiões, especialmente a judaico-cristã e a muçulmana, fizeram todo o possível para acabar com a idéia de que somos seres divinos, de que nossa essência é divina.

Estas religiões colocaram Deus fora de nós[40], longe no céu ou guardado em algum *Sancta Sanctorum*, inacessível para o comum dos mortais. O contato entre esse deus e a humanidade pecadora foi monopolizado por certos intermediários que se autobatizavam "escolhidos" e se consideravam donos da verdade absoluta. Esse deus externo foi inventado a partir da sublimação de certas qualidades humanas e, claro, tiveram de inventar também um diabo com a exageração dos — por eles considerados — defeitos humanos. Deus e diabo à imagem e semelhança do ser humano. Cobrando por seus serviços, estes intermediários acumularam enorme poder e riqueza.

Estabeleceram normas morais, leis, doutrinas, dogmas e mandamentos que, na ausência de um estado organizado e uma legislação temporal, como foi o caso nas épocas de Moisés e de Maomé, foram a base legal de suas sociedades.

Tais doutrinas e dogmas eram muitas vezes contrários à natureza humana e à razão e condenavam a mulher a um papel de escrava, mas prometiam o paraíso e a felicidade para depois da morte. Os "justos", os que sofreram, os que renunciaram, os que obedeceram, os que morreram na "Guerra Santa", estes serão recompensados.

---

40 - Quando o rabino Aryeh Kaplan comenta o cap. 1, vers. 4 do *Sepher Yetzirah*: "Dez *Sephiroth* do nada/dez e não nove/dez e não onze", nos diz: "Deus pertence a uma categoria totalmente diferente que as *sephiroths* e não deve ser contado entre elas... Quando uma pessoa chega aos níveis superiores, pode pensar que está atingindo Deus. O Criador está sempre além de nosso alcance."

Assim, na ausência da Divindade interna, o Mestre perdeu seu significado mais profundo e se transformou no Papa. Aquele que ensina a doutrina, que dá as ordens e padrões de comportamento, que publica as encíclicas, que catequiza e impõe a moral, que faz a cabeça do povo. Ou, como disse A. E. Waite, participando desta degradação do significado desta carta: "é a força que governa a religião externa".

Então, temos a Sacerdotisa que representa a via feminina, interna e intuitiva de atingir o conhecimento, guardiã da sabedoria oculta, do esotérico, e este Papa, cuja função seria ditar a lei e instruir na doutrina: o exotérico. Neste sentido, o Hierofante acaba sendo o poder da ideologia e da moral dominantes. Na Idade Média, estava totalmente vinculado às religiões e, no Ocidente, ao Vaticano. Hoje, no Primeiro Mundo, estas estão perdendo seu poder e as novas doutrinas, embora continuem firmemente enraizadas nas religiões, estão inequivocamente marcadas pelos sistemas de produção e o *american way of life*, constituindo o suporte ideológico do sistema.

'Estas doutrinas, construídas por valores éticos, filosóficos, científicos, religiosos e econômicos, constituem uma cultura determinada, uma visão do Universo que rompe com o obscurantismo medieval e apoiado em várias correntes da cultura ocidental, tais como as idéias da Revolução Francesa, o Iluminismo, a revolução científica e a Revolução Industrial. Este paradigma inclui a crença de que o método científico é a única abordagem válida para conhecer; a concepção do Universo como um sistema mecânico, composto de unidades materiais elementares; a visão de que a vida em sociedade é uma luta competitiva pela existência e a crença no progresso material ilimitado a ser atingido pelo crescimento econômico e tecnológico'.

O Ponto de Inflexão – F. Capra

Estas doutrinas não são mais transmitidas nos altares das igrejas. Hoje são retransmitidas 24 horas por dia pelo rádio e pela TV e divulgadas pelos jornais e revistas. Os novos Papas são os meios de comunicação, a mídia, o Quarto Poder.

Sabemos muito bem que estamos diante de uma encruzilhada: ou a humanidade se torna mais consciente, pacífica, introspectiva, amorosa, ecológica, solidária e cooperativa, isto é, feminina, ou podemos apostar em algum tipo de reformulação planetária, resultado do necessário processo de autodefesa de Gaia, nossa Grande Mãe, o Planeta Terra. Qual seria o papel do Hierofante, se sobrevivermos? Uma humanidade mais evoluída não pode permitir que a história se repita. Pode ser o fim dos rebanhos obedientes e manipulados. O Hierofante voltará a ser o Mestre, o Iluminado, ou o Mestre Interior de cada um de nós. Se o Hierofante é o Revelador do Sagrado, temos que ter muito claro que o sagrado está sempre dentro de nós, para não reduzi-lo a porta-voz de uma ideologia qualquer.

Na Leitura Terapêutica

Momento atual: O consulente está procurando o conhecimento, estudando, aprendendo. A outra carta indica em que área específica está dirigida esta procura, que tomará um cariz espiritual ou de auto conhecimento se aparece com a Sacerdotisa, a Princesa de Discos ou o Ermitão. Se não, tratar-se-á provavelmente de estudos para melhorar profissionalmente, uma investigação científica ou um questionamento ideológico ou filosófico.

Âncora: Estamos diante de um ego cujas palavras, gestos, ações e pensamentos respondem perfeitamente a uma determinada doutrina, movimento ou ideologia. É um vivo (morto) representante de uma determinada filosofia ou credo. Fora deste comportamento robotizado e cheio de típicos tópicos, ninguém está aí. Sua máscara pode chegar a ser tão perfeita que não permite o mínimo contato interno com suas emoções e seu corpo físico. Pode ser um catequizador fanático, cheio de argumentos, que repete mecanicamente suas doutrinas e sua auto-afirmação, passa por convencer-nos e levar-nos para sua igreja, templo, partido ou torcida correspondente. Onde chega, leciona.

Este ego fanático, sério, rígido e muitas vezes arrogante, sempre tentando impor suas idéias ao próximo, poderia enraizar seu idealismo e seu entusiasmo, e conectar-se com seu corpo, usando o floral de Vervain.

O Sol na Infância nos levaria a pensar que sua atitude de identificação com uma determinada ideologia se deve tanto à debilidade de seu Eu como à sua permeabilidade às opiniões da família e outros grupos sociais e à necessidade de agradar sem se expor. Neste caso, a flor de Goldenrod* ajudaria o fortalecimento do Eu e a relacionar-se socialmente melhor.

Necessidade interna: Esta pessoa está precisando encontrar seu próprio sentido da vida, espiritual ou pelo menos ideológico. Não pode continuar acreditando nas doutrinas alheias. Chegou a hora de fazer sua própria síntese.

Relacionamentos: a) Aparentemente, a paixão acabou. O casal pode ter uma certa ideologia comum, interesse por certos temas intelectuais ou espirituais, no fundo são as doutrinas o que os mantêm juntos. b) Sempre sabe mais que o outro e, esbanjando conhecimentos e dados, pretende seduzir e acaba envolvendo-se com as pessoas que o aceitam como "professor". De seus sentimentos e instintos ninguém sabe, talvez nem ele próprio.

Infância: Esta criança foi muito doutrinada, provavelmente teve uma formação religiosa rígida, que acabou com sua espontaneidade. Talvez seus pais estiveram ligados a algum movimento político, ideológico, cultural ou religioso cujos princípios lhe foram inculcados, e ele os incorporou para ser aceito, até transformar-se num pequeno robô.

Método: Estimularemos o estudo. O consulente deve aumentar ou aprofundar seus conhecimentos na sua área profissional, realizar estágios e compreender melhor como funcionam as coisas.

Se vemos interesse pelo lado espiritual (com a Sacerdotisa ou o Três de Paus — a Virtude — na posição da Necessidade interna), podemos recomendar a leitura de certos mestres iluminados ou de profissionais do comportamento humano que o ajudem a conhecer-se melhor, a ser mais ele mesmo e a trabalhar para resgatar o contato com sua essência divina. Também o alertaremos contra os vendedores de receitas que querem convertê-lo a esta ou àquela fé. A essência floral de Lótus*, elixir espiritual que ajuda a pessoa a abrir-se espiritualmente, será muito útil.

Caminho de crescimento: Vemos aqui uma evolução positiva por meio do aprendizado em alguma área específica ou de um encontro profundo e marcante com um Mestre externo ou interno.

Resultado interno: O consulente encontrou seu próprio caminho espiritual e, por meio de suas práticas e estudos, está abrindo-se a novos níveis de consciência.

Resultado externo: Fruto de suas vivências, de seu contato com o interno, ou de sua compreensão e conhecimento a respeito do mundo ou de um assunto particular, esta pessoa estará capacitada a passar uma mensagem, um conjunto de conhecimentos ou uma teoria específica em alguma área determinada. Suas atividades práticas estão impregnadas de fragrância espiritual.

Também pode revelar uma extrema rigidez de caráter.

Os Amantes

Títulos: Nos primeiros baralhos, inclusive no Tarô de Marselha, este Arcano chamava-se "O Enamorado". Conhecido também como "O Casamento", no de Eteilla, e "O Vício e a Virtude", no de Eliphas Levi, passou a chamar-se "Os Amantes" nos Tarôs da Golden Dawn, Rider-Waite e A. Crowley. No Tarô Egípcio, se intitula "A Indecisão" e também tem aparecido como "Os Dois Caminhos".

Seus títulos esotéricos são: "O Filho da Voz" e "O Oráculo dos Deuses Poderosos".

Número: O Seis é o número atribuído a este Arcano. Se com o Cinco introduzíamos o conceito do Tempo, dando ao ser a opção de ter passado, presente e futuro, isto é, memória, com o Seis já é capaz de ser testemunha do que sucede a seu redor, de colocar-se no centro do Universo, isto é, de ser autoconsciente.

O Seis é o centro do sistema, assim como Tiphareth, a *sephirah* número Seis, é o centro da Árvore da Vida. Tradicionalmente, o Seis é o número da perfeição e do equilíbrio. No hexágono, símbolo gráfico do Seis, temos seis triângulos equiláteros dentro de um círculo, sendo o lado daqueles igual ao raio deste.

O Seis é quase exatamente a relação entre o perímetro da circunferência e seu rádio: P/r = 2pi = 6,2832... São muitos os paralelismos que encontramos entre ambas as figuras.

Antigamente, o Seis era consagrado a Vênus-Afrodite, deusa do amor físico. Não podemos esquecer que a raiz latina de Seis é *sex*, que significa "sexo". Se o sexo é a união carnal entre o macho e a fêmea, o Seis é a união entre o masculino e o feminino universal.

Apesar de que para alguns analistas o Seis represente o ser humano físico sem seu elemento transcendente, que lhe permitiria entrar em contato com o divino, a tradição esotérica ocidental afirma que o hexágono representa o Ser Humano Universal ou macrocósmico.

Os Amantes (Marselha, Waite e Crowley)

Na tradição oriental, temos a escola tântrica hindu, que procura a iluminação espiritual por meio do desen-

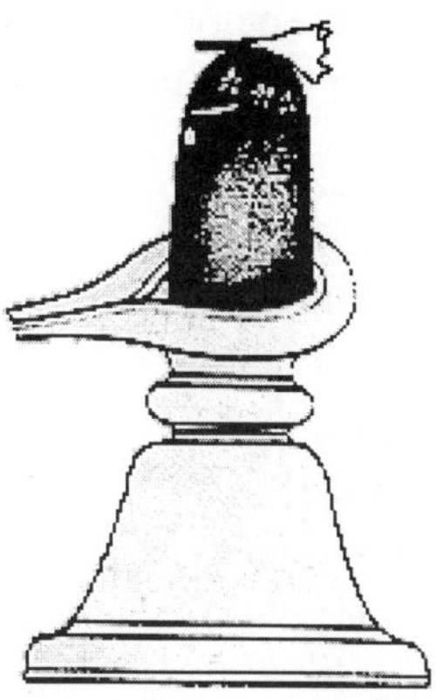

O Lingam *e a* Yoni

volvimento da sexualidade consciente. Assim, a estrela de seis pontas representa a penetração da *yoni* (vagina) pelo *lingam* (pênis), simbolizando equilíbrio entre os Princípios Feminino e Masculino. A maioria dos hindus atuais, que seguem venerando tradicionalmente o Shiva Lingam, depois de três[41] séculos de colonização britânica, se esqueceram de seu significado.

No hexagrama, completam-se as tendências opostas e complementares. A polaridade intrínseca de todas as coisas manifestadas se integra novamente, dando lugar a algo novo. Diremos que o Seis representa a União Criativa, produto do equilíbrio e complementação dos opostos.

No Ocidente, o hexagrama é a estrela de Davi ou selo de Salomão, emblema de Israel, símbolo totalizador do pensamento hermético. Em primeiro lugar, contém os símbolos dos quatro elementos:

Fogo Água Ar Terra

Atribuindo às quatro pontas laterais do hexagrama as propriedades fundamentais da matéria (seco, úmido, quente e frio), deduzimos as propriedades de cada um dos elementos, tal como as usava o médico suíço Paracelso (1493-1541).

O Seis. É o número da perfeição e do equilíbrio. No hexagrama que representa todo ser humano universal ou macrocósmico se complementam os dois triângulos, o feminino, que aponta para a terra, e o masculino, que se volta para o céu, simbolizando a união criadora dos opostos.

O Fogo é quente e seco.

O Água é úmida e fria.

O Ar é úmido e quente.

A Terra é seca e fria.

A estrela de Davi engloba os sete metais principais, com o ouro no centro e os sete planetas correspondentes ao redor do Sol.

O Hexagrama e as propriedades da matéria

41 - Os primeiros agentes da Companhia de Índias desembarcaram em Bombaim em 1615. Em 1833, importaram missionários e decretaram obrigatório o estudo do inglês. Em 1858, a Índia foi anexada à coroa britânica e em 1950 os hindus reconquistaram sua independência.

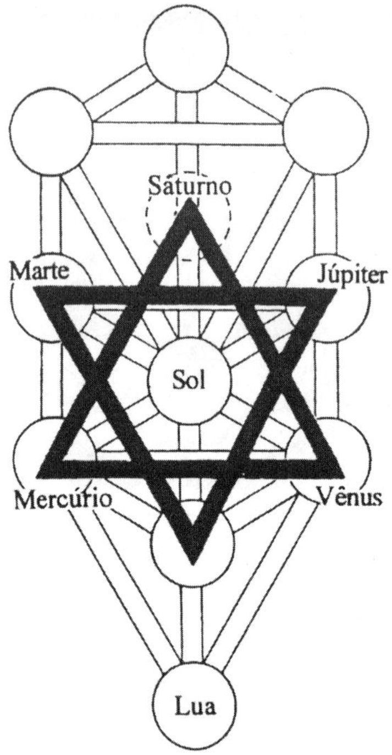

O Hexagrama, os Planetas e a Árvore

Para os maias, o sexto dia era o dia dos deuses da chuva e da tempestade e também o dia da morte.

Letra hebraica: ז

Zain é a letra atribuída aos Amantes. É simples, masculina, laranja e seu valor numérico é sete. Corresponde à nossa Z. Significa espada, que, forjada no fogo e temperada na água, é um símbolo de polaridade e de integração da polaridade. Com um gume destrói, com o outro, constrói e com os dois consagra. Colocada em posição vertical, une a Terra com o Céu. *Zain* ou *Zayin* sugere a percepção e o discernimento amolado de uma espada. A espada representa a mente, que também é polar, pode afirmar ou negar e, quando se acalma até o ponto em que se torna não-mente, então nos leva à transcendência.

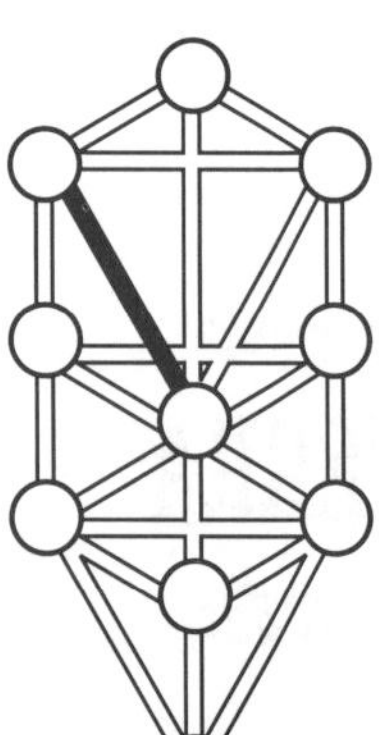

O Caminho 17º

Caminho cabalístico: O caminho de *Zain* e dos Amantes é o décimo sétimo. Une *Binah* (o Entendimento), com *Tiphareth* (a Beleza).

> *"O décimo sétimo caminho — a Consciência dos Sentidos (*Sekhel HaHergesh*) está preparada para os santos fiéis, para que possam vestir-se com o espírito da santidade. Na disposição das entidades supremas, é chamada o Fundamento da Beleza (*Yesod HaTiferet*)".* Sepher Yetzirah

Neste caminho, a individualidade que se equilibrou em *Tiphareth* se dirige para a coluna restritiva da forma, indo em direção ao entendimento profundo de *Binah*. Vai distanciando-se da ilusão de isolamento e chega "à percepção de que a aparência de individualidade isolada não é senão o efeito produzido pelo poder que tem o Eu de concentrar seus limites de energia em qualquer ponto particular no tempo e no espaço."

"Por inteligência que predispõe, entendemos a energia do trabalho com os Caminhos, que exige um esforço contínuo para discernir, comparti-

Os Amantes (Crowley, Egípcio e Cosmic)

Os Amantes (Golden Dawn)

lhar, dispor, organizar, preparar e ajustar a personalidade à altura máxima, isto é, aquela acima do Abismo." Arquétipos da Árvore da Vida, Madonna Compton

Atribuição astrológica: Gêmeos é o signo zodiacal atribuído a este Arcano. É um signo de Ar, mutável e governado por Mercúrio. No corpo humano, rege os pulmões, os braços e os ombros. É o símbolo geral da dualidade, expressão de todas as oposições que se resolvem numa tensão criadora.

A missão do Gêmeos é ter idéias e estimular intelectualmente os outros. Para poder cumpri-la, possui uma inteligência aguda e vivíssima, uma grande facilidade e rapidez de entendimento e uma enorme curiosidade. Gosta de conversar e gesticular para dar precisão a suas idéias. Seus olhos são vivos, penetrantes e muito expressivos.

Tem uma sede insaciável de conhecimentos, mas sua abordagem intelectual limita sua profundidade.

Gemius (Jojbra)

É muito sociável e comunicativo. Podemos dizer que é o nativo mais extrovertido do zodíaco. É muito hábil e sempre quer fazer várias coisas ao mesmo tempo.

Seu potencial afetivo não está muito desenvolvido. Os geminianos não confiam muito em seus sentimentos nem em suas sensações e impulsos instintivos.

Tampouco têm um lado místico notório, mas em compensação têm uma grande habilidade para entender, assimilar e renovar as criações e os descobrimentos dos outros. Adoram as mudanças até o ponto em que acabam sendo inconstantes. As responsabilidades não lhes interessam muito.

Seu verbo é "Eu duvido", não como expressão de desconfiança, que é característico dos capricornianos, mas como necessidade e resultado de seu inerente enfoque intelectual das coisas e da vida.

Sua frase integradora é: "Eu dou profundidade a meu conhecimento por meio da sabedoria da concretização.

Os nativos deste signo têm tendência a sofrer dos nervos, a contrair enfermidades pulmonares, a padecer transtornos mentais e a passar por acidentes de locomoção.

Símbolos: Na carta de Crowley, vemos, à primeira vista, que quase todos os símbolos são duplos, formando duas séries de opostos, cuja complementação está sugerida nesta carta, mas cuja integração final só se dará no Arcano XIV, a Arte — a Temperança, em outros baralhos —, que podemos considerar como a culminação da Boda Real que se inicia nos Amantes.

Estas duas cartas ou caminhos constituem a grande máxima alquímica: *Solve et Coagula*, Dissolve e Coagula, Separa e Junta, ou, em outros termos, Análise e Síntese. O fundo da carta está cheio de espadas, reafirmando seu caráter analítico.

Mostra o casamento do rei mouro ou negro, coroado como Imperador, com a rainha loura ou branca, que porta a coroa da Imperatriz. As duas figuras estão mostrando a polaridade fundamental do Feminino e Masculino num nível humano e material. Este simbolismo polarizado se amplia com a apresentação dos atributos imperiais. Ela segura o Graal, símbolo da Água, e ele, uma lança, símbolo do Fogo, ambos ajudados por um casal de crianças.

Diante da rainha, o menino negro segura a lança do rei, e frente a este, o branco ajuda a rainha a segurar a copa. Este tem na mão direita um ramalhete de rosas brancas, símbolo do amor puro, e aquele tem uma espécie de porrete, símbolo de agressão, dando assim continuidade às duas séries de opostos. Os noivos usam um manto de pele de arminho, símbolo de pureza e de autoridade. Ao lado do rei está sentado o leão vermelho, que representa o Enxofre alquímico, e abaixo da rainha temos a águia branca, expressão do Sal, mostrando a polaridade na natureza.

Nas esquinas superiores, encontramos duas figuras femininas que fazem referência à forma medieval desta carta, em que se via um homem entre duas mulheres: uma loura coroada e uma morena. Parece que este teria de escolher uma entre as duas, que representariam, segundo o pensamento dissociativo e moralista da época, o vício e a virtude, a pureza e o pecado, o bem e o mal, etc. Tradicionalmente, a igreja católica representava com a mulher de pele escura o próprio Satã. Autores como Paul Douglas vêem aqui um conflito edipiano: o garoto estaria indeciso entre a proteção da mãe — e talvez o desejo oculto de transar com ela — e jogar-se na aventura, de envolver-se com a mais jovem e morena.

No Tarô de Crowley, elas são Lilith e Eva. A primeira, à esquerda, representa a mulher instintiva, na plenitude de sua sexualidade, relacionando-se com quem quer, quando quer e como quer, livre de qualquer moralismo ou tabu.

Segundo a tradição hebraica, barbaramente machista, Lilith é a primeira mulher criada por Jeová do mesmo barro que Adão. Lilith não quis submeter-se ao macho e fugiu do paraíso, começando assim, segundo estas fontes, sua carreira demoníaca. À direita, Eva, comportada e obediente, forma com Lilith a polaridade independência/submissão no sentido mais literal. Eva e Lilith mostram aqui o caminho da mãe e o caminho da amante, como expressão de involução e evolução, respectivamente.

No meio das duas séries de símbolos polares, temos três figuras individuais. Acima, Cupido que, disparando suas flechas, com asas douradas e uma venda nos olhos, representa a vontade inconsciente do ser de unir-se com o Todo através do amor passional. Cupido, Eros na Grécia, o deus Amor, filho de Vênus, representa a influência coercitiva de Binah sobre Tiphareth, explica Crowley. Parece que Cupido está inspirando o encapuzado, que ocupa o centro da carta, com a missão de celebrar o matrimônio hermético. Sua túnica é violeta, em tons cada vez mais claros, à medida que ascende e se aproxima à luz de Kether. O violeta é a cor do segredo: banhados na sua luz, realizam-se os misteriosos passos da transformação da vida em morte.

"Este personagem não é outro que o próprio Ermitão, uma das formas de Mercúrio, que, com suas mãos estendidas, está projetando sobre o casal real as misteriosas forças da criação. Seu rosto está oculto para indicar que a razão última das coisas está numa esfera inatingível intelectualmente." (*O livro de Thoth*, A. Crowley)

Ao redor de seus braços vemos um pergaminho muito especial. É o anel de

Moebius,[42] uma superfície de apenas um plano e que, segundo certos autores, facilitaria o acesso a outra dimensão.

Este papiro representa a palavra, o verbo, a ação de criar, que, começa a dar seus frutos no Ovo Órfico, que, na base da carta, representa a essência da vida, fruto da união do masculino e do feminino. Já o vimos no Mago e voltará a aparecer no Ermitão. A serpente representa o Princípio Vital que estimula as transformações necessárias à perpetuação da vida e à sabedoria inerente em todo este processo.

O Tarô da Golden Dawn mostra uma passagem do mito de Perseu. Cassiopéia, esposa de Cefeo, rei de Etiópia, vangloriava-se de sua beleza e rivalizava com as Nereidas, filhas de Possêidon, deus do mar, e inclusive com Hera. Estas pediram para o pai que castigasse a presunção da rainha. Possêidon mandou umas enchentes e um monstro que assolaram Etiópia.

Consultado o oráculo de Amón, este informou que o monstro só se retiraria se lhe fosse entregue Andrômeda, filha de Cassiopéia. Pressionado por seu povo, Cefeo teve que ceder e Andrômeda foi amarrada com correntes a uma rocha que, segundo o mito, estaria em Jafa — Palestina. Nesse momento, apareceu Perseu, que acabara de matar Medusa.[43] Ele apaixonou-se por Andrômeda e matou o monstro.

A reserva se fez necessária devido ao poder das igrejas repressoras, que não só lutavam entre si com a ferocidade do fanatismo, como também estavam interessadas em destruir a ciência nascente que, como instintivamente reconheciam, acabaria com a ignorância e a fé das quais dependiam seu poder e riqueza.

O Livro de Thoth — A. Crowley

Significados gerais: Esta carta está mostrando, em seu sentido mais elevado, a criação do Universo pela interação amorosa dos Princípios Feminino e Masculino. Esta afirmação, em plena Idade Média, ou Negra, como muitos historiadores a chamam, ou inclusive no Renascimento, era muito perigosa, pois em nada concorda com a versão oficial de que um deus masculino criou o mundo do nada e, no sexto dia, fez o homem à sua imagem e semelhança e a mulher de uma das costelas do homem.

Foi por essa causa que os iniciados responsáveis de revelar (velar duas vezes) o Tarô substituíram esta representação por outra em que se vê um homem entre duas mulheres, símbolo da escolha entre duas alternativas.

O Arcano perdia profundidade, mas guardava o segredo e salvava o próprio couro. Hoje podemos dizer sem temor que, antes de qualquer manifestação concreta, a energia primordial tem de polarizar-se dando lugar aos Opostos de cuja interação surge o Universo.

Por isso não é possível um deus criador masculino! (nem feminino)

Dizer que existe um Deus pai Todo-Poderoso, criador do céu e da terra, de todo o visível e invisível, é uma aberração tão grande como dizer que na gestação de um ser humano só intervém o pai, e o papel da mulher é acolher em

42 - August Ferdinand Moebius (1790-1868), prussiano, matemático e astrônomo, discípulo de K. F. Gauss, foi diretor do observatório astronômico de Liezpig. Seus trabalhos de matemática pura, especialmente *Dier Baricentris Kalkul* (O Cálculo Baricêntrico), 1827, foram de grande importância para o desenvolvimento da geometria analítica projetiva, especialmente pelo uso de equações homogêneas e pela aplicação do princípio geométrico da dualidade, do qual Moebius foi inventor.

43 - Ver, na sessão, Princesa de Espadas, Perseu e Medusa.

seu seio a semente e nutri-la. Lembremos que como é em cima é embaixo; se para gerar qualquer criatura, aqui embaixo, são necessários os dois componentes da polaridade, o mesmo acontece para a aparição de uma galáxia, de um Universo e do macrocosmo.

Outra idéia que nos passa esta carta é a de União. Aqui as polaridades começam a complementar-se, a integrar-se, a unir-se. A força que leva à união procede da separação e vice-versa.

Este Arcano representa a Análise, qualidade eminentemente geminiana, o separado, o cortado pela espada de Zayin, o *Solve*, dando lugar à Síntese (ao unido em Samek, o uróboro)[44] ao *Coagula*, à Arte, Arcano XIV. Este processo se dá desde o nível subatômico, onde unicamente podemos falar de partículas, como a interação energética de outras subpartículas, até o nível Macrocósmico. Em termos humanos, conhecemos vários graus de união ou integração. O primeiro é o androginato interno ou fusão das polaridades internas, o segundo é o androginato externo, onde seres completos e integrados constituem o Casal Cósmico; as duas meias-laranjas se unem e crescem juntas. O terceiro grau é a Fusão com a Totalidade ou Iluminação.

Também podemos ver três tipos de amor. O primeiro, representado por Cupido, é Eros, o amor erótico, apaixonado e com forte carga instintiva e possessiva. Quem vive este tipo de amor, geralmente procura nos outros e é atraído por pessoas que têm (ou ele acha que têm) qualidades que não desenvolveu em si mesmo. "Eu quero você para mim" seria uma típica expressão de amor erótico.

O segundo é Filos, representado pelas crianças, amor não-possessivo, que já não tem projeções nem necessidade de preencher carências. Está mais próximo à amizade, à fraternidade e à cumplicidade desinteressada. "Faz-me feliz ver você feliz" seria uma expressão claramente filárquica.

O terceiro e mais elevado é o Ágape, a comunhão universal, o amor que emana em todas direções sem distinção. É mais próximo à compaixão budista e está além das palavras. Na carta, está representado pelo Ermitão.

Agora, podemos ver nos dois caminhos ou alternativas um significado despojado de maniqueísmo. Um caminho é a união consigo mesmo (e, portanto, com toda a Existência), o exercício da livre vontade que leva à integração do consciente com o inconsciente, da luz e da sombra, com a conseguinte aceitação dos conflitos, os golpes de Zayin no ego e a transformação resultante. O outro caminho é o da divisão interna, da fixação na programação infantil ou nas doutrinas que dissociam a realidade em "o bem e o mal" e o comportamento em "o permitido e o proibido", e que acaba com a vontade e leva à frustração, à alienação e, muitas vezes, à esquizofrenia.

Na Leitura Terapêutica

Momento atual: Junto com o Dois ou o Seis de Copas (o Amor e o Prazer), indica um momento de união amorosa, um encontro profundo e talvez transcendente. Em outros casos, pode indicar que está abrindo-se uma encruzilhada, um novo caminho, a possibilidade de levar uma vida diferente. Todas as peças estão se encaixando,

44 - Samek, letra do Arcano XIV, a Arte, hieroglificamente representa uma serpente mordendo seu próprio rabo. É o Uróboro que abraça o cosmos, mantendo-o unido. Ver a letra hebraica do Arcano XIV e a mandala do Mago.

mostrando uma clara perspectiva, de maneira que hoje é factível escolher entre fazer o que realmente se está querendo ou continuar a vida de sempre.

Âncora: A pessoa está tão identificada com uma determinada relação, que fora dela se perde. É o marido de..., a Senhora de Tal, o filho de... Provavelmente, esta relação a anula e a absorve de tal modo num círculo vicioso de obediência e rebelião, desejo e raiva ou dependência e auto-invalidação, que a empurra de seu centro até perder totalmente a noção de si mesma.

Este apego exagerado, presente geralmente em relacionamentos muito sofridos, pode ser dissolvido usando-se o floral de Bleeding Heart*, de maneira que amar alguém não signifique uma perda da noção da individualidade.

Temos outra interpretação interessante e que inclusive pode ser a origem da primeira. Teríamos alguém incapaz de tomar decisões. Perguntando-lhe, sempre diz que tanto faz ou que não sabe, e acaba deixando que os outros ou as circunstâncias escolham e determinem sua vida. É tão cerebral que é incapaz de conectar-se com seu coração, de maneira que, apesar de ser uma esponja para as informações, não as sabe processar e vive numa permanente e infrutífera indecisão.

Sua capacidade de decisão, sua determinação e autoconfiança podem ser fortalecidas usando Scleranthus. Se é um adolescente indeciso, que imita ou procura uma saída perguntando aos outros o que deve fazer, recomendaremos a ele Cerato.

Necessidade interna: O Ser interno se sente como um peixe fora da água. Hoje esta pessoa precisa voltar-se para si mesma, aliar-se consigo, integrar-se; reconhecer seus dois lados (masculino e feminino) e desenvolvê-los; descobrir dentro de si mesma aquelas coisas que está procurando no exterior com a maior ansiedade. A partir daqui é fundamental definir: que vida quero viver? A que quero me dedicar?

Relacionamentos: a) Podemos pensar que o casal está vivendo um momento de crescimento, lapidando seu amor, compenetrando-se e complementando-se cada vez mais. b) Aqui pode haver um excesso de idealismo: sonha com casamento e, enquanto espera o príncipe azul ou a mulher-maravilha, a vida foge entre suas mãos.

Infância: A relação entre seus pais o marcou negativamente neste período. Talvez presenciou cenas de ciúmes, brigas e jogos de poder nos quais a criança era colocada no meio, especialmente se aparece junto com um Cinco de Copas (a Frustração) ou de Espadas (a Derrota). Com um Três de Espadas (a Dor), é possível que a separação de seus pais o tenha deixado com um sentimento pesado de invalidação e inferioridade. Talvez a relação de um ou dos dois genitores com terceiras pessoas o privaram da atenção e contato, e assim se acentuou sua sensação de rejeição.

Estas experiências negativas geraram uma rebelião intensa ou um medo insistente a tudo o que cheire a família ou a vínculo duradouro e, no pior dos casos, o tornaram incapaz de entregar-se ao amor.

Método: Esta pessoa vai crescer escolhendo o que realmente quer. Sugeriremos que estude as possibilidades que tem na vida, que caminhos se abrem diante dela, pois, se não se decide seguindo a voz de seu coração, vai perder uma grande oportunidade de crescimento e melhora em todos os sentidos.

Recomendaremos o uso do floral de Wild Oat, que ajudará a reconhecer as atividades que realmente fazem sentido para seu Ser interno. Com o Ermitão na Âncora, aconselharemos a ela que deixe seu isolamento e procure arrumar namorado(a).

Caminho de crescimento: Dependendo das cartas que a acompanham na coluna, podemos ver aqui uma relação afetiva e sexual marcante e transcendente, ou uma escolha vital muito importante.

Resultado interno: Esta pessoa, optando por si mesma, conseguiu desenvolver suas polaridades e expressar seu amor num nível mais elevado, entregando seu coração em seus relacionamentos. Podemos dizer que o consulente está em seu caminho verdadeiro.

Resultado externo: Vemos o consulente vivendo e amadurecendo numa relação que, a cada dia que passa, faz mais sentido.

O Carro

Títulos: Embora no Tarô Egípcio esta carta se intitule "O Triunfo", na maioria dos baralhos é conhecida pela designação do Tarô medieval como "O Carro". Seus títulos esotéricos são "O Filho dos Poderes das Águas" e "O Senhor do Triunfo da Luz".

Número: O Sete é o número do Carro. Símbolo da vida eterna para os egípcios, não só é um número primo, como também é o único sem múltiplos nem divisores (exceto o Um, claro) na primeira dezena, por isso simboliza pureza, sutileza e essência.

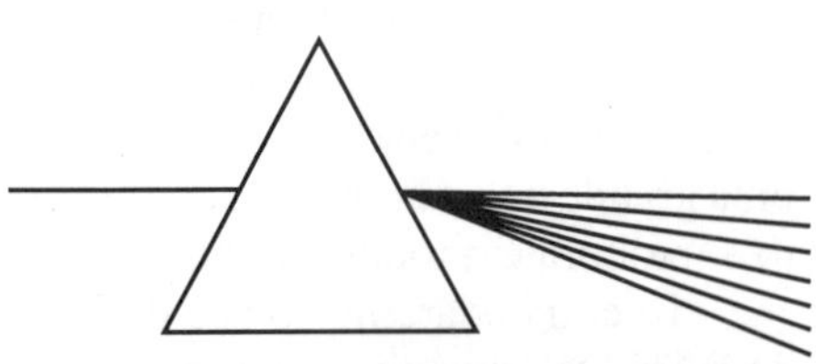

O prisma

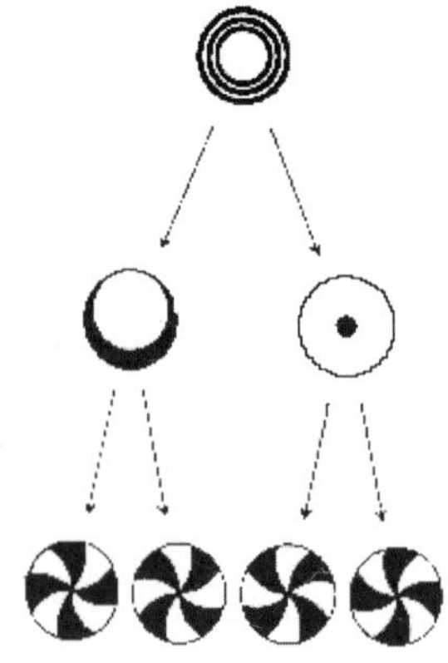

A segunda polarização da Unidade

Sendo sete as cores do Arco-Íris e as notas da escala musical diatônica, podemos considerá-lo como um regulador das vibrações. Culmina um ciclo e abre uma renovação criativa. É também o número dos dias da semana, dos planetas individuais (Urano, Netuno e Plutão são transpessoais) e dos metais principais. Os quatro períodos do ciclo lunar são também de sete dias.

Se a primeira polarização da Unidade dá Três, a segunda dá Sete.

O Sete é um agregado do Três, que em muitas tradições é o número do Espírito, com o Quatro, que é o da matéria. Abrangendo os dois mundos, é considerado símbolo da totalidade do Universo em transformação.

O raio branco (Um) se decompõe através do prisma (Três) nas Sete cores.

Este fenômeno pode-se enunciar esotericamente assim: o Sete é a manifestação da Unidade através da Trindade. Matematicamente seria: 7 = 3 = 1.

O Carro (Marselha, Waite)

O Sete. Símbolo da vida eterna para os egípcios, é o número do mistério e da magia, integra o Três (a Trindade espiritual) com o Quatro (a matéria). Na primeira dezena dos números inteiros, é o único que não tem divisores e múltiplos, sendo assim expoente do puro e essencial.

Também podemos obter as sete cores do espectro a partir das três primárias. São 49 (7 x 7) o número de varetas usadas no I Ching e o número de dias que dura o estado intermediário entre a vida e a morte, segundo a tradição japonesa e tibetana.

Para Hipócrates, o Sete "dá vida e movimento". São muitas as tradições que consideram sete centros sutis ou *chakras*. No Alcorão se fala de sete sentidos esotéricos.

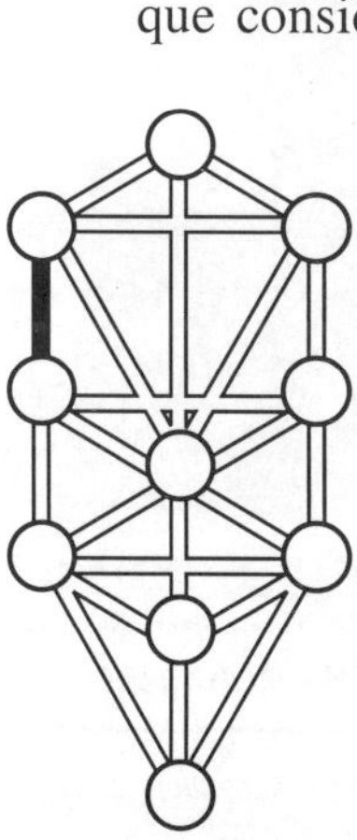

O Caminho 18º

Letra hebraica: ח

Cheth é a letra atribuída ao Carro. Simples, feminina, de cor âmbar e valor numérico oito, significa "campo", "recinto" ou "cerca" e implica os diversos meios de estruturar a percepção consciente global em componentes que conseguimos perceber e compreender. Hieroglificamente, simboliza a existência elementar, o princípio da aspiração vital. Corresponde ao nosso Ch. É atribuída ao elemento Água e o *Sefer Yetzirah* diz que a função que constitui a base de *Cheth* é a palavra (mas a palavra oculta ou Voz do Silêncio), isto é, a meditação e os símbolos que ultrapassam a mente e nos influenciam pelo subconsciente.

Câncer (Jofhra)

Caminho cabalístico: O caminho de *Cheth*, ou *Heth* em outras transcrições, une *Gueburah* (a Fortaleza) com *Binah* (o Entendimento). Este é um dos cinco caminhos que atravessam o Abismo. Portanto, é difícil de ser percorrido, especialmente sendo um sendeiro no pilar da Severidade. A força, o poder e a coragem de *Gueburah* levam o caminhante a atravessar o Abismo e atingir o supremo entendimento e a compreensão do sentido da dor em *Binah*. Une a Severidade da Lei com a Compreensão ilimitada do Espírito. Assim, a perda do sentimento de possessividade é fundamental para poder-se trilhar o décimo oitavo caminho.

No Sepher Yetzirah *é chamado: A Consciência da Casa da Influência (*Sekhel Bet HaSefa*). Investigando com ela, um mistério (raz) segredo e uma alusão são transmitidos aos que "moram na sua sombra" e aderem à investigação de sua substância desde a Causa das Causas.*

Atribuição astrológica: Câncer, atribuído ao Carro, é um signo de Água, cardinal e considerado o mais sensível do zodíaco. Os nativos deste signo,

ABRACADABRA
ABRACADABR
ABRACADAB
ABRACADA
ABRACAD
ABRACA
ABRAC
ABRA
ABR
AB
A

Abracadabra

como o caranguejo, se vestem de uma casca protetora para esconder sua vulnerabilidade. São imaginativos e temperamentais e perdem notavelmente sua autoconfiança em ambientes hostis, chegando a imaginar críticas e ataques inexistentes.

Naturalmente tímidos, também não gostam da solidão e têm uma forte tendência a viver por meio dos outros. Estão governados pela Lua, daí sua sensibilidade, suas emoções intensas e seu apego a suas origens, ao lar materno, à sua mãe e ao passado. Adoram o mar.

Câncer rege no corpo humano o peito e o estômago. Os cancerianos têm tendência a sofrer de problemas digestivos, anemia, hidropisia, dilatação do estômago e desequilíbrios glandulares. Tudo de origem psicossomática. Seu verbo é "Eu sinto" e sua missão é contribuir para o bem-estar da comunidade e para o progresso do ser humano. Sua sentença é "Eu nutro os outros e a mim mesmo por meio de minhas visualizações positivas".

Símbolos: A carta mostra uma carruagem, aparentemente puxada por quatro misteriosos animais, cujo cocheiro segura um disco giratório. O toldo da carruagem é azul-marinho, cor de Binah, e em sua orla está escrito "abracadabra", que, segundo Crowley, é a palavra da Nova Era. Procede do hebreu *abreg ad habra*, que pode ser traduzido como "arremessa teu raio até a morte".

A disposição desta palavra funciona como um captador de energia espiritual, dirigindo para o vértice inferior as energias do alto e ao mesmo tempo mandando para os abismos telúricos qualquer vibração negativa. Os físicos da Idade Média a usavam muito, especialmente para combater a febre.

O toldo está apoiado em quatro colunas de cor âmbar, *Cheth*, e as rodas vermelhas representam a energia dinâmica de Gueburah, que origina o movimento.

Se os Tarôs de Marselha e da Golden Dawn colocam cavalos para puxar o carro, Crowley, provavelmente inspirado nas esfinges de Levi, mandou desenhar quatro animais. Cada um é uma combinação particular dos quatro querubins que formam a esfinge. Isso lembra a visão de Ezequiel do carro de fogo. Existe toda uma linha mística judaica chamada misticismo de *Merkabah* — carro em hebraico — especialmente relacionada com esta visão.

Também podemos ver aqui uma referência ao mito de Arjuna e Krishna, cuja mensagem essencial é o desapego e a desidentificação.

Estas quatro esfinges podem representar também os aspectos da quaternidade humana mistu-

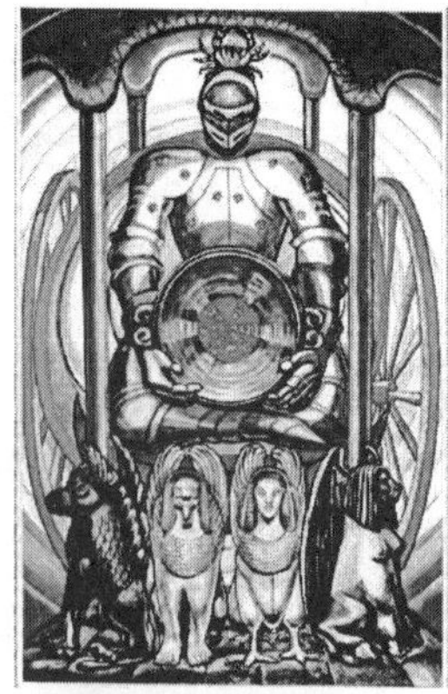

O Carro (Crowley, Egípcio e Cosmic)

rados e olhando em direções diferentes. Observemos que nenhuma delas está olhando para trás, isto é, para o passado. Todas as possibilidades estão abertas, exceto voltar, claro. Isso enfatiza as idéias de ruptura, início do caminho e desvinculação com o passado. Por meio dos múltiplos desafios que aparecerão, a quaternidade terá possibilidades de ordenar-se e integrar-se.

O auriga, sentado em meio lótus, está totalmente oculto em sua armadura, com a viseira de seu capacete (ambas da cor de Cheth) abaixada. Passa-nos uma imagem marcial, como corresponde a Gueburah, a esfera de Marte. Temos aqui outro paralelismo com o *Bhagavad Guita*, onde Krishna mostra como o Caminho Real pode passar pela guerra e pela morte.

Dez esmeraldas estão incrustadas na armadura dourada. São as dez estrelas de Assiah ou Mundo material dos cabalistas.

A armadura e o capacete, acima do qual temos um caranguejo, símbolo de Câncer, representam o ego, as defesas e as máscaras, os traumas cristalizados e as tensões musculares com os quais o auriga ainda se identifica e tenta proteger-se dos perigos da viagem da vida. Também não parece estar muito interessado no mundo a seu redor, sua atenção está direcionada para o disco giratório, cujos fluidos são vermelhos (*Yang* no centro) e azuis (*Yin* na periferia), firme por dentro e suave por fora. Este disco é uma forma do Santo Graal em que se encontra a essência do Ser, o Ser Superior ou Supraconsciência. Achar o Graal significa atingir a plenitude.

Detrás das cabeças das esfinges está a Lua em sua forma mais receptiva ou feminina, indicando que a base de toda esta viagem, desta procura de plenitude está no inconsciente, tal como se expressa na Árvore da Vida e nas lendas mais antigas da mitologia grega.

O caminho do Carro está pavimentado com pedras douradas; é o Caminho Real, ou senda do autoconhecimento.

O Carro (Experimental)

Significados gerais: O Carro é a primeira iniciação do Louco. Neste momento, ele se sente impelido inconscientemente a procurar alguma coisa nova; não sabe o que é nem onde está, mas sente-se pronto para abandonar as estruturas, os condicionamentos, rotinas e hábitos mais grosseiros, jogando-se na aventura do desconhecido. Em verdade, o auriga, movido pela necessidade de encontrar-se, desapega-se do que sufoca sua essência. Esta carta é a representação do caminho espiritual.

Macrocosmicamente, o Carro representa uma renovação criativa; nele se fecha um ciclo de mudanças quantitativas que levam a uma transformação qualitativa. Encontramos nas mudanças de estado uma semelhança que pode ilustrar muito bem esta idéia. Imaginemos um pedaço de gelo que tiramos da geladeira. Depois de uns instantes, começará a derreter-se. As moléculas se liberam da estrutura mais rígida do estado sólido para transformar-se num líquido.

Para alguns autores, esta carta significa a vitória, como é o caso do Tarô Egípcio, que a chama de "o Triunfo". Não há dúvida de que o Carro representa uma grande libertação. Porém, é uma libertação parcial: o auriga continua enfiado em sua armadura. É uma carta de inícios e não de resultados.

Uma vitória significativa acontece no Arcano XIV, a Arte, onde o Louco já leva à prática, de uma maneira consciente, suas manifestações essenciais. A grande vitória porém, só se dará no último Arcano: O Universo. No Carro ele já toma a direção de seu coração e na viagem irá largando suas armaduras e máscaras.

A energia do Carro se manifestou fortemente nos anos 60 e 70, quando milhares de jovens deixaram seus confortáveis lares para enfrentar, com a mochila nas costas, o caminho para o Oriente. Muitos morreram de overdoses, outros se apegaram a novos rituais e crenças, muitos voltaram amedrontados, mas alguns encontraram a si mesmos.

Na Leitura Terapêutica

Momento atual: Parece que esta pessoa completou um ciclo de sua vida. Antigas ocupações e/ou relações já não a satisfazem mais. Está com vontade de algo diferente. Procurando algo novo, que tenha mais a ver com um sentimento íntimo que ainda não se manifestou nos planos mais concretos, mas que a cada dia está pulsando com mais força e o está levando a questionar os condicionamentos mais sufocantes: o lar familiar, o emprego escravizante, as relações vazias, etc.

Âncora: O consulente se mostra compulsivamente auto-suficiente, desapegado e independente, ocultando assim seus sentimentos, seus impulsos instintivos e suas necessidades materiais e emocionais. Para ele, qualquer compromisso ou vínculo é um freio em seu caminho para "altas metas", importantes realizações materiais e muitas vezes projetos exóticos e espiritualistas com os quais tenta chamar a atenção.

Por baixo de sua brilhante armadura, temos uma pessoa muito carente, possessiva e ciumenta. Se você a convida a sua casa, passará uns dias sugando toda sua atenção, lhe esvaziará a geladeira, transará como quem vem de um grande período de abstinência e contará seus problemas existenciais e histórias de fatos passados e viagens à luz da Lua. Depois irá embora, sem dizer uma única vez que ama você e sem mostrar o que sente. Quando você fechar a porta, se sentirá vazio(a), e se olhar pela janela para ver se tudo não foi um sonho verás uma sombra triste e orgulhosa afastar-se.

Pode ser uma pessoa com uma estrutura de defesa de tipo oral, especialmente se as cartas da Infância (Três de Espadas — a Dor — ou Cinco de Copas — a Frustração) nos mostraram que existiu uma forte rejeição.

Esta mistura de egocentrismo e carência afetiva, que poderia estar acentuada pelo Dois de Copas, o Amor, está pedindo um floral de Heather; enquanto o apego ao passado, a dificuldade de aceitar o desafio da mudança e a falta de participação com as pessoas podem ser tratados com a essência de Honey Suckle.

Necessidade interna: Hoje se faz necessária uma profunda mudança de vida, pois esta cada dia faz menos sentido para o ser interior. É importante seguir a voz do coração, embora isso signifique desvincular-se e desapegar-se de elementos que fornecem uma certa segurança material e/ou emocional, jogando-se rumo ao desconhecido.

Se os Amantes (Gêmeos) nesta posição pedem a elaboração mental de uma trajetória e de uns objetivos que obviamente respondam ao chamado interno, com o Carro (Câncer) o pedido é para deixar-se levar pela emoção e a intuição, desenvolvendo paralelamente o desapego daquilo que já não bate com a verdade interior.

Relacionamentos: a) O consulente está saindo de um relacionamento que impedia seu crescimento e o sufocava. Seu impulso interior o está levando a cuidar mais de si mesmo e a ampliar seu próprio espaço. b) Temos aqui alguém que tem muito medo de criar vínculos profissionais, financeiros e especialmente emocionais. Sempre está de passagem, no futuro, atrás de algum objetivo muitas vezes distante, que não lhe permite envolver-se nem entregar-se. O floral de Sweet Pea* o ajudará a criar vínculos e a desenvolver sua noção de lar.

Infância: A criança foi notoriamente abandonada, não recebeu a necessária proteção, amor e apoio que requeria para afirmar-se. A mensagem que recebeu foi cruel: se vire! Não vamos ficar sempre resolvendo sua vida", "Tem de ser forte e independente". Faltando a segurança e o cuidado que a família devia proporcionar, a criança desenvolveu uma máscara de invulnerabilidade. E, para não sofrer com a rejeição, decidiu não mostrar suas necessidades de amor e apoio e manter-se exageradamente independente e autosuficiente.

Método: Chegou a hora de abandonar os velhos hábitos, rotinas, relações e atividades que não têm mais sentido e que não dão mais prazer. Talvez uma viagem seja oportuna, especialmente se a segunda carta do Método é o Cavaleiro de Paus. É fundamental estar atento à voz do coração para poder segui-la e assim passar para um novo ciclo de vida. Recomendaremos o uso do floral de Sagebrush*, que o conectará com sua essência, ajudando-o a libertar-se do que já não serve à sua evolução.

Caminho de crescimento: Finalmente, a pessoa seguiu seu sentimento interno, acreditou em si mesma e em seu direito de conduzir sua vida tal como quer. Juntou a garra necessária para desapegar-se de suas prisões-proteções, obrigações e hábitos e iniciou um caminho novo.

Resultado interno: O consulente percebeu o sentido real de sua vida. Viu a necessidade de seguir seus impulsos internos, para não cair no sem sentido de uma vida vazia. Tomou consciência de que é preferível abandonar certos luxos mundanos, se o preço deles é a vida, e que o prioritário é estar bem consigo mesmo.

Resultado externo: Largou seu emprego, transformou suas relações familiares e deixou de viver em função dos outros e de sua conta corrente. Começou a valorizar-se e a dar-se atenção, harmonizando seu cotidiano com as expressões de sua vontade mais íntima.

A Justiça

Títulos: Esta carta, chamada "A Justiça" na imensa maioria dos baralhos antigos e modernos, foi rebatizada por Crowley como "O Ajustamento", visto que a Justiça tem um sentido estritamente humano e não se pode considerá-la como uma característica da natureza.

Em palavras de Crowley: "Apesar de ser exata, a Natureza não é justa sob nenhum ponto de vista, teológico ou ético." (*O Livro de Thoth*).

Seus títulos esotéricos são "A Filha dos Senhores da Verdade" e "O Governante da Balança".

Número: O Oito é o número deste Arcano. Representa o Equilíbrio Cósmico. Duas vezes quatro, mostra a

A Justiça (Marselha, Waite e Crowley)

plena e total encarnação do Espírito, numa matéria que se torna criadora e autônoma, originando suas próprias leis em harmonia com as leis cósmicas: "Como acima, assim abaixo." (*Caibalion*)

As quatro direções cardeais e as quatro intermediárias formam o Oito da Rosa dos Ventos, que passa uma idéia de totalidade.

A representação gráfica do Oito, o octógono, é um intermediário entre o círculo e o quadrado, entre o Espírito e a matéria, entre o não-manifestado e o manifestado. Na cosmogonia chinesa, o mundo está governado pelos oito trigramas. No Japão, este é um número totalizador. Este país é chamado, desde épocas imemoriais, "As Ilhas do Grande Oito", querendo dizer que este arquipélago está formado por inumeráveis ilhas. Esta tradição está em sintonia com o fato de o Oito deitado ser o símbolo matemático do infinito.

A. E. Waite atribuiu a esta carta o número Onze, considerando que a mulher que segura a balança de pratos iguais deve estar no meio da seqüência, como o fiel da balança,

Oito. Considerado tradicionalmente o número do equilíbrio cósmico. Duas vezes quatro, mostra a matéria criadora e autônoma, organizando suas próprias leis em harmonia com as leis espirituais. Tombado representa o infinito. O octágono é um intermédio entre o quadrado, o manifestado e o círculo, não-manifestado.

deixando o Oito para a carta que tradicionalmente era atribuída ao número Onze, isto é, para a Força ou Tesão.

Letra hebraica: ל

Lamed é a letra atribuída a este Arcano. É uma letra simples, feminina, sua cor é verde esmeralda e seu valor numérico é trinta. Corresponde ao nosso L. Significa "a canga" ou "aguilhão" do boi, abrindo assim uma relação interessante com o Louco, cuja letra, como já vimos, significa "boi". Sem a canga, a força do boi não pode ser aproveitada, assim como sem a Justiça, os potenciais do Louco não são operativos. Hieroglificamente, *Lamed* representa uma serpente desenrolando-se ou também a asa de um pássaro esticando-se para levantar vôo. No Livro dos Sinais, *Lamed* é chamada "Mestre dos mestres", cuja instrução é como uma canga que guia os adeptos pelo largo circuito da existência.

Caminho cabalístico: O caminho de *Lamed* une e equilibra *Tiphareth* (a Beleza) com *Gueburah* (a Força). No *Sepher Yetzirah* está escrito:

> *"O 22º caminho se chama Consciência Fiel (*Sekhel Ne´eman*) porque, por meio dela, todos os poderes espirituais se incrementam, para que possam estar perto de todos os que "moram em sua sombra".*

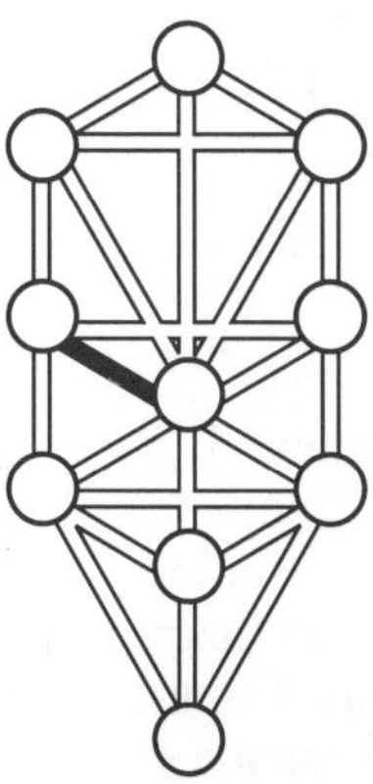

O Caminho 22º

Esta Consciência Fiel é como um guia interno, sempre pronto a transmitir-nos as lições necessárias para nossa evolução. Este caminho exige uma reavaliação contínua de nosso modo de vida, já que nele confrontamos nosso carma, que pesa e determina como uma canga. Neste confronto, precisamos das melhores qualidades de Gueburah para poder manter conscientemente o equilíbrio. É um processo de auto-avaliação, no qual o que não é necessário e inútil para nosso crescimento é eliminado.

Atribuição astrológica: Todos os Tarôs são unânimes, atribuindo o signo de Libra a este Arcano. Libra é um signo de Ar, cardinal e governado por Vênus. Sua procura venusiana de amor, de prazer e de beleza passa por um filtro intelectual. Governa os rins, que são os órgãos eliminadores que purificam o sangue das impurezas. Libra é o primeiro signo social; para ele, relacionar-se é tão importante quanto respirar. Sua missão é harmonizar, embelezar e equilibrar o ambiente que o rodeia. Tem horror às grosserias, às discussões exaltadas e às brigas; de maneira que, para evitá-las, às vezes se deixa dominar por pessoas com um temperamento mais forte. Esconde sua agressividade natural atrás de verdadeiros ideais de paz, harmonia e beleza, tentando sempre resolver amistosamente os conflitos.

A Justiça (Crowley, Egípcio e Cosmic)

O libriano pertence ao grupo, não gosta de ficar sozinho, precisa dos outros para dialogar e argumentar. Procura o sucesso social e pode ser um grande puxa-saco, já que tem uma enorme necessidade de ser apreciado por todos, porém não suporta as multidões. Prefere a tranqüilidade, a vida fácil, alegre e confortável, como bom venusiano. É inconstante e indeciso, com tendência a fugir dos problemas, especialmente se sua resolução exige confronto. Porém, sua capacidade de colocar-se no lugar dos outros o leva a desenvolver um profundo sentido da eqüidade, da Justiça e do equilíbrio, embora esta tendência possa levá-lo a esquecer suas próprias emoções.

Seu verbo é "Eu equilibro" e sua sentença integradora é: "Eu gero harmonia com beleza e autenticidade".

Os librianos possuem geralmente uma constituição física mais fraca que os outros nativos. Adoram a vida sedentária e, claro, pagam por isso. Têm tendência a enfermar-se dos rins e do sistema urinário em geral.

Libra (Jofbra)

Símbolos: A figura central desta carta é uma mulher jovem e magra, que se equilibra na ponta de uma espada que segura com as duas mãos. Está fantasiada de Arlequim, personagem irreverente da *commedia dell'arte*, farsa italiana do século XVI, viva imagem do irresoluto, incoerente e sem princípios. "É um ser que não conseguiu individualizar-se e desvincular-se da profusão de desejos, projetos e possibilidades", explica Crowley.

Este personagem, complemento feminino do Louco, está coroado com as penas de Ma'at, deusa egípcia da verdade, da Justiça e da lei, filha de Ra, deus do sol.

A mulher ajusta e equilibra o Universo. Sua expressão revela a íntima satisfação que sente ao equilibrar qualquer elemento de desequilíbrio no Universo.

"Não é possível deixar cair um alfinete sem provocar uma reação correspondente em cada estrela". (O *Livro de Thoth*, A. Crowley).

A mulher está diante de um trono formado por esferas e pirâmides, quatro em cima e quatro embaixo, dando idéia de Lei, ordem e limite, e que mostram graficamente a mesma serenidade e equilíbrio que a mulher, num plano mais impessoal. Nas quatro esquinas da carta, temos esferas verdes e azuis, perfeitamente equilibradas, das quais surgem linhas de força que formam uma cortina e que se integram no diamante ou Vesica Piscis — Bexiga de Peixe que equilibra o peixe e lhe permite nadar — onde a mulher executa seu trabalho.

Ma'at

A espada, que depois aparecerá no Ás de Espadas, é a Espada dos Magos, com seus três sóis e duas luas no punho. É a arma de Elohim Gebor, nome divino de Gueburah. Pode ser veloz e devastadora, eliminando o supérfluo; pode fazer a guerra e também forçar a paz. Como a mente que afirma e nega, a espada é um símbolo de polaridade.

Significados gerais: Este Arcano é a expressão simbólica das forças cósmicas que ajustam e equilibram o Universo, desde o Cosmo como um Todo até cada uma de nossas células e partículas subatômicas. Para manter tal equilíbrio, estas forças vão construindo aqui, destruindo lá, ajustando os fenômenos particulares. Este ajustamento ou reorganização contínua da Existência pode ser compreendido nos termos do *karma*. Nos níveis humanos, o ajustamento consciente que nos leva ao equilíbrio está nos libertando do *karma*. *Karma*, no seu significado mais global, significa ação. É o princípio que faz com que as coisas aconteçam e o elo pelo qual cada ser está vinculado aos outros seres. Na medida em que nossa percepção do mundo está fragmentada — agradável e desagradável, certo e er-

> *Destas penas de avestruz da Dupla Verdade, tão delicadas que o mais sutil hálito mental pode agitar, pendem por meio das correntes da Causa e do Efeito, os pratos ou esferas onde o Alpha (o primeiro) e o Ômega (o último), se equilibram.*
>
> *O Livro de Thoth – A. Crowley*

A Justiça
(Experimental)

rado, bem e mal, passado e futuro, etc. —, acreditamos que somos entidades separadas do meio e pensamos que podemos agir independentemente dele. Assim, ficamos presos ao *karma*. Libertar-se deste laço significa compreender a unidade e a harmonia do Universo, concretizada também dentro de nós, e agir de acordo com tal entendimento.

Num sentido mais prático, como Madame Blavatsky divulgou, o *karma* é a Lei de causa e efeito, aparentemente inexorável e que abrange todos os fenômenos.[45] Em nível humano, determina por onde teremos de que passar, em função dos caminhos já percorridos. Em outras palavras, somos nós mesmos que cozinhamos nosso destino, usando nosso livre-arbítrio, e, portanto, podemos transformá-lo com nossas ações.

As sucessivas reencarnações são as etapas de um retorno às nossas origens divinas. Ou, em outras palavras, um caminho de conscientização de nossa verdadeira natureza, cujo resultado é a Iluminação, a Fusão com o Cosmo.

A ilusão ou *maya*, que nos hipnotiza e embrutece, identificando-nos com aquilo que não somos, é colocada em nós fundamentalmente pela família, meios de comunicação, religiões e professores, como vimos no capítulo A Grande Viagem.

Esta robotização ou "educação", que transforma seres amorosos, espontâneos, verdadeiros e divinos em escravos de padrões e normas de comportamento, em seres falsos e frustrados, é a concretização fundamental de nosso *karma*.

Todos os bebês nascem igualmente divinos e perfeitos, salvo graves problemas no útero, não importa se na última encarnação foram um Hitler ou um Chico Mendes. Seus pais vão "karmatizá-los" até colocá-los no mesmo ponto de evolução que estavam na encarnação anterior, para que assim tenham de passar pelos degraus evolutivos, pelos desafios e conflitos que não resolveram em vidas anteriores.

Na Leitura Terapêutica

Momento atual: Dependendo da carta contígua e da Âncora, podemos ver o consulente atravessando uma fase equilibrada, reflexiva e introspectiva; estudando cuidadosamente os passos a serem dados, sabendo que o caminho do Meio é geralmente o melhor, e tentando encontrar a via prática para harmonizar seus sentimentos e desejos com as circunstâncias.

Em outros casos, pode mostrar a pessoa exigindo-se um comportamento reto e justo, no qual suas iniciativas espontâneas são sufocadas por uma necessidade de ajustar-se às pressões externas e/ou às imposições internas.

A primeira interpretação estaria favorecida com a Arte, o Carro ou o Seis de Paus (a Vitória). Escolheríamos a segunda se aparecer, junto com o Oito de Espadas (a Interferência), o Cinco de Copas (a Frustração, o Pendurado ou o Imperador) na Âncora.

Âncora: Esta pessoa sente a necessidade compulsiva de agradar e ser aceita pela sociedade — quanto mais alta e refinada melhor. Para isso, deixa

45 - A física quântica questiona a Lei de causa e efeito, já que, nos níveis subatômicos e à velocidade da luz, a mesma causa pode produzir efeitos totalmente diferentes.

de ser o que é para tentar ser "o que deve ser", ajustando-se à etiqueta e moral vigentes. Finge o tempo todo e em casa é capaz de notáveis concessões para evitar enfrentar o que mais teme: ser abandonada, já que tem horror da solidão. Esta negação de si mesma e tanto jogo de cintura oportunista e hipócrita a deixam muito ansiosa e vulnerável e com grande dificuldade para tomar decisões. Quem paga o pato são as emoções, que acabam no baú das lembranças.

Um subaspecto interessante deste caso é a do ego rígido, que se exige mostrar-se justo, aparentemente equilibrado, racional e disciplinado, sem concessões para o subjetivo, encarnando o juiz de si mesmo e dos outros, que, como a Lei, deve ser em todo momento universal e impessoal.

Orgulhoso de seu comportamento imaculado, alardeia para os quatro ventos que nada deve a ninguém, critica sem piedade os pecadores e se outorga o direito de "atirar a primeira pedra", a segunda e a terceira, se lhe deixam.

O caso geral estaria acentuado com o Dois ou o Sete de Espadas (a Paz e a Futilidade), sugerindo o uso de Agrimony, que ajuda a resgatar os verdadeiros sentimentos, a perder o medo da solidão e a se valorizar. Seu comportamento preso às normas sociais para ser aceito pode ser revertido com o uso do floral de Goldenrod*, que fortalece a convicção interior.

O Imperador, o Hierofante ou o Quatro de Espadas (a Trégua) reforçariam a auto-repressão e o fanatismo do segundo caso, indicando a necessidade de se usar o floral Rock Water, que estimula a tolerância, a compreensão e a flexibilidade. Pode ser usado junto com a essência de Beech se o Cinco de Espadas (a Derrota) ou a Rainha de Espadas indicam a presença de traços exageradamente críticos.

Em ambos os casos, imagina que, se faz xixi fora do vaso, alguém, que o está observando pelo olho da fechadura, vai acusá-lo publicamente e sua reputação vai quebrar-se em pedacinhos. São atitudes extremamente rígidas, que escondem uma raiva descomunal.

Necessidade interna: É importante evitar atitudes autodestrutivas, aceitando e responsabilizando-se pelo estado em que a vida está, como primeiro passo para melhorá-la. Faz-se necessário manter a calma, sabendo esperar o momento oportuno para agir, fugindo dos extremos e procurando um mínimo de equilíbrio interno para poder ajustar-se às circunstâncias externas sem se trair.

Relacionamentos: a) Mostra um momento de aparente equilíbrio, os conflitos não correm soltos nem existem violentas discussões, mas também a paixão e o amor não estão visíveis. Não obstante, pode tratar-se de uma fase de ajustamento, que pode levar a um amadurecimento do casal. b) O consulente vive suas relações afetivo-sexuais "como Deus manda", morre de medo de tomar qualquer iniciativa não sacramentada, que derrube sua máscara de pessoa justa e reta.

Infância: Um de seus pais — ou talvez os dois — foi exageradamente perfeccionista e criticou, julgou e desvalorizou tudo o que a criança fazia e falava, com uma atitude cruel, fria e racional. Exigiu que a criança fosse um modelo de comportamento. Esta gravou o sentimento de estar sendo vigiada constantemente, inibiu sua espontaneidade e bloqueou notavelmente a expressão de seus sentimentos. É óbvio que odeia ser criticada e, quando isso acontece, desenvolve instantaneamente o verbo de um advogado para salvar-se e irresponsabilizar-se.

Método: Chegou o momento de encarar e transformar o *karma*. Em primeiro lugar, é necessário assumi-lo, responsabilizando-se pela própria vida, deixando de botar a culpa nos outros ou esperando que estes resolvam nossos problemas. A essência de Self Heal* se revela muito efetiva neste processo de confrontar o *karma*. Fazem-se necessários certos ajustamentos que dêem a base, o centramento e o equilíbrio necessários para este desafio tão difícil.

Tem de disciplinar-se, evitar tomar atitudes radicais, distanciar-se de pessoas hostis e destrutivas, e parar de castigar o corpo com compensações venenosas. As cartas da Infância e da Âncora nos darão elementos mais específicos para elaborar o método de trabalho.

A presença do Sete de Copas (a Corrupção) na Âncora ou no Momento atual, indicando o apego a padrões de comportamento viciados e destrutivos, irá nos levar a sugerir o floral de Morning Glory,* que ajudará o consulente a ajustar seu ritmo de vida aos ciclos da natureza, resgatando assim uma boa parte de sua força vital.

Esta transformação não pode darse sem a honesta aceitação do lado sombrio. Para isso, recomendamos o uso do floral Scarlet Monkeyflower*.

Caminho de crescimento: O consulente entrará numa fase em que irá equilibrando e ajustando sua vida tanto aos impulsos internos como às circunstâncias externas, de maneira que, pouco a pouco, vão diminuindo as fricções.

Resultado interno: Pode estar indicando que a pessoa conseguiu resolver uma boa parte de suas tarefas *kármicas*, isto é, conseguiu libertar-se dos aspectos mais pesados de seu *karma*.

Resultado externo: Vemos o consulente abordando a vida e seus afazeres práticos com bom senso, sem cair em extremismo nem radicalismo, sabendo ajustar-se às situações. Pode estar desenvolvendo atividades nas quais põe em jogo seu senso de Justiça e de equilíbrio: juiz, advogado, assessor jurídico, mediador, etc.

O Ermitão

Títulos: Esta carta é chamada na maioria dos Tarôs de "O Ermitão" ou "O Eremita". No Tarô de Besançon, do início do século XIX, aparece como *Le Capucin*, "O Encapuzado".

Seus títulos esotéricos são "O Profeta do Eterno" e também "O Mago da Voz do Poder".

Número: O Nove, que é a manifestação do Três (número do Espírito), nos três planos cabalísticos da existência: Neshamah ou espiritual, Ruash ou psíquico e Nephesh ou biológico, é o número atribuído ao Ermitão.

Em muitas tradições (asteca, maia, taoísta e budista) existem nove céus.

Com o filósofo grego, Parmênides (515- 414 a. C), podemos dizer que o Nove faz referência às coisas absolutas.

O Ermitão (Marselha e Waite)

O Nove. Sua raiz latina significa novo e é matematicamente um zero em um nível seguinte ao da espiral. Sendo três vezes três, é a manifestação do Espírito e dos três planos da existência. Para algumas tradições existem nove celas e em todas elas este número se refere ao elevado. Como 5+4, representa o ser humano, 5, sobre a matéria, 4.

Para os taoístas, é o número da plenitude. O *Tao Te King* contém 81 (9 x 9) capítulos. Também podemos considerar o Nove como o Cinco (número do ser humano — sobreposto ao quatro — número da matéria), representando assim o aspecto mais espiritual e elevado do ser humano.

Nossa numeração decimal está baseada no Nove, que é o Zero num ciclo superior de numeração, assim como o Dez (10 = 1 + 0 = 1) é o Um num novo ciclo. A raiz latina de Nove significa "novo".

A grafia árabe deste número lembra uma espiral aberta, enquanto o Zero pode ser considerado uma espiral fechada. Matematicamente, existe um forte parentesco entre estes dois números:

a) Qualquer número somado a Nove ou a Zero e reduzido, acaba dando o mesmo número. Exemplo: 5 + 9 = 14 = 1 + 4 = 5; 5 + 0 = 5.

b) Qualquer número multiplicado por Nove e reduzido dá Nove, do mesmo modo que qualquer número multiplicado por Zero dá Zero. Exemplo: 5 x 9 = 45 = 5 + 4 = 9; 5 x 0 = 0.

Nove é também o número da inspiração, das relações harmoniosas e das artes clássicas, pois Nove são as musas, que na mitologia grega representam o total do conhecimento humano.

Letra hebraica: י

A Golden Dawn e também Crowley atribuem a letra *Yod* ao Ermitão. É simples, branca e feminina e, no entanto, representa o Princípio Masculino no Tetragramaton. Seu valor numérico é dez e como o Um, na matemática, *Yod* é a base da construção do alfabeto hebraico.

Significa mão e simboliza o início, a semente, o princípio masculino fecundante. Hieroglificamente, representa a manifestação potencial. Corresponde ao I, ao E e ao J do português.

Caminho cabalístico: O caminho de *Yod* une *Tiphareth* (a Beleza) com *Chesed* (a Misericórdia, o Arquiteto da Manifestação).

Neste caminho estão os inícios da manifestação.

O sentido humano associado é o tato. No *Sepher Yetzirah* está escrito:

O Ermitão (Crowley e Egípcio)

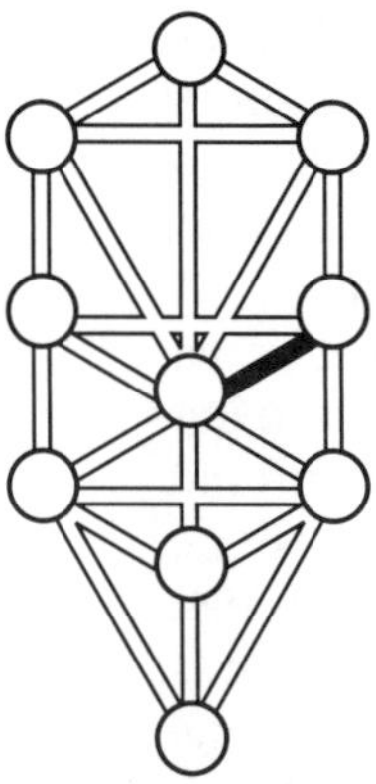

O Caminho 20º.

*"O 20º caminho é A Consciência da Vontade (*Sekhel HaRatzon*). É chamado assim porque é a estrutura de tudo o que está formado. Mediante este estado de consciência se pode conhecer a essência da Sabedoria Original.*

Atribuição astrológica: O signo atribuído a este Arcano é Virgem. Trata-se de um signo da Terra, mutável e regido por Mercúrio. Dos três signos da Terra, é o mais feminino e receptivo, vinculado especialmente ao cereal, alimento fundamental das grandes civilizações de todos os tempos, e a Deméter.[46]

O Ermitão (Cosmic)

Virgem governa os intestinos, o sistema nervoso e (em geral) o abdome. A função destes nativos é conservar a pureza dos princípios que facilitam a reprodução dos seres e das coisas e fazem com que os esforços sejam proveitosos.

Adoram analisar, catalogar, discriminar e observam os menores detalhes, apontando o que lhes parece errado. Pensam que sua missão é ordenar o mundo. Geralmente expressam melhor seus talentos como subalternos do que como líderes.

A musa da música

Tímidos, reservados e lógicos, têm um sentido crítico perigosamente desenvolvido. São ordenados, metódicos, precisos e muitas vezes insuportavelmente perfeccionistas. Não gostam de precipitar-se nem se deixam levar com facilidade pelos impulsos.

Suas paixões são moderadas e preferem a diplomacia e a conciliação à guerra e à disputa.

Preocupam-se muito com a alimentação, a saúde e a segurança material. São eternos aprendizes. Têm notável tendência a adoecer do sistema digestivo, a intoxicar-se e a sofrer de distúrbios do sistema nervoso, sensitivo e motor. Com freqüência, padecem de diarréias e vermes. São hipocondríacos e têm mania de remédios.

O verbo do virginiano é "Eu discrimino" e sua sentença integrativa é "Eu aceito e colaboro com a perfeição e o ordem universal".

Virgem (Jofhra)

Símbolos: No centro da carta está a mão do Ermitão, a ferramenta mais perfeita.

A palavra "mão" tem a mesma raiz que "manifestação" e nos traz idéias de atividade, poder, habilidade e domínio.

A mão aberta é símbolo de inocência:

46 - Deméter na Grécia, Ceres em Roma, deusa da fertilidade, da terra e dos cereais, foi quem conservou uma maior proximidade com a Deusa, que com a chegada do patriarcado viu desmembrados seus atributos entre as diferentes deusas. Na Escola de Mistérios de Elêusis dedicada a Deméter, mantiveram-se vivos rituais neolíticos dedicados originalmente à Deusa.

O Ermitão
(Experimental)

pode dar e receber livremente sem impedimentos mentais ou restrições morais. O Ermitão está segurando uma lâmpada em cujo centro arde o Sol, que simboliza a chama viva de sua consciência. A lâmpada é o suporte da luz e a luz, a manifestação da lâmpada, nos ensina o patriarca Zen Huei-neng, representa a sabedoria. No Ocidente, é símbolo de santidade e da vida contemplativa. Sua oscilação nos rituais hindus representa a rejeição dos pensamentos do mundo profano. A posição do Ermitão lembra a forma da letra *Yod*. Dá as costas para o observador, isto é, para o mundo externo, e direciona toda sua atenção para o Ovo Órfico, que guarda a essência da vida. Ao redor do ovo, enrosca-se a serpente, Senhora do Princípio Vital, das transformações necessárias para perpetuar a vida e da Sabedoria inerente a este processo. O ovo representa o final de um ciclo biológico e o posterior retorno à vida. As religiões, que procuram a libertação da alma do ciclo das reencarnações, proíbem de comer ovos. O Ovo Órfico simboliza a capacidade de dar nascimento a novas formas físicas e emocionais.

A carta está dividida em duas partes, uma superior e outra inferior, pelo raio de luz horizontal da lâmpada. A área inferior está ocupada pelo espermatozóide, que nos outros baralhos aparece como um bastão, símbolo da energia masculina (*Yod*) no mundo material.

No espermatozóide, como no bastão, está contida a força do inconsciente masculino. É um símbolo de vitalidade e regeneração.

Tanto na tradição bíblica (Moisés) como na budista, o bastão faz brotar fontes. Também é um símbolo de autoridade, representando o mestre em cujos conselhos o discípulo se apóia.

Na direita e embaixo, está o cachorro de três cabeças Cerberus, o lendário guardião das portas do inferno, das partes mais sombrias da psique. Com duas cabeças está olhando para frente e com a outra espreita para trás, isto é, observa o passado, indicando que no caminho do autoconhecimento não é possível deixar assuntos sem resolver, por mais escondidos que estejam no inconsciente.

O Ermitão está rodeado de espigas de trigo, símbolo de Virgem, de Deméter e da fertilidade em seu sentido mais exaltado. Aquele que conhece a si mesmo pode compartilhar com os outros sua experiência de transformação, já pode ser nutritivo.

Em palavras de Crowley: "Nesta carta se revela todo o mistério da vida nas operações mais secretas. *Yod* = Falo = Espermatozóide = Mão = Logos = Virgem".

Significados gerais: Representa o Princípio da Introspecção, do ir para dentro. Em termos humanos, é a contemplação interior ou o arquétipo do Sábio. O Ermitão é aquele que acima de tudo procura conhecer-se. Distanciando-se do barulho mundano, do supérfluo inconsistente e fútil, observa e analisa seu mundo interior, iluminando gradualmente seu inconsciente com a chama de sua consciência.

Sendo uma forma de Mercúrio, seu enfoque introspectivo é necessariamente analítico e metódico. Observa e analisa aquela área da mente onde se refletem os impulsos do inconsciente. Se a atitude da Sacerdotisa é meditativa e leva à Sabedoria, o caminho do

Ermitão é a auto-observação e pode levar ao Conhecimento. Ele não está interessado em divulgar seus conhecimentos, nem promulgar doutrinas, nem instruir discípulos, como acontece com o Hierofante. Apenas segue o mandato socrático: "Conhece-te a ti mesmo", que aparece na entrada do oráculo de Delfos.

Esclarecendo seu lado inconsciente, vai se conhecendo; conhecendo-se, vai se resolvendo; resolvendo-se, vai se centrando; e centrando-se, vai se tornando fértil até o ponto em que pode nutrir o mundo com sua simples presença. Em silêncio, sem gesticulações, sem dedos apontando o céu, desde seu coração tão único e especial quanto comum e simples, lembra os sábios taoístas:

> *"Quem sabe não fala, quem fala não sabe. O Sábio fecha a boca e os olhos, anula os sentidos e se faz impenetrável ao mundo exterior, para o qual só abre seu coração. Recolhe-se em seu mundo interior, ordena seus pensamentos, reunindo todas suas luzes íntimas, rejeita os superficiais e medita nas coisas profundas. Então, o Sábio se funde com o Todo, o que significa fusão oculta com o Tao".*
>
> *Tao Te King*, cap. 36

Isso não quer dizer que o Ermitão seja um personagem solitário, um *yogi*, que vive isolado do mundo, fugindo de qualquer impacto que possa provocar respostas em seu inconsciente. Pelo contrário, tais respostas são muito importantes para ele. Vive no mundo, mas sua atenção está fundamentalmente dirigida para dentro, pode passear tranqüilamente no mercado, abrir seu coração para as prostitutas, rir com os ladrões e ir vivendo e transcendendo seus desejos, aceitando e sendo permeável aos acontecimentos.

> *Para mim, a seriedade é uma doença. O sentido do humor torna você mais humano, mais humilde. O sentido do humor é uma das partes mais essenciais da religiosidade.*
>
> *Osho Rajneesh*

O *yogi* solitário corre o grande risco de ser atropelado por um ônibus, no momento em que deixe seu retiro e tope com um *outdoor* de roupa íntima.

Na Leitura Terapêutica

Momento atual: É um momento de introspecção. O consulente está fazendo um esforço consciente para se compreender melhor, talvez para deixar de sofrer. Todos sabemos que a dor é o incentivo mais poderoso para a transformação. Este pode ser o caso se o Três de Espadas (a Dor), o Cinco de Copas (a Frustração) ou o Cinco de Espadas (a Derrota) aparecem na posição da Âncora.

Cruzado com um Três de Discos (os Trabalhos), pode mostrar nosso consulente se trabalhando interiormente, fazendo algum tipo de trabalho de autoconhecimento.

Âncora: "Melhor só do que mal acompanhado", diria algúém com esta carta na Âncora. Mostra uma pessoa tímida, compulsivamente introvertida, sempre analisando e julgando os outros e a si mesmo. Tem dificuldade para agir, carece completamente de audácia, especialmente para relacionar-se (sempre tem assuntos particulares mais importantes para resolver) e expressar suas emoções e necessidades de amor e sexo. É sexualmente imaturo e tem uma forte tendência a fazer da frugalidade, da austeridade e de toda forma de abstinência e privação, os princípios fundamentais de seu movimento pessoal. Sempre está muito preocupado consigo mesmo, especialmente com sua alimentação, sua saúde (tudo lhe faz mal) e sua segurança, para a qual pode trabalhar como um autômato. Quando abre a boca é para glorificar a purificação, o jejum, o autoconhecimento e o desenvolvimento espiritual ou para condenar comportamentos hedonistas que invadem a sociedade. Com seu distanciamento do mundo, tenta esconder suas carências emocionais e seus medos de se expor e especialmente de ser rejeitado. Pode, inclusive, considerar-se um santo canonizável. É um personagem sombrio, maníaco, receoso, suscetível, lamuriento e solitário (ninguém o suporta, nem ele faz por onde). Nega seus impulsos instintivos até chegar a ser, especialmente com a presença de um Cinco de Espadas (a Derrota), venenoso, destrutivo e autodestrutivo. Com um Oito de Copas (a Indolência), poderíamos detectar, neste lúgubre quadro, a presença de fobias e obsessões e a procura da compaixão alheia.

Esta tendência ao isolamento, produto de uma desconfiança e insegurança extremas, devidas a atitudes paternas hostis na infância, denunciadas pelo Nove de Espadas (a Crueldade), pode ser tratada com o floral de Baby Blue Eyes**, que trabalha restaurando a confiança e a inocência infantis. O de Oregon Grape* facilitará fazer amizades, dissolvendo o medo da hostilidade dos outros.

A essência de Beech amainará seu exagerado espírito crítico, e a de California Wild Rose* devolverá o entusiasmo pela vida e pelos outros.

Necessidade interna: A pessoa se desconhece, jamais deu atenção a si própria, nunca olhou seu lado interior, não sabe quem é e nem o que quer. Sempre interpretou o *script* sem nenhum questionamento. Hoje, precisa voltar-se para si mesma, dar-se atenção e estar alerta para seus impulsos internos.

Relacionamentos: a) O relacionamento está passando por um momento crítico, certos conflitos devem ser resolvidos para melhorar a convivência,

> *O ser humano ainda não aprendeu a conhecer as belezas da solitude. Ele está sempre ansiando por algum relacionamento, ansiando por estar com alguém... e esquece, de alguma maneira, que está só... que nasceu só, morrerá só e, não importa o que faça, você vive só. A solitude é algo tão essencial a seu ser que não há maneira de evitá-la. Todos os esforços dirigidos a evitar a solidão falharam e falharão, porque são contrários a que você se torne consciente de sua solitude.... E é tão lindo experienciá-la, senti-la, porque ela o liberta da multidão, do outro. É a nossa libertação do medo de estarmos sós. "Solitude" significa simplesmente ser completo. Você é inteiro, não precisa de ninguém mais para completá-lo. Assim, tente descobrir seu centro mais profundo onde você está sempre só, sempre esteve só... tão pleno, tão completo e tão transbordante com todas as seivas da Existência que, tendo provado sua solitude, a dor do coração desaparecerá. Em seu lugar, um novo ritmo de imensa suavidade, paz, alegria e bem-aventurança estará presente. Isso não significa que uma pessoa que está centrada em sua solidão não possa fazer amigos. Na realidade, só ela pode fazer amizades, porque agora isso não é mais uma necessidade, é simplesmente um compartilhar.*
>
> *Pepitas de Ouro – Osho Rajneesh*

o consulente está interiorizando e querendo saber o que realmente quer. Se na Âncora temos os Amantes, indicando que esta pessoa vivia para seu parceiro, esquecendo-se dela própria, o Ermitão indicará que agora está voltando-se para si mesma, centrando-se e resgatando sua identidade. b) Temos aqui alguém que não consegue relacionarse. Seu medo de expor-se corporal, emocional e inclusive intelectualmente cortam qualquer possibilidade de comunicação. Talvez tenha sido muito rejeitado na infância (Três de Espadas — a Dor) e hoje tem medo de mostrar suas feridas, preferindo manter distância.

Sugeriremos o uso do floral de Pink Monkeyflower**, que alimenta a coragem para abrir-se emocionalmente.

No cúmulo do cinismo, pode chegar a dissertar (embora não seja um amante da oratória, como o Mago) sobre os benefícios da castidade, quando se sente paquerado(a).

Infância: Não resta dúvida que foi uma infância solitária e sem prazer. Viu-se privado da companhia de outras crianças e seu lar era exageradamente sério — " festas e bagunça, nem pensar" —, austero, e uma palavra mais alta era considerada uma falta de respeito aos mais velhos. Talvez houvesse um ancião ou um enfermo, cujo repouso não podia ser perturbado.

Faltou atenção e sobrou crítica para as iniciativas e opiniões da criança. Este contato com os adultos de sua família a levou ao isolamento e a desenvolver um sentido analítico muito pronunciado. Sentiu que não tinha direito de ser amado, cuidado nem escutado e que o melhor seria fugir, desaparecer no mundo interior.

A Sacerdotisa e o Ermitão nesta posição indicam introversão. No entanto, com a primeira carta, o acento está na invalidação da ação, da palavra e do movimento, e com a segunda, está na solidão, na seriedade e na falta de prazer, acompanhadas de críticas.

Método: Qualquer transformação efetiva deve vir do autoconhecimento. Sugerimos a ele que dê a maior atenção possível a si mesmo, que observe seus impulsos, cultive sua privacidade e seu tempo consigo próprio, estude seu dia a dia, aceite seus desejos "inconfessáveis" e deixe, na medida do possível, aquelas atividades mundanas, rotineiras e desconectadas de seu ser mais verdadeiro, com as quais tenta escapar de suas frustrações internas.

O floral de Chesnut Bud lhe será de grande ajuda para tirar de suas experiências as lições necessárias para conhecer-se melhor e abordar a vida.

Indicaremos terapia, talvez análise transacional.

Caminho de crescimento: É uma fase de atenção interna, de desejo de conhecer-se que leva a pessoa a se aceitar, se centrar e estar melhor consigo mesmo.

Resultado interno: Podemos dizer que o consulente conhece a si mesmo, sabe o que quer e o que não quer. Observa o mundo sem cair em seus delírios e emana uma agradável sensação de centramento e paz.

Resultado externo: Vemos o consulente maduro, centrado, sabendo preservar sua luz dos embates da inconsciência geral, sem pretender ser o dono da verdade. Seu desempenho profissional é cada vez melhor, suas propostas estão melhor elaboradas e o desapego pelos resultados materiais o leva a ser um elemento fértil na sociedade em que se movimenta. Provavelmente, está trabalhando em alguma área ligada ao autoconhecimento.

A Fortuna

Títulos: Tradicionalmente esta carta era chamada "A Roda da Fortuna". No Tarô Egípcio é "A Retribuição" e também já foi conhecida como "A Roda das Reencarnações". Crowley abreviou e a intitulou simplesmente "A Fortuna".

Seu título esotérico é "O Senhor das Forças da Vida".

Número: Duas escolas usaram o número Dez, atribuído a este Arcano, quando pretenderam dar uma explicação da Realidade Última. Perceberam que era mais simples fazê-lo a partir dos dez primeiros números e de suas interações.

Cabalistas e pitagóricos formularam duas estruturas de base dez para explicar o Universo, sua origem e suas relações.

Os pitagóricos definiram a *Tetrakys*, formada por dez pontos dispostos numa pirâmide plana de quatro andares, de onde tudo sai e para onde tudo retorna, como a melhor imagem da totalidade em movimento.

Pitágoras compara a *Tetrakys* ao oráculo de Delfos: expressa a perfeição e proporciona conhecimentos do indivíduo e do mundo, tanto no plano material como no espiritual.

A *Tetrakys* era invocada como uma divindade: o deus da harmonia, o Dez sagrado, detentor das chaves de todas as coisas.

Os cabalistas, usando ordenadamente os dez primeiros números, definiram dez esferas ou *sephiroth*, com as quais diagramaram a Árvore da Vida, que representa o Cosmo e suas manifestações.

Também é um instrumento de investigação da realidade e um método prático de evolução da consciência. A primeira referência escrita da "Árvore Secreta" está no *Sepher-ha-Bahir*, Livro da Claridade, que apareceu no sul da França entre os anos 1150 e 1200. Aryeh Kaplan, que recentemente o traduziu para o inglês, o data como do século I a.C.

Existem diferentes representações da Árvore da Vida, mas a mais usada pelos cabalistas atuais teve sua primeira publicação em 1652, na obra de Kircher *Oedipus Aegypticus*.

Continuando com a evolução da Árvore, os cabalistas deste século chegaram à Árvore Tridimensional que integra em suas colunas o Princípio do Cinco: quatro elementos equilibrados, inspirados pelo Espírito.

Na tradição chinesa, o ser humano tem dez almas: três superiores, chamadas *houem*, e sete inferiores, *pö*.

O Dez representa um ciclo completo e o retorno à unidade, à criação e ao movimento.

A Roda da Fortuna (Marselha e Waite)

Letra hebraica: כ

Kaph é a letra atribuída à Fortuna. Significa "a palma da mão", onde

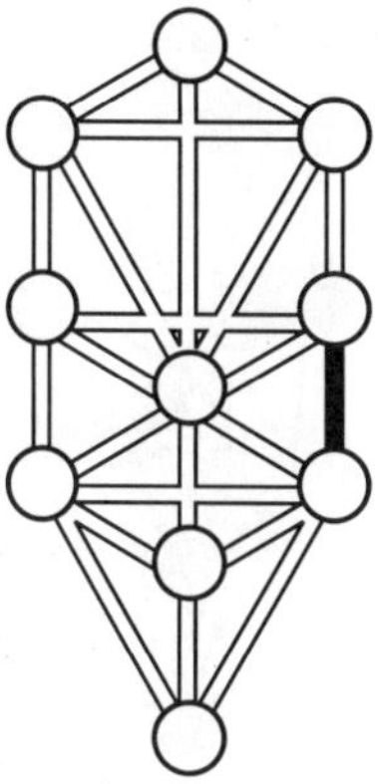

O Caminho 11º

tradicionalmente os ciganos lêem a fortuna, e também "mão fechada" ou "punho", que simbolicamente representa o ato de agarrar alguma coisa. Trata-se de uma letra dupla, masculina e azul, cujo valor numérico é 20. Corresponde ao som Kh e à letra Ch.

Caminho cabalístico: O caminho de *Kaph* une e equilibra *Netzach*, ou *Nezah*, segundo outra transcrição (a Vitória), que representa a Natureza do desejo, com *Chesed* (a Misericórdia), entre cujos atributos está a memória. Conecta a personalidade com o Ser Superior. As emoções mais espiritualizadas de *Netzach* conduzem o caminhante até às imagens abstratas de *Chesed*.

Disse o *Sepher Yetzirah*:

O Dez. É a soma dos quatro primeiros números: a Tetrakys, que para os pitagóricos é o símbolo sagrado da criação universal, origem de todas as coisas e à qual tudo retorna. Passa uma idéia de totalidade, de conclusão e também (10=1+0=1) de volta à unidade.

*"O 21º caminho é o da Consciência Desejada e Procurada (*Sekhel HaChafutz VeHaMevukash*) e é assim chamado porque recebe o influxo divino para outorgar sua benção a tudo o que existe".*

É o caminho que recompensa aqueles que procuram e está, como diz o *Sepher Yetzirah*, diretamente conectado tanto com a pobreza como com a riqueza, dependendo exclusivamente da pessoa que está procurando.

Atribuição astrológica: Júpiter é o planeta deste Arcano, conhecido desde a antiguidade como "o Grande Benéfico", em contraposição a Saturno, "o Grande Maléfico". Hoje é considerado o planeta da expansão e do crescimento.

O Júpiter celta tem como principal atributo uma roda.

Em seu aspecto mais elevado, este planeta representa a expansão do conhecimento e a procura espiritual. Encarna o fator desconhecido, incalculável, inerente a qualquer fenômeno, ao contrário do determinismo saturnino. Sendo um planeta masculino, podemos ver nele o pai que estimula o crescimento, enquanto o Sol é o pai que dá a vida e Saturno o que limita e disciplina. A energia que faz melhorar nossas vidas quantitativa e qualitativamente é de natureza jupiteriana. É o fator essencial do otimismo e do entusiasmo que nos induz a levar a vida com mais generosidade, amplitude e profundidade.

Um Júpiter com mau aspecto pode dar lugar a todo tipo de excessos. No nível físico, produz tendência a engordar, artrite, pressão alta e problemas derivados de um sangue de baixa qualidade: erupções, furúnculos e problemas hepáticos.

Júpiter governa Sagitário e, com Netuno, rege Peixes.

A Tetrakys, uma visão contemporânea

Símbolos: O centro da carta está ocupado por uma roda, símbolo de movimento e irradiação, de vida e de mutação incessante, assim como da revelação do desconhecido. A roda participa da idéia de perfeição sugerida pelo círculo.

A Lei também está simbolizada pela roda: a *Dharmachakra*, ou Roda da Lei, que Buda coloca em movimento. Temos também a roda do *Karma*, a do *Samsara* ou da inconsciência, a roda das reencarnações, a roda de Ezequiel, as rodas de cura dos índios norte-americanos, etc.

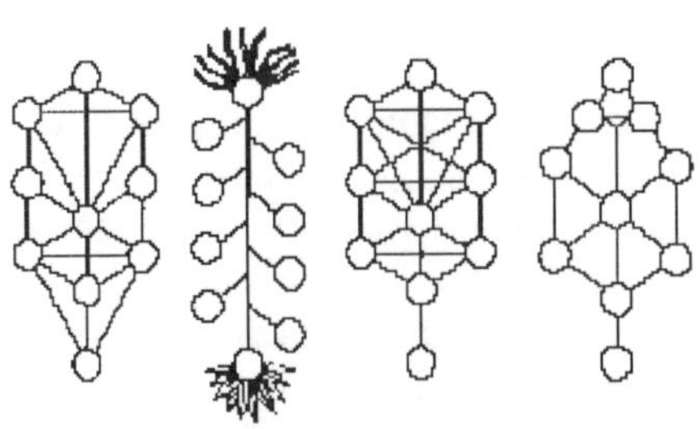

Desenvolvimento da Árvore da Vida. A) Estrutura de Kircher em Oedipus Aegypticus, *1652. B) Adaptação de Robert Fludd em* Complete Works, *1526. C) Ilustração de* Porta Lucis, *Ausburgo, 1516. D) Ilustração de* Pa´amon ve Rimmon, *1708.*

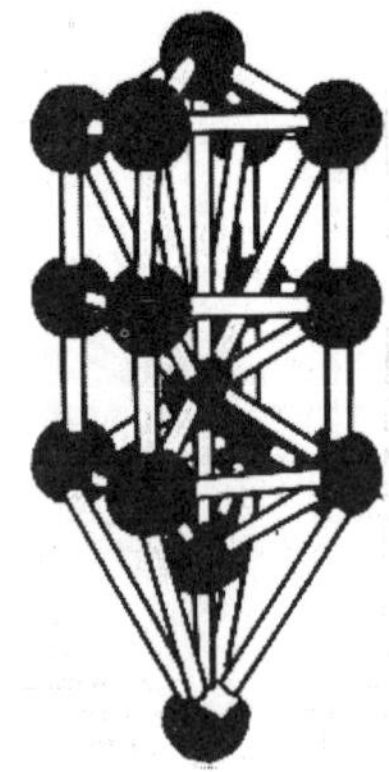

A Árvore Tridimensional

Nessa roda há dez raios que representam a totalidade do espaço e o retorno à unidade essencial. Três figuras aparecem nela. Neste momento a esfinge está no topo, o macaco Hermanubis[47] (deus composto, no qual predominam elementos simiescos) está ascendendo, e o monstro Tifão descende.

As três figuras representam as três formas de energia que governam a sucessão dos fenômenos. No Oriente, são chamadas de *gunas* e no Ocidente, são conhecidas como o Enxofre, o Mercúrio e o Sal alquímicos.

Disse Crowley: "As *gunas* encerram num único conceito idéias de fase, potencial, qualidade, elemento, formas de energia. Estão continuamente girando, de maneira que nada pode permanecer num estado em que predomine uma delas".

São três:

1) ***Tamas***. Representa a escuridão, a ignorância, a inércia e a morte. Na carta está representada por Tifão, Filho de Hera e da serpente Píton. Concebido quando Hera encolerizou-se por Zeus ter criado Atena de sua própria cabeça, sem sua colaboração, Tifão devia matar Atena, mas Zeus, com seu raio, o venceu, enterrando-o sob o vulcão

47 - Hermanubis é um deus egípcio. Mistura de Hermes e Anúbis — que se representava geralmente com cabeça de cachorro ou de gavião e corpo de homem, segurando um Caduceu. Considerando-o uma degradação do culto de Hermes, Crowley o compara a Hanumán e inclusive o representa com a imagem que usa para o deus-macaco no Mago.

Etna, de onde continua a cuspir fogo. Tifão representa o embrutecimento, o lado mais escuro e compulsivo dos instintos e das forças que vulgarizam o impulso para a espiritualidade. Tamas e Tifão estão relacionados com o Sal Alquímico.

2) ***Rajas***. Representa a energia em movimento, a agitação, o brilho e a inquietude intelectual, o impulso dinâmico encarnado por Hermanubis, deus duplo, mistura de Hermes e Anubis. Num de seus aspectos, era o guia que conduzia as almas até Osíris e, em outro, a personificação da morte. Sendo Hermanubis uma forma simiesca de Mercúrio, Crowley relaciona Rajas ao Mercúrio alquímico, enquanto outros autores escolhem o Enxofre.

3) ***Sattvas***. É a Supraconsciência. Seus atributos são a calma, a serenidade, o conhecimento, a lucidez e o equilíbrio. É representada pela esfinge, símbolo de estabilidade em meio às mudanças. Esta é a síntese das forças elementares, representadas pelos quatro querubins. Outras tradições enfatizam o papel de guardiã do umbral dos mistérios. Crowley a vincula ao Enxofre alquímico.

O movimento da roda indica que nada pode permanecer imutável, tal como expressa o I Ching:

> *"O imutável é a mutação. O que permanece é aquilo que muda, que se ajusta ao correr dos tempos".*

Estamos vivendo o ápice de dois mil anos de escuridão, fanatismo, guerras e fome e em meio a tudo isso estão surgindo a mulher e o homem novos. Todo cuidado é pouco para não passarmos para nossos filhos nossas neuroses, pois eles estão muito mais próximos do ser sátvico que nós.

A Roda da Fortuna
(Crowley e Egípcio)

O movimento da roda cria dez espirais, mostrando seu poder de regeneração. Em cima, vemos estrelas azuis e amarelas dispostas ordenadamente, por trás das quais se adivinha o anel de Nuit.

Nove raios, símbolos da centelha divina que dá vida e fertiliza toda a Existência, precipitam-se. O raio, arma fulminante de Zeus (Júpiter em Roma), é comparado à emissão do esperma divino.

Para os maias, o raio é a palavra escrita de Deus e o trovão é sua voz.

Significados gerais: Esta carta está mostrando o Princípio Universal do movimento e da expansão. Mostra o Universo mudando permanentemente. Estas mudanças, apesar de serem governadas por determinadas leis, não são de maneira alguma predeterminadas, nem existem inteligências governando-as.

Assim pois, a Fortuna faz referência também aos fatores desconhecidos e imprevisíveis que influem na dinâmica global.

Num nível mais humano, esta carta mostra o mundo abrindo toda uma gama de oportunidades, de possibilidades, de encontros e de propostas. É no desafio de aceitá-las ou não que a pessoa cresce, resgata e lapida seu ser e vai, ao mesmo tempo, transmutando-se em função das novas experiências.

> *Por mais densa e inerte que seja uma situação, chegará o momento em que começará a agitar-se e a mudar.*
>
> *O Livro de Thoth – A. Crowley*

Na Leitura Terapêutica

Momento atual: Uma ampla gama de oportunidades está aparecendo para o consulente: encontros com novas pessoas, propostas de trabalho, possibilidades de viagens, cursos interessantes, descobrimentos internos e vislumbres espirituais.Tudo se expande, seus limites são desafiados a cada oportunidade que aparece, obrigando-o a tomar decisões, para o que precisa saber muito bem o que quer e o que não quer.

A carta que se cruza nos indicará em que aspecto da vida: profissional, emocional, espiritual, etc., aparecem estas oportunidades. Não aceitá-las, colocando-se uma máscara do tipo "Ermitão", seria perder uma linda oportunidade para crescer e para fazê-lo sem dor.

Necessidade interna: Parece que o consulente reduziu durante muito tempo seus horizontes. Talvez tenha vivido enclausurado, dedicando-se a alguém ou a algum assunto específico. Chegou a hora de manter-se permeável, aberto e receptivo a seu ambiente que, sem dúvida, neste momento tem muito a oferecer-lhe.

Âncora: Aqui temos alguém que vive arrastado pelos acontecimentos. Se acontece algo agradável fica eufórico, se é desagradável se desespera, passando da euforia ao desespero sem um instante de serenidade e sossego. Tem uma dificuldade muito grande para tirar lições de seus momentos difíceis, pois não os observa detidamente, mas tenta compensá-los imediatamente com comida, bebida, sexo, distrações, etc., e assim continua enganando os outros e a si mesmo com a fachada de que tudo está ótimo. Esta compulsão para mostrar um falso bem-estar e seu medo de ficar só podem ser substituídos por uma honesta aceitação dos verdadeiros sentimentos e uma maior autovalorização com o uso de Agrimony, enquanto a essência de Chesnut Bud pode ajudá-lo a estar mais atento e a observar-se melhor.

Sua vida é um produto das *gunas* e ele não tem consciência alguma do que está passando. Pode ser que a falta de perseverança, disciplina e o desconhecimento de seus próprios limites o levem a esbanjar sua energia em movimentos inúteis. Não sabe aproveitar as oportunidades que a vida lhe oferece, por-

Roda medieval

Tarô egípcio de Papus

que carece do senso da medida das coisas. Sua interação com a roda, isto é, sua passagem pela vida, carece de criatividade e realização pessoal. Acompanha seu movimento do lado de fora, desconectado de si mesmo, vivendo altos e baixos (cada vez mais baixos), sem crescer.

Quando as coisas vão bem, desenvolve um orgulho e sedução exagerados e pretende ser o dono da verdade, caindo com facilidade no sectarismo e/ou fanatismo religioso, especialmente com o Hierofante ao lado. É possível que depois de algumas boas bofetadas, esta pessoa se enclausure, desconfiando do mundo e com pânico de mover-se ou mudar.

Relacionamentos: a) O casal está sendo bombardeado pela aparição de pessoas, propostas de trabalho, viagens ou compreensões espirituais, que vão exigir uma transformação do relacionamento. Este provavelmente continuará, se os parceiros conseguirem atingir um nível de união, cumplicidade e capacidade de adaptação mais profundo. b) Esta pessoa é incapaz de fixar-se emocionalmente. Sua atração pela novidade e seu medo de comprometer-se é tão grande que não se aprofunda em nenhum relacionamento e fica dispersando-se e/ou vivendo vários amores superficiais ao mesmo tempo.

Infância: A criança viveu mudanças e situações inesperadas e intensas, que a deixaram inseguro. Sentia-se à mercê dos acontecimentos, sem estabilidade, referenciais, nem figuras paternas que lhe colocassem limites amorosamente. Cabe pensar que se sentiu abandonada e desprotegida. Assim, mais tarde, sua relação com as mudanças e o desconhecido se tornou problemática.

Método: Libertar-se das Âncoras e desenvolver o verdadeiro ser, passa, nestes momentos, por se entregar à vida, estando alerta e disponível para o novo e inesperado. Não se trata de programar o futuro, mas de estar receptivo para o que a Existência oferece.

Segundo o budismo tibetano:

> *"Abrir-se à existência e com ela dançar, mesmo nas situações mais difíceis, procurando as causas que determinaram as situações existenciais em que nos encontramos; percebendo tanto a origem do sofrimento e da insatisfação quanto da alegria e da satisfação. Em vez de reagir, criando uma cadeia ininterrupta de ação e reação, é melhor observar, tentar perceber. Pela observação se aprende a transmutar as situações, em vez de querer evitá-las ou eliminá-las. Esta perspectiva nos dá a chance de sair fora da roda da existência condicionada do samsara".*
>
> *Introdução à Psicologia Tibetana*, Clovis Corrêa de Souza Filho, 1982.

Se na Âncora encontramos cartas que indicam apatia e tendência ao enclausuramento e à introversão doentia (o Ermitão, a Sacerdotisa) ou o Oito de Copas (a Indolência), a essência de California Wild Rose* o ajudará a renovar o entusiasmo pela vida.

Caminho de crescimento: Esta pessoa está crescendo, aberta às oportunidades com que o mundo lhe depara (que não são poucas) e que se apresentam em todos ou quase todos os aspectos da vida. Novas situações, pessoas e responsabilidades o levam a no-

Uma vez que você entenda que seus filhos não lhe pertencem, que eles pertencem à Existência e você foi simplesmente uma passagem... não interfira no crescimento deles, no seu potencial. Não se imponha sobre eles. Eles não vão viver nos mesmos tempos, não vão se defrontar com os mesmos problemas. Eles vão ser parte de um outro mundo. Não os prepare para este mundo, esta sociedade, este tempo, porque então você estará criando problemas para eles. A função dos pais não é ajudar os filhos a crescerem; eles crescerão sem você. Sua função é apoiar, nutrir, ajudar o que já está crescendo. Não dê direções, e não dê ideais. Não lhes diga o que está certo e o que está errado – deixe-os descobrirem por sua própria experiência.

Osho Rajneesh

vas experiências, idéias e especialmente a uma maior firmeza e autoconfiança.

Resultado interno: Um ser mais inteiro emerge do processo. Os desafios o levaram a crescer. Deixou a periferia da roda para atingir o centro, de onde contempla os fenômenos e escolhe para vivenciar aqueles que mais lhe gratificam. Sem expectativas, interage com o mundo sem fricções destrutivas. O que há de ser feito, será feito. No centro da roda está o Sol (Arcano XIX, 19 = 1 + 9 = 10 = Fortuna), símbolo da individualidade e luminosidade que o consulente está atingindo.

A Roda Tibetana

Resultado externo: Apesar da atenção estar direcionada para todo um conjunto de novas situações que a vida manda, esta pessoa consegue expandir seus negócios, amizades e conhecimentos sem perder seu centro.

A Força

Títulos: Nos baralhos antigos, e na maioria dos modernos, esta carta leva por título "A Força". Seria o autocontrole, a força moral necessária para dominar as chamadas baixas paixões. Assim, estes baralhos mostram uma mulher impecavelmente vestida, que, tomando delicadamente entre suas mãos a boca de um leão, a fecha. Os aspectos mais elevados do ser (intelectual e espiritual) submetem o lado animal (emoções e instintos). A alma, a casa de deus, controla o corpo, a casa do diabo; os instintos são podados, mas a alma será recompensada com o paraíso. Por debaixo dos panos, nos passa todo o ódio e o medo que as religiões têm do corpo e especialmente do sexo. Os novos tempos mostraram que mortificar o corpo para pu-

A Força (Marselha e Waite)

O Onze. Na África, está relacionado com os mistérios da fecundidade. Se o dez representa a totalidade, o onze indicará transbordamento, desmedida, um novo impulso para outro ciclo, uma nova polarização (11=2). Segundo certa tradição hindu, este é o número do maestro e não deve ser reduzido.

rificar a alma é uma aberração e, desde W. Reich, não existe terapia que não contemple o aspecto corporal, como muito bem sabiam os romanos quando afirmavam: *Mens sana in corpore sano*. Também mestres como Osho Rajneesh, Don Juan e Rolando Toro nos advertem que, sem o resgate do corpo, de sua saúde, vitalidade e impulsos, pouco ou nada se pode avançar no caminho espiritual.

> *Uma pessoa que não está em contato com seu corpo, nunca pode estar em contato com seu espírito, porque esta é uma região mais profunda. Você não tem consciência do espiritual porque tem muita tensão no corpo e muita tensão na mente. A tensão corporal foi criada por aqueles que, em nome da religião, estiveram pregando atitudes anticorporais.*
>
> *A Meditação: A Arte do Êxtase – Osho Rajneesh*

Não é porque uma de nossas partes controle as outras, mas porque só integrando-as obteremos os melhores resultados, tal como enuncia a sabedoria popular quando diz: "Da união vem a força".

No Tarô Egípcio, esta carta se chama "A Persuasão", dando uma conotação mental a este controle.

Assim, tornou-se necessária uma atualização. Estes preconceitos não podiam passar o umbral da Nova Era sem serem desmascarados.

Crowley decidiu chamá-la *Lust*, que alguns estudiosos têm traduzido como "Luxúria", dando um significado predominantemente sexual a esta carta, reduzindo seu sentido, que é muito mais abrangente.

Eu a chamo de "Tesão", tal como "*Sem tesão não há solução*". Seria a Luxúria no seu sentido mais amplo, não restrito ao puro desejo sexual, mas generalizado a todos os aspectos da vida. Existe algo mais luxurioso que a natureza? É o entusiasmo que direcionamos para determinadas ativida-

A Força (Crowley, Egípcio e Cosmic)

des ou pessoas e que nos leva a nos integrarmos. Ficamos totais no aqui e agora e nos desabrochamos em diversidade, criatividade e beleza, liberando prazer e gratificação.

Os cabalistas conhecem esta carta como "A Filha da Espada Flamígera" e "O Senhor do Leão".

Número: Com a exceção do Tarô de Waite e daqueles que nele se inspiraram, esta carta corresponde ao número Onze.

Se, com o Dez, concluíamos um ciclo que nos levava a um retorno à unidade — 10 = 1 + 0 = 1 = Unidade = Tudo o que existe = Deus —, com o Onze, partimos para uma nova polarização: 11 = 1 + 1 = 2. Recebemos um impulso para o desconhecido. O Onze e o Dois, sendo ambos números primos, por redução são iguais, e nas cartas a eles associadas (a Sacerdotisa e o Tesão) a figura central é uma mulher.

O patriarcado em geral e o cristianismo em particular, que tinham o Um como representante de seu deus masculino, não mostravam muita simpatia pelo Dois que, representando o feminino, seria um número de oposição e luta, quase diabólico.

O Onze acabaria representando a transgressão da lei e dos limites determinados pelo Dez.

Agostinho, teórico da igreja romana, sintetizador das doutrinas de Aristóteles com os dogmas cristãos, referia-se a este número como "o brasão do pecado".

Onze é o número de Nuit: "Meu número é o Onze, como todos os seus números que são de Nós (*O Livro da Lei*).

No mesmo texto, Hadit, o Princípio Masculino, se expressa também no sentido de não deixar-se limitar: "Refina teu prazer! Se bebes, bebe pelas oito e noventa regras da arte; se amas, excede em delicadeza; e se fazes o que quer que seja de alegre, que haja sutileza ali contida! Mas excede! Excede! Esforça-te sempre por mais!"

"Não se contente facilmente. Aqueles que assim o fazem permanecem pequenos, pequenos são seus silêncios, pequeno é seu ser. Mas isso não é necessário! Você mesmo está impondo essa pequenez à sua liberdade, às suas possibilidades ilimitadas, ao seu potencial ilimitado". (*Live Zen,* Osho Rajneesh).

Na África, o Onze está relacionado com os mistérios da maternidade. São onze as aberturas que tem o corpo de uma mãe.

Os maçons representam este número com o Hexagrama Pentáfico, o pentagrama inscrito no hexagrama, tal como aparece na ilustração da página anterior.

Para a tradição chinesa, o Onze é o número pelo qual se constitui na sua totalidade o caminho do Céu e da Terra: *tcheng*. É o número do Tao.

Para algumas escolas, o Onze, junto com o Trinta e Três e o Quarenta e Quatro são números mestres e não podem ser reduzidos.

Letra hebraica: ט

Teth, a letra atribuída ao Tesão, é simples, feminina, de cor amarelo-esverdeada, e seu valor numérico é nove. Significa "serpente" e representa "o Arquétipo da Energia Feminina Primordial", segundo o ocultista C. Suares.

Teth é o asilo do homem, seu escudo e proteção. Corresponde ao nosso T.

O *Livro dos Sinais* diz: "Por esta letra eu demostro, em primeiro lugar, que todas as coisas surgem pelo número. E, em segundo lugar, que todas as obras de poder realizadas pelos sábios têm números como base".

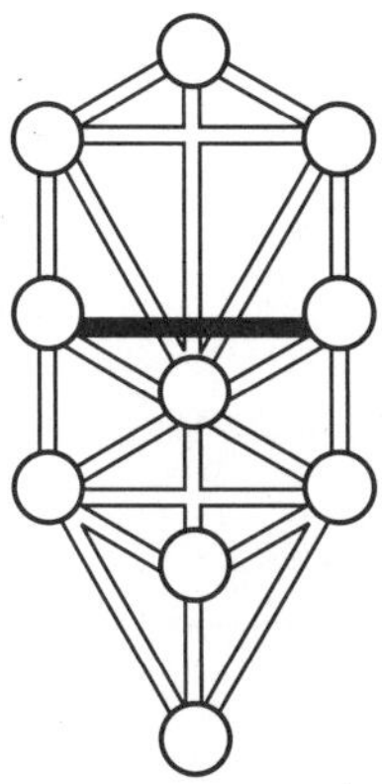

O Caminho 19º

Caminho cabalístico: O caminho de *Teth* une e equilibra *Chesed* (a Misericórdia) com *Gueburah* (a Severidade). É a ponte que integra a polaridade da construção e da destruição. Sabemos muito bem que o ser humano se fortalece quando, desejoso de construir alguma coisa, acha obstáculos e resistências, os enfrenta e continua adiante.

Diz Madonna Compton nos *Arquétipos da Árvore da Vida*: "*Gueburah* e *Chesed* são a luz e a sombra do drama do mundo"

É o segundo caminho horizontal, equilibrado à beira do Abismo. E, de baixo para cima, é o primeiro caminho do Ser Superior.

Diz *Robert Wang*: "É o caminho em que o Fogo se torna Luz." No *Sepher Yetzirah* está escrito:

> *"O décimo nono caminho é o da Consciência do Mistério de todas as Atividades Espirituais (*Sekhel Sod HaPaulot HaRuchniot Kulam*). É chamado assim por causa do influxo que o permeia, desde a maior benção e a suprema glória".*[48]

Atribuição astrológica: Leão, atribuído ao Tesão, é um signo do Fogo, fixo e regido pelo Sol. Como o rei da selva, o leonino se sente o centro do mundo.

Este signo governa, no corpo físico, o coração, as costas, a medula vertebral, a aorta, as coronárias e os olhos.

Os leoninos são voluntariosos, ativos e adoram o luxo e as coisas finas e elevadas.

Leão (Jofhra)

Têm tendência a querer dominar os outros. Têm aversão pelas mesquinharias e às grosserias e geralmente são nobres e generosos, mas podem chegar a ofender se os outros esquecem os favores prestados, pois imaginam que essas pessoas devem tudo a eles. Sua nobreza pode transformar-se em altivez, arrogância, prepotência e até desprezo. Gostam de tomar decisões, são perfeccionistas, intuitivos, honestos, exibicionistas, mundanos e precisam brilhar e sentir-se importantes, tanto diante dos outros quanto ante a si mesmos.

São apaixonados e normalmente se entregam com facilidade a seus impulsos amorosos e instintivos. São espontâneos, extrovertidos, bons atores e com tendência a sofrer de megalomania, febres, desidratação e problemas cardíacos, quando reprimem sua extraordinária carga emocional.

Seus verbos são: "Eu quero" e "Eu crio", e sua frase integradora é: "O poder criativo do Universo está fluindo por meu intermédio, agora sob a luz do amor e da humildade".

Símbolos: A figura central é uma mulher nua, montada voluptuosamente sobre um enorme leão de sete cabeças. É Babilon ou Babilônia, a mulher que cavalga sobre a Besta, que tanto horror causou a João, o Evangelista, como podemos ver nos capítulos 13, 17 e 18 do Apocalipse. Em todas as narrativas do Antigo e do Novo Testamento devemos sempre estar alertas às projeções de seus autores, aos mistérios cabalísticos colocados cuidadosamente pelos

48 - Também "Inteligência do Segredo".

iniciados e aos símbolos manipulados convenientemente pelos levitas para acumularem poder e sacramentar seus interesses.[49]

A virgem imaculada dos baralhos antigos, que com sua pureza conseguia conter e dominar a besta instintiva e irracional, transformou-se na mulher sensual que João chamou: "a prostituta que fornicou com todos os reis da Terra". Se Babilônia entregou-se aos reis da Terra (parece que não se entregou aos miseráveis), participa de seus mistérios.

Nesta relação entre a Bela e a Fera, ninguém domina ninguém. A mulher se entrega a seus impulsos, não está controlando sua montaria, as rédeas vermelhas são um símbolo da paixão que une nossos aspectos humanos mais elevados com nossa natureza propriamente animal.

Tanto o Leão como a mulher aparecem em amarelo dourado, a mais ardente das cores. Intenso, violento, agudo até a estridência, cegador como o metal fundido. É a cor do sol, considerado em inúmeras culturas de origem divino e símbolo da eternidade. Apenas a família imperial chinesa podia usá-lo. É também a cor das espigas maduras do verão, no ápice do Tesão da Natureza, mas que já estão anunciando o outono, o declínio, a velhice e a morte, onde o amarelo se transformará em negro.

São sete as formas da paixão representadas pelas sete cabeças do Leão: a de um anjo, de um poeta, de uma mulher adúltera, de um homem valente, de um sátiro, de um santo e a de um leão com corpo de serpente. Esta última representa o aspecto mais espiritualizado do Fogo: a *kundalini*, a serpente, *Teth*. São sete expressões da paixão.

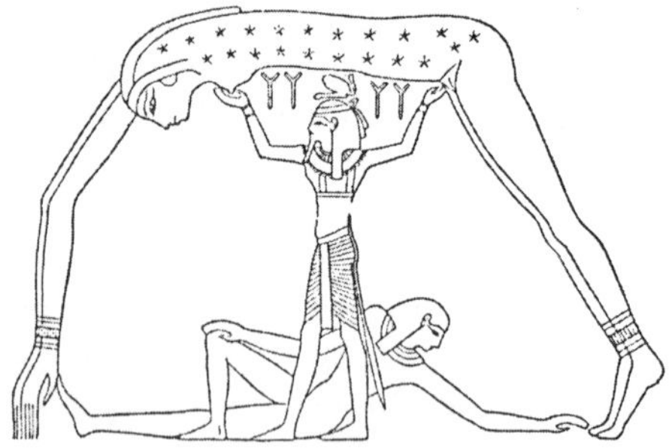

Nuit

Esta mudança de atitude de grandes grupos populacionais com respeito ao corpo e ao sexo é um dos signos dos novos tempos. Juntamente com a libertação da mulher (fenômenos interdependentes), é uma das transformações mais claras que confirmam a entrada na Era de Aquário.

Os tempos da divisão estão abrindo espaço aos da integração. Hoje sabemos que a aceitação de cada um de nossos aspectos é o primeiro passo para qualquer transformação, se queremos nos integrar como seres plenos, realizados e felizes. A mulher e o Leão são a viva representação do novo paradigma, no qual tudo forma parte do Todo, num Universo contínuo.

A mulher em êxtase, em divino êxtase, rompe com o papel cruelmente degradado que as religiões lhe impuseram. A esposa submissa, mãe sacrificada, sempre sofrendo, que não teve prazer nem quando foi fecundada. Culpada desde o paraíso por deixar-se levar pelos impulsos de sua natureza, tentar o homem e levá-lo ao pecado e, claro, ao castigo.

Os machos, que congelaram seu coração quando se entregaram à luta pelo poder, sempre estiveram muito

---

49 - Ver *A Bíblia Darmouth* (Boston, Houghton Mifflin, 1950), para conhecer como os estudiosos reconstituíram o processo de compilação da Bíblia realizado durante séculos por diversas escolas de rabinos.

A Força (Golden Dawn e Experimental)

atentos para manter as mulheres presas e incultas. O macho morre de medo da mulher que vive em contato com as fontes de seu prazer interior.

A mulher e o Leão estão resplandecentes, irradiando sensualidade, vitalidade, prazer, alegria e força de profundas raízes animais.

Na mão direita, Babilônia segura o Graal, a matriz de sua plenitude, da qual surgem dez chifres-serpentes, símbolo da mais exaltada criatividade, que se expandem em todas as direções para destruir e voltar a criar o mundo. Da ponta da matriz vermelha e incandescente surgem dez raios de luz branca, que energizam as dez estrelas da Assiah, indicando que a energia da matriz se concretiza também nos planos materiais. Estes dez raios luminosos, dispostos em semicírculo, representam, segundo disse Crowley, a nova ordem da Era de Aquário.

Vejamos a imagem do Feminino que nos passa o *Livro da Lei*, em seu primeiro capítulo:

Nuit — "Eu sou o brilho nu do voluptuoso céu noturno...

Eu, que dou todo o prazer e púrpura embriaguez do senso mais íntimo, te desejo.

Põe as asas e acorda o esplendor enroscado dentro de ti: vem a mim.

Aparecei, ó crianças, sob as estrelas e tomais vossa fartura de amor...

Eu estou sobre vós e em vós.

Meu êxtase é vosso êxtase.

Minha alegria é ver vossa alegria.

Nada amarreis.

Que não haja nenhuma diferença feita entre vós e qualquer uma coisa e qualquer outra coisa, pois daí vem dor.

Tomai vossa fartura e vontade de amor como quiserdes, quando, onde e com quem quiserdes...

Amor é a Lei, Amor sob vontade...

Tu não tens outro direito a não ser fazer tua vontade.

Pois vontade pura e livre de propósito, livre de ânsia de resultados, é toda via perfeita...

Eu vos amo...

Atrás da mulher aparecem dez círculos raiados e sombrios, que estão representando a velha ordem, os arcaicos sistemas de classificação do Universo.

Entre as patas do Leão vemos as imagens daqueles que se entregaram à Babilônia, atingiram o Graal e fundiram-se com o Todo.

Significados gerais: Temos aqui a exuberância, o brilho e a vibração do Universo, fruto da integração de seus aspectos opostos e complementares. É a ilimitada e luxuriosa vitalidade da natureza.

No mundo do ser humano é o tesão, entusiasmo, vitalidade, alegria e desejo de concretizar tudo isso, produto da aceitação e da integração interna, em alguma atividade ou relacionamento de alta criatividade.

Aqui, a energia animal brota, natural e selvagemente, integrando-se amorosamente com o resto do ser, dando lugar a uma overdose de energia que se canaliza na criação, na autorealização e na transcendência, tal como nos ensina o tantrismo.

Na Leitura Terapêutica

Momento atual: É uma fase de vitalidade, saúde e entusiasmo pela vida em todos os aspectos, especialmente no que se refere aos relacionamentos amoroso-sexuais e à expressão da criatividade. Se a segunda carta mostra bloqueios (como seria o caso com um Oito de Espadas — a Interferência), medos (a Lua) ou repressão sexual (Nove de Espadas — a Crueldade), diremos que esta pessoa não se permite viver sua verdadeira natureza, que está aí querendo manifestar-se.

Âncora: Esta pessoa tem um forte lado instintivo e uma sensualidade intensa que não consegue integrar harmoniosamente com seus critérios mentais e/ou religiosos, mas que tampouco pode esconder totalmente, como poderia ser o caso de alguém que tivesse o Ajustamento ou o Príncipe de Espadas nesta posição. Tem muita dificuldade para entregar-se e assim, voluntária ou involuntariamente, fica usando seus atributos para seduzir e manipular os outros enquanto congela suas emoções. Imagina que, se se entrega ao amor e ao prazer e se entusiasma por alguém, vai ficar tão vulnerável que irremediavelmente será dominada e manipulada.

> *A sensualidade é uma das maiores bênçãos da humanidade. É sua sensibilidade, é sua consciência. A sensualidade é sua consciência filtrando-se através do corpo. O orgasmo não é algo necessário para a reprodução. É algo que abre uma janela à evolução superior da consciência.*
>
> *Osho Rajneesh*

Podem ser várias as causas desta dificuldade:

- O abuso sexual no passado, denunciado pela presença do Sete de Copas (a Corrupção) e do Cinco de Discos (o Sofrimento) na Infância. Hoje esta pessoa tem medo de expor suas emoções, reprime sua sexualidade, vivendo-a friamente e sem resposta. O floral de Hibiscus** a ajudará a recuperar a amorosidade, para assim viver sua sexualidade e seus relacionamentos íntimos de um modo mais completo.
- Uma educação exageradamente puritana, indicada pelo Três de Bastões (a Virtude) ou o Hierofante na Infância, poderia se manifestar como nojo pelos aspectos mais básicos do mundo físico e especialmente do corpo humano e suas funções fisiológicas. Pode chegar até a sentir vergonha de seu próprio corpo. A necessária aceitação do corpo e do mundo material será facilitada com o uso da essência de Crab Apple.
- Um conjunto de seduções e rejeições vindas do genitor do sexo oposto, indicadas pelo Três e o Cinco de Copas (a Abundância e a Frustração) juntos na Infância. Esta pessoa não se atreve a entregar-se, pois teme ser manipulada e finalmente rejeitada. Sempre fica a meio caminho, paquera e dá o fora, seduz e não introduz, no caso de um homem. Ou, sendo mulher, será uma puta na sala e uma freira na cama.

Sugeriremos o uso do floral de Stiky Monkeyflower*, que a ajudará a abrir seu coração. Tem medo de que falte a atenção e interesse que consegue quando seduz, e com os quais alimenta seu ego que leoninamente precisa ser o centro. Quando a máscara de sedutor(a) cai, com ela desaparece também uma determinada postura corporal acompanhada de sensações físicas muito particulares. Com a autenticidade e simplicidade recuperadas, se observa a desaparição de um personagem psíquico que vivia uma farsa. Pode ter medo de converter-se na propriedade do outro e por isso não quer comprometer-se nos seus relacionamentos, chegando inclusive a ser promíscua, embora sem um profundo envolvimento emocional.

Necessidade interna: Esta pessoa precisa assumir a grande carga de sensualidade, sexualidade e potencial criativo que tem. É importante que deixe de esconder o corpo, aceite seus impulsos sexuais como aceita e satisfaz sua fome e sua sede, e se deixe levar por suas paixões.

Relacionamentos: a) É um momento de paixão, desejo e amor. O casal está cada vez mais entusiasmado e a cada noite criam uma nova forma de se amar. b) Esta pessoa coloca toda a lenha no fogo, mostrando-se muito sensual, sexual, atrativa e criativa até que seduz e consegue o amor do outro. Depois, perde o pique, já que o que realmente quer e a excita é afirmar-se por meio da conquista.

Não estabelece relacionamentos profundos e duradouros, já que seu compulsivo sedutor lhe exige estar sempre disponível e desvinculado para continuar suas conquistas.

Infância: A sedução e a rejeição foram a tônica geral da infância. A criança foi seduzida por um dos genitores, para satisfazer seus desejos narcisistas, fazendo que esta ficasse especialmente atraída e vinculada a ele e muitas vezes em conflito com o outro genitor. Satisfeito seu narcisismo, o pai sedutor rejeita a criança especialmente no que toca a suas necessidades de amor, apoio e contato físico. No momento em que a criança estava mais excitada, entregando-se e esperando o tão desejado contato amoroso, seu pai liga a TV e manda a criança para seu quarto. Esta sofre e fica criando um elo entre excitar-se, entregar-se e sofrer. Com dificuldade, permitirá que seu lado animal tome iniciativas.

Método: Sugeriremos a nosso consulente que trabalhe na recuperação e desenvolvimento dos aspectos mais animais do seu ser: instintos, emoções, sensualidade, consciência corporal e os integre com as partes intelectual e espiritual.

O floral de California Pitcher Plant* o ajudará a aumentar a vitalidade, desenvolvendo os aspectos mais instintivos do ser. É fundamental incrementar as atividades que geram entusiasmo, prazer, e desengatilham a criatividade. O uso da essência Indian Paintbrush revitalizará sua expressão criativa, enraizando-a com as forças telúricas.

Podemos sugerir o "autonamoro": toda esta procura e expectativa ansiosa de amor, prazer, companhia e atenção direcionada para fora deve ser interiorizada, tentando, na medida do possível, tratar-se a si mesmo como trataríamos a nosso amante. Podemos sugerir o uso da essência de Sunflower* para desenvolver o autocentramento e a autoconfiança.

Caminho de crescimento: O consulente está gostando cada vez mais de si mesmo. Relaciona-se e empreende atividades com entusiasmo, energia e disposição. Não é de um entusiasmo compulsivo, produto da exaltação mental ou da euforia (atitudes muito características do Cavaleiro de Espadas), mas de um incremento da vitalidade que quer se concretizar criativamente. Por outro lado, sua sexualidade se expressa cada vez com maior amor, delicadeza, sutileza e transcendência.

Resultado interno: A transformação o levou a uma profunda integração entre seus lados consciente e inconsciente. Sente-se mais firme, leve e apaixonado pela vida e por si mesmo, mais espontâneo e mais receptivo, mais instintivo e espiritual, mais Zorba e mais Buda.

Resultado externo: O consulente irradia brilho e entusiasmo. Sua vida sexual é plena e criativa. Suas ocupações lhe dão prazer e uma profunda gratificação. Sua inventiva e seu entusiasmo na ação dão um brilho especial a tudo o que faz. Cuidado para que o ego não se apodere de tudo isso, transforme o amor em arrogância e leve o trem a descarrilar.

O Doze é o número em que muitas culturas dividem o tempo e o espaço. Assim, teremos o ano formado por doze meses e o ceú divido em doze constelações. Sendo três vezes quatro, expressa a manifestação do espírito no mundo da matéria, transmitindo a idéia de realização final, de conclusão concreta.

O Pendurado

Títulos: Segundo Crowley, esta carta se chamaria "O Afogado" antes de receber seu título atual, que é "O Pendurado". Seria assim mais óbvia sua relação com o elemento Água. Com freqüência aparece como "O Enforcado" em português, coisa estranha, pois não está pendurado pelo pescoço.

Destacando um aspecto parcial de seu significado, no Tarô Egípcio aparece "O Apostolado". Os cabalistas a chamam "O Espírito das Águas Poderosas".

Número: O Doze é a manifestação da Trindade (Espírito) nas quatro esquinas do horizonte e nos quatro mundos cabalísticos, passando-nos a idéia de realização final, de conclusão concreta. Vivemos num mundo estruturado espaço-temporalmente acima deste número. O zodíaco está formado por doze signos obtidos não só pela multiplicação dos quatro elementos pelas três qualidades (cardeal, fixo e mutável), mas pela observação empírica do firmamento. O ano está formado por doze meses e o dia tem 2 x 12 = 24 horas. Os chineses dividem o tempo em grupos de doze anos e atribuem um animal para cada ano. No pensamento africano, a vibração sonora

O Pendurado (Marselha e Waite)

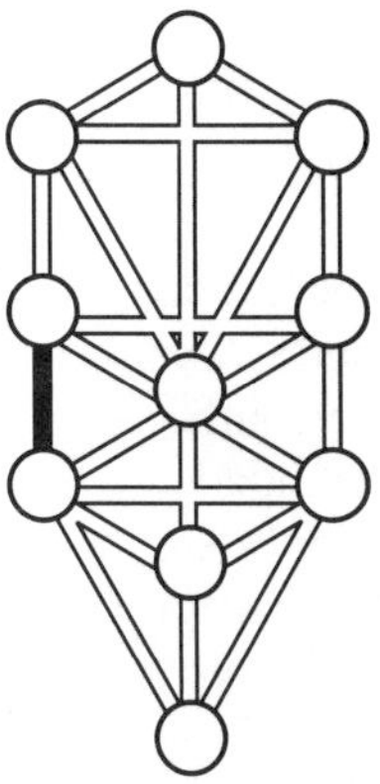

O Caminho 23º

ao formar O Ovo cósmico definiu os quatro pontos cardeais e executou três giros em espiral acima de cada um deles. Então se separaram o Céu e a Terra e apareceram os Grandes Demiurgos que organizaram a criação. Para estes povos, o Doze é o número da ação.

Letra hebraica: מ

A segunda letra mãe, *Mem*, é a letra atribuída ao Pendurado. É azul, seu valor numérico é 40 e corresponde ao M de nosso alfabeto. Significa "Água" ou "Mares".

Simbolicamente representa a mulher, a mãe e seu som. Como o AUM, é o retorno ao silêncio eterno.

Caminho cabalístico: O caminho de *Mem* eleva a mente concreta de *Hod* (a Glória, o Esplendor) para a poderosa Força de *Gueburah* (a Severidade). Aqui, *Hod* representa a concentração profunda do intelecto e *Gueburah*, a lei da justiça inexorável.

Neste caminho, as formas de *Hod*, isto é, os conceitos de Mercúrio, são animados e provados pelo poder de Marte.

Está dito no *Sepher Yetzirah*:

> *"O caminho vigésimo terceiro é o da Consciência Sustentadora (*Sekhel Kayam*). Chama-se assim porque é o poder sustentador de todas as* sefiroth*".*[50]

É o caminho da Água ou de Netuno, enquanto o Louco é o caminho do Ar ou de Urano, o Eão é o do Fogo ou de Plutão e o Universo é o da Terra ou de Saturno.

50 - Em outras versões é chamado de Inteligência Estável, porque tem a virtude da consciência entre todas as numerações.

A tarefa para quem trilha este caminho é ser um canal para as infalíveis leis cósmicas.

Atribuição astrológica: O elemento Água e o planeta Netuno estão atribuídos a este Arcano.

Diz um texto chinês do século XII: "De todos os elementos, o sábio tomará a Água como sua preceptora. A Água é submissa, mas conquista tudo. Apaga o Fogo e, vendo que pode ser derrotada, foge como vapor, tomando nova forma. Carrega a Terra macia e, quando é desafiada pelas rochas, procura um caminho a seu redor... Satura a atmosfera de modo que o vento morre. A Água cede a passagem para os obstáculos com uma humildade enganadora, pois nenhum poder pode impedi-la de seguir seu caminho traçado rumo ao mar."

O Pendurado (Crowley, Egípcio e Cosmic)

Na Alquimia, a Água é considerada o Primeiro Princípio, aquilo que está subjacente a todas as coisas. A vida apareceu nela, confirma a ciência e na água do útero, nos desenvolvemos para depois encontrarmonos com os elementos Ar e Terra. As-

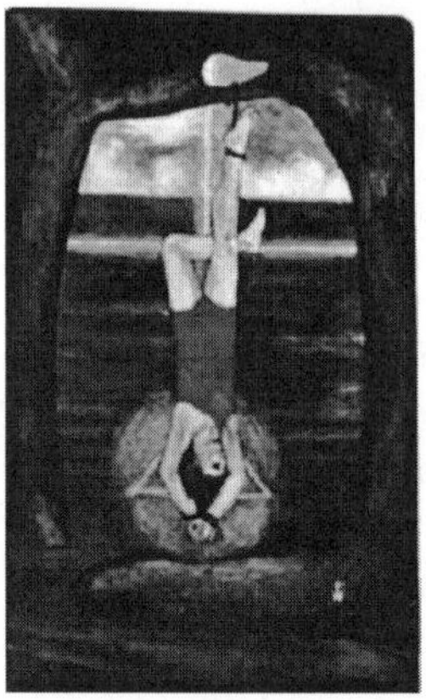

O Pendurado (Golden Dawn)

sim, podemos dizer que a Água é o mais estável e primordial dos elementos.

É a *Prakitri*, a matéria-prima dos hindus, o *Wu-ki*, o caos, a indistinção primeira dos chineses. Representa a sabedoria, a vida espiritual, a eternidade, a pureza e a fertilidade.

A Água representa as emoções profundas e as reações sentimentais num grande leque, que vai dos medos e as paixões compulsivas até o amor livre de apegos e o Amor Universal ou devocional. Está diretamente conectada com o processo de conscientização, através da percepção dos anseios mais profundos da psique. Esta idéia é compartilhada pelos alquimistas, para os quais o elemento Água é consciência, também chamada de Princípio Pensante. A consciência e a Água têm em comum certas propriedades entre as quais está seu movimento ondulatório. Assim, fala-se da "onda da consciência".

Os três signos de água (Câncer, Escorpião e Peixes) são os mais distantes da razão. Estão representados por três animais de sangue frio, seres de baixo nível de evolução, que agem por instinto. São motivados pela emoção e podem ser muito intuitivos, sensíveis e inspirados.

Símbolos: A figura central é um homem pendurado, amarrado por um pé e pregado a três esferas verdes. Suas pernas formam uma cruz e seus braços, um triângulo equilátero. Esta posição é exatamente a oposta da que veremos na mulher da carta do Universo, cuja letra *Tau* se complementa com *Mem*, formando juntas a palavra *Tum*, que significa "perfeito", "firme" e "completo".

Na carta de Waite, o sujeito está dependurado em uma cruz egípcia (que tem forma de T), símbolo da letra *Tau*. Na de Crowley, é um *ank* ou cruz ansata, símbolo da vida e da imortalidade, que segura o pé do homem. O *ank* está de cabeça para baixo, para referir-se a *Mem*, que é considerada a *Tau* invertida. Uma serpente se enrosca no pé esquerdo. É ela que propicia todas as transformações, é o Princípio Criativo e Destrutivo que opera todas as mudanças.

Enfatizando o Três (número do Espírito, da síntese e da Imperatriz), o Pendurado está pregado a três discos verdes, cor atribuída a Vênus. A forma do *ank* e o símbolo de Vênus são muito parecidos. Assim, como os pregos, *Vau*, seguram o Espírito à matéria.[51] O Enforcado está unido ao amor e à vida no sentido mais elevado.[52]

A carta está dividida em dois espaços. A parte superior, onde se acha o *ank*, está banhada por uma luz branca, sutil e evanescente, que irradia desde um ponto central mais elevado.

É a luz de Kether. Este hálito luminoso se manifesta por meio de dois círculos que dividem a área em três espaços, que correspondem aos três mundos cabalísticos: Atziluh, Briah e Yetzirah. A parte inferior mais densa se refere ao mundo material ou Assiah. Nesta parte, temos as Tabelas Elementares que, em número de 400 (10 x *Mem*), representam todas as energias da natureza.

51 - Ver a letra hebraica e os símbolos do Hierofante.

52 - Sem duvidar da coerência simbólica, considero que Crowley não foi muito afortunado pregando seu enforcado, que de imediato lembra a tortura da cruz e traz idéias de sacrifício e redenção.

Todo este "jogo de luzes" está mostrando a imersão da luz na matéria, iluminando-a e ajudando-a a evoluir.

Do *Sahasrara chakra* ou centro coronário 18 (número da Lua), raios de luz iluminam o espaço mais escuro onde morre o ego, dissolvendo-se no Todo. Não esqueçamos que a experiência espiritual de Kether é a Fusão com a Divindade. É justamente neste espaço que a serpente da transformação e da nova vida começa a agitar-se.

O Pendurado mantém seus olhos fechados, indicando que sua atenção está direcionada fundamentalmente para o interior. Sua expressão é de êxtase, não de sofrimento e sua cabeça está raspada, como a dos monges budistas, para indicar que rendeu seu ego.

Significados gerais: Como não poderia ter sido de outra maneira, surgiram muitas deformações na interpretação deste Arcano. A mais divertida foi a de Court de Gebelin que, colocando-o em pé, o viu como símbolo da prudência: com um pé no chão, está decidindo-se onde coloca o outro.

Certos autores, vinculados à doutrina cristã, vêem nesta carta um símbolo de redenção. A redenção da matéria pelo Espírito, das trevas pela luz, dos humanos pecadores pelo Cristo redentor.

Para os tempos que correm, esta idéia não é adequada. Redenção implica dívida, queda, pecado. Que pecado? Em uma era em que "todo homem, toda mulher é uma estrela, o único pecado é considerar alguma coisa como pecado", nos diz Crowley.

O Universo é contínuo, as separações levam ao engano e ao sofrimento. A natureza última do Espírito é a mesma que a dos pensamentos, que a das emoções, que a da matéria física. A aparente diferença é apenas a variação no grau de densidade. O mais denso não pecou, não deve pagar por um crime que não cometeu nem precisa ser redimido.

É a carta da imersão do Espírito na matéria, da luz na escuridão para iluminá-la, para fazer-se um com ela. O Princípio Criativo impregna a manifestação, se dissolve nela.

No mundo humano, seria o consciente entregando-se ao inconsciente. O ser rende sua mente e, sem julgamentos nem preconceitos, se deixa fluir nas emanações de seu coração, com a determinação e o desapego da água em seu caminho para o mar, que é a morte do ego.

Sua vontade pessoal flui e se funde com as emanações do Universo.

É a carta do místico, de quem entrega sua vida ao Amor. É a carta das experiências espirituais. Pode ser a carta do *Samadhi*.

O altruísmo e o sacrifício são idéias que sempre têm acompanhado este Arcano. A renúncia à vontade pessoal deve ser entendida. Quem se entrega à sua natureza íntima, deixando-a direcionar sua vida, se aproxima inexoravelmente de seu Ser Superior ou Supraconsciência, *self* ou Faísca Divina, que está perfeitamente sintonizada com a Totalidade e acaba vivendo o êxtase de ser canal da Divindade. Não cabe dúvida de que este é um caminho de sofrimento do ego, que inventará infinitas ilusões para não ser desativado.

> *Ninguém é uma ilha. Somos todos parte de uma única força vital, parte de uma única existência oceânica. A possibilidade do amor aparece basicamente porque nas profundidades de nossas raízes somos Um só. Se não o fôssemos, não haveria a possibilidade do amor.*
>
> *Osho Rajneesh*

Precisamos estar atentos para não perder a voz do coração. Neste caso, a dor do ego pode passar quase desapercebida, ante a plenitude e a gratificação profunda que se obtêm quando nos entregamos à Existência.

É o caminho da devoção, no qual a pessoa se dá, entrega sua vida a algo maior. Pode ser a seu coração, à Existência, a outra pessoa, a um Mestre Iluminado, a uma causa social, científica ou ambientalista, a um ideal. Parafraseando Karl Marx: "Não tem nada a perder, apenas as correntes; as correntes das crenças e os padrões de comportamento.

Esta entrega não tem nada a ver com obedecer determinadas normas e proibições, seguir cegamente condutas padronizadas, expectativas familiares ou sociais para sentir-se protegido dentro do rebanho, esperando que sejam cumpridas as promessas correspondentes. Isto significaria negar-se a si mesmo, defecar em cima dos próprios potenciais e de nossa essência divina e, em definitivo, sofrer e desperdiçar uma encarnação.

Como esta carta continua impregnada de significados relacionados com o tão exaltado sacrifício, vejamos como este tema é abordado em outros textos:

> *"Eu dou alegrias inimagináveis sobre a Terra, certeza e não fé na vida e na morte, paz inominável, descanso e êxtase. Não exijo nada em sacrifício".*
>
> Nuit — *Livro da Lei*

"O objetivo mais importante dos sábios deveria ser libertar a humanidade da insolência do auto-sacrifício, da calamidade da castidade; a fé deve ser aniquilada pela certeza e a castidade pelo êxtase." (*O Livro de Thoth,* A. Crowley)

Com o Pendurado, já são três as cartas que mostram atitudes interiorizantes; a primeira é a Sacerdotisa, cuja via é contemplativa e meditativa, não tendo interesse na ação nem no movimento. A segunda é o Ermitão, cujo enfoque é fundamentalmente racional e analítico: o consciente rasteja na superfície do inconsciente, procurando e estudando suas expressões.

No Pendurado, o consciente se rende ao inconsciente, deixa que este se manifeste desde seu centro, tomando a iniciativa na ação.

Na Leitura Terapêutica

Momento atual: Como todas as cartas de água, a interpretação está muito determinada por seu ambiente. Pode mostrar uma atitude de profunda conexão com o ser interno, expressão da vontade mais profunda e verdadeira, que universaliza suas emoções, às quais se entrega incondicionalmente. Esta interpretação seria reforçada por cartas como o Sol, a Arte, o Aeon, o Dois de Copas (o Amor) e/ou o Três de Paus (a Virtude).

Acompanhada pela Lua, o Nove de Espadas (a Crueldade), o Cinco de Copas (a Frustração), e/ou o Dois de Paus (o Domínio), poderíamos dizer que é uma atitude auto-imposta, que implica a renúncia às expressões mais autênticas do ser e que entranha altas doses de dor e sacrifício.

Âncora: Este ego é o mártir que imagina que, sacrificando-se, renunciando a seus desejos e opiniões, e dedicando-se submissamente à família, a um trabalho de caráter social, espiritual ou a uma fraternidade não só vai ser aceito, mas reconhecido e elogiado.

Ele faz do sofrimento um mérito e do sacrifício uma condecoração. Tudo em sua vida gira ao redor da renúncia e do sofrimento, especialmente se aparece com o Oito de Copas (a Indolência). Com o Cinco ou o Dez de Copas (a Frustração e a Saciedade, respectivamente), procura amor através do Sofrimento. Com o Dez de Paus ou de Discos (a Opressão e a Prosperidade), reconhecimento profissional ou dinheiro, através do sofrimento e do esforço esgotador.

Com o Cinco de Discos (o Sofrimento) ou o Nove de Espadas (a Crueldade), saúde por meio do sofrimento, cirurgias e jejuns. Alimenta-se de desgraças e consolos.

> *"Nenhuma compaixão para os caídos. Eu nunca os conheci. Não existo para eles. Eu não dou consolo. Odeio o consolado e o consolador."*
>
> Hadit — *Livro da Lei*

Aparentemente, todas ou quase todas as suas ações têm por finalidade ajudar o próximo, mas na realidade é um condicionamento com o qual tenta esconder suas carências e sua compulsiva necessidade de ser aceito. O mártir está geralmente cansado e deprimido, com atrativos pensamentos de suicídio; no entanto, usa os restos de sua energia para continuar a farsa, conterse e não explodir.

Não agüenta mais e confessa sem pudor: "Eu, que sou tão bonzinho, que ajudo todo mundo, que até deixo de comer para dar para o próximo, depois ninguém está nem aí para mim". Existe uma falta de respeito e estima total por si mesmo, produto de uma severa autoanulação, que estaria acentuada com o Cinco de Copas — a Frustração. Imagina que fora das atitudes submissas e da obediência cega a seu pastor, só há um vazio aterrador. É muito provável que mamãe lhe tenha infundido muito medo do mundo além de sua saia: "A rua é perigosa, Zezinho, tem muito tarado à solta".

Provavelmente foi muito castrado em sua expressão sexual, autonomia e capacidade de dizer não. O verdadeiro prazer lhe foi negado, apenas conheceu os sucedâneos. Mamãe lhe cozinhava deliciosas pamonhas, mas não o deixava sair nas noites de Carnaval. Incapaz de mostrar sua raiva, suporta uma enorme tensão e frustração. Por baixo de sua fantasia de "pessoa legal", destila um ódio e uma negatividade tão grandes, especialmente com o Cinco de Espadas (a Derrota), que pessoas mais sensíveis fogem dele. Com o Oito de Espadas (a Rapidez), sente-se sempre à beira da explosão. Com o Cinco de Espadas na Infância e o Cinco de Copas (a Frustração) ou a Princesa de Espadas na Âncora, pode mostrar uma compulsiva auto-inculpação. Esta pessoa pode ter uma estrutura de defesa de caráter masoquista.

Deixar o prazer sempre para depois e equacionar sacrifício e amor, como: "Meu amor só é verdadeiro se eu sou capaz de sacrificar-me por você", são duas crenças que sempre ajudaram a fortalecer o sistema que o Imperador e o Hierofante — todos os dois machos — governam e a manter a humanidade na maior miséria espiritual, material, emocional e cultural. A essência de Centaury amainará sua timidez e suas tendências à submissão e ao servilismo, dando-lhe um maior senso de individualidade, auto-estima e capacidade para dizer não. A de Pine lhe ajudará a se aceitar e se perdoar. Seu medo de perder o controle e suas possíveis tendências suicidas podem ser revertidas com o uso de Cherry Plum. Seu ressentimento e sua permanente queixa de ser injustiçado pode ser tratada com

Willow e seu pessimismo crônico com Gentian.

Necessidade interna: Deixem-me ser eu mesmo!, poderia ser o grito de socorro do ser interno, que precisa expressar seu amor, viver seus ideais sem questionamentos, dúvidas, críticas nem freios.

Relacionamentos: a) É um momento de entrega dos dois. Valentemente, não permitem que a mente coloque obstáculos. Com alegria e confiança, o amor cresce e se eleva. Cada um se entrega ao Universo por meio do outro. b) Esta pessoa tem uma forte tendência a viver em função do outro, adaptando-se a ele como a água se adapta ao recipiente que a contém. Apaixonada de corpo e alma, dedica-se a satisfazer os desejos e expectativas de seu amado. O elemento que determina se esta entrega é saudável ou não é o prazer. As cartas do Momento atual e da Âncora elucidarão o dilema. Em qualquer caso, sempre poderemos casar outra carta para esta posição. O floral de Pink Yarrow* a ajudará a estabelecer fronteiras emocionais sadias a partir da noção de sua individualidade.

Infância: Nada lhe foi dado de graça, só pelo fato de existir e de ser uma criança originalmente espontânea e carinhosa. Cada bocado de atenção e aprovação foi condicionado à renúncia total das próprias iniciativas e de sua capacidade de escolher. Foi criado para obedecer e submeter-se. Escutou muitíssimas vezes "Obedece e cala a boca", em tons ameaçadores e humilhantes. Suas raras compensações eram o consolo depois do castigo e da promessa de que nunca voltaria a cometer tais atos, e a aprovação quando aceitava submeter-se e se humilhar sem reclamar. Acabou fazendo da renúncia, da submissão e da obediência cega sua lei de vida. Sacrificar-se significou garantir sua integridade física e psíquica. Provavelmente foi criado num ambiente onde as obrigações, o trabalho, a seriedade e o respeito pelos mais velhos estavam em primeiro lugar, sem deixar nenhum espaço para a expressão de sua natureza original. "Depois, se sobrar tempo, desfrutaremos assistindo televisão ou comendo doces". O paraíso, o prazer aqui e agora, sempre é adiado, e por enquanto sofremos e nos sacrificamos neste "vale de lágrimas".

> *"Você precisa ser mais líquido, mais fluido, precisa derreter-se, fundir-se mais; você não está aqui para ser um censor. Não tem nada para resolver. Não tome a vida como um problema; ela é um mistério tremendamente bonito. Beba-a, é vinho puro. Embebede-se com ela".*
>
> *Osho Rajneesh – Vida, Amor e Riso.*

Método: Seu trabalho está em resgatar e fortalecer as emoções e fazer delas o verdadeiro guia de seus atos, sem permitir que a mente nem a sociedade coloquem obstáculos. O floral de Deerbrush* nos ajudará a sermos mais sinceros em nossas motivações, transformando a emoção em ação externa. O de Califórnia Wild Rose* estimulará as Forças amorosas de seu coração, ajudando-o a entusiasmar-se com a vida.

Diz Osho Rajneesh: "A melhor maneira de perder a vida é ter uma determinada atitude em relação a ela. As atitudes se originam na mente e a vida está além da mente. As atitudes são nossas fabricações, nossos preconceitos, nosso passado. A vida não é nossa fabricação; pelo contrário, somos apenas ondas no lago da vida..."

Todos temos atitudes, esta é nossa angústia. Todos olhamos a partir de um determinado ponto de vista, por isso nossa vida se torna mais pobre.

Um trabalho rápido e eficiente para desbloquear as emoções é o Renascimento que, lidando fundamentalmente com a respiração, vai amolecendo as couraças toráxicas que bloqueiam as emoções.

Sugerimos também a meditação do rio: a pessoa se deita comodamente no chão, na posição do Pendurado, colocando um pequeno travesseiro nas costas para abrir mais o plexo solar e facilitar uma respiração mais profunda. Se não há um rio próximo, coloque uma música bem suave, com fundo de água, ou deixe uma torneira aberta. Imagine-se flutuando no rio, deixando-se levar pela correnteza: entrará e sairá dos redemoinhos, saltará nas cascatas, descerá os rápidos, fazendo-se um com o rio; seguindo seus meandros, irá aproximando-se do mar, deixando-se ir suavemente até sentir seu cheiro, seu sabor, dissolvendo-se, entregando-se, tornando-se onda, espuma, peixe. Virando imensidão, abrangendo o mundo, nutrindo-o, derramando seu amor para todos os lados.

Caminho de crescimento: Neste momento, o consulente percebeu até que ponto está anulando-se, renunciando a si mesmo e à sua vida em função de determinados padrões de comportamento. A partir daí, irá se soltando, se permitindo ser mais ele mesmo, dando valor a seus impulsos e emoções e entregando-se mais à vida.

Resultado interno: O consulente venceu seus medos e hoje agarra o touro da vida pelos chifres. Encara o Minotauro. Seu inconsciente desabrocha como um campo de papoulas na primavera.

Não existe tensão, a vida simplesmente acontece. Esta pessoa achou seu Zen. Sua vontade interna se funde com o Cosmo.

"O ser se entrega, se integra, se reintegra no Fluir Cósmico onde tudo repousa, flui, vibra, sorri e dança.

Desaparecem as polaridades, os opostos se complementam, os antagônicos se nutrem entre si.

Tudo torna à Unidade, à Divindade fora da qual nada existe."

Resultado externo: Vemos o consulente devotado em suas atividades, nas quais derrama sua mais pura emoção. Entrega-se ao mundo, comunicando-lhe seu amor, sua compaixão, com consciência do sentido universal que sua vida tem. Pode estar dedicando-se a uma Força maior. O uso de Centaury o ajudará a não perder a consciência nem a responsabilidade consigo mesmo.

A Morte

Títulos: Esta foi, durante séculos, a carta mais temida do Tarô, tanto que, em alguns baralhos, como o de Marselha, aparece sem título.

No Tarô Egípcio, preferiram chamá-la "A Imortalidade", deslocando seu significado. Na imensa maioria dos Tarôs, aparece como "A Morte".

Seus títulos esotéricos são "O Filho dos Grandes Transformadores" e "O Senhor dos Portais da Morte".

Número: A Morte é o Arcano Treze. Este número era e é considerado popularmente como um indicativo de má fortuna e de todo tipo de desgraças.

Os desenhistas dos baralhos antigos deixavam muitas vezes em branco o lugar onde deveria constar este número.

Toda esta apreensão ao Treze tem sentido. Se o Doze nos passa a idéia de

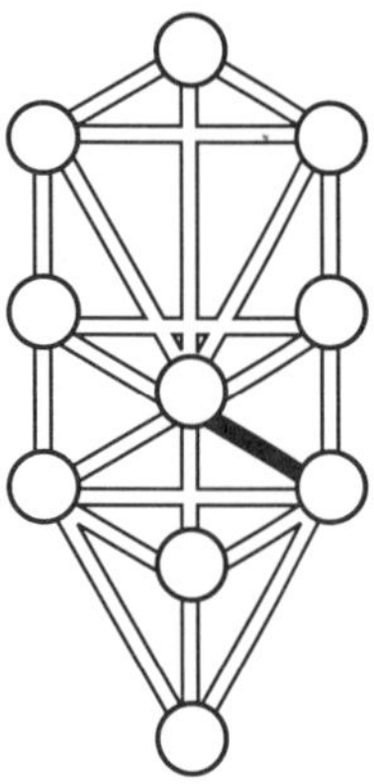

O Caminho 24º

segurança, de algo que está completo e estruturado, o Treze significa a ruptura de tudo isso para, arriscando-se a enfrentar o desconhecido, continuarmos a evolução.

Podemos dizer que a destruição é um fenômeno inerente à evolução.[53] Assim, o Treze está relacionado com a morte do velho para dar lugar ao novo. Isto dava muito medo aos antigos, que diziam: "Mais vale o ruim conhecido que o bom por conhecer."

Para os astecas, o Treze era o número que regulava os ciclos do tempo: suas semanas tinham treze dias e seus séculos 54 anos, isto é 13 vezes 4.

Letra hebraica: נ

A letra atribuída à Morte é *Nun*. É uma das letras que tem forma e um valor distinto quando aparece no final da palavra. Neste caso, deixa de valer 50 para valer 700, que, segundo o cabalista Suares, é "o princípio da indeterminação, em que a própria vida está em jogo".

Nun, que significa "peixe", também se pode traduzir como "perpetuidade", "crescimento progressivo" e "prolífico", que são idéias associadas à enorme capacidade de procriação que os peixes têm.

Como verbo, se traduz como "brotar", "germinar" e "gerar", e está associado à força procriadora.

É uma letra masculina, de cor azul-esverdeada, que corresponde ao nosso N. Hieroglificamente, representa o novo, jovem, gracioso e belo.

A Morte (Marselha e Waite)

Caminho cabalístico: O caminho de *Nun* une *Netzach* (a Vitória, a emanação da energia vital associada à arte, ao amor, aos sentimentos em geral e à Natureza) com *Tiphareth* (a Beleza, o centro, o Sol).

Este é um dos caminhos que unem a personalidade com o Ser Superior, transcendendo a esfera do desejo de *Netzach* para integrar-se no amor de *Tiphareth*. O Eros se transforma em Filos.

Neste caminho, a energia da personalidade projetada pelo Ser Superior é absorvida na morte física ou reconceituada numa iniciação. Diz-nos o *Sepher Yetzirah*:

> *"O vigésimo quarto caminho é a Consciência que Faz Aparecer (*Sekhel Dimyoni*). Chama-se assim porque dá uma aparência a todas as aparições criadas, de forma apropriada a sua estatura".*[54]

Em outras palavras: a beleza concreta e percebida no objeto do desejo não é outra coisa que o reflexo da beleza do Eu Superior e este caminho as une.

Atribuição astrológica: Escorpião é o signo da Morte. Sendo de Água,

53 - Esta afirmação, sem deixar de ser correta, é também muito perigosa. A destruição, produto da violência humana e não do ajustamento natural do cosmo é o fator mais importante da involução.

54 - Em outras versões é a Inteligência Imaginativa, assim chamada por dar semelhança a todas as similitudes que são criadas de maneira idêntica às suas próprias elegâncias harmoniosas.

> *Nun significa o aumento contínuo e interpenetrante da Verdade na consciência do indivíduo que abre o coração, a mente e a vontade para o influxo eterno da Sabedoria e o Amor que liberta eternamente.*
>
> *Arquétipos da Árvore da Vida*
> *– Madonna Compton*

tende a dissolver as formas, dando lugar a uma recombinação de elementos que dá lugar a novas criaturas. É um signo fixo e está governado por Plutão, o transformador, e por Marte.

No corpo humano, rege a bexiga, o ânus, os genitais e o nariz. Há quem diga que também governa o útero, que outros atribuem a Câncer.

Seus nativos são geralmente exaltados, com intensas emoções e desejos, e de forte vontade e instintos sexuais. Gostam de lutar e superar os obstáculos.

Sem chegar a ser sonhadores, sentem uma certa atração pelo misterioso e o oculto. São muito criativos e possuem uma excepcional capacidade de trabalho, de maneira que quase sempre conseguem o que querem, já que também são obstinados e sabem concentrar-se no que estão fazendo. Quando algo interfere em seu caminho, se irritam tanto que podem explodir perigosa, destrutiva e autodestrutivamente. Têm fama de vingativos, ciumentos e invejosos. Mas também são seres sensíveis, vulneráveis e, embora queiram mostrar-se auto-suficientes e solitários, têm uma enorme necessidade de relacionar-se.

Um nativo de Escorpião não gosta de superficialidade. Sua sensibilidade acentuada lhe permite perceber a falsidade e a hipocrisia do mundo, contra as quais se revolta, às vezes de maneira impulsiva e violenta. Geralmente se entrega apaixonadamente a tudo o que faz, colocando aí todo seu potencial e energia.

Tem tendência a sofrer de enfermidades infecciosas e problemas no aparelho urinário e genital. Corre o risco de envenenar-se e de ter que passar pela mesa de operações.

Seu verbo é "Eu desejo" e sua frase: "Eu uso meu poder interno construtivamente na autotransformação e na cura".

Símbolos: A figura central da carta é um esqueleto, personificação da morte, não como um estado final, mas como um corredor que leva a uma nova forma de vida. O esqueleto é também considerado símbolo do conhecimento que atingiu aquele que atravessou a fronteira do desconhecido e que, por meio da morte, penetrou nos segredos do além. Noutro nível, simboliza a brevidade desta vida.

A Morte (Crowley, Egípcio e Cosmic)

Os ossos do corpo humano são governados por Saturno, que representa a estrutura básica das coisas: a energia que dá forma aos seres até chegar ao grau má-

Escorpião (Jofhra)

ximo de densidade e solidez. Um de seus nomes é "O Senhor das Pedras".

O esqueleto, com sua foice saturnina (com a qual Cronos castrou seu pai, Urano, para tomar o poder), está coroado com o capacete de Osíris. Este deus egípcio, neto de Ra, representava originalmente a força da vegetação. Segundo o mito, foi um rei que, com sua irmã e consorte Ísis, civilizou seu povo de caçadores nômades. Ensinou-lhes a agricultura, a fabricação de ferramentas, a manufatura do pão, o cultivo da uva, a elaboração do vinho e da cerveja de cevada. Fundou templos, estimulou as artes e promulgou leis. Ciumento de sua obra e de seu poder, seu irmão Set, representado freqüentemente como um porco negro que devora a Lua, preparou-lhe uma armadilha, trancando-o numa arca, e o jogou no mar. Ísis, sabendo que a alma do morto não pode descansar até que o corpo tenha recebido um enterro adequado, saiu imediatamente em sua procura e o achou em Biblos (Fenícia). Retornou ao Egito, ocultando-se nos pantanais do delta.

No entanto, numa noite de caça, Set, que tinha usurpado o trono, descobriu a arca, a abriu, esquartejou Osíris em 14 pedaços, que jogou no Nilo, esperando que os crocodilos os devorassem, e assim Osíris jamais teria acesso à vida eterna. Os jacarés não se atreveram a merendá-lo e Ísis conseguiu resgatar 13 pedaços (o pênis foi comido por um peixe), com os quais, e com a ajuda de Anúbis e Thoth, reconstituiu seu corpo, embrulhando-o com vendas.

Sob a forma de um milano, Ísis insuflou, com suas asas, vida à alma de Osíris, que assim se liberou para ir para o outro mundo. Ainda sob esta forma e usando sua magia, concebeu um filho póstumo, Hórus, que depois se vingaria do assassino de seu pai.

A partir daqui, Osíris foi identificado com o Sol noturno, que morre cada noite para ressuscitar no dia seguinte, transformando-se no deus dos mortos, da morte e da ressurreição. Como deidade fúnebre, Osíris foi um dos mais reverenciados e populares deuses egípcios. Representava a necessária aniquilação prévia que faz possível a aparição de uma nova vida, tal como a semente se decompõe para germinar.

Este processo de aniquilação e renascimento está explícito também na dança do esqueleto (e a dança é um dos melhores caminhos para desativar o ego), que com sua foice destrói o existente e cria uma série de borbulhas, formando novas figuras que passam a fazer parte do grande baile da vida e da morte.

Os alquimistas falariam em putrefação: "A putrefação é a morte dos corpos e a divisão das matérias do composto, que as leva à corrupção e as dispõe para a geração". *(Dictionaire Mytho-hermetique*, Pernety, Paris, 1787)

Ísis e Osíris

A putrefação significa a destruição das formas, para que a vida renasça de outra maneira. A forma se vai, mas a essência permanece para tomar outras formas. Na verdade, é a morte que dá continuidade à vida, que, sem mudar, estaria estagnada. A morte não é senão o processo contínuo de destruição, sem o qual nada pode chegar a existir.

Aos pés do esqueleto aparece um escorpião, a seu lado uma serpente e acima uma águia. Estes três animais expressam a mesma idéia de transformação em três níveis diferentes.

No escorpião, o acento está colocado na destruição. Depois da cópula, o macho é morto pela fêmea. Quando as crias nascem, seu primeiro alimento são as vísceras de sua mãe. Vemos aqui como a vida da espécie — e portanto de seus indivíduos — está perfeitamente unida e determinada pela morte destes mesmos indivíduos. Rodeado de fogo ou ante um grave perigo, este aracnídeo prefere se matar, dando-se uma estocada com seu ferrão. A vida e a morte, a criação e a destruição são os dois lados da mesma moeda.

É interessante que o signo de Escorpião, no hemisfério boreal, cai no outono, época em que grande parte da vegetação morre, se decompõe, fermenta, às vezes, embaixo da neve, e é nesta nova matéria-prima caótica — o húmus — que se prepara o renascimento para uma nova vida.

De ambos os lados do escorpião vemos duas flores: à direita, um botão de ópio e, à esquerda, uma flor de datura, que estão aí para reforçar a idéia de destruição. Sabemos que o uso de certas plantas, apesar de supor um desgaste para nosso organismo, podem ser de notória ajuda em momentos específicos de nosso caminho evolutivo. No entanto, estas duas são tremendamente destrutivas, física e psiquicamente.

Os antigos acreditavam que a serpente, "A Senhora da Vida e da Morte", era imortal. Na verdade, apenas mudava de pele. Este animal primitivo está presente em todas as culturas. Sua riqueza simbólica exigiria por si só um livro.

Em primeiro lugar, encontramo-la como "Senhora do Princípio Vital", fora do tempo, anterior a todos os deuses; ponte ou canal entre o Caos e o Cosmo. Nela, o Espírito tem de submergir-se para regenerar-se e dar frutos. É o reservatório ou potencial onde se originam todas as manifestações e transformações. Segundo uma das mais antigas tradições da bacia mediterrânea, a serpente Atum, emergindo das águas primordiais, cuspiu toda a criação. Outra versão disse que, se masturbando, ejaculou-a.

Na antiguidade neolítica, a serpente era um constante e principal símbolo da Grande Deusa, tanto em Creta como no Oriente Médio.

Na Mesopotâmia, num sítio arqueológico do século XXIV a.C., foi descoberta uma representação da Deusa com uma serpente enroscada na garganta. No Extremo Oriente, vimos os *najakals*, relacionados com os cultos tântricos ao feminino. No Egito, a deusa serpente Ua Zit seria a criadora original do mundo. Em Canaã, a deusa Astarte era representada com uma serpente, etc., etc.

Com o advento do patriarcado e seus deuses masculinos de guerra, vingança e morte, os símbolos da Deusa, em geral e a serpente em particular foram assimilados pelos novos cultos para "legitimar" o poder dos novos governantes e lembrar a derrota da antiga ordem matrilinear e da Deusa, ou foram simplesmente degradados e difamados.

Assim, na mitologia grega, ao lado de Zeus, a serpente se torna um símbolo do novo poder. Aparece no escudo de Atena. Existem sérias razões para se supor que na Arca da Aliança, o símbolo mais sagrado da religião judaica, havia uma serpente de bronze, feita no deserto pelo próprio Moisés, que representava Jeová e que era cultuada no templo de Jerusalém, junto com sua esposa, a Deusa Asherah.[55]

Este culto existiu até que, durante a perseguição religiosa realizada pelo rei Ezequias (aproximadamente em 700 a. C.), a serpente foi retirada do templo e destruída.

Zeus derrota o monstro Tifão, mas não o mata, manda-o para baixo do vulcão Etna, onde continua cuspindo fogo; Apolo extermina a serpente Piton; Hércules mata Ladon; Baal, deus fenício do furacão, submete a serpente Lotan; Jeová mata a Leviatã; etc.

No cristianismo, Maria mata a serpente pisando-lhe a cabeça, dando continuidade ao mito hebraico segundo o qual a serpente, agora símbolo da luxúria e a mulher seriam as causadoras de todas as dores da raça humana: "A serpente que, tendo seduzido o pudor virginal de Eva, inspirou-lhe o desejo do coito bestial e de toda a impudência e de toda a prostituição bestial dos homens" (Jacob Boehme. Paris, 1945), O feminino é mutilado e degradado ainda mais, acabando como um sombrio e ridículo espectro de si mesmo, com a música de fundo de um tango de Carlos Gardel.

Em muitas tradições, a serpente é um antepassado mítico que trouxe diversos conhecimentos, ajudando na evolução da espécie humana.

Sua forma mais conhecida é Quetzalcóatl (a Serpente Emplumada), de origem tolteca, retomada mais tarde pelos astecas. Na África, existem inúmeros exemplos. Em todos eles, esta serpente simboliza o poder da sabedoria que transformou suas civilizações.

Minoana, deusa cretense da terra, do céu e do mar.

A serpente é também um símbolo de fecundidade. Na Índia, as mulheres que desejam ter um filho adotam uma naja[56]. Conta-se que os antigos tupis-guaranis chicoteavam os quadris das mulheres estéreis com serpentes para fazê-las fecundas. Em Angola, certas tribos colocam uma serpente de madeira embaixo da cama nupcial para garantir a fecundação.

Há quem veja na serpente um símbolo viril em suas aparições repentinas, enrijecida e erguida para lançar seu veneno. Podemos considerá-la sexualmente ambivalente: seu corpo é fálico e suas roscas são vaginais.

"A serpente é um vertebrado que encarna a psique inferior, o psiquismo escuro, o que é estranho, incompreensível e misterioso." (*L'homme à découverte de son âme: Structure et fonctionement de l'inconscient.* C.G. Jung)

Podemos considerar a serpente como o Princípio Vital Primordial, atemporal, anterior ao masculino e feminino.

A águia, símbolo de Zeus, é "a Senhora do Trovão e do Raio", tanto na fria Sibéria quanto nas pradarias norte-americanas, no Japão, China, África, México, etc. Bruxos, sacerdotes, reis, heróis e especialmente exércitos a usam como emblema e com a intenção de participar de seus poderes.

Várias penas de águia amarradas num pauzinho é um dos instrumentos

55 - Ver, de Campbell, *A imagem mítica* (Campinas, Papirus, 1994).

de cura mais usados nas tribos de índios norte-americanos.

Capaz de encarar a luz do Sol frontalmente, a águia é um símbolo de clarividência em muitas culturas. Os gregos, romanos, persas e os beduínos do deserto interpretam o vôo das águias como premonição ou expressão da vontade divina.

Esta ave de rapina representa aquilo que está acima da matéria, livre das ataduras das leis do mundo material, e simboliza elevação espiritual e pureza. Representa a essência do ser humano: livre, eterna e divina.

Atingir a águia, entregar-se à essência é o resultado final da transformação. É a nova vida que surge depois da putrefação, é o estado da águia do qual fala don Juan:

> *"Eu já me entreguei ao poder que rege meu destino e não me prendo a nada, para não ter nada que defender.*
>
> *Não tenho pensamentos, para assim poder ver.*
>
> *De nada tenho medo, para assim lembrar-me de mim mesmo.*
>
> *Desprendido e natural, eu passarei pela Águia para me tornar livre".*
>
> *O Presente da Águia*
> — Carlos Castañeda

Ao lado da serpente aparece o peixe, tradicionalmente símbolo da vida, da fecundidade e da prosperidade, devido à prodigiosa capacidade de reprodução, colocando milhões de ovas. Deve ser o peixe que comeu os genitais de Osíris.

Na antiga Ásia Menor, o peixe era considerado o pai e a mãe da espécie, enquanto que na Síria era atributo das deusas do amor, passando na Grécia a ser, com a forma do golfinho, um atributo de Afrodite e associado também ao culto de Apolo, dando nome a seu templo oracular de Delfos.

Na China, é símbolo de boa fortuna. Para os indígenas da América Central, representa o deus do milho e, antes que a Igreja Cristã adotasse a cruz como seu símbolo principal, os cristãos primitivos usavam o peixe para representar Cristo e suas comunidades.

Significados gerais: Esta carta simboliza o Princípio Universal da Transformação, que exige a morte do velho, do que perdeu sua capacidade de pulsar no ritmo cósmico e que só por meio da destruição voltará a ser energeticamente vivo.

Um astrofísico poderia muito bem ver, no movimento ondulante da foice, o papel dos cometas que arrastam em sua cauda aqueles corpos celestes que perderam energia e estão velhos e desvitalizados. Aí acontece toda uma série de processos de aglomeração e separação de partículas, de reestruturações físico-químicas, de acumulação de energia devida ao movimento da cauda, à influência do núcleo e à captação de energia de estrelas próximas. Quando os novos corpos atingem um potencial cinético suficiente para tornar-se seres independentes, se desprendem do cometa, ao libertar uma parte de sua cauda.

Na antiguidade, os cometas eram considerados um mau presságio, anunciadores de catástrofes, mortes, epidemias, guerras, fomes, etc. Hoje são observados como premonições de grandes transformações, não necessariamente espantosas.

No mundo humano, a Morte representa uma profunda transformação. Não se trata apenas da substituição de determinados valores, critérios ou há-

56 - Naja: Serpente Ápside.

Shiva Nataraj

bitos de comportamento por outros, mas algo muito mais profundo, que seria a morte do robô, do sinistro andróide programado para sofrer, e a recuperação da essência do ser representada pelas borbulhas. Este é o momento em que começa a destruição das couraças onde se cristalizaram todo tipo de bloqueios, medos e traumas. As tensões musculares são aliviadas e os padrões de comportamento desmascarados. A armadura repressora começa a rachar-se e pelas fendas aparecem as borbulhas essenciais do ser mais autêntico.

É interessante fazer notar que a dança que leva ao transe é um meio de se libertar dos condicionamentos familiares e sociais, levando o sujeito a tomar contato com sua verdadeira natureza. Assim era nos rituais dionisíacos, no antigo Egito, com os dervixes rodopiantes,[57] com as danças xamânicas, etc. Na Índia, Shiva, o transformador, é representado como Shiva Nataraj, aquele que, dançando, mata seu ego.

57 - Confraria muçulmana *mawlawiyya*, praticantes do sufismo.

Neste sentido, podemos afirmar que o rock salvou a humanidade de um desastre nuclear. Foi em momentos álgidos da Guerra Fria, quando a mídia estava disposta a levar os jovens para novas guerras, que os roqueiros, com uma nova linguagem e ritmo, colocaram a juventude para bailar, alquimizando e dissolvendo a raiva e frustração que seriam utilizadas pelas agências de inteligência para destruir ainda mais o planeta. Podemos agradecer a Lennon, Hendrix, Joplin, Morrison, Jagger, Page, Dylan, Raul Seixas, Pink Floyd e muitos, muitos mais.

Na Leitura Terapêutica

Momento atual: O consulente está vivendo uma profunda transformação, que tem grandes possibilidades de acontecer em todos os aspectos de sua vida, já que, sendo uma mudança interna, vai refletir-se em todos eles. De todo modo, a carta contígua pode mostrar-nos o aspecto em que este processo se dá com maior intensidade. Se a energia da segunda carta não é compatível com uma transformação, estará mostrando a tendência ou o bloqueio que a dificulta.

Âncora: A carta nos mostra um ego que nunca conseguiu acompanhar as transformações dos tempos; não integra em sua vida a necessidade de mudar. Esta pessoa fica presa ao passado e aos padrões de comportamento, com os quais se identifica. Imagina que, se os muda, seu eu desaparece e morre.

Sugerimos-lhe o uso do floral de Sagebrush*, que não só facilita a ruptura com os velhos hábitos e falsas identificações, como ajuda a reencontrar a essência e a verdade interna. O de Walnut é aconselhável também aqui, pois proporciona ao ser interno, nestes momentos de difícil transição, a necessária coragem para se libertar do passado e das idéias alheias. É especialmente indicado se esta pessoa está muito influenciada pela família, como indicaria um Dez de Copas (a Saciedade) na Âncora ou na Infância.

Esta pessoa vai somando uma enorme necessidade de transformar-se com uma dificuldade não menor para fazê-lo, gerando uma tensão que dificulta ainda mais a possibilidade de realizar transformações conscientes.

Uma segunda carta pode indicar-nos como esta tensão pode se manifestar:

- Com cartas coercitivas como o Quatro e o Oito de Espadas (a Trégua e a Interferência), simplesmente não existe transformação, podendo aparecer somatizações e um estado de depressão crônica e velhice prematura. Neste caso, recomendaremos também o floral de Cayenne, que é como uma faísca catalisadora que propicia uma resposta energética intensa, capaz de superar os bloqueios em processos de transformação.
- Com a Princesa de Espadas, poderia dar uma atitude defensiva, crítica, desconfiada e agressiva frente a tudo que é novo. O floral de Oregon Grape* dissolve este padrão de desconfiança.
- Com a Princesa ou o Oito de Paus (a Rapidez), veríamos explosões inconscientes em que o consulente joga a casa pela janela, querendo mudar sua vida da noite para o dia. Nestas compulsões geralmente leva umas belas bofetadas, que o levam a retroceder. Para ele, mudar significa explodir, e morre de medo de fazê-lo. Neste caso, a flor de Cherry Plum o ajudará a se entregar mais à vida e a gerenciar melhor seus desafios.
- Com o Cavaleiro ou a Rainha de Espadas e especialmente com o Imperador na Infância, pode indicar que a tensão se projeta no mundo externo. Em vez de transformar sua vida, quer mudar o mundo; tudo lhe parece caduco e sufocante, nada serve, nada positivo existe. É um inconformista convencido, que coloca no mundo suas próprias insatisfações. Em sua revolta, se destrói e destrói seu ambiente. Poderíamos recomendar-lhe o uso de Saguaro*, especialmente se é um adolescente.
- O Quatro de Discos ou de Copas (o Poder e o Luxo) mostram como o apego aos aspectos materiais, que podem dar-lhe segurança, na verdade o enclausuram, não o deixando mudar. O uso de Trillium libera a excessiva quantidade de energia direcionada para a acumulação de poder pessoal e riquezas materiais, podendo ser canalizada para ajustar-se melhor à realidade impermanente das coisas.

Necessidade interna: Aqui temos uma urgente necessidade de mudar profundamente. O ser interno está sufocado embaixo das couraças e dos modelos de comportamento que em nada refletem sua natureza. Com cartas como o Nove de Espadas (a Crueldade) ou o Oito de Copas (a Indolência) no Momento atual, indica uma situação crítica: ou o consulente muda ou as tensões internas podem acabar com ele, física e/ou psiquicamente.

Relacionamentos: a) A relação atual está sendo um grande desafio para se transformar, para abandonar caducos dogmas e padrões de comportamento. Se quer continuar com seu parceiro, precisa mudar, agindo a partir de sua verdade interior. b) Mostra uma tendência compulsiva a mudar de parceiro como de blusa. Quando a relação exige uma transformação para tornar-se mais íntima e profunda, a pessoa prefere mudar de companheiro(a).

Infância: Nesta posição, este Arcano pode significar a morte física de algum de seus pais, irmãos ou alguém muito próximo e cuja separação marcou intensamente a criança, especialmente se está acompanhada de um Três de Espadas (a Dor). O uso de Bleeding Heart* pode ser muito efetivo.

Método: Chegou a hora de romper as velhas couraças defensivas para se contatar e expressar-se a partir da essência do ser. Esta transformação significa também o abandono de velhos padrões de comportamento, hábitos e rotinas, dando mais atenção à verdade interior.

Sugerimos terapia, especialmente desprogramação infantil, pois nela estão enraizados os velhos padrões, crenças e medos. O floral de Morning Glory* pode ajudá-lo a se desprender dos hábitos mais destrutivos.

Um bom ponto de partida é desautomatizar cada ato, cada gesto, cada pensamento, colocando atenção em cada coisa, especialmente na respiração, tentando fazer de cada instante algo irrepetível.

Primeiro você tem que dançar, pois na dança sua couraça cai. Primeiro tem que gritar de alegria e cantar, para que a vida se torne mais vital. Primeiro tem que fazer catarses, para que tudo o que você reprimiu seja expulso e o corpo se purifique das toxinas e dos venenos, para que a psique também seja purificada dos traumas e das feridas.

O Livro Orange – Osho Rajneesh

Caminho de crescimento: Estamos em plena transformação do consulente: mudanças internas que se refletem no mundo externo. Podemos vê-lo tomando atitudes mais autênticas, firmes e profundas.

Kali.

Acompanhada pelo Ermitão, indica que esta transformação é o resultado ou ocorre paralelamente a um processo de auto-análise. Com a Princesa de Copas, mostra um despertar da criatividade e da capacidade de expressar os sentimentos. Com o Três de Espadas (a Dor), indica que o consulente pode ser rejeitado por pessoas que não aprovam suas mudanças.

Resultado interno: Representa a morte do robô programado e desconectado de si mesmo. Podemos pensar que o consulente recuperou sua essência e está expressando-se com maior autenticidade.

Resultado externo: Vemos o consulente direcionando sua energia para a transformação de seu ambiente, como continuação natural de suas mudanças internas. Firmemente apoiado em sua verdade interior, leva adiante suas propostas.

A Arte

Títulos: É uma das 17 cartas que, sem título, se conserva do Tarô de Gringonneur. É interessante observar que no Tarô Florentino aparece (com o número VI) com o título de "A Temperança", enquanto que, com o VII, temos a Força, com o VIII, a Justiça, com o XVI, a Esperança, com o XVII, a Prudência, com o XVIII, a Fé e com o XIX, a Caridade. Isto faz pensar numa adequação dos títulos originais às virtudes do cristianismo. No de Marselha e na maioria dos tarôs de nossos dias, continuamos com a Justiça, a Força, a Temperança e a Estrela — que para muitos autores continua significando "esperança". Destas quatro cartas, as três primeiras foram rebatizadas por Crowley, chamando-as "o Ajustamento", "o Tesão" e "a Arte", respectivamente.

Seus títulos esotéricos são "A Filha dos Reconciliadores" e "O Impulsionador da Vida".

Número: A Arte é o Arcano Quatorze. Duas vezes Sete é a união de duas entidades puras que, completando em si mesmas um ciclo, atingem juntas um novo estado de perfeição.

Letra hebraica: ס

Sameck simples e azul, de valor 60 (igual a "visão" e "provar pelo fogo"), está atribuída à Arte. Corresponde ao S de nosso alfabeto.

Significa "suporte", "apoio", "coluna", "sustentar" ou "estabelecer".

Hieroglificamente, representa uma serpente mordendo seu próprio rabo: é aquela que se alimenta de sua própria substância.

O uróboro de Benin.

A Temperança (Marselha e Waite)

É o Uróboro abraçando o Cosmo em um imenso círculo contínuo, evitando que se desintegre, tal como um útero que preserva a vida. Este é um dos símbolos mais antigos que se conhece. Representa a manifestação e a reabsorção cíclica, a união sexual e a autofecundação permanente. É a perpétua transformação da morte em vida e da vida em morte, a morte que sai da vida e a vida que sai da morte.

Outra interpretação mostraria a união do mundo animal (a serpente) com o mundo espiritual (o círculo). Existiria aqui uma espécie de união de opostos que se vê mais clara em algumas representações em que a serpente é metade branca e metade negra, tal como vimos na ilustração do Número 1, atribuído ao Mago.

Caminho cabalístico: O caminho de *Sameck* leva o iniciado de *Yesod* (o Fundamento, os alicerces, a esfera da Lua) até *Tipharet* (a Beleza, a visão da harmonia, a esfera do Sol).

É um caminho vertical, equilibrado na coluna central da Árvore e considerado um dos caminhos mais

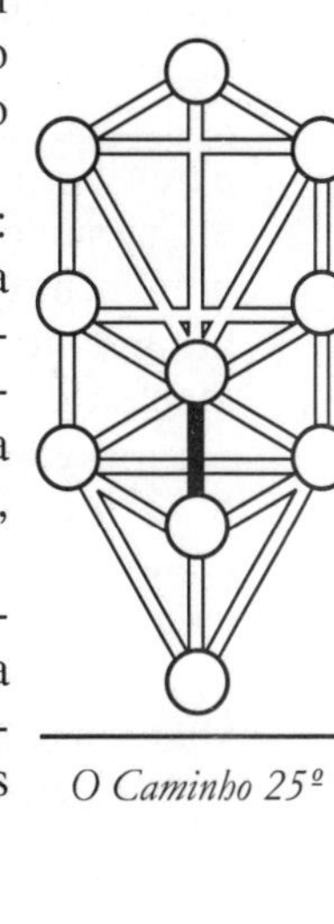

O Caminho 25º

A Arte (Crowley)

importantes e difíceis da cabala prática; onde é vivenciada uma parte fundamental da Grande Obra. Trata-se, em termos alquímicos, da destilação do negro. Indo da Lua para o Sol, conecta a personalidade ou psiquismo astral de *Yesod* com a consciência intuitiva e o Eu Superior de *Tiphareth*. Lemos no *Sepher Yetzirah*:

*"O vigésimo quinto caminho é o da Consciência da Prova (*Sekhel Nysioni*) e é chamado assim porque é a tentação original com que Deus prova a todos seus Santos".*

Aqui, o caminhante submete e verifica suas crenças nos desafios da vida quotidiana, estabelecendo (Sameck) sua própria verdade em um processo contínuo de tentativas e erros. Assim, ele vai entrando em contato com seu Eu Superior.

Atribuição astrológica: Atribuímos o signo de Sagitário ao Arcano XIV.

É um signo de Fogo, mutável, regido por Júpiter. Governa, no corpo humano, os quadris, as costas e as nádegas.

Seus nativos possuem excelente e transbordante vitalidade, o que supõe uma grande necessidade de atividade e movimento. De temperamento entusiasta, ardente e impulsivo, são enormemente extrovertidos.

Sagitário, que significa "arqueiro", é representado por um centauro armado, assim como Diana, deusa da caça e da Lua, de arco e flechas.

O sagitariano aborda a vida como uma aventura, uma viagem, uma procura. Seu passatempo é fazer desta viagem uma jornada interessante, variada, expansiva; cheia de novidades, encontros e conhecimentos. Sente uma verdadeira fascinação pelo desconhecido, pelo risco e pelo jogo. Adora viajar e tudo o que é exótico e distante. Tem caráter alegre, jovem e otimista; de maneira que se relaciona com facilidade, embora seja também inconstante e superficial.

O mundo da segurança, das rotinas domésticas e da tranqüilidade não o satisfaz. Precisa fixar objetivos para conquistar, superar seus limites e viver em contínua mudança.

É um excelente ator, porém sincero e franco. Seu sentido elevado da justiça pode levá-lo a questionar o sistema social. Sua missão é transmutar e impulsionar. Tem tendência a sofrer de ataques de ciática, gota, reumatismo, problemas nas articulações e também de tumores e enfermidades hepáticas. Como bom jupiteriano, não sabe colocar seus próprios limites e cai em exageros sempre destrutivos.

Seu verbo é "Eu vejo" (visão = 60 =

A Temperança (Egípcio e Cosmic)

Sagitario (Jofhra)

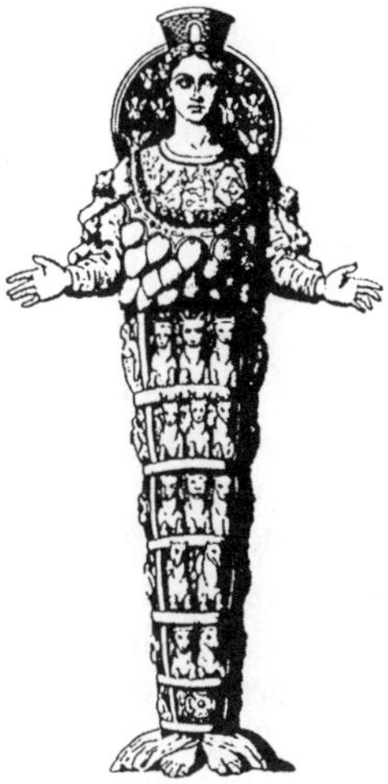
Diana de Éfeso

Sameck) e sua frase integradora é: "Eu manifesto a sabedoria interior e vejo o supremo nas coisas mais simples".

Símbolos: A figura central da carta é a própria Diana, a caçadora, a dos muitos peitos, tal como foi cultuada em Éfeso (Ásia Menor, hoje Turquia), representando provavelmente o feminino de uma maneira mais global: a Grande Deusa, que a todos dá a vida e também a morte.

Os guerreiros arianos que invadiram a bacia mediterrânea, até então (2500 a.C.) fundamentalmente matriarcal, casaram seus deuses de guerra e morte com as deusas nativas, mas não consideraram oportuno manter o culto à Grande Deusa ou Grande Mãe e, como não puderam eliminá-lo, simplesmente o desmembraram.

Diana representa a estrutura natural, o suporte (Sameck) do fluxo e refluxo da Existência.

Lembram-se dos Amantes? Bem, aqui a mulher integra o rei negro e a rainha loura que se casavam no Arcano VI, atribuído a Gêmeos, signo oposto e complementar de Sagitário.

Assim, uma parte de seu rosto é negra e a outra é branca. O lado de rosto branco tem o cabelo e o braço negros e a coroa dourada do rei, com um rebite de prata. O outro lado tem o cabelo loiro, com a coroa prateada da rainha, com uma marca de ouro e o braço branco.

A mão esquerda (feminina) branca segura a copa de prata da rainha e a direita (masculina) tem a lança do rei, sob a forma de uma tocha acesa.

Sua roupa é de cor verde para indicar que ela, como a Imperatriz, favorece o crescimento vegetal e a criatividade. Nela se misturam as abelhas e as serpentes das roupas do casal real.

O Leão e a Águia aumentaram de tamanho e aquele trocou seu sangue com o glúten branco desta.

Os símbolos polares dos Amantes estão aqui perfeitamente complementados, equilibrados, contrabalanceados e intercambiados. Não é apenas uma soma de polaridades, mas uma fusão e complementação profunda dos Princípios Masculino e Feminino.

Cada um destes princípios não são completos em si mesmos, mas tampouco são totalmente incompletos, já que cada um deles, para poder existir, precisa levar uma referência de seu oposto em sua própria natureza.

O símbolo que melhor expressa esta idéia é o Yin-Yang taoísta, no qual cada aspecto leva em seu centro uma gota de seu oposto complementar. Na carta, poderíamos perceber esta mesma idéia no fato de que as duas partes do rosto de Diana são maiores que a metade exata: cada um participa do outro lado.

Ela está misturando no caldeirão dourado os dois princípios: Fogo e Água, que aparecem no chão perfeitamente harmonizados, mostrando graficamente, como nos diz Crowley: "A satisfação do desejo de cada elemento, parcialmente incompleto, de completar-se através da assimilação de seu oposto. A Água se derramou sobre o Fogo e este se amalgamou com ela".

Sabemos que toda operação alquímica acontece também dentro do alquimista, cujo veículo físico está representado pelo caldeirão dourado (símbolo de felicidade e de prosperidade no I Ching) indicando que, em virtude da operação, se purificou e espiritualizou.

A aplicação de *Yod* (o Fogo, a energia sexual da *kundalini*) sobre *He* (a Água, a consciência)[58] produz *Vau* (o Ar, a consciência espiritualizada) dentro do corpo físico que é a *He* final. O resultado é maior que a simples soma de suas partes. No caldeirão estão presentes os quatro elementos, tal como sugere a cruz de braços iguais gravada em sua borda.

O corvo, que na Grécia era consagrado a Apolo, pousado numa caveira é símbolo da continuidade da vida por meio da morte e do renascimento.

Saindo do caldeirão, e como resultado da operação que se realiza nele, um raio de luz emerge e ascende, transformando-se em dois arco-íris que formam a borda do manto de arminho que cobre os ombros de Diana.

O arco-íris é, em primeiro lugar, a expressão na natureza da perfeita união da Água (a chuva de dia ou a umidade de noite) com o Fogo (o Sol ou a Lua). Um resultado que também vai além, em beleza e colorido, da simples união das qualidades de seus componentes.

Em segundo lugar, o arco-íris representa a ponte que une a Terra e o Céu, passando idéias de elevação e espiritualização.

Para a nação bororo do Mato Grosso, para os índios de Nevada (EUA) e outras tribos africanas e asiáticas, o arco-íris é uma serpente (de novo Samek) geralmente maléfica.

Astrologicamente, o arco-íris está atribuído a Sagitário. A seta do arqueiro é um símbolo de penetração, unificação, decisão e de intuição fulgurante. Quando atinge seu objetivo, representa a realização final e, ascendendo junto com o raio que forma o arco-íris, também sugere a aspiração por unir-se com a Divindade. Como esta operação de juntar o Fogo com a Água envolve a manipulação da energia sexual, podemos considerar a libertação da seta como um orgasmo espiritual. É a onda de bem-aventurança do êxtase tântrico ou *Mahamudra*, o clímax dos místicos.

Lembremos que Teresa de Ávila descreve suas experiências espirituais como um anjo espetando uma seta de fogo em seu coração.A seta ascendente simboliza a libertação dos condicionamentos materiais, especialmente o da força da gravidade.

Duas Luas de três dias, veneradas na Índia como a Lua de Shiva, a mais feminina e receptiva de suas formas (a Lua da Yoni), se cruzam frente à cabeça de Diana. E se complementam com um enorme disco solar, que ocupa o fundo da carta no qual está gravado, em latim, a máxima alquímica: *Visita Interiora Terra Retificando Invenies Ocultem Lapidem*, que literalmente significa: "Visita ao interior da Terra, retificando encontrarás a Pedra Oculta", e que podemos interpretar como: "Dentro de ti mesmo, retificando (seguindo a direção correta), encontrarás a imortalidade (a Pedra Filosofal)".

Em outras palavras: "Tu não tens outro direito que não seja fazer tua vontade." — Nuit.

"Só o caminho do coração leva a algum lugar." — Don Juan

As letras iniciais do mandato alquímico formam a palavra "vitriol", é o vitríolo, o solvente universal,

Yin-Yang

58 - Há autores que consideram a Água em seu aspecto de matéria mental etérea, que, impregnada da energia da *kundalini* abre a visão do indivíduo que deixa de ser enganado pelas inumeráveis ilusões de Yesod e passa a ser o canal para o Eu Superior.

formado pela combinação equilibrada dos três princípios alquímicos: o Enxofre, o Sal e o Mercúrio. As duas Luas parecem dois arcos prontos para disparar suas setas.

É interessante destacar que as três letras dos três caminhos inferiores da Árvore: Quoph, 29º caminho, A Lua; Shin, 31º caminho, O Eon; e Tau, 32º caminho, O Universo, formam a palavra "Qesheth", que significa "arco" e "arco arco-íris".

O caminho de Sameck, a serpente que sustenta, é uma seta que atravessa o arco-íris entre os peitos de Diana, ordenados como os seis planetas, ou metais, ao redor do Sol ou do Ouro, que podemos considerar como os sete níveis de consciência. Este caminho é uma etapa do Caminho da Seta que ascende pelo pilar central da Árvore. É o caminho do místico, o caminho do meio, que leva ao aspirante, sem desvios, de Malkuth à Kether, atravessando Yesod (a Lua, o passado, a mãe, o psiquismo astral), passando por Tipharet (o Sol, o eterno presente, o Eu Superior) e, finalmente, superando o Abismo da mão da Sacerdotisa para cair em plena luz. A máxima alquímica do disco solar nos indica como percorrer este caminho com sucesso. A seta é também um símbolo de Mercúrio, já que representa a vontade dirigida.

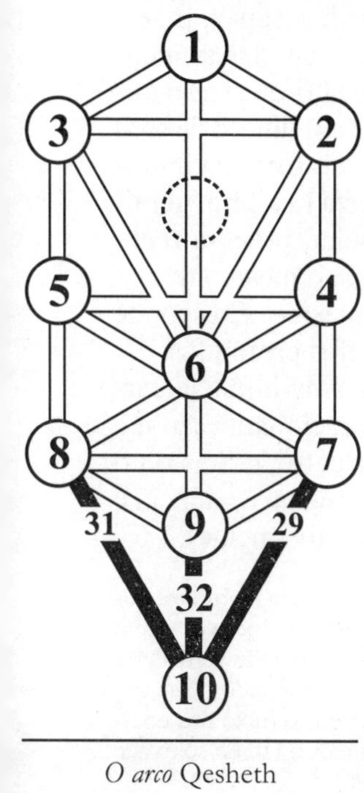

O arco Qesheth

Significados gerais: Esta carta representa os opostos perfeitamente unidos e complementados. Nela se dá a consumação da Boda Real que vimos nos Amantes e que, com a Arte, formam a polaridade alquímica *Solve et Coagula*, "Separa e Junta"; estando aqui enfatizado o aspecto "Junta".

Nesta carta está prefigurada a fase final da Grande Obra: Conjunção e Sublimação.

"São conhecidas seis operações no processo de transformação: a Calcinação, que corresponde à cor Negra, à destruição das diferenças, à extinção dos desejos e à redução da matéria a seu estado primordial; a Putrefação, que separa os elementos calcinados até sua total dissolução; a Solução, correspondente à cor Branca e à separação dos elementos; a Destilação ou Purificação; a Conjunção ou união dos opostos, relativa ao Vermelho, e, por fim, a Sublimação, que corresponde ao Dourado, ao Sol, à plenitude do ser".

Junto com o processo de integração se dá o de espiritualização. Se no Arcano XIII a morte do robô dava lugar à libertação da Essência do Ser, na Arte esta essência se manifesta na prática. O Louco atingiu sua segunda iniciação; a práxis é possível.

A essência começa a expressar-se sem tensões nem angústias, dando caráter a tudo o que a pessoa faz. Assim, esta entra no fluir, de maneira que o caminhar se torna uma dança, a palavra se transforma em poesia e o silêncio em meditação. A partir da calma interna, da não-ação, o Louco atua e o resultado é a Arte. Agora podemos entender porque Crowley deu este título a este Arcano, que é muito mais amplo e profundo que "a Temperança", que, no melhor dos casos, indica moderação e, no pior, domínio sobre as paixões.

O Taoísmo tem o termo *Wu Wei*. Significa movimento, ação externa a partir da calma interna. Assim, a ação não é o resultado da atividade mental, do ego que precisa ter objetivos para autopromover-se e existir, mas do silêncio interior, do desapego, da livre vontade ou vontade verdadeira que se afina com o fluir universal. Podemos dizer que o *Wu Wei* é deixar o Universo agir por nosso intermédio.

Há uma história taoísta que fala da integração da polaridade:

"— Cadê o Mestre? — perguntou um monge recém-chegado às portas do mosteiro.

— O Mestre está descansando — responderam.

Para não incomodar, retirou-se. No dia seguinte, voltou a perguntar e obteve a mesma resposta.

No terceiro dia e no quarto, repetiu-se a história. No quinto dia, já impaciente, perguntou:

— Como descansa este Mestre?

— O Mestre descansa trabalhando — responderam-lhe."

Na ação que vem do centro, do silêncio interior, não há desgaste, não há tensão, não há ansiedade por resultados, não há esforço.

Há prazer, a ação é total, o equilíbrio das coisas não é violentado, o Mestre descansa trabalhando. Esta atitude *Wu Wei* é a verdadeira Pedra Filosofal.

Podemos ver como a decisão tomada nos Amantes e iniciada no Carro está sendo concretizada, na vida prática, na Arte.

Na Leitura Terapêutica

Momento atual: Vemos o consulente centrado em atividades que aparentemente não lhe exigem esforço e das quais extrai prazer e gratificação. Sua atmosfera é de criatividade, trabalho e dedicação. Se a segunda carta é o Imperador, o Dois de Paus (o Domínio) ou o Cinco de Espadas (a Derrota), podemos pensar que esta atitude é apenas uma tampa. O sujeito se joga em seu trabalho como um escape para seus conflitos internos, provavalmente familiares. Se, pelo contrário, aparece o Sol, o Seis de Copas ou de Bastões (o Prazer e a Vitória), ou a Sacerdotisa, estará acentuada a idéia de que a pessoa faz de suas atividades uma meditação, em que desaparece a dualidade trabalho-resultados, ficando apenas a ação. Sem ansiedade, firmemente apoiada na calma interna. A ação é aqui uma perfeita expressão da vontade verdadeira.[59]

Com esta atitude o consulente está integrando os opostos de sua própria natureza e desenvolvendo sua espiritualidade.

Âncora: Podemos dizer que este ego se fantasia de bom profissional aparentemente equilibrado e capaz. É perfeccionista até o ponto em que se identifica tanto com o que faz que sua autoestima e humor estão em função de suas atividades profissionais e os resultados das mesmas. Com esta máscara, geralmente alegre e popular, procura reconhecimento e *status*, ao mesmo tempo em que foge de si mesmo. E esconde suas emoções e desejos profundos, especialmente se temos na infância cartas que enfatizam a racionalização e a repressão, como o Quatro, o Seis ou o Oito de Espadas (a Trégua, a Ciência e a Interferência, respectivamente).

59 - A vontade do ego, projetada no futuro, nos resultados da ação, estabelece objetivos que o inflam. A livre vontade ou vontade verdadeira é universal e sem ânsia de resultados. Sua expressão flui com o fluxo e o refluxo das energias cósmicas, para os quais o tempo só existe como um eterno presente.

Com um Sete de Copas (a Corrupção), pode indicar a dependência de estimulantes como álcool, cocaína ou café, para manter sua fachada animada. O floral de Agrinomy poderia ajudá-lo a ser honesto emocionalmente, reconhecer suas dores e expressar seus sentimentos. Se este Sete está na Infância, indica uma severa repressão sexual do tipo: "o corpo é sujo", "o verdadeiro amor nada tem a ver com o sexo", "se você se toca, vai ficar doente e irá para o inferno"; poderíamos supor que este perfeccionismo profissional se estende a outras áreas. Tudo tem que estar limpo, perfeito e impecável, chegando a sentir nojo e vergonha de seu próprio corpo e suas funções fisiológicas. Provavelmente sofre de alergias e sua sexualidade pode não estar bem definida. O floral de Crab Apple pode ajudálo a aceitar seu corpo e suas emoções.

Se este perfeccionismo esconde um complexo de inferioridade e/ou de incapacidade, indicados pelo Cinco de Copas ou o Oito de Discos (a Frustração e o Fracasso), sugeriremos que faça uso do floral de Buttercup*, que o ajudará a aceitar-se e a conectar-se com sua luz interior.

Junto a um Sete de Paus (a Coragem), indica que esta pessoa se exige demais, violentando assim os ritmos naturais de seu corpo e podendo acumular tensão na musculatura. A flor de Dandelion* o ensinará a escutar as mensagens corporais, permitindo que a energia dinâmica trabalhe com menor esforço.

Necessidade interna: A carta da Arte nesta posição indica que o consulente está obcecado com seus objetivos. Perde o momento, isto é, a vida, que parece uma tortura que só acabará quando as metas forem atingidas.

É preciso compreender que cada coisa tem seu momento para acontecer e que só nos desgastamos se pretendemos forçar o curso dos acontecimentos além de sua própria flexibilidade. Podemos transformar nosso destino, mas tais mudanças levarão um determinado tempo e sua magnitude dependerá também de nosso grau de consciência.

Relacionamentos: a) Vemos uma grande integração e compreensão no casal, não só nos planos afetivo-sexuais, mas também em aspectos profissionais e/ou acadêmicos. Como resultado, pode dar-se uma certa transcendência e espiritualização na relação. b) Esconde seus sentimentos e necessidades emocionais. Para seduzir, veste-se de pessoa ocupada, profissional dedicado, inteligente e equilibrado, mas na hora de entregar-se ou envolver-se profundamente sempre aparece uma viagem de negócios ou uma reunião mais importante.

Aconselharemos a ele o uso do floral de Evening Primrose**, para facilitar-lhe uma expressão emocional mais quente e comprometida.

Infância: Um de seus pais (ou adultos com os quais a criança se criou) era uma pessoa compulsivamente perfeccionista, aparentemente eficiente, equilibrada e produtiva. Este adulto exigiu que a criança interiorizasse estas atitudes e ainda lhe exigiu um bom desempenho em tarefas impróprias para sua idade.

A criança não só se sentiu muitas vezes incapaz e desvalorizada pelo adulto, mas ficou acreditando que só seria aceita pela família e, como extensão desta, pela sociedade, se conseguisse mostrar eficiência, capacidade de trabalho e autocontrole ou, no pior dos casos, perfeição a toda prova. Imaginem a tensão que suportou.

Método: Num nível mais externo, esta carta sugere que a pessoa se rodeie de atividades que tenham mais a ver com ela mesma, isto é, com seus potenciais. Serão atividades que poderá desenvolver mais fluidamente, com mais prazer e por meio das quais irá se equilibrando interna e externamente.

A essência de Wild Oat o ajudará a escolher seu trabalho como algo que responde a uma verdadeira chamada interior.

A Princesa de Copas sublinhará a importância de participar de atividades artísticas. O floral de Íris* o ajudará a desenvolver e integrar a criatividade artística no trabalho cotidiano, enquanto o Três de Bastões (a Virtude), que indica a necessidade de colocar propósito espiritual no trabalho, sugeriremos usar o Lady´s Slipper***.

Tratando-se de uma mulher, com o Dez de Copas (a Saciedade) ou a Imperatriz na Âncora, podemos imaginar que se acha dividida entre seu lar, seus filhos e sua realização profissional.

Neste caso, o uso do floral de Pomegranate* pode facilitar uma eleição mais consciente.

Osho nos fala do trabalho como meditação:

Como um bambu oco, através do qual a Existência entoa sua canção. (Osho)

"Arte é meditação; qualquer atividade se torna meditação se você se perde nela. Você tem de estar loucamente, totalmente, arrebatadamente nela.

Completamente perdido, sem saber por onde está indo, sem saber o que está fazendo, sem saber quem você é. Este estado de não-saber será meditativo, deixe-o acontecer.

A tarefa não deve ser realizada, apenas deve permitir que aconteça. Eu não quero dizer que tem de ser preguiçoso, inativo, pois assim nada aconteceria.

A atividade tem de tomar conta de você e para isso você tem de estar disposto para a ação, acordado.

O *quid* da questão é estar ativo sem ser um agente."

Internamente, indica a necessidade de desenvolver e complementar as polaridades feminina e masculina da personalidade, rumo ao que os esotéricos chamam de "Androginato Interno".

Caminho de crescimento: Sem pressa, fluindo, com prazer, amor e sensação de realização, o consulente dedica sua atenção fundamental ao trabalho. São atividades que sempre o tinham atraído, mas que até agora não ousou levar para a frente. Seu trabalho o ajuda a se equilibrar e a se centrar, achando cada dia mais sentido na sua vida.

Resultado interno: Aparentemente, não existem mais tensões ou conflitos internos. Simples e naturalmente, tudo acontece. A beleza e o prazer se manifestam. As qualidades femininas e masculinas se desenvolvem e se aperfeiçoam, levando esta pessoa à transcendência, à elevação e à espiritualização.

Resultado externo: Vemos o consulente trabalhando no que quer e como quer. É eficiente e dedicado, fluido e solto. Os frutos de seu trabalho e seu trabalhar estão impregnados da fragrância e da beleza de sua essência.

O Demônio

Títulos: Em quase todos os Tarôs, este Arcano se intitula "O Demônio" ou "O Diabo". No Tarô Egípcio, é chamado "A Paixão". Seus títulos esotéricos são "O Senhor dos Portais da Matéria" e "O Filho das Forças do Tempo", por sua atribuição a Capricórnio, governado por Saturno (Cronos), o Senhor do Tempo. Waite o chama "O Habitante do Umbral". Também é conhecido como "O Príncipe dos Poderes do Ar", porque sua energia está mediando o fluxo das correntes astrais.

O Demônio (Marselha e Waite)

Número: O Quinze é o número atribuído a esta carta. Reduzindo-o: 15 = 1 + 5 = 6, obtemos um Seis, número da perfeição, produto da união dos opostos ou número do sexo. O Quinze é um Seis num novo estado, com a experiência do caminho. Sendo três vezes cinco, está mais ligado ao plano humano que o Seis.

Letra hebraica: ע

Ayin, letra simples, de cor índigo, cujo valor numérico é 70, é a letra atribuída ao Demônio. Significa "olho" e esotericamente seria "o olho que tudo vê". Corresponde-se à letra O. Hieroglificamente, representa o lado mais material das coisas. O sentido da vista é aquele que nos permite conhecer este lado material, que no Oriente é conhecido como *maya* ou mundo da ilusão. Os físicos atuais também concordam: o que parece real no nível material é uma ilusão. Tal como diz um ditado popular espanhol: "Nada é verdade nem é mentira. Tudo é da cor segundo o cristal com que se mira"

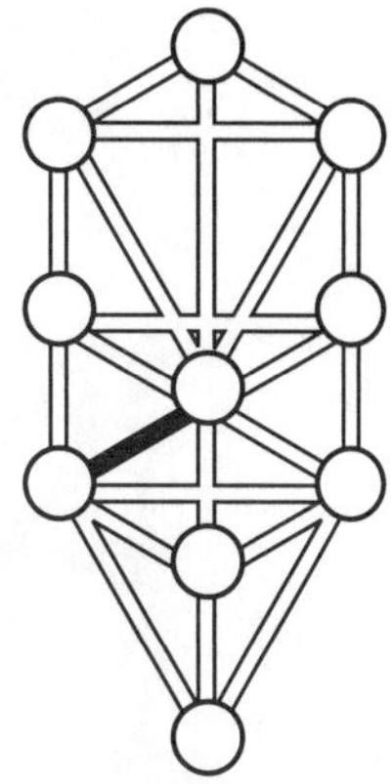

O Caminho 26º.

Caminho cabalístico: O caminho de *Ayin* une e equilibra *Hod* (o Esplendor) com *Tipharet* (a Beleza). A esfera da mente racional de Mercúrio com a esfera da individualidade, governada pelo Sol. Este é um processo de transferência da percepção consciente da mente concreta para a mente abstrata, do ego para o Eu Superior.

Diz o *Sepher Yetzirah*:

> *"O vigésimo sexto caminho é chamado a Consciência Renovadora (*Sekhel MeSuDash*) porque é o meio pelo qual o Santo Bento produz todas as coisas novas, as quais dota de existência em sua criação."*

Neste caminho, reorganizamos nossa perspectiva e obtemos uma visão renovada do mundo.

Atribuição astrológica: O signo atribuído ao Arcano XV é Capricórnio. Dos três signos da Terra, é o mais pétreo e resistente. Está governado por Saturno, o Senhor das Pedras, e nele Marte está exaltado. É considerado um pesado e escuro signo, que simboliza o mais elevado e o mais baixo ao mesmo tempo. Representa os condicionamentos e a conseguinte libertação.

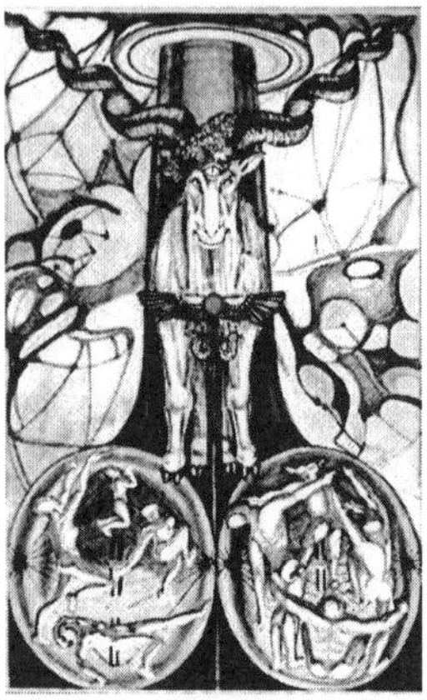

O Demônio (Crowley, Egípcio e Cosmic)

No corpo físico, governa os joelhos, os ossos, as articulações, os dentes, a pele, as cartilagens e a glândula pituitária, que por sua vez corresponde ao *chakra* Ajna, ou terceiro olho.

A missão do nativo deste signo é sondar os mistérios da natureza e favorecer os benefícios derivados do uso da previsão e da prudência. Os capricornianos são geralmente astutos, prudentes e ambiciosos. Sentem-se tão atraídos pelo sucesso social que são capazes de qualquer sacrifício para atingi-lo.

Apesar de serem muito materialistas, responsáveis, sérios e desconfiados, "têm um lado de caçador de mistérios, como um mago que esconde seus segredos, com medo de que possam ser usados contra ele", diz Anna Maria Ribeiro no seu livro *Conhecimento de Astrologia*.

Esta dupla natureza está contida em seu próprio símbolo, metade cabra, metade peixe: quando o mar cobriu as montanhas, a cabra submergiu no Oceano, adquirindo a sabedoria interior. Quando o mar se retirou, ela teve de deixar sua metade peixe e aceitar os condicionamentos da matéria sólida, conta a lenda. De maneira lenta e segura, estes nativos conseguem geralmente todos os seus objetivos. Quando aparecem obstáculos, irritam-se sobremaneira, vendo inimigos por todas as partes. São rancorosos e carecem de sentido poético. São estritamente utilitários, realistas e se preocupam muito com as fofocas. Não estão especialmente interessados em estabelecer relacionamentos afetivos. São céticos em relação ao amor, mas no final da viagem se envolvem profunda e duradouramente. Por trás de seu aspecto sério e precavido, temos seres intensamente orgulhosos. Fascina-lhes o poder e têm uma forte tendência à depressão e ao isolamento. Estão predispostos ao reumatismo e aos problemas ósseos em geral. Seu verbo é "Eu uso" e sua frase é: "Eu atinjo minhas metas relaxadamente, deleitando-me a cada passo do caminho."

Símbolos: Esta carta tem mudado muito, tanto graficamente como em seus significados. No Tarô de Marselha, vemos um animal estranho, antinatural, grotesco e assustador, com chifres de veado, asas de morcego e peitos de mulher, tal como o cristianismo medieval representou a idéia do demônio, inspirando-se no chifrudo deus celta Cernunnos,[60] em Pan e no Mendes egípcio, mistura de fauno e de sátiro, que representaria a antítese da Divindade. Alguns baralhos contemporâneos,

60 - Cernunnos, deus celta da vegetação, Senhor dos animais, representava o Princípio Masculino Fecundante. Com orelhas e chifres de veado, acompanhado, às vezes, por uma serpente com cabeça de bode; consorte de Cerridwen, a Grande Mãe, Deusa da fertilidade e do mundo subterrâneo, era considerado o pai da raça galesa e de seus deuses: Tutatis, Esus e Taranis.

Capricórnio (Jofhra)

como o de Waite e o da Golden Dawn, continuam mostrando demônios feiosos, antinaturais e ameaçantes, que escravizam os seres humanos e parecem poderosos hierofantes de algum tipo de terrível magia negra.

Este apego a elementos folclóricos do cristianismo e a idéias ultrapassadas é extremamente anacrônico, especialmente desde que Eliphas Levi, ainda no século XIX, reformulou esta carta, tal como vimos no capítulo "O que é o Tarô?", eliminando elementos grotescos, antinaturais e malignos. Colocou asas de anjo, uma tocha acesa na cabeça, o Caduceu na barriga e o pentagrama evolutivo na sua testa.

Finalmente Crowley deu outro passo adiante, colocando um ser da natureza: o Markhor (*Capra Falconeris*), a maior cabra selvagem conhecida que aparecia por trás do Imperador. Markhor significa em afegão "comedor de serpentes", pois, segundo a crença popular do Indukuch (Himalaias afegãos) estas cabras perseguem as serpentes e as devoram. Daí viria o brilho de seu pelo.

Com suas doces uvas na cabeça nos lembra Pan, Pangenator, capaz de gratificar-se com todas as manifestações da Existência.

Seus chifres têm forma helicoidal, simbolizando a força da geração. Zoroastro definia Deus como aquele que tem forma de espiral. Hoje, a ciência comprovou que o universo tem forma de espiral e o DNA, que transmite o código genético nos processos de geração, também. Os chifres são fundamentalmente um símbolo de poder. A palavra hebraica *queren* significa ao mesmo tempo chifre, poder e força. Os chifres do touro tem um simbolismo Lunar e são atribuídos à Grande Deusa da fertilidade, enquanto que os do carneiro são solares e representam a potência viril. Na gíria italiana, o pênis é chamado *corno*. A exemplo de Dionísios, Alexandre Magno foi representado com chifres de carneiro.

Pan e Diana (Carraci)

Por trás do Markhor, vemos uma representação absolutamente fálica da Árvore da Vida, cujo tronco (pênis) surge do marrom escuro da Terra (Malkuth), ascende e, tornando-se dourado e luminoso, penetra no anel (vagina) de Nuit-Binah, Saturno. As raízes da Árvore são dois testículos, transparentes, para poder ver as figuras que representam a vida em diferentes estados de evolução. As do esquerdo são femininas, enquanto que as do direito são masculinas, sendo uma delas semicaprina.

Em cada testículo se está dando a mitose, ou processo de divisão celular, com os dois novos núcleos e os cromos-

> *Todas as coisas o exaltam igualmente. Ele não se regozija menos com o escabroso e estéril que com o plácido e fértil. Representa a capacidade de extasiar-se com qualquer fenômeno, por mais repugnante que pareça; ele transcende todas as limitações; ele é Pan, o Todo.*
>
> *O Livro de Thoth – A. Crowley*

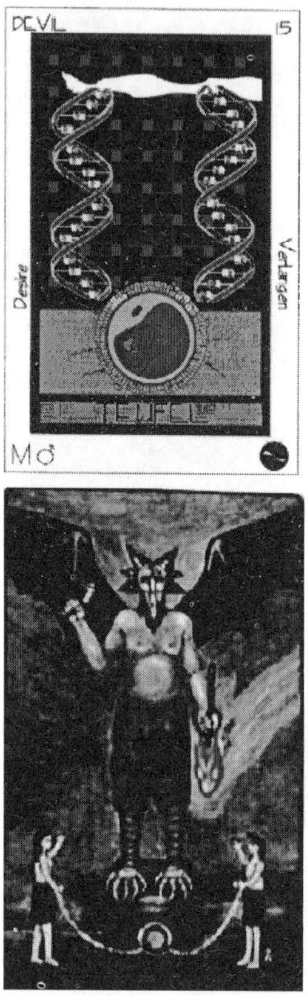

O Demônio (Experimental e Golden Dawn)

somos acasalados no centro.

Em frente ao macho cabrão, temos o báculo do Adepto Chefe, que é uma forma do Caduceu. As serpentes aqui não estão se cruzando e olham em direções opostas. Assim, como o tronco da Árvore atravessa os céus, o báculo desce até o centro da Terra.

O fundo da carta está formado como disse Crowley: "pelas formas deliciosamente tênues, complexas e fantásticas da loucura, da divina loucura da primavera, já prevista na loucura meditabunda do inverno". Estas formas se assemelham aos chamados canais de Marte, planeta que governa o instinto.

Significados gerais: Vimos que este Arcano era considerado, nos primeiros baralhos que conhecemos, a representação de todo o negativo. Inclusive autores modernos continuam insistindo nestes significados:

"Expressa o desejo de satisfazer suas paixões a qualquer preço; a inquietude, a excitação exagerada, o uso de meios ilícitos, a franqueza que dá lugar a influências deploráveis". (*Le Tarô des Imagiers du Moyem Age*, Oswald Wirth, 1966)

"O Diabo é o portador da morte, da desgraça e da miséria. Personifica aquele que pratica o mal sem considerar as conseqüências que acarretará sobre os outros." (*O Tarô Clássico*, Stuart R. Kaplan, Ed. Pensamento, 1972)

Num sentido global, o Demônio representa a energia criativa em seu aspecto mais material. No nível humano representa os instintos, que são basicamente três:

1. O instinto sexual, de procriação, por meio do qual a vida procura e acha continuidade.
2. O instinto de preservação da vida.
3. O instinto gregário.

O instinto sexual nos leva ao desejo impostergável de unir-nos intimamente. De penetrar e/ou sermos penetrados, de sermos possuídos por Dionísios, tal como Eurípides escreveu em sua tragédia *As Bacantes*, ou nas descrições do romano Tito Lívio. Seus fervorosos ritos se difundiram em todo o Mediterrâneo com o nome de "orgiasmo". No instinto de conservação da vida, estão incluídos não só os medos que nos levam a evitar os perigos reais, mas também a higiene corporal, a alimentação sadia e equilibrada, o cuidado com os ritmos de trabalho que impomos ao corpo, o espaço vital ou territorial e a necessidade de conforto. O instinto gregário nos leva a agrupar-nos, a procurarmos enfrentar juntos os desafios da sobrevivência, tal como acontece ainda em certas comunidades indígenas onde a terra é de todos e todos juntos a cultivam. Não somos seres instintivamente solitários, nem nossa procura de companhia se reduz à "pequena família". Certas tribos amazônicas, talvez as etnias menos desinstintificadas pela civilização, preferem morar todos juntos sob o mesmo teto. Observemos que o prazer e a alegria são companheiros inseparáveis do exercício consciente de nossos instintos. Podemos dizer que o prazer é a ponta do *iceberg,* enquanto o resto é a necessidade vital. Para certas escolas, existe um quarto instinto, o chamado instinto religioso, que seria uma certa aspiração animal para o transcendente, para o desconhecido.

Quando os instintos são reprimidos, sublimados e manipulados, somos levados a um estado alienado. Acabamos sendo inconscientemente escravos de padrões de comportamento massificados, criadores de hábitos (especialmente entre as crianças e os adolescentes), e confundimos o supérfluo com o necessário, a aparência com a realidade, acima da qual projetamos nossos desejos e nossas carências emocionais. Até que a vida se vai fazendo uma agonia permanente, sem brilho nem criatividade. Ao mesmo tempo, esse instinto reprimido se vai tornando o assento do ódio, do pavor, da sexualidade vendida e da vingança, e imprime de tal maneira os comportamentos, que podemos dizer que se cria um ser psíquico, chamado *Id* ou *o Peleyo* por Brodem, e incorporado por Freud à teoria da psicanálise, que nos manipula desde o nosso interior. Assim, pois, somos manipulados duplamente, por dentro pelo *Id* e por fora pelo sistema.

Por isso, o Demônio do Tarô de Crowley está sorrindo: ele sabe que em suas mãos está nossa energia vital. Se o reconhecemos e o aceitamos como a parte mais entranhada de nós mesmos, se nos permitimos seguir nossos impulsos instintivos, ele nos retroalimentará e teremos um excedente de energia para fazer o que desejamos. Mas se o negamos e o reprimimos, virará um monstro que nos conduzirá à enfermidade, à depressão e à loucura. Meio ironicamente, meio compassivamente, sorri, dizendo-nos: escolhe, 15 = 6.

Se decidimos assumir nossa instintividade, vivê-la plena e atentamente, integrando-a a nosso cotidiano, veremos como paulatinamente esta se vai expressando de um modo diferente, sem ansiedades nem compulsões, cada vez com maior sensibilidade, com maior consciência, com maior criatividade.

Há evidências de que os primeiros cristãos adoravam um Deus com a cabeça de jegue que, igual ao bode, representava o aspecto instintivo do ser humano. Sabe-se que estas primitivas comunidades tinham um comportamento sexual mais liberal e menos machista que os judeus. Foi quando a Igreja vendeu-se ao Império Romano, no Concílio de Nicéia (325 d.C.), organizado pelo Imperador Constantino, transformando-se num poder temporal e econômico, e aceitou servir como suporte ideológico e espiritual de um sistema de escravidão de uma magnitude desconhecida até então, que foram enunciados seus principais dogmas e se começou a reprimir a sexualidade e supervalorizar a castidade e o celibato. Um povo não condicionado sexualmente possui tal vitalidade que será dificilmente manipulado, catequizado e alienado. Por isso, todas as estruturas de poder hierárquicas, sejam políticas, religiosas, filantrópicas ou esotéricas, reprimem a sexualidade.

A ciência contribuiu em muitos casos para a libertação sexual da humanidade. Primeiro, com o descobrimento dos antibióticos que conseguiram curar as enfermidades venéreas, e, fundamentalmente, com a comercialização dos anticoncepcionais.

O *Id* direciona o instinto, o fluxo original da energia animal, para a violência, a perversão, a morte, a conquista e o poder, com suas seqüelas de dor, angústia e tortura. A violência da guerra, dos massacres e da política é uma perversão do desejo sexual e da erotização natural, isto é, é uma manifestação do *Id*. Os religiosos desviam o fluxo original de energia e dele se alimentam. Esta atitude sadomasoquista é a mesma que têm os poderosos, nutrindo-se do masoquismo dos submetidos. Sabemos que Hitler, Al Capone, Franco e outros eram impotentes. Geralmente, estes seres que vivem para o poder e a glorificação pessoal perdem sua conexão com o instinto.

Na Leitura Terapêutica

Momento atual: Com cartas tais como o Tesão, o Seis de Copas (o Prazer) ou a Arte, o Demônio indica um resgate da sexualidade e dos instintos em geral e um enfoque mais consciente do corpo e suas necessidades, repercutindo num aumento do prazer, da alegria, da vitalidade e da auto-afirmação. Junto com a Lua, o Oito de Espadas (a Interferência) ou o Nove de Espadas (a Crueldade), indica que a sexualidade reprimida está se transformando em raiva, agressividade, obsessões e/ou perversões.

Ofuscada a consciência pelo conflito interno, o consulente corre o risco de destruir-se seriamente e/ou ser destrutivo com o que o rodeia.

Âncora: Mostra que o sujeito jamais integrou seus instintos. A sexualidade está reprimida e o *Id* controla a situação. Nesta atmosfera de inconsciência, a sexualidade se perverte, e quando se manifesta o faz de uma maneira compulsiva e doentia, sem amor, com raiva ou com uma frieza emocional total. Este caso denunciado pelo Sete de Copas (a Corrupção) indica *voyeurismo*, tendências ao estupro, ao sadomasoquismo sexual e outras perversões. Às vezes, pode alternar-se com um forte sentimento de culpa. Recomendaremos o floral de Basil* para integrar a sexualidade física com a pureza espiritual numa unidade consciente e prazerosa. Um caso não tão drástico é aquele cujo conflito em relação ao sexo, produto de uma educação moralmente severa, o impulsiona do puritanismo à promiscuidade compulsiva. Neste caso, aconselharemos ao consulente o uso do floral de Easter Lily***. Com um Cinco de Espadas (a Derrota), indicaria que a energia reprimida da libido sobe à cabeça e se manifesta como hostilidade mental e verbal. O Snapdragon* será recomendado para redirecionar a energia sexual para seus canais naturais. Com um Três de Paus (a Virtude), indica tendências a sublimar os instintos para atividades beneficentes, filantrópicas ou espiritualistas em geral. Este caso se dá com muitas mulheres que não integram a consciência do feminino nos planos físicos, rejeitando seu corpo e suas manifestações instintivas, resultando em estresse e em problemas nos órgãos da reprodução. O uso da flor do Alpine Lily as ajudará a integrar os instintos com o Eu feminino espiritual. Com o Quatro de Discos (o Poder), mostra o direcionamento da energia sexual para o poder e a riqueza material, para compensar o medo da intimidade que uma relação sexual supõe. Podemos sugerir o uso de Poison Oak.

Esta carta também pode estar indicando confusão quanto à sua identidade sexual. Junto com o Imperador, para uma mulher, ou com a Princesa de

> *Por que não criar uma vida em que o sexo não traga experiências amargas, ciúmes, fracassos; em que o sexo se torna simplesmente diversão - nada mais do que qualquer outro jogo, simplesmente um jogo biológico?*
>
> *Osho Rajneesh*

Copas, para um varão, pode assinalar esta ambigüidade. Neste caso, a flor Calla Lily ajuda na auto-aceitação sexual e na compreensão de que as verdadeiras qualidades femininas e masculinas não são meramente externas, mas também internas.

Necessidade interna: É urgente dar liberdade ao lado animal, deixando de inventar desculpas intelectuais, morais ou de qualquer outro tipo para reprimi-lo e assim manter um falso controle sobre as situações. Hoje é prioritário viver as necessidades instintivas e os desejos sexuais. O sexo é uma necessidade corporal como comer, dormir, fazer xixi, etc; e, embora possamos reprimi-lo com maior facilidade, deve ser vivido sem moralismos nem condições. Todo condicionamento do sexo a algo que não seja o desejo ou o amor é uma forma de prostituição.

Relacionamentos: a) É necessário tirar outra carta, pois o Demônio nesta posição pode indicar que o casal está vivendo uma fase de descobrimentos e novas experiências sexuais ou que existe uma forte carga sexual presa que dá lugar a estados ofuscados de consciência acompanhados de tumultos, brigas, ciúmes, projeções e fantasias negativas. Neste caso, a essência de Black Cohosh ajudará a desenvolver a coragem suficiente para confrontar e transformar ativamente estas circunstâncias destrutivas, em vez de encolher-se diante delas. b) Temos aqui uma pessoa que se relaciona levada fundamentalmente pelo instinto. A porta de acesso para seus relacionamentos é exclusivamente sexual. É incapaz de ver no outro algo que não seja o corpo nem de expressar carinho na cama. Procura relacionamentos sexuais sem se envolver emocionalmente; pode ser um bom cliente do bordel local. Quando o desejo passa, se retira. Aconselharemos o uso de Sticky Monkeyflower, que o ajudará a perder o medo de se expor no contato íntimo e lhe facilitará a expressão de seus sentimentos.

Infância: A sexualidade da criança foi massacrada, assim como suas iniciativas de ordem instintiva. Existiu pressão e expectativas em cima de suas funções fisiológicas como comer, fazer cocô e xixi, que ficaram desnaturalizadas.

Os aspectos sexuais da vida lhe foram escondidos e/ou negativizados. A falta de resolução sexual familiar inerente a este comportamento paterno pôde dar lugar a um ambiente de ausência de amor físico, de brigas ou de astral pesado, onde a criança perdeu o contato com seu corpo e com sua vitalidade, tendo de autocontrolar-se e dissimular seus verdadeiros sentimentos.

Método: Os instintos devem ser trabalhados e expressados. O crescimento desta pessoa passa por se soltar, freqüentar festas, bares e lugares onde a sensualidade está à flor da pele e as pessoas se contatam naturalmente.

Uma filosofia religiosa exageradamente dissociativa, detectada pelo Hierofante na Infância, Âncora ou Momento atual pode ter alimentado um sentimento de desvalorização do corpo físico, ignorando e/ou rejeitando instintos básicos de sobrevivência. Neste caso, sugeriremos o uso do floral de Manzanita*, que ajuda a resgatar o corpo e a integrá-lo com o lado espiritual. O floral de California Pitcher Plant*, planta insetívora, ajuda a integrar os desejos e as expressões mais instintivas de nossa natureza animal. Sugeriremos que a pessoa trabalhe suas tensões corporais, recebendo e dando massagens e fazendo expressão corporal.

É importante que se alimente saudavelmente, cuide de seu território e de seu corpo evitando horários e ritmos de trabalho exagerados. A essência de Dandelion ajuda a encontrar o ritmo *wu-wei* e é especialmente indicada para aliviar estados de tensão muscular. Tem de evitar a autodestruição e observar, por trás da raiva, que necessidades naturais estão sendo negadas.

"Seja animal! No mato ou na praia, deitado no chão, imagine-se um animal, qualquer um, comporte-se como ele, caminhe, nade ou arraste-se como ele, ruja ou grite como ele, espreite como ele, deixe-se levar, sinta em si mesmo seu lado animal." (Osho Rajneesh)

Caminho de crescimento: É um momento de abertura da instintividade, acompanhada da perda dos medos. De afirmação pessoal e do resgate do prazer mais básico. Pode ser uma fase de intensa vida sexual.

Resultado interno: Fruto do processo de autoconhecimento e transformação que vemos nas cartas, foram resgatados os instintos, cuja energia criativa passa a permear todos os aspectos da vida da pessoa, que se sente mais vital, mais disposta, mais alegre e amorosa, mais bonita e sensível às coisas elevadas e às manifestações espirituais.

Resultado externo: Firmemente enraizado em sua natureza animal, vivendo plenamente sua sexualidade, expressando sua garra e sua criatividade, o consulente leva a vida com prazer, participando de atividades produtivas.

A Torre

Títulos: Esta é uma das cartas mais ricas em títulos. Geralmente conhecida como "A Torre", aparece também como "A Torre Fulminada pelo Raio", "A Casa de Deus" e "A Casa do Fogo". Provavelmente "A Casa do Fogo" (em francês *La maison du Feu*) deu lugar a "A Casa de Deus", (La maison de Dieu). Outros títulos são "O Hospital", "O Fogo do Céu" e, no Tarô Egípcio "A Fragilidade". Crowley se sentiu tentado a chamá-la "A Guerra".

A Torre (Marselha e Waite)

Seu título esotérico é "O Senhor das Hostes dos Poderosos".

Número: O Dezesseis é o número atribuído à Torre. Sendo o quadrado do Quatro, leva até o extremo as qualidades que este número representa. Sabemos que, quando desenvolvemos um aspecto de uma determinada polaridade até o limite, na verdade estamos alimentando ou fortalecendo seu oposto. Se o Quatro representa a estabilidade, a ordem, a lei, a estrutura material das coisas, o sólido; seu quadrado, o Dezesseis, será o número da destruição das formas, das leis, da ordem estabelecida.

Passa, pois, uma idéia de retorno ao informe, ao Nada.

Letra hebraica: פ

A letra da Torre é *Phe*, pronunciada Pei. É dupla, feminina, seu valor numérico é 80 e corresponde ao P e ao F. Significa "boca" e se relaciona com os processos de ingestão de alimentos e com a fala.

Sabemos que, para um alimento ser assimilado pelo organismo, sua es-

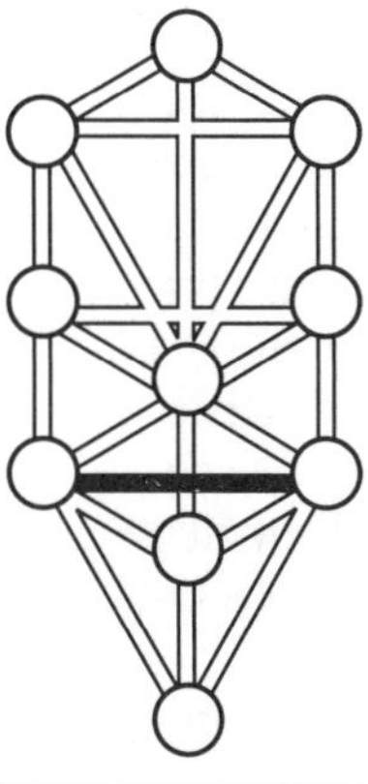

O Caminho 27º.

trutura tem de ser destruída. Um aspecto desta destruição acontece na boca.

Hieroglificamente, *Phe* representa o poder da palavra criadora.

Caminho cabalístico: Este caminho conecta o centro dos processos da razão, *Hod* (o Esplendor), com a esfera dos desejos naturais, *Netzach* (a Vitória), o intelecto puro com o sentimento puro.

*"O vigésimo sétimo caminho é o da Consciência Palpável (*Sekhel Murgash*), porque mediante ela foram criadas tanto a consciência de todas as coisas criadas por baixo de toda a esfera superior, como o total de suas sensações"*[61] Sepher Yetzirah.

Isto significa a destruição das velhas formas. É um caminho horizontal e equilibrado no mundo da personalidade.

Atribuição astrológica: Sendo *Phe* uma letra dupla, será um planeta (neste caso Marte) o elemento astrológico associado à Torre. Marte representa o princípio do dinamismo, da força e do movimento. É pura ação e impulsividade. No mundo humano, é a energia da sobrevivência e da autopreservação. É a instintividade que dá coragem e impulso na luta pela vida. Marte é a autoafirmação do Eu para enfrentar as pressões externas. Por isso é também a agressão, a competitividade, a guerra e a luta.

Se Vênus leva o ser humano para a doçura e a afetividade, e o faz procurar uma vida tranqüila e agradável, Marte o empurra a usar a força, a lutar e a conquistar. Se Vênus é o amor passivo e magnético, o prazer e a união, Marte é o lado animal do sexo que, para procriar, conquista e possui.

O marciano não gosta de vida relaxada e tranqüila, ele precisa viver intensamente, como enfeitiçado pelo perigo e pelo risco. Sua impulsividade natural o faz ser terrivelmente impaciente. Quer realizar seus desejos já, sem se importar com o passado e com as conseqüências futuras de seus atos. Assim, ele toma decisões continuamente e procura as soluções mais radicais.

Marte governa Áries e, com Plutão, rege Escorpião.

Símbolos: A imagem mostra uma torre sendo destruída pelo impacto de chamas, raios e máquinas de guerra.

As primeiras torres conhecidas historicamente são os *cigurats* mesopotâmicos, hoje Iraque, que, segundo os historiadores, chegavam a ter cem metros de altura. Cada andar era pintado segundo a cor

A Torre (Crowley, Egípcio e Cosmic)

61 - Em outras versões, é a "Inteligência Ativa ou Estimulante" porque por meio dela é concluída e aperfeiçoada a natureza de todo ser existente.

de cada um dos sete planetas conhecidos na época. Estas torres eram observatórios astronômicos, embora simbolicamente representassem escadas por onde algum dia os deuses desceriam até a terra e os humanos subiriam ao céu. Estavam coroadas por um templo e encarnavam o esforço humano para aproximar-se da Divindade, que para eles estava lá fora, ali em cima, longe no céu.

Quando procuramos a Divindade fora de nós mesmos, sempre aparece alguém que se apresenta como intermediário, que estipula comportamentos, mandamentos, dogmas e tributos para conseguir melhor a misericórdia e as recompensas de tal ente projetado. Acabamos parecendo com aqueles cachorros que correm atrás de sua própria cauda, imaginando que é algo alheio a eles.

Estes comportamentos massificados, que dão uma falsa segurança e ao mesmo tempo nos escravizam, formam parte da Torre que está sendo destruída.

Do alto, caem quatro figuras humano-geométricas. São os soldados da guarnição que, identificados com suas obrigações e fardas, tinham adquirido rigidez geométrica que sem dúvida vão se partir em pedaços chegando ao chão.

Na esquina inferior direita, as mandíbulas abertas de Dis, o deus romano da morte, cospem fogo nos alicerces da torre, indicando que a destruição se realiza desde a base. Nos outros baralhos, um raio que cai do céu é o responsável.

No topo, o olho de Shiva, o princípio destruidor ou transformador da *trimurti* hindu, aparece aberto. Segundo a tradição, quando isto acontece, os opostos se reintegram e o Universo se aniquila. Banhados no brilho do olho estão a pomba e a serpente, que já vimos no Hierofante.

A pomba e a serpente mostram dois caminhos (a vida e a morte). A vontade de viver e a de morrer. O caminho da serpente é o tantrismo hindu, o trabalho com a *kundalini* usando a energia primordial em práticas sexuais, a entrega às energias naturais, os rituais dionisíacos e os mistérios de Elêusis, que se celebravam sob os auspícios de Deméter, a deusa da fertilidade da terra e dos ciclos da morte e do renascimento.

O caminho da pomba é o caminho da devoção pura, onde o instinto é sublimado. Na carta, a serpente tem a cabeça de leão, tal como aparece no Tesão, rodeada por um anel de fogo, fazendo alusão a Abraxas, a entidade que assimila nela mesma o positivo e o negativo, o luminoso e o escuro.

Significados gerais: A Torre é a expressão gráfica do arquétipo da destruição. Vemos nela a destruição, pelo fogo, de toda ordem material existente.

Quando um sistema físico atinge seu ponto de máxima tensão interna, para atingir um novo equilíbrio destrói sua forma, sua estrutura. Um exemplo seria o degelo, quando a temperatura sobe.

Na tradição shivaísta do sul da Índia, a Suprema Perfeição só pode ser atingida por meio da morte, pela destruição do existente, das formas do manifestado. Assim, Shiva é representado bailando sobre os corpos de seus discípulos. No momento da morte, acontece a Iluminação. Segundo esta tradição, a destruição leva à libertação.

Em outras palavras: quando morre o ego, o salto é possível. Assim, esta carta poderia representar a morte física como libertação das ataduras da matéria.

Num nível humano e prático, esta carta mostra a destruição das prisões da vida organizada, das rotinas mecânicas que alienam o ser humano.

É a ruptura das correntes que nos aprisionam nas novas torres ou edifícios de apartamentos ou escritórios, onde repetimos gestos sem sentido, profundamente desconectados de nós mesmos, da natureza e dos outros. Conectados à televisão e ao saldo bancário, vivemos poluindo, consumindo, compensando-nos autodestrutivamente de nossas frustrações, escondendo-nos, manipulados pelo Hierofante de plantão, inconscientes de que somos seres divinos. Estes bonecos são os guardiões da Torre, que em sua inconsciência estavam totalmente identificados com seu papel de defensores de uma ordem estabelecida por terceiros, sufocante e sem saída. No limite, a torre cai e seus sentinelas acabam no chão, onde finalmente podem ter contato com a realidade e consigo mesmos. Agora têm a possibilidade de enraizar-se, de afirmar-se, de reconhecer-se e de descobrir a natureza básica de sua existência.

Não é só o aspecto material que é destruído. A aniquilação acaba também com as falsas identidades e identificações. A Torre trabalha também nos níveis internos. Os projetos, fantasias, ambições e todo tipo de ilusões são derrubadas. As crenças, os critérios e toda uma visão da vida são destruídos, permitindo a emancipação do ser. É a destruição do véu do *maya* que é rasgado pelo relâmpago da consciência.

Estas idéias são familiares desde a carta da Morte, na qual o acento estava colocado na aparição da essência do ser, produto do abalo dos velhos padrões de comportamento cristalizado, numa transformação originalmente interna.

Na Torre a destruição é mais ampla, mais extensa e explosiva. Às vezes, pode ser a reação espontânea a um estado prolongado de quietude, inércia e pressão interna. Num plano político-social, podemos ver uma revolução.

Aqui se destrói todo um estilo de vida, liquidam-se relacionamentos, vínculos, empregos... e tudo aquilo que pode estruturar e portanto limitar o ser.

Dependendo do apego ao que desaparece, a passagem por esta etapa pode estar acompanhada de uma agradável sensação de libertação e alívio ou pode ser uma experiência de perda tremendamente dolorosa.

Na Leitura Terapêutica

Momento atual: A estrutura material do consulente está sendo destruída. A segunda carta mostrará em que aspecto da vida se dá esta destruição com maior intensidade: financeiro, emocional, profissional, familiar, político ou intelectual, ou se são os projetos e as fantasias que se derrubam.

É importante mostrar que, na verdade, aquilo que está sendo destruído são as prisões que o alienam.

Âncora: Duas interpretações são interessantes.

a) Podemos ver o "auto-sabotador", que sistematicamente destrói tudo o que toca. Seus negócios vão à falência, seus relacionamentos afetivos acabam em brigas e desgostos, é expulso de seus sucessivos empregos e parece um rebelde que sempre se dá mal. Pode estar sabotando-se para não crescer, para não se estruturar e assim não ter que se responsabilizar por nada. Neste caso, confirmado pela presença do Louco, seria viável usar o floral de Fairy Lantern para ajudá-lo a se responsabilizar por si mesmo.

Este comportamento destrutivo, em alguns casos delinqüente, que pode ser produto de uma forte rebelião contra tudo e todos (na verdade contra o autoritarismo paterno, que estaria indicado pela presença do Imperador ou de qualquer Quatro na Infância), poderia ser aliviado com o uso da essência de Saguaro*.

Quando não se dá esta rebelião, este ego se rodeia geralmente de atividades ou pessoas que não lhe dão prazer, especialmente com o Cinco de Discos (o Sofrimento), ou o Dez de Bastões ou de Copas (a Opressão e a Saciedade), e que, pelo contrário, são uma carga pesada que se impõe, provavelmente por pressão familiar, levando-o a viver em tensão permanente.

Quando algo lhe dificulta ainda mais as coisas ou alguém bloqueia seu caminho, sofre de ataques de fúria explosiva, destruindo tudo a sua volta, especialmente aquilo que considera ser a causa de seu mal-estar. Seu problema real e maior está na falta de referenciais internos firmes para escolher a vida que realmente reflita sua natureza interna.

O floral de Scarlet Monkeyflower* lhe proporcionará uma maior honestidade emocional para reconhecer e trabalhar o que realmente o irrita e o leva a explodir (especialmente com um Oito de Paus — a Rapidez), sem permitir que se acumulem e tomem um caráter desproporcionalmente cegador da consciência. O de Impatiens lhe facilitará fluir com o ritmo dos acontecimentos. A flor de Wild Oat irá ajudá-lo a descobrir e investir na sua vocação, e a de Cerato aumentará a autoconfiança e o ajudará a ser independente das pressões e opiniões alheias.

Outra leitura, indicada pela presença de Quatros na Âncora e no Momento atual, nos mostraria alguém que tem tanto medo do desconhecido, das mudanças, do "que vai lhe faltar", de mostrar sua vulnerabilidade, que passou a vida construindo prisões, identificando-se com grupos ou atividades, organizando suas rotinas para que nada possa pegá-lo desprevenido, e assim sentir-se seguro. Hoje é um perfeito zumbi, com uma bomba interna a ponto de explodir. Emana raiva e negatividade, que direciona para assuntos que não estão vinculados diretamente com as verdadeiras causas de sua raiva e frustração, que em verdade não quer confrontar. Ele se autodestrói continuamente com suas compensações e passa para os outros uma vibração pesada de rancores escondidos e frustrações sufocantes, tudo em nome de sua segurança. A energia que lhe sobra, usa-a para escorar sua prisão, que está desmoronando ostensivamente. O floral de Star Thistle aumentará sua segurança interna e independência da matéria, alimentando a generosidade e a consciência da abundância interna e externa.

Necessidade interna: O ser verdadeiro sente-se numa prisão, na qual o ego se tornou o guardião. A tensão interna é cada vez maior. É urgente reconsiderar o estilo de vida, as prioridades que determinam o cotidiano, para se libertar de toda esta estrutura que sufoca sua vida.

Relacionamentos: a) Está estourando o vínculo matrimonial que já devia ter sido desfeito tempos atrás, e que levou o casal a acumular consideráveis e perigosas doses de raiva. b) Esta pessoa é incapaz de criar vínculos. O menor compromisso é uma prisão insuportável. Não quer amarrar-se a nada e acaba seus relacionamentos, geralmente à italiana, quando passa a euforia inicial.

Infância: Esta época de sua vida esteve marcada por

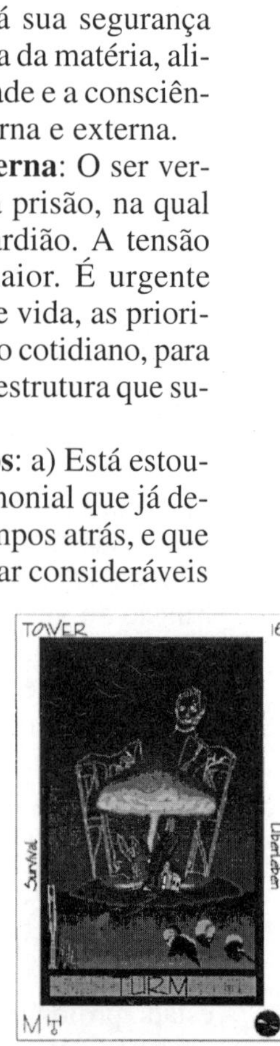

A Torre (Experimental)

acontecimentos violentos, que quebraram sua segurança interna e sua confiança no mundo. Pode ter sido a destruição do lar familiar, brigas entre seus pais e irmãos, incêndios, guerras, etc.

Método: Sugere que o consulente bote fogo na sua agenda, nas rotinas e, em geral, nas estruturas que o sufocam. Sua vida se transformou numa prisão da qual só se pode libertar por meio da destruição: não existe mais flexibilidade nem possibilidade de contornar a situação. Faz-se necessária a aniquilação de todo o organizado, de todo o instituído. Deve questionar em profundidade seus códigos de conduta, hábitos, prioridades e identificações. Para dar este salto à liberdade, sabendo melhor do que deve despojar-se e com uma consciência mais viva do ser interno, sugerimos o floral de Sagebrush*.

Caminho de crescimento: Tratase de uma profunda libertação, fruto do desmantelamento das estruturas limitantes que o aprisionavam. Toda uma série de vínculos, atividades sem sentido, compromissos sem coração, falsas identificações, fantasias e projetos estão saltando pelos ares.

Resultado interno: Temos aqui a destruição dos aspectos mais grosseiros do ego que, como a Torre, estão construídos com tijolos de dois lados. O externo é de orgulho e prepotência e o interno é de medo e auto-anulação.

Resultado externo: O consulente não só se livrou de seu modo de vida alienado, mas também está reformulando, reformando ou revolucionando seu ambiente.

Pode também estar participando de movimentos políticos ou sociais de conteúdo revolucionário.

A Estrela

Títulos: Este Arcano se corresponde com o Arcano VI de Etiella, "o Ar", enquanto na maioria dos Tarôs se intitula "A Estrela". Em alguns Tarôs medievais aparece também com o título de "As Estrelas". No Tarô Egípcio, aludindo a um de seus significados tradicionais, que particularmente considero superado, chama-se "A Esperança". Seus títulos esotéricos são: "A Filha do Firmamento" e "O Habitante entre as Águas".

Número: Dezessete é o número da Estrela. Passa-nos uma idéia de pureza e espiritualidade. Na tradição muçulmana, são dezessete os gestos litúrgicos e as palavras que compõem a chamada à oração. Segundo o alquimista sufi Gabir ibn Temyan, a forma de todas as coisas do mundo é dezessete, número que deve ser considerado como o cânon do equilíbrio de todas as coisas. Também podemos chegar a esta idéia sem ler o *Livro da Balança* de Gabir, já que 17 = 1 + 7 = 8, que, como sabemos, representa o equilíbrio cósmico e a harmonia, e é o número do Ajustamento, sempre representado por uma balança.

Letra hebraica: צ

Até a revelação do Livro da Lei, a letra atribuída a este Arcano era *Tzaddi*. Mas quando Nuit, por boca de Aiwass, falou: "Todas essas velhas letras de meu livro estão corretas, mas *Tzaddi* não é a Estrela", Crowley se viu impelido a mudá-la. Observando que etimologicamente *Tzaddi* significa Czar, Kaiser, Senado, Senhor,..., acabou atribuindo-a ao Imperador, cuja letra era *He*.

Também viu que *He* poderia ser atribuída à Estrela, que no Tetragramaton representa o Princípio Feminino, tal como aparece na carta, sob forma humana.

Estamos vendo como, por meio das correspondências dos Arcanos Maiores com as letras hebraicas, se abre um leque de novas atribuições, das quais as mais interessantes são as astrológicas.

Vejamos como esta mudança de letras aperfeiçoa a simetria da seqüência dos signos. Colocando na primeira coluna a seqüência tradicional dos Arcanos Maiores, a coluna de suas correspondências astrológicas fica assim:

0	O Louco	Ar - Urano
I	O Mago	Mercúrio
II	A Sacerdotisa	A Lua
III	A Imperatriz	Vênus
IV	O Imperador	Áries
V	O Hierofante	Touro
VI	Os Amantes	Gêmeos
VII	O Carro	Câncer
VIII	A Justiça	Libra
IX	O Ermitão	Virgem
X	A Fortuna	Júpiter
XI	O Tesão	Leão
XII	O Enforcado	Água - Netuno
XIII	A Morte	Escorpião
XIV	A Arte	Sagitário
XV	O Demônio	Capricórnio
XVI	A Torre	Marte
XVII	A Estrela	Aquário
XVIII	A Lua	Peixes
XIX	O Sol	O Sol
XX	O Eão	Fogo - Plutão
XXI	O Universo	Saturno - Terra

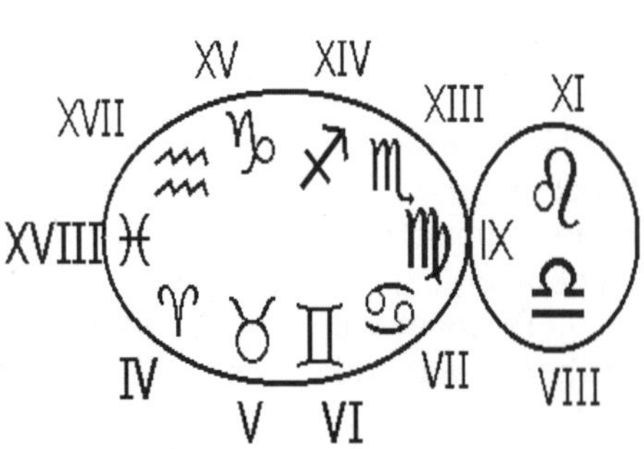

Antes da mudança

Sendo que, na seqüência dos signos, Leão e Libra estão permutados ao redor de Virgem, podemos representá-la conforme a ilustração abaixo.

Trocando *Tzaddi* por *He*, o Imperador pela Estrela, aparece uma nova inversão: Áries e Aquário permutam suas posições em torno de Peixes, obtendo assim o "Duplo Anel do Zodíaco".

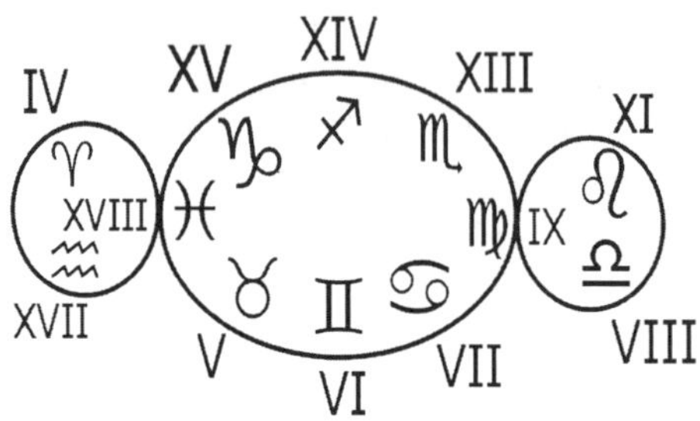

O Duplo Anel do Zodíaco

Enquanto Crowley chegava a esta disposição, A. E. Waite privilegiou a seqüência dos signos e modificou a dos Arcanos, trocando de lugar "A Justiça" (Libra) com "A Força" (Leão).

He é uma letra simples, feminina e vermelha, que corresponde ao H e o E de nosso alfabeto, e cujo valor numérico é 5. Significa "janela" e hieroglificamente representa a vida universal, o sopro vital, o hálito do ser humano, tudo o que anima e vivifica.

Caminho cabalístico: O caminho de *He* une *Tiphareth* (a Beleza) com *Chokmah* (a Sabedoria). Aqui, a individualidade se confronta com a dinâmica da pura energia divina. Diz o *Sepher Yetzirah*:

> *"O décimo quinto caminho é o da Consciência Estabilizadora (*Sekhel Ma´amid*) porque estabiliza a essência da criação na escuridão da pureza.*[62]

62 - Em outras versões, é a "Inteligência Constituinte" porque constitui a substância da criação na pura escuridão.

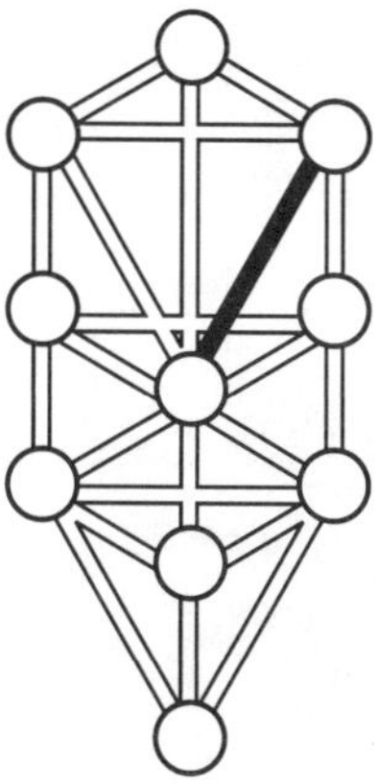

O Caminho 15º

Neste caminho, a individualidade toma consciência de suas origens e de sua missão.

Atribuição astrológica: Aquário é o signo correspondente à Estrela. É um signo de Ar, fixo, governado por Urano e Saturno. No corpo físico, Aquário governa os tornozelos, os calcanhares, o sistema circulatório e a medula espinhal. Urano lhe comunica um forte desejo de liberdade para inovar, atravessar os véus dos mistérios e destruir as estruturas caducas e preconceituosas. Saturno, o Princípio da Coesão, da estruturação e da ordem, faz com que os aquarianos se inclinem por princípios éticos sólidos para governar suas vidas. Sua missão é procurar a verdade e fazer deste mundo um paraíso, tanto por meio da aplicação prática de seus ideais, como do uso de seus conhecimentos científicos. Os nativos mais puros chegam a ser impessoais, objetivos e com pouquíssimas considerações emocionais. São cidadãos do mundo, livres, sem apegos nem raízes. Aparentemente, têm mais interesse em conhecer e aperfeiçoar a sociedade do que se conhecer e se aperfeiçoar. Parece que amam mais a humanidade que a seus vizinhos de carne e osso. Declaram que a amizade é mais importante que o amor e se entregam de corpo e alma a uma causa, mas têm sérias dificuldades para expressar suas emoções íntimas e relacionar-se com alguém em profundidade. Anna Maria Ribeiro disse:

"Têm uma mentalidade progressista, atrevida e revolucionária. Amam a liberdade, a justiça e a fraternidade. São humanitários, embora não aceitem as falsas conciliações. Carecem de capacidade de adaptação e indulgência, embora, como são muito sociáveis, acabem por adquiri-las. Geralmente têm muitos amigos. Adoram mudar e conhecer. Sua intuição é aguda. Podemos dizer que são seres que se anteciparam a seu tempo. Suas tendências patológicas são a anemia, problemas de coração (Aquário é o signo oposto de Leão, regente do coração), espasmos e palpitações, intoxicações, problemas circulatórios e doenças mentais.

A Estrela
(Marselha e Waite)

Os aquarianos estão entre o gênio e a loucura, entre a glória e a prisão. Seu verbo é "Eu sei" e sua frase: "Eu planto um mundo melhor vivendo a consciência cósmica aqui e agora."

Símbolos: A figura central é uma mulher nua. Sua nudez é símbolo de pureza e inocência. Ela é a mais pura manifestação da Grande Deusa, anterior a qualquer envolvimento com a matéria. Por isto, aparece aqui desnuda, enquanto que na Sacerdotisa o faz velada e na Imperatriz coroada. No Eão, Arcano XX, mostra-se como a abóbada celestial. É Nuit, a Senhora das Estrelas, com forma humana.

Em sua mão direita, a que se corresponde com Joakin, o pilar do amor, tem uma copa dourada da qual trans-

Aquário (Jofhra)

borda um néctar "que é também leite, azeite e sangue sobre sua cabeça, sugerindo a renovação eterna das categorias, das inesgotáveis possibilidades da Existência", nos diz Crowley.

Com a mão esquerda, correspondente a Boaz, o pilar do rigor, derrama o fluido de uma jarra prateada no ponto onde se junta a Água do mar de Binah (uma outra manifestação de Nuit) com a Terra de Malkuth.

É interessante observar que as linhas de força dos fluidos são diferentes. As que se precipitam no Abismo (entre Binah e Malkuth) são retas. Sabemos que toda a geometria euclidiana (das retas) foi deixada de lado pelos modernos matemáticos e físicos, quando perceberam que o Universo é curvo e que a linha reta não se ajusta à Realidade. Na natureza, não existem retas. Einstein enunciou que o Cosmo tem forma espiral, assim como as linhas do fluido da jarra dourada, que acabam envolvendo-se com Nuit e lhe cacheando o cabelo, que delicadamente submerge no Abismo.

As copas, que segundo várias tradições são equivalentes aos peitos de onde flui e transborda o leite que alimenta a humanidade, são, como já vimos, uma de ouro, solar, relativa ao aspecto consciente do ser, e outra de prata, lunar, relativa ao inconsciente. Parece, pois, que o inconsciente está se limpando de categorias ultrapassadas.

> *É importante que o nativo de Aquário se lembre que entre a cabeça e os pés existe um corpo.*
>
> *Conhecimento de Astrologia – Anna Maria Ribeiro*

A Estrela (Crowley, Egípcio e Cosmic)

Produto do trabalho da mulher com os fluidos, surgem do Abismo os cristais, símbolo do início do desenvolvimento da vida e do conhecimento universal, e a terra é fertilizada, como mostram as rosas que aparecem na esquina inferior direita.

As borboletas, que também simbolizam a libertação de velhos casulos, sobrevoam as rosas. O crescimento se dá nos três reinos: mineral, vegetal e animal.

Por trás da mulher, temos a abóbada celestial, outra forma de Nuit, destacando-se Vênus, a Estrela de sete pontas, enfatizando que os principais atributos de Nuit são o amor, a beleza, o prazer, a união e a criatividade. Um amor gerador e criador, tal como é sugerido em suas espirais.

Na esquina superior esquerda, está a Estrela de Babalon, também de sete pontas, como as letras desta palavra. Seus raios, também em espiral, banham o fundo da carta com uma luz sutil e tênue.

Babalon ou Babilônia é outra forma de Nuit: a Mulher Escarlate, a voluptuosa mulher que cavalga a besta do Tesão.

Significados gerais: Estamos frente ao Princípio Universal da Renovação das Categorias. O velho se integra à Existência através dos planos inferiores e as novas experiências são realizadas. Esta carta encarna as forças cósmicas que levam à evolução das galáxias, das espécies, da sociedade, das idéias, do ser humano, enfim, de tudo o que existe. Algo diferenciado tem que se dissolver no indiferenciado para possibilitar o movimento, as mudanças, a evolução, a continuidade, o Eterno Retorno.

Num plano humano, a Estrela representa uma nova visão do mundo, mais global, mais cósmica, mais integrada com as forças que em todos os níveis estão transformando o Universo. Quando o ser atinge este estado de consciência, quando é capaz de ver assim, deixa de sentir-se só, isolado ou perdido num mundo ameaçador, desconhecido e estranho, e percebe que é uma parte integrante e interatuante do Cosmo, junto com o qual pulsa. O ser humano está em casa; suas ações podem cobrar um sentido mais amplo, passando a colaborar com as forças cósmicas que renovam a existência. Esta carta, atribuída a Aquário, é de grande importância nos tempos atuais, pois hoje seu trabalho concreto é facilitar a passagem da Era de Peixes para a de Aquário. Observem que esta carta tem uma conotação fortemente mental.

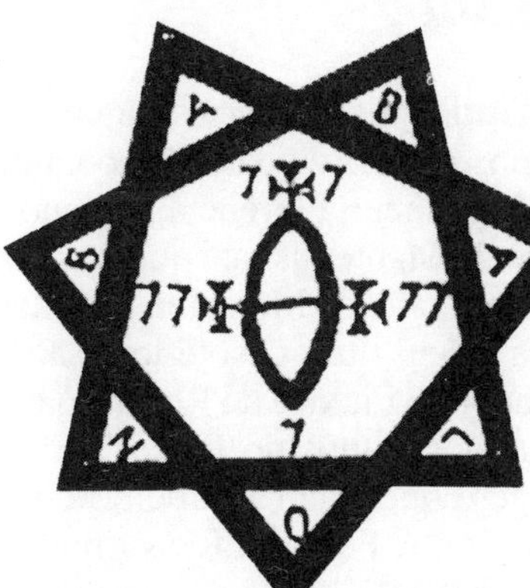

A Estrela de Babalon

Na Leitura Terapêutica

Momento atual: Toda uma série de velhas crenças está sendo questionada e eliminada. A mente, limpa de tais correntes, está sendo permeável a novas compreensões, produto tanto da própria experiência como de uma visão mais realista e global da vida.

Âncora: Não pode ver nada que não esteja querendo mudar ou melhorar. É um reformista compulsivo, que contesta tudo o que o rodeia e que, segundo ele, são empecilhos para a evolução da humanidade. Pode passar uma imagem de vanguardista entusiasta e fanático. Intelectualmente, parece que foge do superficial e mesquinho, mas em definitivo é ele que acaba sendo, pois é tão mental que não se permite a menor expressão de seus sentimentos e instintos, e fica repetindo sentenças grandiloqüentes. Pretende mudar o mundo, mas desconhece a si mesmo, sendo incapaz de melhorar. Não tem capacidade de relaxar e viver e, de suas vivências, extrair suas próprias experiências e critérios.

Sugeriremos a ele o uso de Vervain para ajudá-lo a enraizar em si mesmo seus ideais. Este excesso de espírito crítico e condenatório é a tampa de seu sentimento de inferioridade e pode ser fruto de uma infância de crítica e desvalorização que agüentou condenando os outros. Isto poderia estar indicado pela presença do Cinco de Espadas (a Derrota) na Âncora ou na Infância. O uso do floral de Beech favorecerá sua tolerância, sua aceitação das diferenças e sua capacidade de ver o lado positivo de cada pessoa ou situação.

Necessidade interna: O consulente está preso a fortes condicionamentos mentais, que acorrentam o ser verdadeiro que pede, aos gritos, autorização para fazer sua própria experiência.

Relacionamentos: a) A vida em comum está levando o casal a questionar as velhas premissas e padrões de conduta programados. b) Não mostra emoções nem desejos instintivos, relaciona-se mentalmente, vendendo uma imagem de progressista e original.

Infância: Esta criança foi criada num lar provavelmente "progressista" e fanático. Teve de adaptar-se a padrões de comportamento, que, embora pudessem negar as caducas formas autoritárias e religiosas do passado, não deixavam de ser normas a cuja obediência seus pais condicionaram a aprovação e o carinho. Estes padrões chocavam frontalmente com os do mundo de fora, especialmente na escola, deixando a criança dividida e insegura.

Método: É imprescindível mudar a visão que o consulente tem do mundo e de si mesmo. Suas idéias e critérios são camisas-de-força para seu desenvolvimento em todos os sentidos. Para isso, será interessante fazer uma reavaliação sobre quais parâmetros mentais foram usados para perder as oportunidades que se apresentaram para mudar de vida. A essência de Sage** lhe favorecerá a capacidade de extrair sábias conclusões da auto-observação e perceber a própria vida num contexto maior. O floral de Shasta Daisy* ajudará a sua mente a ter uma visão do cotidiano integrado numa perspectiva mais global, enquanto que o de Filaree* lhe proporcionará uma compreensão das coisas e da vida com um sentido cósmico.

Caminho de crescimento: Uma visão do mundo foi descartada, abrindo passo a um sentimento de integração com o Universo. Agora a pessoa compreende melhor o que acontece aí fora e pode se entregar mais à experiência.

Resultado interno: O consulente sente-se muito mais leve, realmente se aliviou de um peso. Agora a mente não o impede de ser espontâneo. Abriram-se certos canais ou aumentou sua sensibilidade, de maneira que sabe se sintonizar com a Existência. Lê os sinais que a Existência lhe manda e pode estar recebendo mensagens de entidades que estão trabalhando para a evolução da humanidade, dando-lhe orientação e apoio.

Resultado externo: Vemos esta pessoa dirigindo sua energia e sua nova visão de mundo para atividades que apontam para a evolução da humanidade, em aspectos como ecologia, terapias naturais, consciência corporal, psicoterapia, agricultura orgânica ou política.

A Lua

Títulos: Este Arcano aparece sem título nos primeiros baralhos conhecidos: Gingonneur, Florência, Arcano 41 do jogo de Mantegna, até que o encontramos no Tarô de Marselha intitulado "A Lua". Seus títulos esotéricos são "O Regulador do Fluxo e do Refluxo" e "A Criança dos Filhos do Poder". Crowley sugere que esta carta bem poderia chamar-se "A Porta da Ressurreição", porque Peixes (o signo a ela atribuído) é, no hemisfério norte, o último signo do inverno que dá sequência ao renascimento da vida, com a primavera que traz Áries.

No Tarô Egípcio é chamado "O Crepúsculo", e, no Osho Zen Tarô, "As Vidas Passadas".

Número: A Lua leva tradicionalmente o número Dezoito. Duas vezes Nove, e por redução também Nove, é o número da escuridão, do inacessível, do céu além do Abismo.

Letra hebraica: ק

É *Koph* a letra atribuída à Lua. É simples, masculina, carmesim e seu valor numérico é 100. Significa "a parte posterior da cabeça" e está relacionada com o cerebelo, que é um órgão de vital importância, pois governa os chamados processos involuntários, como as pulsações cardíacas e a respiração. É o elo entre os centros cerebrais superiores e a medula espinhal. A função corporal atribuída a esta letra é dormir, e corresponde ao nossos K e Q.

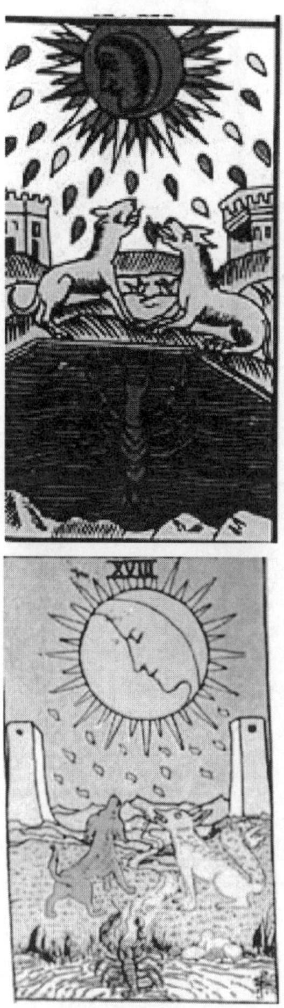

A Lua (Marselha e Waite)

Caminho cabalístico: O caminho de *Koph* leva de *Malkuth* (o Reino) para *Netzach* (a Vitória), unindo as naturezas física e emocional. Temos aqui o aprimoramento do corpo biológico, para entrar melhor em contato com os planos sutis. Neste caminho, o iniciado toma consciência de seu corpo físico como um instrumento fundamental para sua evolução, encontrando-se com os fantasmas do mundo material de Malkuth que instalaram em sua mente. São os fantasmas da escuridão do inconsciente coletivo, consideram alguns estudiosos.

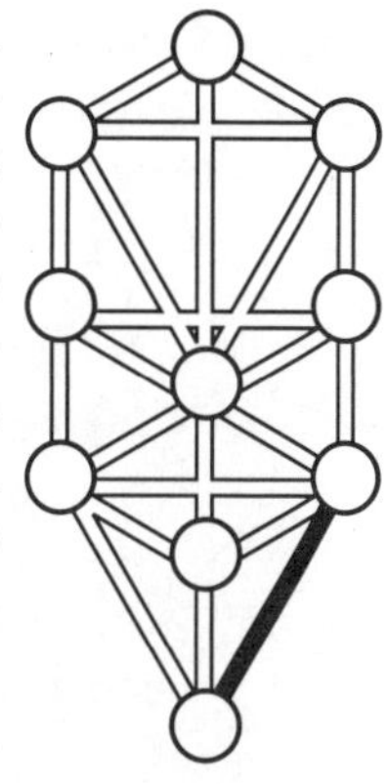

O Caminho 29º

*"O caminho de Koph, ou vigésimo nono caminho, é o da Consciência Física (*Sekhel Mugsham*) porque descreve o crescimento de tudo o que chega a ser físico sob o sistema de todas as esferas."*[63] (Sepher Yetzirah)

Atribuição astrológica: Peixes é o signo correspondente a esta carta. É um signo de Água, mutável, feminino, governado por Netuno e Júpiter. Rege os pés, as mucosas, o sistema linfático e a aura. Sendo o último signo do zodíaco, representa a possibilidade de transcender.

A missão destes nativos é servir. São muito sensíveis e impressionáveis, e se desequilibram com facilidade. Seu estado anímico se reflete, como em nenhum outro signo, na sua saúde física.

Podemos considerar dois tipos de piscianos: o primeiro é mais intuitivo, espiritual, livre das amarras mais pesadas da vida material. É o místico procurador da verdade profunda, altruísta, humanitário, criativo e inspirado. O segundo tipo é escapista, disperso, indolente. Muitas vezes dependente de drogas, com uma mínima auto-afirmação e auto-estima. Este tipo adora representar o papel de vítima.

63 - "Inteligência Corpórea", em outras versões.

Peixes (Jofhra)

O primeiro tende a fundir-se com o Universo. Sua compaixão[64] e tolerância o levam a entregar-se amorosamente ao mundo. O segundo está desligado de si mesmo e anda confundido e confundindo os outros. É claro que os dois tipos convivem dentro do mesmo pisciano de carne e osso.

O pisciano tem tendência a engordar, a sofrer dos pulmões e das glândulas, a padecer de inchação dos pés e é muito vulnerável a intoxicações e infecções. Suas crises emocionais o deixam freqüentemente fora da realidade.

> *Este rei da ilusão tem mecanismos próprios para comunicar-se, totalmente não racionais, tais como a telepatia, a empatia, a clarividência e outras percepções extra-sensoriais.*
>
> *Conhecimento de Astrologia – Anna Maria Ribeiro*

Seu verbo é "Eu acredito" e sua frase é: "Eu sou um na minha integração com a vida."

Símbolos: Por baixo aparece um escaravelho levando entre suas patas o disco solar. É Kephra ou Kephri, o escaravelho sagrado egípcio, que, como o Sol, volta das trevas da noite renascendo de si mesmo, por isso é chamado também "o Sol Nascente".

Na arte egípcia, é representado empurrando uma bola de fogo onde depositou seu sêmen. Esta idéia está inspirada num fato real: este coleóptero coloca seus ovos numa bola de estrume, que vai empurrando continuamente sob os raios do sol. O estrume, esquentado pelos raios solares, choca os ovos. A bola representa o Sol, pois contém os elementos necessários para o crescimento e a alimentação.

Segundo esta tradição, Kephra é o pai dos deuses, o Grande Senhor da criação e da ressurreição. Simboliza o ciclo solar do dia e da noite. Transporta o Sol, em silêncio, através da escuridão da noite e dos rigores do inverno.

Nesta carta, Kephra surge das águas de Nuit, onde repousa o caos primordial. E, com a luz de sua consciência (o Sol) entre as patas, descobre à sua frente uma paisagem um tanto sinistra.

Com Crowley, diremos: "Kephra é a mais alta força criativa, começando a materializar-se na forma orgânica mais primitiva". Representa também a evolução orgânica da raça humana e

A Lua (Crowley, Egípcio e Cosmic)

64 - Compaixão, tal como é conhecida pelo budismo tibetano, é a vontade de que todos os seres vivos se vejam livres do sofrimento.

o desenvolvimento celular do veículo físico humano, desde as raízes mais profundas da natureza. Nos Tarôs de Marselha, Rider-Waite e Golden Dawn, aparece um caranguejo ou uma lagosta saindo das águas primordiais. São os símbolos dos primeiros sinais de percepção consciente, representando a humanidade saindo da inconsciência. O caranguejo às vezes anda para trás, mostrando o perigo que corremos de perder nossa consciência e involuir.

Na frente, vemos um caminho ou um rio tingido com sangue, que surge entre duas altas e estéreis montanhas. Sobre ele, nove gotas de sangue lunar — menstrual — pingam, com forma de *Yod*, da Lua. Sabemos que a raiz "*mens*" significa Lua e que a palavra "Artemis", a deusa da Lua, significa "a fonte superior da água".

Em ambos os lados do caminho, dois chacais espreitam, uivando incessantemente, assustando os caminhantes inseguros. O chacal é considerado um animal de mau augúrio, porque é noturno, ronda os cemitérios e se alimenta de cadáveres. É considerado um símbolo de avidez, crueldade e desejo insaciável, ou seja, das emoções e sensações exacerbadas.

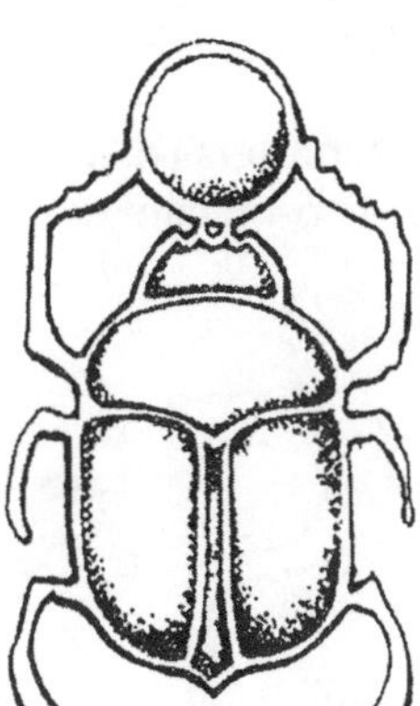

Kephra

A consciência corre sério perigo de ser apagada pelos chacais, que aqui não só estão representando a instintividade cega e compulsiva, mas também os medos, ódios, culpas e todas as emoções e sentimentos destrutivos.

Os chacais estão aos pés de seu amo, o deus Anúbis, filho de Osíris e Néftis, protetora dos mortos e esposa de Set. Anúbis preside os ritos funerários, ocupa-se do defunto, o embalsama e pesa seu coração. Se este for mais leve que a pena de Maat que se encontra no outro prato, isso indicará que está livre de culpa. Este psicopompo, que segundo a lenda encarnava num cachorro selvagem, simboliza a morte e o caminho do morto até chegar ao vale da imortalidade.

A Lua (Salvador Dalí)

Numa mão leva o báculo Fênix, atributo de Thoth, deus cabeça de Ibis, que pela forma de seu bico é uma ave lunar, é símbolo de previsão e sabedoria. Na outra mão segura a cruz ansata ou Ankn, a chave que abre a porta do túmulo para os campos de Ialu, mundo da eternidade, especialmente quando segurada pela parte superior, o que ocorre na carta. Esta cruz é considerada um símbolo de integração dos Princípios Ativo e Passivo, portanto, um símbolo de vida.

Por trás de Anúbis, erguem-se duas torres escuras, de aparência sinistra. Nelas residem todos os preconceitos, superstições, tradições mortas e medos ancestrais que bloqueiam a evolução do ser humano. Estão também as ameaças e pavores colocados pelos pais e os religiosos na infância. Na verdade, as torres estão va-

As Vidas Passadas do Osho Zen Tarot

> *Este é o umbral da vida; e também o umbral da morte. Tudo é incerto, misterioso e tóxico. Não é a intoxicação benigna e solar de Dionísios, mas a terrível loucura das drogas perniciosas. É a embriaguez dos sentidos depois que a mente foi aniquilada pelo veneno desta Lua.*
>
> *O Livro de Thoth – A. Crowley*

zias, somos nós quem projetamos nelas tudo o que tememos.[65]

O desenho desta carta está inspirado no movimento do mar, cujo fluxo e refluxo é governado pela Lua, que muda continuamente, crescendo e minguando. Ela preside a carta, mas não é a Lua da Sacerdotisa, o Princípio Receptivo, que governa o inconsciente e o lar, o esotérico e a intuição, que une o desconhecido e o conhecido, o humano (Tiphareth) e o divino (Kether). Não é a Lua cheia das festas e das fogueiras de Beltane, onde o povo se acasalava para fecundar os campos e trazer prosperidade ao clã. Esta é a Lua Negra, que simboliza os mais baixos aspectos lunares. Às vezes retratada com seus chifres apontando para baixo, é a lua da feitiçaria, da magia negra, das drogas que envenenam e enlouquecem.

A Cruz Ansata

Aqui não há mais luz. No entanto, esta escuridão também é a condição necessária para o renascimento da luz.

Esta lua é a deusa dos mortos, o lado escuro de Hécate que, representada com três corpos e três cabeças, é a deusa dos terrores noturnos, dos fan-

Anúbis pesando o coração

tasmas e monstros que causam pânico. É a nigromante por excelência, a senhora da feitiçaria. Aparece acompanhada de asnos, cachorros e lobas. Com tochas na mão, preside os sortilégios.

No hinduísmo temos Kali, o aspecto destrutivo do feminino, rodeada de chacais e outros animais que freqüentam os crematórios, aparentemente bêbada, empunhando armas mortais e ensangüentadas. É representada em pé sobre o cadáver de Shiva, seu consorte ou polaridade masculina.

Este aspecto do feminino se perdeu na mitologia grega, embora alguns estudiosos afirmem que se manteve nos mistérios de Elêusis.

Esta carta representa o que os místicos de todos os tempos chamaram "a Noite Escura da Alma".

Significados gerais: Representa o lado escuro do Universo. É o oposto complementar do Sol, tal como veremos na próxima carta. A luz e a sombra aparecem ao mesmo tempo; não existe sombra sem luz nem luz sem sombra; necessariamente, a luz e a sombra coexistem.

O Íbis

65 - Court de Gebelin afirma que estas torres são um lugar de descanso onde o caminhante pode repousar e meditar.

Kali e Shiva

No plano humano, representa os aspectos mais escuros do inconsciente, a sombra, que atrai e espanta o consciente, como a Lua faz com Kephra. Esta atração é produto da necessidade que o ser tem de completar-se, de resgatar-se. Este umbral é talvez o maior desafio conhecido. As nove (número do elevado) gotas lhe indicam o caminho. Mas para resgatar e iluminar sua sombra terá de enfrentar justamente o que mais teme.

Aqui o desconhecido é fonte de perigos, medos e alucinações. Quando o ser humano tenta seguir o caminho do seu coração, aparecem uma infinidade de ameaças, medos, dores, raivas e culpas; todo um conjunto de negatividade que foi inoculado nos primeiros anos da infância, justamente para que a criança não vivesse suas emoções naturalmente, acabando assim com boa parte de seus referenciais internos.

Esta área psíquica não aparece de forma clara, possível de se identificar, compreender, analisar e resolver, mas chega como uma nuvem escura, um gás lacrimogêneo que confunde, irrita e produz toda uma série de sensações internas extremamente desagradáveis, que inibem notavelmente a possibilidade de avançar. Então, as projeções se desengatilham como fantasmas aterrorizantes que trucidam a consciência e bloqueiam os movimentos, paralisando os impulsos, exceto o desejo inadiável de fugir. Temos aqui um conjunto de elementos que nos tiram da realidade tanto interna quanto externa, e isso nos conduz ao *karma*. Vejamos como Veet Vivarta redefine o *karma* no Caminho do Mago.

1. *Karma* é o conjunto ou somatório de conceitos, crenças, julgamentos, interpretações, valores, atitudes, hábitos, emoções, desejos ou comportamentos que, de alguma maneira, deformam a realidade maior, impedindo-nos de reconhecê-la tal como ela é.
2. *Karma* é tudo aquilo, em nosso universo interior, que nos mantém presos à ilusão ou *maya*, tudo o que nos afasta da Essência, tudo o que nos faz esquecer da nossa origem divina e do caminho de volta ao lar.
3. *Karma* é realmente ação, como nos diz a tradução literal do sânscrito. E, como ação, também é fruto do uso do nosso dom de vice-regentes, ou livre-arbítrio. E como toda ação, gera reações — ou conseqüências — a ela.
4. Uma ação *kármica* pode acontecer em qualquer um dos quatro primeiros corpos, na forma de pensamentos, sentimentos, impulsos e concretizações. Mas sempre será uma ação desconectada do Eu Superior.

5. O material *kármico* se manifesta em nosso cotidiano quase sempre de forma inconsciente. Ou seja, atuamos os padrões definidos em outras vidas sem perceber como e por que o fazemos.
6. *Karma* é o que serve de matriz para o próprio ego. E o somatório do material acumulado por egos de várias vidas constitui o *karma*.
7. O *Karma* também está sempre conectado à projeção inconsciente, ou seja, ao não-reconhecimento de que a realidade ao nosso redor atua como um espelho. "Karmicamente" falando, a responsabilidade que atribuímos às pessoas ou aos fatos externos que afetam nossas vidas nada mais é, na verdade, do que nossa própria responsabilidade não assumida conscientemente. Somos, sempre, totalmente responsáveis pela manifestação dos acontecimentos que nos afetam.

Se a terceira definição nos lembra a Justiça, as outras estão perfeitamente enquadradas na esfera da Lua, ampliando assim seus significados para os temas de vidas passadas, *karma* e projeções. É interessante destacar que a primeira definição também tem um inegável paralelismo com o Hierofante e a segunda, com a Torre.

Na Leitura Terapêutica

Momento atual: É um momento difícil, confuso, conflituoso e angustiante. O medo se manifesta de modo agudo e paralisante. O consulente se encontra em uma situação extrema que pode até ameaçar sua própria vida, como seria o caso se a segunda carta fosse um Nove de Espadas (a Crueldade) ou o Cinco de Discos (o Sofrimento).

O floral de Rock Rose reforçará a coragem e a paz interior necessários para enfrentar este tremendo desafio.

Âncora: Os medos são a desculpa fundamental para negar-se a viver a vida. São muitas e variadas suas origens. Sem pretensão de sermos completos, vejamos alguns dos medos mais freqüentes:

O medo indefinido, especialmente do desconhecido, com pressentimentos negativos, pesadelos, superstições e uma contínua ansiedade e insegurança. Pode dar-se em pessoas muito sensíveis (Ás de Copas na Infância) que, no útero, durante o parto ou na primeiríssima infância, foram abandonadas, rejeitadas ou ultrajadas, até o ponto de sentir sua vida em perigo, como seria o caso com o Cinco de Discos (o Sofrimento) ou o Nove de Espadas (a Crueldade) na Infância, ou que sofreram ataques psíquicos denunciados pelo Cinco de Espadas (a Derrota) nesta posição. O uso exagerado de drogas pesadas, indicado pela presença do Sete de Copas (a Corrupção) na Âncora, também pode gerar este tipo de medo. A flor de Aspen confere confiança no desafio ao desconhecido e capacita a mente consciente a recuperar e a processar melhor as informações escondidas.

O medo da rejeição, da crítica e de qualquer outro tipo de hostilidade vividos na infância intensa e permanentemente, até converter-se em padrões normais [indicados pelo Três de Espadas (a Dor) ou o Cinco de Copas (a Frustração)], fazem com que a pessoa projete este estado paranóico a seu redor e reaja diante do mundo de maneira desconfiada e presumivelmente hostil, indicada pela Princesa de Espadas na Âncora ou no Momento atual, paralisando a expressão emocional e as iniciativas espontâneas. Sugerimos o uso de Oregon Grape*, que quebra o padrão básico da desconfiança e alimenta as expectativas positivas em relação às intenções dos outros.

O medo do fracasso, geralmente acompanhado de desconfiança, autocensura e baixa auto-estima, pode ser produto de intensas expectativas por parte de seus pais quando criança. Estaria detectado pelo Seis de Paus (a Vitória) na Infância e/ou o Sete de Discos (o Fracasso) na Âncora ou na Infância. Também pode ser causado por uma desvalorização permanente das iniciativas (revelada pela Sacerdotisa ou pela Princesa de Discos na Infância). Esta pessoa castrou sua criatividade e espontaneidade, especialmente quando aparece o Oito de Espadas (a Interferência) na Âncora ou no Momento atual. O centro da comunicação e da garganta podem estar bloqueados. O floral de Larch, que alimenta a expressão criativa, a espontaneidade e a confiança em sua capacidade, será o mais indicado neste caso.

O medo dos desafios comuns do cotidiano, como dirigir o carro, negociar o salário com o chefe, pagar as contas ou sair para pescar, acompanhados de timidez, introversão e uma certa tendência a enclausurar-se como forma defensiva de não encarar a vida, podem ser produto de uma infância reclusa, indicada pelo Quatro de Discos — o Poder —, uma superproteção exagerada assinalada pela Imperatriz, ou excessivas proibições sugeridas pelo Oito de Espadas (a Interferência).

Esta predominância de pequenos medos pode abrir a consciência para um medo mais básico e real, e, portanto, com maiores possibilidades de ser trabalhado e resolvido. A essência de Mimulus ajudará a recuperar a coragem de viver com maior curiosidade, alegria e espontaneidade.

O medo de expor-se, de abrir-se num contato íntimo com o outro, pode ser produto de um compulsivo "Não gosto de mim", acompanhado de uma bem enraizada vergonha de si mesmo, detectados pelo Cinco de Copas (a Frustração) na Âncora ou na Infância.

Se este medo se manifesta evitando o contato íntimo, amoroso e sexual, ou fazendo do sexo uma ginástica impessoal, sugerimos o uso do Sticky Monkeyflower*. Se esta pessoa foi explorada na infância [como seria o caso com um Dez de Paus (a Opressão)] ou ultrajada, [com um Sete de Copas (a Corrupção)], provavelmente teme que, ao se abrir, os outros descubram sua dor e sua vulnerabilidade.

Este medo e sua necessidade angustiante de ser amada são os fatores que a levam a não conseguir estabelecer um contato real e a esconder-se como uma forma de proteção. Neste caso, aconselhamos o floral Pink Monkey flower que, aumentando a auto-aceitação, vai ajudá-la a abrir-se emocionalmente. O medo de abrir-se, permitindo o contato íntimo, pode ser mascarado por uma atitude rígida e hostil com aqueles que se aproximam, como uma maneira de manter uma distância emocional segura, ao mesmo tempo em que esconde seu lado feminino suave e sensível.

O Nove de Paus (a Firmeza) e especialmente a Princesa de Espadas nos Relacionamentos detectariam esta possibilidade, em cujo caso poderíamos usar a essência de Poison Oak.

O medo de perder o controle mental e/ou emocional, liberando impulsos destrutivos, seria indicado pela presença do Quatro de Espadas ou de Copas (a Trégua e o Luxo), ou o Cavaleiro de Paus na Âncora. Geralmente o ego vai querer reforçar ainda mais o controle. Antes que a explosão ocorra, sugerimos o uso de Cherry Plum.

O medo da própria sombra, isto é, de expressar emoções e desejos não compatíveis com a imagem da "boa pessoa" que pretende passar ao público, estaria detectado pelo Ajustamento na Infância ou na Âncora. O floral de Scarlet Monkeyflower* o ajudará a alimentar a honestidade emocional, favorecendo a integração do lado-sombra.

O medo de crescer e de enfrentar as responsabilidades de adulto (salientado pelo Louco na Âncora) produto de uma infância muito paparicada, superprotegida e dependente [Três de Copas (a Abundância), a Imperatriz, e o Eão são seus respectivos indicadores], será aliviado com a flor de Fairy Lantern, que facilita o trânsito através de tais bloqueios emocionais até a maturidade que integra o lado infantil.

O medo da perda de coisas, de tal maneira que a pessoa baseia sua segurança interna em seus bens materiais, concentrando sua atenção em armazená-los e protegê-los de uma forma doentia e obsessiva, indicada pelo Quatro de Discos (o Poder) na Âncora, procede de um estado de carência emocional muito profunda. Provavelmente houve um distúrbio na relação com sua mãe, que deu lugar a um vínculo doentio com a matéria (como poderia ser indicado pela presença da Rainha de Espadas, mãe severa e pouco nutritiva, na Infância). Também uma infância de insegurança e privações materiais (denunciada pela Torre), pode dar lugar a este tipo de avareza, que pode ser revertida com o floral de Star Thistle*, que fortalece a segurança interna, a generosidade e a confiança na abundância do Universo.

O medo da morte pode manifestar-se de duas maneiras. A primeira se refere àqueles que, apegados cegamente ao mundo da matéria, perderam sua ligação com a imortalidade de sua alma. Sofrem com a chegada da velhice e se revoltam contra a morte física. Esta visão da vida pode ser o resultado de uma educação materialista e/ou estritamente racionalista [(que pode ser detectada pelo Quatro de Discos (o Poder) ou um por Seis de Espadas (a Ciência)], ou também por uma rebelião contra uma programação religiosa dogmática, inculpadora e repressiva indicada pelo Hierofante. Este medo, produto da identificação materialista com o corpo físico, pode ser tratado com a flor de Chrysanthemum**, que favorece o desenvolvimento da espiritualidade e a conexão natural com o eterno Eu Superior.

A segunda maneira de como este medo se manifesta é a que vimos no Momento atual: talvez produto de um acidente traumático, ameaças ou uma situação que colocou em perigo real a própria vida. A pessoa entra em pânico com muita facilidade. Normalmente, usa-se Rock Rose junto com Star of Bethelem, Impatiens, Cherry Plum e Clematis. Este medo geralmente não é crônico, e tampouco do passado, mas é a reação a uma situação concreta.

O medo de perder a individualidade no grupo faz a pessoa tornar-se tímida e retraída. Isso ocorre geralmente em sujeitos sensíveis, que se sentem frágeis em ambientes sociais (a Sacerdotisa nos Relacionamentos indicaria um caso assim), e que, apesar de sofrerem com sua solidão, pois precisam e querem honestamente compartilhar sua vida com os outros, não o conseguem, e se enclausuram em ocupações e trabalhos que realizam sozinhos.

A flor de Violet* estimulará a confiança de que os outros irão ajudá-lo e de que sua individualidade vai revelarse com maior firmeza.

Necessidade interna: O ser verdadeiro está escondido por trás de medos, obsessões, paranóias e ameaças. É preciso que o consulente assuma suas emoções e desejos para assim ir dissolvendo os bloqueios que o paralisam.

Relacionamentos: a) A própria relação está deixando visível toda uma série de medos que antes passavam inadvertidos e que hoje travam o casal. Pode ser um excelente ponto de partida para resolvê-los e transformar a relação e os indivíduos. b) Para esta pessoa, relacionar-se é uma espécie de tortura psíquica, na qual os medos, as ameaças e as possibilidades de ser rejeitada, criticada, abandonada ou violentada, caso ela expresse uma partícula de sua verdade, a cercam e a levam a vivenciar inconscientemente as emoções dos piores momentos da infância.

Não acredita em seu amor, em sua beleza, em seu *sex appeal,* e quase sempre prefere não relacionar-se com ninguém, a não ser que haja também um elemento masoquista significativo em sua personalidade.

Infância: Tudo era perigoso; o mundo ali fora, assustador. "Cuidado, criança! O carro vai te atropelar!" As iniciativas foram podadas com ameaças: "Não se atreva! Nem pensar nisso!" Vai de castigo para o quarto escuro!"

Com o Nove de Espadas (a Crueldade), pode indicar tortura física, castigos humilhantes e violentos. Talvez tenha sentido sua própria vida em perigo, com o Três de Espadas (a Dor), e adquirido traços esquizóides em sua personalidade.

Método: Os medos são, neste momento, nossos aliados. Conhecê-los, descobrir como funcionam e libertarmo-nos deles é a tarefa e o trampolim. São fantasmas gigantes incorporados na infância, reflexos de medos e ameaças que podem esconder belos potenciais (XVIII = IX = 0), cuja realização pode nos dar muito prazer.

Com o Ermitão, esta tarefa passaria por uma revisão atenta e o mais objetiva possível da primeira infância. Com o Cinco de Paus (a Luta), indicaria a necessidade de enfrentar os medos diretamente, colocando ímpeto e consciência em realizar e dar forma concreta (Saturno) aos desejos mais profundos.

Também pode sugerir uma terapia de vidas passadas.

Caminho de crescimento: Vemos aqui um encontro bem intenso que o consulente terá com seu lado mais obscuro. Seus maiores medos irão manifestar-se, suas dores e rancores, seus terrores infantis e tudo aquilo que, no fundo do inconsciente, está amarrando sua evolução. É um desafio realmente

> *Muitos de nossos problemas (talvez a maioria) existem porque nunca os encaramos, nunca os enfrentamos. E isso lhes dá energia, ter medo dos problemas lhes está dando energia, tentar evitá-los sempre lhes está dando energia, porque você os está aceitando. A própria aceitação lhes dá a existência. Sem a aceitação, eles não existem. Você tem a fonte da energia. Tudo o que acontece na sua vida precisa de sua energia. Cortando-a – em outras palavras, é isso o que chamo de desidentificação – sem identificar-se com nada, imediatamente aquilo morre pois, não tem energia própria. E a não-identificação é o outro lado do estar alerta.*
>
> *Osho Rajneesh*

difícil, que pode precisar de apoio terapêutico. Descascando camadas de seu próprio ser por trás de cada gigante de pés de barro que derrubou, o crescimento vai superando as dificuldades.

Resultado interno: Podemos dizer que aqui houve um profundo resgate emocional. Foram superados os medos, ou pelo menos uma boa parte deles, de maneira que o consulente se expressa em todos os aspectos da vida de modo muito mais espontâneo.

Resultado externo: Poderíamos muito bem preveni-lo para que não se meta em assuntos que não estão muito claros, pois podem lhe trazer perigo, embora também podemos vê-lo esclarecendo e resolvendo situações confusas e duvidosas.

O Sol

Títulos: No Tarô Egípcio esta carta leva o título de "A Inspiração". Nos outros, tanto antigos como modernos, é chamada "O Sol". Seu título esotérico é "O Senhor do Fogo do Mundo".

Número: O Dezenove, vinculado ao Sol, é um número primo relacionado com o Dez e com o Um (19=1+9=10=1+0=1), e passa uma idéia tanto de ciclo completo voltando à unidade como de individualidade.

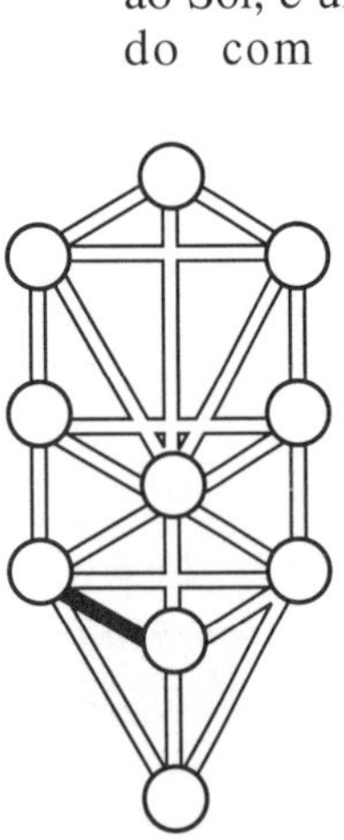

O Caminho 30º

Letra hebraica: ר

A letra atribuída ao Sol é *Resh*, que significa "cabeça" ou "fisionomia". Simbolicamente, representa o Fogo e se relaciona com as faculdades de pensar, querer e sentir. É uma letra dupla, masculina, laranja, cujo valor numérico é 200, e corresponde ao R de nosso alfabeto.

O Sol (Marselha e Waite)

Caminho cabalístico: Este sendeiro une *Yesod* (o Fundamento), a mente inconsciente e o psiquismo da Lua, com *Hod* (a Glória), a mente racional, concreta e consciente, relacionada com Mercúrio.

*"O trigésimo caminho é o da Consciência Geral (*Sekhel Kelali*) e chama-se assim porque é o meio pelo qual os "generalizadores dos céus" selecionam suas regras acerca das estrelas e constelações, dando forma à teoria que constitui seu conhecimento das Opham rodas das esferas."*[66] (Sefer Yetzirah).

Aqui se esclarece a natureza da relação entre a mente e o corpo físico. São refinadas suas sensações e a sexualidade é compreendida como a grande força secreta que usa o iniciado.

Atribuição astrológica: Como era de se esperar, o Sol é o planeta vinculado a esta carta. É a fonte de luz, calor, energia e vida. É o Princípio Universal pelo qual tudo vive e se movimenta. Governa a expressão mais elevada do Eu, a Individualidade, a Vontade Verdadeira e o Espírito.

66 - Também "Inteligência Coletora".

O Sol (Crowley, Egípcio e Cosmic)

O Sol evoca idéias de grandeza, superioridade, majestade, autoridade, vida e energia radiante. Rege nossa criatividade, vitalidade e força de vontade.

O signo onde está indica a melhor maneira de ser de cada um. Sendo a fonte de energia, relaciona-se com a libido, nossa energia psíquica. Governa o signo de Leão e a casa V, e no corpo físico rege o coração, a circulação sanguínea, as artérias, a coluna vertebral e os olhos.

Símbolos: Na metade superior da carta aparece o Senhor da Nova Era, Heru-Ra-Ha, outro nome de Hórus, manifestando-se sob a forma do Sol. Ele não é somente a fonte de vida, luz e energia, como também a manifestação da Divindade.

O sol vivifica e manifesta as coisas, mas também as destrói. Segundo várias tradições, existiam vários sóis que foram abatidos com flechas para que não incendiassem as colheitas, restando apenas um. O sol que se põe toda noite, renascendo a cada manhã, é símbolo de ressurreição e imortalidade.

Está no centro do sistema, assim como o coração está no centro do corpo humano. É o Atma ou Espírito Universal. No ser humano representa sua parte divina, a chama viva que arde em seu coração. É um símbolo da Inteligência Cósmica e representa também a consciência humana.

É símbolo do masculino, do pai e da autoridade.

Para alguns autores representa o superego, aquela área do psiquismo incorporada pela influência da família e da sociedade que reprime o ser com proibições, regras e doutrinas.

O Sol está representado na forma de uma flor de lótus, com duas fileiras de doze pétalas cada uma. O lótus representa aqui o florescimento da energia solar nos planos externo e interno (2 fileiras), de forma total e completa (12 pétalas).

O lótus no Oriente é equivalente à rosa no Ocidente, representando também o amor, o coração, a espiritualidade e a imortalidade.

Os Rosacruzes colocam a rosa no meio da cruz, ali onde estaria o coração de Cristo. Crowley eliminou a cruz, deixando só a rosa, o amor. Com isso, quis indicar que todas as limitações artificiais, normas e leis da Era de Peixes, relacionadas com a cruz e com o Quatro, não têm mais efeito na Nova Era.

Embaixo do Sol, as duas crianças, que já apareceram no Louco, no Hierofante e nos Amantes, surgem, desta vez com asas de borboleta. Livres e inocentes, estão celebrando a vida, bailando a vida, como diria Rolando Toro, desinibidas e livres de qualquer idéia de pecado, castigo ou morte.

A carta mostra o novo momento na evolução da humanidade, com uma mulher e um homem mais conectados

> *Quando há liberdade, há energia; quando há liberdade, ela nada pode fazer de errado. A liberdade difere totalmente da rebeldia. Não há ação correta ou incorreta quando há liberdade. Vocês são livres e a partir deste centro agem. De maneira que não têm medo, e a mente sem medo é capaz de amar infinitamente. E o amor pode fazer o que quiser.*
>
> *Krishnamurti*

consigo mesmos, mais conscientes e silenciosos, mais meditativos e felizes.

Neste tempo novo, do qual estamos vivendo os albores, a humanidade não vai precisar mais de leis, doutrinas nem moral. O Novo Homem, consciente, amoroso e livre, saberá muito bem o que quer e não se deixará escravizar nem escravizará os outros. "Faça o que quiser, é a totalidade da Lei."

Vão sobrar políticos, religiosos, fronteiras, exércitos, polícia, como cantou John Lennon.

Por trás das crianças, ergue-se uma montanha que representa a aspiração da Terra por atingir o Céu. Podemos considerá-la como um intermediário entre ambos. É verde, simbolizando a fertilidade. O cume da montanha está rodeado por um muro, que evoca, segundo a tradição védica, o muro de rochas que cerca o Cosmo, no centro do qual se eleva o monte Meru, eixo do mundo, assento de Shiva e Parvati. Este muro também pode representar as leis naturais que continuarão existindo.

Do Sol surgem doze raios curvos, que delimitam os doze signos astrológicos no canto da carta, enfatizando a idéia de que o Sol se encontra no centro do zodíaco, cinturão de Nuit.

> *Todos os seres nascem iluminados, mas é preciso uma vida inteira para descobri-lo.*
>
> *Buda*

Significados gerais: Esta carta representa a totalidade da luz do Universo. No plano humano, o Sol simboliza o Centro do Ser, sua Essência Divina; aquele diamante que vimos na ilustração, que não pode ser maculado pela programação, embora possa ficar escondido atrás das estruturas de defesa e de montanhas de lixo.

Neste centro reside o Eu Superior, a Supraconsciência, o Amor e a liberdade.

A ignorância nos cega para a percepção de nossa verdadeira natureza e faz com que nos identifiquemos com os aspectos mais passageiros e superficiais do nosso ser. Acreditamos que somos nossa mente, nossas emoções, nosso corpo físico e seus instintos ou nossa imagem no espelho, vestidos à moda.

Separados de nosso centro, ignorantes de nossa verdadeira natureza, deixamo-nos conduzir desatentamente por nossos impulsos ou reprimimo-los cruelmente.

O caminho para eliminar a ignorância passa pela aceitação de tais impulsos, expressando-os e observando-os atentamente. Assim, integrando-os em nosso cotidiano, chegará o dia em que nos desidentificaremos deles: "Eu vivo em meu corpo que amo e respeito, mas não sou meu corpo. Então poderemos permanecer no centro e seremos conscientes de nossa realidade, de nosso Sol interno, que sempre esteve presente, manifestando-se através de intuitos, estados expandidos de consciência e *insights* em geral. Quando cai o véu de *maya*, fazemos contato com a luz.

Talvez agora seja possível entender o Mestre Suzuki quando afirma: "A pessoa só é livre quando não é pessoa.

É livre quando nega a si mesma e se perde no Todo. Para ser mais exato, é livre quando é ela mesma e ao mesmo tempo não é ela mesma".

Quanto mais entramos em contato com nosso centro, desidentificando-nos das aparências, mais somos nós mesmos e mais conscientes de nossa Individualidade. Esta Individualidade é totalmente diferente do ego; este nos separa da realidade e dos outros, a Individualidade nos une, integra-nos com o Todo, tal como faz o amor. É a Individualidade de uma gota d'água no oceano. Quem está em seu centro, só pode irradiar amor e compaixão.

Por isso mesmo aqueles que inventaram os deuses, projetando qualidades humanas em seres superiores necessariamente antropomórficos, não estão completamente equivocados quando afirmam que Deus é Amor.

Na Leitura Terapêutica

Momento atual: O consulente se sente especialmente lúcido e cheio de energia, que está direcionada segundo sua verdadeira vontade. Está seguindo o caminho de seu coração e isso conduz a estar centrado internamente e a conseguir êxitos no mundo externo.

A carta que se cruza com esta indicará em que aspecto da vida tudo isso está se concretizando com maior intensidade.

Âncora: Esta pessoa está dissociada de seu verdadeiro Ser, geralmente produto de uma relação conflituosa com seu pai, um ditador que literalmente o apagou, como mostraria o Imperador na Infância.

Se a criança aprendeu a lição e começou a imitá-lo, teríamos o caso A, que poderia ser identificado pela presença de cartas como o Seis de Paus (a Vitória) na Infância ou na Âncora.

Se o sadismo paterno chegou até o ponto de anular completamente o filho, com fortes rejeições e humilhações evidenciadas pelo Três de Espadas (a Dor) ou o Cinco de Discos (o Sofrimento) na Infância, teríamos o caso B.

A) Este é um ego inflado que precisa ser sempre o centro das atenções. Para isso se pavoneia sem pudor, ostentando seus conhecimentos, seu brilho, seus êxitos, sua beleza superficial... Quando consegue ser admirado, sente-se satisfeito e eufórico. Não consegue relaxar nem ser um comum mortal enquanto houver alguém na platéia. Se ninguém lhe dá atenção se desinfla e por baixo das penas, aparece uma criança carente e desvalorizada. Esta excessiva identificação com aspectos ilusórios do eu pode ser revertida com o uso do Sagebrush*, que ajuda a reencontrar o Ser essencial.

Para quem faz da beleza exterior o gancho para atrair a atenção e não sabe sair na rua sem uma "máscara cosmética" (Princesa de Copas na Âncora), o uso de Pretty Face** colocará esta pessoa em contato com sua beleza interna, favorecendo a aceitação de sua aparência pessoal.

Como ao Imperador, lhe fascina ser o líder de alguma coisa, e apresenta sua candidatura a presidente das associações das quais participa. Os dois querem mandar: o Imperador para colocar todos para trabalhar e acumular dinheiro e poder, e o Sol para conquistar fama, glória e aplausos. Nos dois existem traços psicopáticos.

Junto ao Três de Paus (a Virtude), indica um ego espiritualmente orgulhoso, que deveria usar o floral de Lóntus*.

B) Poderíamos ver aqui alguém cuja identidade desapareceu. Não sabe quem é nem o que quer, estando totalmente desconectado de si mesmo. É incapaz de criar. Apresenta-se como um fantasma — geralmente sofrendo de enfermidades resultantes de uma baixa defesa imunológica —, resignado a cumprir seu destino. É um Zé Ninguém que cala a boca e obedece. O uso de Equinacea** o ajudará a resgatar a integridade e a dignidade do Ser.

Tanto para os que se anulam quanto para os que se autoglorificam, tentando ofuscar o brilho dos outros, o floral mais adequado será o Sunflower*, que resgata o sentido equilibrado da individualidade.

Necessidade interna: Esta carta mostra a urgência de sermos nós mesmos, que passa, inicialmente, não apenas pela aceitação interna, como também pela apreciação e o estímulo das qualidades particulares que nos levam a ser um ser único. Chegou a hora de deixar o rebanho, de conquistar a liberdade, de autoafirmar-se e de realizar a verdadeira vontade.

Infância: Poderia indicar uma infância feliz, cheia de amor, liberdade e apoio. Os referenciais internos e as iniciativas da criança foram respeitados e seu Ser Espiritual foi devidamente contemplado. Assim, a criança entrou na adolescência com uma identidade forte, cheia de autoconfiança e auto-estima. Como esse é um caso atípico neste final de milênio, é fundamental colocar outra carta para dar uma interpretação mais cuidadosa.

Com o Imperador, o Mago ou o Cinco de Paus (a Luta), podemos pensar que a criança viveu sob a continua expectativa de brilhar, de destacar-se, mostrando-se o melhor da sala, do jogo ou da casa. A criança provavelmente acabou disposta a fazer qualquer coisa para ser o centro das atenções.

Com a Lua, a Sacerdotisa, o Nove ou o Oito de Espadas (a Crueldade e a Interferência), optaríamos por dizer que a infância se caracterizou por uma extrema anulação da individualidade da criança, na qual os medos, as ameaças, os castigos e as proibições foram os instrumentos mais usados. A criança saiu com uma perigosa falta de identidade.

Com o Três de Copas (a Abundância), mostra a criança sendo o centro obsessivo das atenções, sendo constantemente paparicada e desenvolvendo nela a falsa crença de que o mundo está a seu serviço.

Relacionamentos: a) Este relacionamento traz um fortalecimento da individualidade do consulente. Libera energia e ajuda a desenvolver a consciência e a espiritualidade. b) A pessoa se relaciona procurando satélites que inflem seu ego, ajudem-no a brilhar e a destacar-se na sociedade.

Método: Sugere desenvolver o lado espiritual. A espiritualidade é o perfume de uma flor que dificilmente sentiremos se a terra em que está plantada não for fértil (se o corpo físico e seus instintos não estiverem sadios e em harmonia; se não chover; se a pessoa estiver carente emocionalmente; e se a atmosfera estiver poluída) se a mente estiver saturada de preconceitos e doutrinas.

A essência floral de Lótus* atua como elixir espiritual que ajuda a alma a abrir-se para sua divindade interior, enquanto a de Star Tulip* facilita a meditação e a oração.

Se achamos que a pessoa está longe de alguma consciência espiritual, lhe sugerimos esclarecer seus desejos[67] e colocá-los em prática, descobrindo muito bem o que quer na vida e por onde

67 - Ver meditação da nuvem. Apêndice III, terceira leitura.

se expressa sua criatividade. Sempre será conveniente usar a essência de Sunflower*.

Podemos sugerir também, para quem gosta de madrugar ou ficar até o final da festa:

"Quinze minutos antes do amanhecer, apenas espere e observe — como alguém que espera pelo amado. Quando o sol aparece no horizonte, comece a sentir que está nascendo no seu umbigo. Não é necessário fixar a vista, pode piscar os olhos. Dez minutos serão suficientes. Depois feche seus olhos e contemple o sol dentro de você. Isto irá mudá-lo tremendamente". (*O Livro Orange*, Osho Rajneesh)

Para quem não gosta de acordar cedo:

"Depois de bailar durante 20 minutos as músicas de que você mais gosta, começando pelas mais rítmicas e concluindo com as mais suaves, sente-se com as costas retas e, dizendo seu nome, pergunte: Fulano, você está aí?

E responda: Sim! Eu estou aqui dentro.

Agora, vá indo cada vez mais para dentro, colocando a consciência em camadas cada vez mais profundas, aproximando-se do ponto de origem da voz: Sim! Eu estou aqui dentro.

Vá cada vez mais fundo. Como ajuda, você pode focalizar sua atenção no Hara ou no coração". (*O Livro Orange*, Osho Rajneesh).

Caminho de crescimento: Mostra uma fase de especial afirmação da identidade, em que se sabe quem é e o que quer. Pode estar indicando manifestações ou experiências espirituais importantes.

Resultado interno: O indivíduo sente-se livre, espontâneo e feliz, em contato com sua voz interior e com seu Ser Espiritual, que dá uma nova compreensão à sua vida e uma energia sem limites. Junto com o Universo, pode indicar estados de *satori*.

Resultado externo: Vemos o consulente cheio de energia, canalizando-a adequada e espontaneamente, de maneira que tem muitas possibilidades de conseguir o êxito em seus empreendimentos. O cotidiano está enriquecido pela sua visão espiritual.

O Eão

Títulos: Este Arcano, geralmente intitulado "O Julgamento" ou "O Julgamento final", foi uma das cartas cujos significados degeneraram tanto que chegou a representar algo diferente do que seria a idéia original. Para resgatá-la, Crowley e Harris tiveram que desenhar uma carta totalmente inovadora e a chamaram "O Eão",[68] Com o título de "A Ressurreição", o Tarô Egípcio consegue livrar-se do dogmatismo cristão, mas, como veremos, ainda fica na metade do caminho.

Seu título esotérico é "O Espírito do Fogo Primitivo".

Número: O Eão é o Arcano número Vinte. Segundo a tradição maia, este número representa o deus solar em sua função de arquétipo do ser humano perfeito. Também no calendário religioso maia, de 360 dias, seus 18 meses são de 20 dias. Hoje, na numeração quiche, a etnia mais próxima aos desaparecidos maias, o Vinte representa o ser humano com seus vinte dedos.

Os índios hopis realizam a imposição ritual do nome de um recém-nascido aos vinte dias de vida. Por redução, é um Dois.

68 - Eão: Era o grande espaço de tempo. No gnosticismo, é a inteligência eterna emanada da Divindade Suprema.

Letra hebraica: ש

Shin, terceira e última letra mãe, corresponde ao Eão. É vermelha e está associada ao elemento Fogo. Sua forma lembra a de uma fogueira de três chamas. Seu valor numérico é 300 e seu significado é "dente". Corresponde ao nosso S.

Caminho cabalístico: O caminho de *Shin* une *Malkuth* (o Reino) com *Hod* (o Esplendor). Nos textos da Golden Dawn este caminho é chamado "O Esplendor do Mundo Material", por sua relação com o aperfeiçoamento do corpo físico. Paul Foster Case chama o processo deste caminho de: "a edificação do Corpo do Mestre".

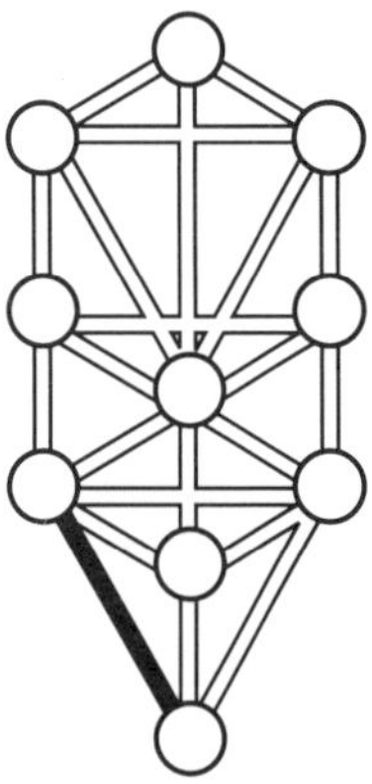

O Caminho 31º

Este sendeiro se refere também ao desenvolvimento da mente concreta. De *Malkuth*, o reino dos elementos, o aspirante se dirige ao encontro do arquivo de imagens e formas-pensamento, desenvolvendo o domínio sobre a mente, assim como o discernimento.

> "*O trigésimo primeiro caminho é a Consciência Contínua (*Sekhel Tamidi*), chamado assim porque dirige o caminho do sol e da lua de acordo com suas leis naturais, cada um em sua órbita apropriada.*"[69] Sepher Yetzirah

Seu desafio é conectar o intelecto com a realidade concreta das coisas materiais.

Atribuição astrológica: O elemento Fogo corresponde ao Eão. Vejamos suas caraterísticas principais.

1. Transformador — Destrói o velho, facilitando a aparição do novo. Este é o aspecto mais importante nas culturas agrárias. Os deuses do *Popol Vuh* foram queimados na fogueira.

O fogo queima os campos e facilita a aparição, com as primeiras chuvas, de um manto verde de natureza viva, geralmente muito mais exuberante que os campos que não queimaram.

2. Purificador e regenerador — Os druidas irlandeses, galeses e bretões acendiam fogueiras todos os dias 1º de maio (que segundo seu calendário era o primeiro dia do verão) e faziam passar o gado entre elas, para preveni-lo contra as epidemias.

Nos rituais de entronização da China imperial, realizavam-se purificações com fogo, assim como com banhos e defumações.

3. Sutilizador — O fogo leva a matéria a seu estado mais sutil por meio da combustão. A chama expressa a aspiração que o fogo tem pelo elevado, pelo espiritual, para unir-se com as chamas do sol e das estrelas. O Fogo, segundo certas tradições, simboliza o Espírito, nosso lado divino, a chama que arde em nosso coração.

O Julgamento (Marselha, Waite e Cosmic)

69 - "Inteligência Perpétua" em outras versões.

Quando entramos em contato com nosso Ser Espiritual, toda nossa vida toma outro sentido, uma nova dimensão mais transcendental aparece. Acontece como se queimássemos toda uma série de interesses, desejos, compromissos e rotinas que perderam seu significado. Então, o horizonte se abre e aparecem novas perspectivas.

Outros autores consideram o Fogo e o Espírito como elementos completamente diferentes e independentes.

4. Fonte de Energia — No ser humano, o Fogo é a energia da libido, nossa energia sexual, que nos impulsiona a viver, a procurar prazer, a nos unirmos, a reproduzirmos e a transformar o mundo ao nosso redor.

Relacionar o Fogo com o Espírito e ao mesmo tempo com a energia sexual pode parecer espantosamente heterodoxo para a tradição dissociativa ocidental. No entanto, para outras culturas isso não é nenhuma novidade.

No hinduísmo, a *kundalini*, a serpente de fogo enroscada na base da coluna vertebral, é energia sexual que, uma vez acordada e devidamente canalizada, vai ascendendo pelo canal central do corpo sutil, *sushuma*, abrindo os sucessivos *chakras* e desenvolvendo a consciência.

À medida que a serpente ígnea vai subindo, sem deixar de ser energia sexual, vai espiritualizando-se e, quando atinge o *chakra* coronário (*Sahasrara*, Kether), se transforma em pura luz.

Quando isto acontece, o ser humano entra em divino êxtase ou *Satori*.

5. Fonte de luz — Neste sentido, podemos relacionar o Fogo com o conhecimento intuitivo.

Símbolos: A figura central, uma criança de olhos grandes e lindos, é Hórus, filho póstumo de Ísis e Osíris, na forma de Har-pa-khrad (o infante Hórus). Sobre sua cabeça está o deus da sabedoria (Ohyros), em forma de uma serpente alada de duas cabeças. A criança é a representação, em forma humana, do Senhor da Nova Era, também chamado "Heru-Ra-Ha", de natureza solar e banhado em luz dourada.

A Ressureição (Egípcio)

Seu dedo indicador está na boca, como se ainda não tivesse decidido como será o mundo que gostaria de governar. Segundo esta tradição, o Universo é um reflexo de seus pensamentos. Nós mesmos existimos porque estamos sendo pensados por Hórus. Neste sentido, podemos entender o primeiro princípio do *Kibalion*: "O Todo é Mente, o Universo é Mental."

Há quem ache, invertendo o processo, que esta entidade é a aglutinadora de nossos pensamentos, que os peneira e os manda de volta para nós. Seria uma forma-pensamento coletiva. Por trás do Hórus-Criança, está sentado Hórus-Cabeça de Falcão, Senhor do Silêncio e da Força, tal como está representado no museu do Cairo e descrito no capítulo "O que é o Tarô". Representa o Sol nascente e é símbolo da ressurreição.

Envolvendo a criança numa matriz azul, Nuit, representada como a abóbada celestial noturna, o rodeia e protege maternalmente. Seus mamilos são galáxias espiraladas e em seu corpo brilham as estrelas. Seu cinturão, como o da Imperatriz, são as constelações do zodíaco.

Perfeitamente encaixado em Nuit está Hadit, seu companheiro, o Princípio Masculino, na forma de um ovo com asas, para destacar que ele é pura energia em movimento, o impulso primordial. Vejamos alguns extratos do segundo capítulo do *Livro da Lei* para conhecer melhor Hadit:

2. Eu, Hadit, sou o complemento de Nuit, minha noiva.
5. Vede! Os rituais do velho tempo são negros.
6. Eu sou a chama que queima em todo coração de homem e no âmago de cada estrela. Eu sou vida e o doador de vida. No entanto, conhecer-me é conhecer a morte.
9. Lembrai-vos todos vós de que a existência é pura alegria; de que todos os sofrimentos são apenas como sombras; eles passam e estão acabados, mas existe aquilo que resta.
22. Eu sou a Cobra que dá Conhecimento e Deleite e brilhante glória; movo os corações dos homens com embriaguez.
26. Eu sou a serpente secreta, enroscada a ponto de pular, em minhas roscas há alegria. Se eu levanto minha cabeça, eu e minha Nuit somos Um. Se eu abaixo minha cabeça e ejaculo veneno, então há raptura da terra e eu e a terra somos Um.
27. Existe um grande perigo em mim, pois quem não compreende estas runas cometerá um grande erro. Ele cairá dentro do mundo chamado "Porque" e lá perecerá com os cães da Razão.
44. Sim! Festejai! Regozijai-vos! Não existe pavor no além. Existe a dissolução, o eterno êxtase nos beijos de Nu.
48. Não tenhas piedade com os caídos. Eu nunca os conheci. Eu não sou para eles. Eu não consolo, odeio o consolado e o consolador.
49. Eu sou único e conquistador. Eu não sou dos escravos que pereciam. Que sejam arruinados e mortos para sempre.

Aos pés da criança está a letra *Shin*, sugerindo uma flor. Em suas três *Yods* aparecem figuras humanas: três bebês a ponto de nascer. Hórus está decidindo-se, está a ponto de criar (pensar) um novo Universo.

O Novo Mundo está aparecendo por todas as partes, apesar de a estrutura fundamental do velho mundo de Peixes ainda estar em pé. Esta carta representa o momento cósmico, que pode demorar pelo menos um século, de transição entre uma era e outra.

O capítulo terceiro do *Livro da Lei* é o mais escuro e difícil. As palavras de Hórus pressagiam guerras, destruições, tal como vem acontecendo — não podemos esquecer que este livro foi ditado em 1904 —, assim como o fim das religiões como seitas organizadas e hierarquizadas e o início da luta da mulher por sua emancipação.

Vejamos algumas passagens:

3. Em primeiro lugar, deve ser compreendido que eu sou um deus de guerra e vingança.
11. Adorai-me com fogo e sangue; adorai-me com espadas e com lanças. Que a mulher cinja com uma espada diante de mim.
17. Não temei nada; não temei nem dos homens, nem dos fados, nem dos deuses, nem de nada. Nuit é vosso refúgio, como Hadit é vossa luz; e eu sou a potência, a força e o vigor de vossas armas.
55. Que Maria inviolada seja despedaçada sobre rodas: por causa

dela, que as mulheres castas sejam completamente desprezadas entre vós.

56. Também por causa da beleza e do amor.

O dedo sobre os lábios é também uma alusão a Nemesis, deusa romana da justiça e da vingança, muitas vezes representada cobrindo seus lábios com o indicador, para mostar que a prudência e o silêncio são muito mais aconselháveis que a arrogância e a tagarelice.

Significados gerais: Esta carta representa todo o conjunto de transformações que acontecem no Universo quando mudamos de Era. Uma ordem tornou-se caduca, vai desaparecendo, vai sendo destruída implacavelmente por uma série de forças emergentes, que dão lugar a um mundo novo. O caminho de acesso a esta enorme mudança, que significa entrar em uma nova Era, é para o ser humano um sendeiro interior, um caminho de descobertas internas que implicam em um salto qualitativo de consciência, equivalente a um renascimento, onde as âncoras do passado ficam para trás.

Agora podemos compreender o Tarô medieval e os que nele se inspiraram: Court de Gebelin, Papus, Waite, etc. No cristianismo não existe a idéia de expansão da consciência nem tampouco a da sucessão das eras. Se no Oriente a paz interior e a compreensão suprema são coisas que se atingem neste mundo com base na dedicação e no trabalho interno, para o cristianismo, a graça de Deus é algo que Ele dá a quem quer, geralmente depois da morte.

O Eão (Crowley)

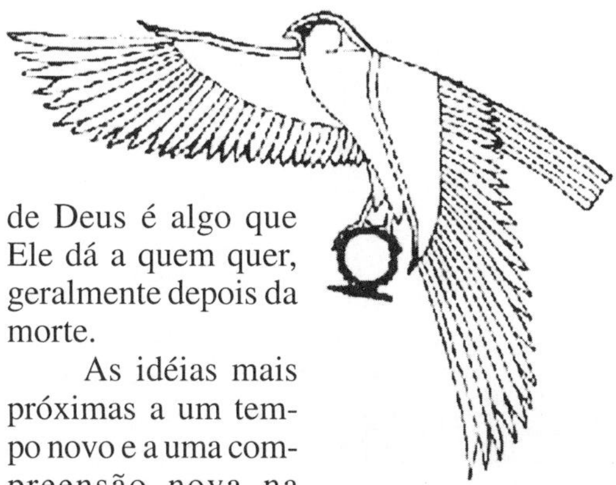

Hórus

As idéias mais próximas a um tempo novo e a uma compreensão nova na doutrina cristã seriam a chegada do Reino de Deus, acontecimento imediatamente posterior ao mistério da ressurreição dos mortos. Neste momento, os humanos dotados de uma nova consciência seriam julgados por seus pecados.

Assim, a imagem mostra a ressurreição dos mortos, embora seu título seja "o Julgamento", que sempre foi a pedra angular com a qual a Igreja manipulou a humanidade, especialmente as crianças.

Na Leitura Terapêutica

Momento atual: Novas compreensões impelem o consulente a uma nova vida. Chegou a hora de tomar decisões. A carta contígua nos dará informação a respeito dos planos em que estes *insights* vão se concretizar com maior ênfase.

Se a carta contígua é o Oito de Espadas (a Interferência) ou o Sete de Discos (o Fracasso), diremos que tais decisões estão sendo paralisadas por desculpas da mente ou pelo medo de fracassar.

Âncora: Compreender as coisas sem pôr nada em prática não serve de nada. Este é o caso da pessoa incapaz de tomar decisões práticas, enquanto

Além da Ilusão (Osho Zen Tarô)

usa suas percepções para julgar e criticar o próximo.

Embora em algumas coisas possa mostrar-se fluido, em questões mais profundas não consegue ser autônomo e independente, nem atuar em função de suas próprias conclusões. Procura compulsivamente a segurança, precisa sentir-se protegido. Pode ser uma criança grande, que prefere obedecer e reprimir suas vontades para ter o amor (?) superprotetor de sua mãe (a Imperatriz na Infância) do que arriscar-se a assumir sua individualidade.

Se toma qualquer atitude autônoma ou atreve-se a dizer não, imagina que imediatamente vai ser rejeitado. Para ele é difícil sair do lar paterno, e, quando o faz, vencendo seus medos, é para repetir a mesma estrutura familiar em sua própria casa.

Pode ter uma estrutura de defesa de caráter masoquista. Neste caso, o floral de Fairy Lantern** o ajudará a crescer, liberando-o do elo neurótico que faz pensar que só vai ser aceito quando mostrar-se como "um coitadinho", superdependente e obediente, tal como seus pais lhe ensinaram.

Uma doença ou acidente na infância, detectados pelo Cinco de Discos (o Sofrimento) ou o Nove de Espadas (a Crueldade), poderia ter desenvolvido um padrão de excessiva dependência da família, caracterizado por uma falta absoluta de autonomia. Também estão neste caso veteranos de guerra e viciados em drogas, que passaram a depender de instituições oficiais. A flor de Milkweed irá ajudá-los a recuperar a força interior e a lutar por sua independência.

O Julgamento (Experimental)

O Sete de Espadas (a Futilidade) na Âncora ou na Infância indicaria que esta pessoa se deixa influenciar demais pelas opiniões alheias, sendo que esta dependência o incapacita de tomar atitudes. Junto com um Dez de Copas (a Saciedade) na Âncora, indica que vive submergida no ambiente familiar, anulando sua capacidade de tomar decisões por si mesma.

Em ambos os casos, a essência de Red Clover o ajudará a fortalecer a autopercepção consciente, a tomar iniciativas independentes, com base em sua própria verdade.

Existem pessoas, especialmente mães, que, apesar de compreenderam que, ao viver para seu marido e filhos, estão renunciando ao seu próprio crescimento e realização pessoal, não conseguem rasgar a teia de aranha que elas mesmas teceram e que agora as sufoca.

A Imperatriz, os Amantes ou a Rainha de Discos nesta posição junto com o Eão podem indicar este caso.

O floral de Red Chesnut irá ajudá-las a acabar com esta preocupação paranóica e obsessiva, a dedicar-se a seus próprios assuntos sem culpa e sem deixar de cumprir suas responsabilidades reais com seus filhos.

Necessidade interna: É fundamental que esta pessoa quebre a casca do ovo onde se esconde e protege. Responsabilizar-se por suas ações e omissões, compreender as situações pelas quais atravessa, tomar decisões e encarar a vida sem intermediários se torna urgentemente necessário.

Relacionamentos: a) A relação está levando o consulente a ter de tomar decisões que significam tanto um crescimento interno, pois supõem uma maior autonomia e auto-afirmação, quanto uma transformação do próprio relacionamento. b) Esta pessoa se relaciona para sentir-se protegida e segura. Assim, pode retroceder e ser o(a) menino(a) bom(a), que faz de tudo para satisfazer a sua mãe e assim ser aceito(a).

Neste caso, é conveniente o uso de Fairy Lantern**.

Infância: A criança foi impedida de tomar suas próprias decisões, suas percepções foram invalidadas e suas iniciativas podadas. Em compensação, foi envolvida num casulo de superproteção, onde sua autonomia e auto-afirmação desapareceram.

Pode indicar também um parto traumático.

Método: O trabalho de crescimento passa pela afirmação de sua visão das coisas e sua independência. Chegou a hora de ser o dono da própria vida, tomando decisões, indo atrás dos desejos, deixando o lar paterno ou a empresa familiar, tomando consciência da necessidade de começar uma nova vida radicalmente diferente.

O floral de Cerato estimulará a confiança em sua própria percepção para tomar decisões firmes e precisas.

Caminho de crescimento: É um despertar, um momento de expansão da consciência, no qual toda uma série de elementos são vistos e compreendidos sob uma nova luz, e são tomadas decisões de maneira que a pessoa se sinta cada vez mais ela mesma, entrando numa nova etapa de sua vida.

Resultado interno: Abre-se um tempo novo! A nova consciência nutriu a quaternidade (corpo, mente, emoções e espírito), que se integrou. Esta experiência de integração alquímica pode ser vista como um renascimento consciente para a grande aventura da vida.

Resultado externo: As decisões tomadas vão deixar o consulente mais solto na vida. Isto pode significar deixar o emprego para fundar sua própria empresa, sair do lar paterno ou de um relacionamento involutivo, desprender-se de uma determinada ideologia para passar a pensar por si mesmo, etc.

O Universo

Títulos: O último Arcano da seqüência aparece nos baralhos medievais com o título de "O Mundo".

No Tarô de Etiella se chamava "A Terra" e, no Egípcio, "A Transmutação". Na maioria dos baralhos contemporâneos, leva o título de "O Universo".

Seu nome esotérico é "O Grande Um da Noite dos Tempos".

Número: O Vinte e Um simboliza a perfeição final (21=3 x 7). Allendy o estudou junto com o Doze e disse:

"O Vinte e Um é o número inverso do Doze. O Doze é par e representa uma situação equilibrada, que resulta da organização harmoniosa dos ciclos perpétuos, enquanto o Vinte e Um é ímpar e simboliza o esforço dinâmico da individualidade, que se vai elaborando na luta dos opostos e abrange o caminho sempre novo dos ciclos evolutivos."

É interessante constatar como tradicionalmente, em muitas culturas, a maioridade se atinge aos vinte e um anos de vida, justamente quando se completa a dentição. Neste sentido, podemos considerá-lo como o número da maturidade, da responsabilidade e de algo que se completou.

Letra hebraica: ת

É *Tau*, ou *Taw*, a letra que atribuímos ao Universo. É dupla, de cor cin-

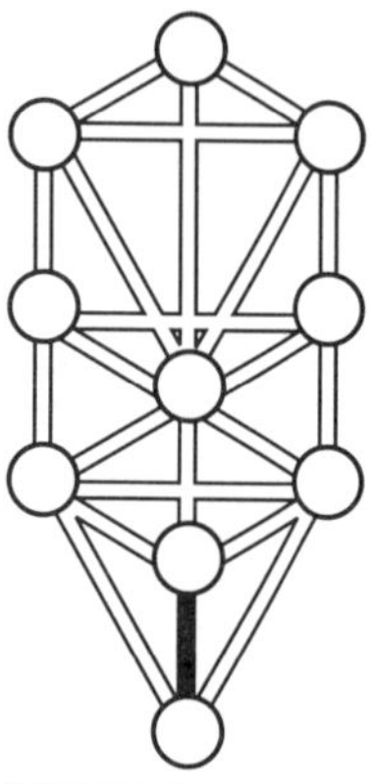

O Caminho 32º

za escura e seu valor numérico, 400, é considerado um valor limite. É a última letra deste alfabeto, sua correspondente no nosso é o T e significa "cruz" ou "signo". Representa, graficamente, a cruz egípcia, instrumento que se usava para medir a altura das águas do Nilo.

Os arquitetos e pedreiros a usam para calcular a profundidade e como esquadro para tirar ângulos retos. Atualmente, continua em uso nos ateliês de arquitetos, desenhistas e alfaiates.

Hieroglificamente, representa a alma universal, a reciprocidade, a proteção, a abundância e a perfeição. Carlos Suares a chama "a resistência cósmica ao sopro vital (*aleph*) que a anima", considerando-a como o princípio oposto e complementar de *Aleph*, a primeira letra.

Caminho cabalístico: Este caminho vertical une e equilibra *Malhuth* (o Reino) com *Yesod* (o Fundamento): vai da Terra até a Lua. Parece o último caminho, mas em verdade é o primeiro, pois é daqui que o caminhante começa sua evolução, saindo do puro condicionamento material em direção à compreensão da personalidade, reflexo do Eu Superior de Tiphereth em *Yesod*, onde se vive o mundo subterrâneo do psiquismo inconsciente. É aqui e agora, no corpo e nos planos físicos, que começamos nossa jornada espiritual ou, como reza o ditado taoísta: "O caminho para o infinito começa embaixo de nossos pés."

*"O trigésimo segundo caminho é o da Consciência Adorada (*Sekhel Ne´evad*) e é chamada assim porque está preparada como para destruir a todos os que se envolverem na adoração dos sete planetas."*[70]
Sepher Yetzirah

O desafio deste caminho é perceber que a energia divina está presente em nossa natureza humana ou, em outras palavras, que somos Seres Divinos. Aqui percebemos que a matéria é sagrada.

O Universo (Marselha e Waite)

Atribuição astrológica: O planeta Saturno é o elemento astrológico atribuído ao Universo. É um planeta lento e frio como uma bola de neve no espaço.

Foi considerado pelos antigos como "o Grande Maléfico", em oposição a Júpiter, "o Grande Benéfico". Hoje é visto de outra maneira: Saturno é quem coloca limites ao desenvolvimento e expansão das coisas. Estipula obrigações, regras e necessidades na vida pessoal e na sociedade. Dá forma às coisas, é quem leva os fenômenos até sua síntese final, até suas últimas concretizações e conseqüências.

É Cronos, o Senhor do Tempo, que solidifica e estabiliza as coisas. Os governados por Saturno são ambicio-

70 - "Inteligência Administradora", assim chamada porque dirige e associa os movimentos dos sete planetas, dirigindo-os em seus próprios cursos.

sos e adoram o poder. Saturno-Cronos, segundo conta o mito, destronou seu pai Urano cortando-lhe os testículos, isto é, acabando com sua capacidade criativa, com uma foice de pedra que Gaia, a Mãe Terra, esposa de Urano, Pai Celestial, preparou especialmente para castrar seu cruel companheiro. Para evitar que a história se repetisse, Cronos devorava sistematicamente seus filhos à medida que iam nascendo, tal como vemos na tela de Goya.

Mostrando assim que o Tempo (Cronos) dá forma a tudo que existe, mas também vai destruindo as formas e dissolvendo as aparências no eterno baile da existência, onde tudo aparece e tudo desaparece, onde tudo se manifesta e tudo retorna à origem, tal como nos ensina o quinto princípio do *Cabalion*:

"Tudo flui e reflui, tudo tem seus períodos de avanço e retrocesso, tudo ascende e descende, tudo se movimenta como um pêndulo. A medida de seu movimento para a direita é a mesma que a de seu movimento para a esquerda; o ritmo é a compensação."

E assim como Gaia acabou com os planos de seu consorte Urano, Réia, esposa de Cronos, fugiu para Creta[71] para salvar Zeus. Este, quando cresceu, deu uma droga a seu pai, que vomitou todos os seus filhos. Com a ajuda deles, lutou contra Cronos durante dez anos, até que o encadearam e o mutilaram sexualmente, abrindo uma terceira geração de deuses.

Saturno encarna os princípios da coesão, da concentração, da fixação, da condensação e da inércia, e por isto é representado como um esqueleto que maneja uma foice, tal como aparece na carta da Morte.

O Universo (Crowley, Egípcio e Cosmic)

Símbolos: A figura central da carta é uma mulher — alguns autores consideram que se trata de um andrógino, bailando em perfeita harmonia com uma enorme serpente. Este par representa o consciente e o inconsciente, final e perfeitamente integrados, e cujo resultado não pode ser outro senão o conhecimento, a alegria e a celebração.

A mulher forma com seus braços um triângulo e com suas pernas uma cruz — a mesma figura que vimos no Pendurado, só que invertida. Aqui, o triângulo espiritual está acima da cruz da matéria, simbolizando a culminação da tarefa de iluminação das trevas que iniciou-se naquela carta.

Com a mão direita, a bailarina segura uma foice, símbolo da colheita, do aproveitamento final que se iniciou se com a preparação da terra.

A empunhadura da foice é um raio que surge do olho de Shiva, que aqui está fechado, indicando que este não é um momento de aniqui-

71 - Creta foi a última civilização matrilinear européia. Foi destruída definitivamente pelos dórios no século XI a.C.

lações. Por sua forma, a foice, como outras armas curvas, tem simbolismo lunar, de maneira que não estaremos enganados se dissermos que a mulher está segurando a Lua.

Nas esquinas da carta temos os quatro querubins, que não são mais máscaras, mas fontes que jorram água. As fontes, sagradas em muitas culturas (os descendentes dos maias não pescam nas nascentes dos rios nem cortam as árvores à sua volta), são um símbolo de geração, purificação, plenitude e juventude. Os querubins sugerem estruturação completa do Universo. Eles formam um plano num marco cor de café cuja forma lembra uma vagina. Do outro lado, temos um segundo espaço onde a bailarina que transcendeu os condicionamentos físicos da matéria celebra a realização da Grande Obra.

Está rodeada pela Via Láctea, representada pelos 72 quinários do zodíaco (72 x 5° = 360°), onde vemos as diferentes constelações, representando sob esta forma o cinturão de Nuit.

Na parte inferior aparece o desenho esquemático da "Casa da Matéria", onde estão ordenados por H. P. Sullivan os 92 elementos químicos, segundo sua hierarquia.

Atrás está o sólido geométrico de Moebius,[72] cuja superfície aparecia no Ermitão.

Significados gerais: Esta carta representa a Síntese Final de qualquer processo, sugerindo uma transcendência e a abertura de um novo começo. Mostra a celebração da Grande Obra consumada. Num plano espiritual, indica a Iluminação em que os condicionamentos do mundo, a ilusão do *maya*, já não limitam o ser, que continua vivendo no mundo, mas que já o transcendeu e agora não é mais seu escravo. Já não é mais do mundo, agora está no Tao, já não é.

Representa, num nível inferior, a realização pessoal.

O ser livre de sua programação, de seu *karma*, integrado e pleno, em comunhão com seu impulso vital inconsciente, livre e feliz, baila extasiado, celebrando a vida e a Existência. Em termos mais práticos, simboliza a culminação de qualquer empreendimento, a realização concreta e final de determinado projeto.

Na Leitura Terapêutica

Momento atual: Toda uma série de assuntos estão sendo concluídos, produto mais da capacidade de realização da pessoa que do fruto de fatores aparentemente externos. Ela está colocando um ponto final em mais um capítulo de sua vida, abrindo assim a possibilidade de transcender para outras coisas.

A aparição de uma segunda carta, como o Cinco de Espadas (a Derrota) ou o Oito de Discos (o Fracasso), dariam lugar a uma interpretação totalmente diferente, mostrando que essa necessidade de concluir determinados assuntos (fechar certas *Gestalts*) está sendo bloqueada, e a

Saturno devorando seus filhos (Goya)

72 - Este sólido, formado por dois tetraedros que se inscrevem e circunscrevem mutuamente, está postulado em seus estudos com os poliedros, formulado em seu trabalho *Ueber die Bestimmung des Inhaltes ieder Polyëders, de 1865*, onde demonstra matematicamente a existência de poliedros sem volume.

> *A bailarina manipula com suas mãos a força radiante espiral, o ativo e o passivo, possuidor cada um deles de uma polaridade dual.*
>
> *O Livro de Thoth – A. Crowley*

pessoa se cristaliza cada vez mais em suas dificuldades, que dia a dia aumentam e lhe dificultam qualquer saída.

Âncora: Temos aqui alguém incapaz de fechar etapas e abrir outras novas. Fica sempre na mesmice. "Aquele que acostumou-se" é o nome deste ego. Pode colocar sua energia de realização em construir um pedestal onde vangloriar-se. Conseguiu tudo o que queria, sabe tudo de tudo, nada precisa mudar. "Para quê? Se estou tão bem assim" — nos diz.

Seu corpo também está cristalizado, provavelmente com uma estrutura de defesa de caráter rígido, indicada pela presença de um Quatro de Espadas (a Trégua) ou de Discos (o Poder) na Âncora. Este excesso de rigidez pode ser dissolvido com Rock Rose, propiciando maior flexibilidade interna e capacitando a pessoa a melhor sentir o pulsar da vida e de suas próprias emoções. O floral de Cayenne* é um catalisador ígneo que pode ajudá-lo a sair da prisão dos velhos padrões de comportamento e a dar o "próximo passo".

Necessidade interna: Chegou o momento de concretizar e realizar, pôr as mãos na massa e fazer o pão. O ser interno não agüenta mais belos projetos no ar, precisa resumir e passar para uma nova situação.

Relacionamentos: a) A relação se cristalizou. Os interesses materiais e a procura de segurança e estabilidade são os fatores dominantes. O casal edificou sua estrutura material, mas o amor e a atração sexual desapareceram. Há muita tensão acumulada em "os Silva Ltda". e se torna necessária uma transformação. b) É o caso de alguém que se relaciona procurando apoio para seus projetos materiais, como quem procura sócios para sua empresa, ou pelo menos antepõe suas necessidades de segurança e estabilidade a qualquer outra coisa.

O Universo (Experimental)

Infância: Os primeiros anos desta pessoa foram uma prisão. Tudo estava decidido, organizado e estabelecido, sem a possibilidade de inventar ou de tomar iniciativa alguma.

O ambiente familiar era extremamente sério e disciplinado, sendo os objetivos materiais as prioridades não somente do dia, como também da noite.

Provavelmente seus horizontes estiveram notavelmente restringidos e qualquer expressão espontânea foi condenada a fracassar, pois enfrentava todo um sistema de valores, hábitos e preconceitos, de maneira que só restaram duas opções: obedecer ou ir embora.

Método: É hora de ser menos fumaça e mais pedra. O crescimento passa por concluir os assuntos pendentes para poder abrir um novo capítulo da vida. Nestes momentos a terapia que pode dar melhores resultados é a *Gestalt*. O floral de Hornbeam estimulará sua energia para envolver-se com mais entusiasmo nas tarefas cotidianas.

Caminho de crescimento: Toda uma série de assuntos concluídos abrem novas portas (vaginas) para novos mundos. A pessoa vai se sentir mais livre das ataduras do tempo e de suas necessidades materiais, permitindo que ela viva à vontade. Sua criatividade se manifestará em aspectos cada vez mais sutis e com maior alegria e prazer.

Resultado interno: O ser interno se desenvolve livre, completo e feliz. Esta carta pode chegar a representar aqui a Realização Interior ou Iluminação.

Resultado externo: Vemos o sujeito colhendo os frutos de seu trabalho, construindo sua vida e abrindo novos horizontes nos diferentes campos de sua manifestação.

CAPÍTULO 6

As Figuras da Corte — Os 16 Tipos de Personalidade

As Figuras da Corte, tradicionalmente consideradas Arcanos Menores, são na verdade uma ponte entre os Arcanos Maiores e os Menores. No capítulo "A Grande Viagem" dissemos que os Arcanos Maiores são expressões de energias que atuam no nível macrocósmico ou, em outras palavras, são ilustrações simbólicas de idéias ou arquétipos universais. Os Arcanos Menores representam aspectos limitados ao microcosmos isto é, relativos ao ser humano. A esfera de influência das Figuras da Corte é mais ampla que a dos Arcanos Menores, já que, como veremos, se referem também a fenômenos da natureza, como a chuva, as erupções vulcânicas ou o vento.

As dezesseis figuras resultam das combinações de cada um dos quatro elementos: Fogo, Água, Ar e Terra, com ele mesmo e com os três restantes.

Num plano humano, mostram dezesseis tipos de personalidade, embora também possamos perceber nelas atitudes a serem tomadas, qualidades humanas e aspectos comportamentais.

Cada Figura da Corte ou personalidade está formada pela combinação de dois elementos. Podemos considerar cada tipo de personalidade formada por um aspecto mais profundo ou essencial, que podemos chamar de natureza profunda, e um aspecto externo, que chamamos de expressão.

A natureza profunda é determinada pelo naipe, isto é, a família: se é de Paus, Copas, Espadas ou Discos. A expressão externa é definida pela figura, isto é, pela função: se é um Cavaleiro, Rainha, Príncipe ou Princesa.

Por exemplo, o Cavaleiro de Copas (como toda a família de Copas) possui uma natureza emocional e sua expressão será fogosa como a de todos os cavaleiros.

Na maioria dos Tarôs, as Figuras da Corte estão dispostas numa configuração patriarcal, sendo a figura principal o Rei, ao redor do qual as outras cartas se articulam: sua esposa, a Rainha, seu filho e herdeiro, o Cavaleiro e o Valete. No baralho Crowley, a figura central, dona do trono e da terra, é a Rainha e sua filha, a Princesa, é a herdeira. O Cavaleiro é o esposo da Rainha, aquele que demostrou, em torneios e outras provas, ser o mais capaz de comandar os exércitos da Rainha. Em cerimônias mais íntimas, devia também mostrar sua virilidade, para cumprir sua segunda e última função: dar uma herdeira ao reino. Quando a Princesa herdeira casa, passa a ser Rainha e o Cavaleiro se torna Rei. Segundo as lendas mais antigas, este teria que matar seu sogro, o velho Rei, com suas próprias mãos, como uma prova adicional de suas capacidades.

Esta morte foi tornando-se cada vez mais simbólica, sendo suficiente

> *Que será do gamo rei quando o jovem gamo crescer?*
>
> *Brumas de Avalon – Marion Zimmer Bradley*

que o velho Rei, muitas vezes acompanhado de sua esposa, abandonasse suas funções, retirando-se do castelo.

Os Cavaleiros — Expressão Fogosa

Encarnam o aspecto fogoso da série a que pertencem. Por exemplo, o Cavaleiro de Copas representa o aspecto fogoso da Água. Correspondem à letra *Yod* do Tetragramaton, que, como vimos, representa o Princípio Ativo, dinâmico ou masculino. As ações dos Cavaleiros são sempre rápidas, impulsivas, às vezes violentas e geralmente efêmeras. O fato de estar a cavalo ressalta tanto a rapidez de seus movimentos como mostra que a força propulsora é de origem animal, instintiva, o que se aplica ao Fogo. Podemos dizer que estes são os ativistas e aventureiros da família. Não em vão, deixaram as comodidades dos reinos dos quais eram príncipes para conquistarem a mão de princesas e transformarem-se em reis. Tomam iniciativas a partir de sua natureza interna: o de Paus a partir de seus instintos; o de Copas de suas emoções, o de Espadas, de sua mente; e o de Discos, de sua conexão com seu corpo físico e o mundo material.

> *Recebem, promovem e transmitem impulso inicial de seus cavaleiros, realizando o segundo nível do processo de criação.*
>
> *O Livro de Thoth – A. Crowley*

Quem usar outro baralho além do de Crowley, poderá aplicar tudo que se relaciona aos Cavaleiros para os Reis.

As Rainhas — Expressão Emocional

São as donas soberanas da terra e do trono. São as companheiras dos Cavaleiros e com eles se complementam. Correspondem à primeira *He* do Tetragramaton, representando assim o Princípio Passivo, receptivo, conservador e feminino do Universo.

Expressam-se emocionalmente a partir do elemento que define sua natureza interna.

Encarnam o aspecto aquoso da série correspondente. Por exemplo, a Rainha de Discos representará o aspecto aquoso da Terra. Sendo o elemento Água representante do aspecto emocional do ser humano, diremos que as Rainhas são as sentimentais da família.

As Rainhas de Crowley correspondem às rainhas de outros baralhos.

Os Príncipes — Expressão Mental

São os filhos homens das Rainhas. Estão retratados em um carro, onde transportam as energias combinadas de seus pais. É a saída ativa da união dos Princípios Masculino e Feminino, enquanto a Princesa é a saída passiva. Representam o poder da letra *Vau* no Tetragramaton, síntese e fruto de *Yod* e *He*. Encarnam a parte aérea da série à qual pertencem: por exemplo, o Príncipe de Copas representa o aspecto aéreo da Água. Sendo a mente o aspecto humano relacionado com o Ar, diremos que os Príncipes são os intelectuais da família. Suas ações são mais duradouras que as dos Cavaleiros. Suas funções são as de "conceituar e divulgar aquilo que estava oculto", diz Crowley. Elaboram e expressam idéias e apresentam projetos cada um a partir de sua Natureza interna. Observe-se a aproximação com o aspecto Papa do Hierofante, aquele que expõe a doutrina. No entanto, permanecem distantes do Mestre, aquele que se iluminou, que transcendeu a mente, embora a use oportunamente. Os Príncipes são o aspecto aéreo da Existência e representam quatro manifestações diferentes da expressão mental.

Eles correspondem aos Cavaleiros dos baralhos patriarcais.

As Princesas — Expressão Prática

As filhas das Rainhas correspondem à segunda *He*. Elas levam o impulso original até sua cristalização final e, reabsorvendo o fluxo de energia, levam-no ao silêncio original, ao início de um novo ciclo. Vemos em suas funções um paralelismo com o Universo. Encarnam, pois, o lado térreo da série correspondente. Assim, a Princesa de Copas representará o lado mais sólido da Água. São as mais práticas e materialistas de suas respectivas famílias. Materializam, constroem, levam para o mundo do concreto a partir de sua natureza interna.

As Figuras da Corte como combinação dos Quatro Elementos. Natureza e Expressão

Vimos que as Figuras da Corte representam 16 tipos de personalidade obtidas por meio da combinação dos quatro elementos que compõem a matéria (Fogo, Água, Ar e Terra).

Cada Figura da Corte ou personalidade está formada pela combinação de dois elementos. Podemos considerar cada tipo de personalidade formada por um aspecto mais profundo, que podemos chamar de natureza profunda, e um aspecto externo, que chamamos de expressão.

A natureza profunda é determinada pelo naipe, isto é, a família: se é de Paus, Copas, Espadas ou Discos. A expressão externa é definida pela figura, isto é, pela função: se é um Cavaleiro, Rainha, Príncipe ou Princesa.

Por exemplo, o Cavaleiro de Copas (como toda a família de Copas) possui uma natureza emocional e sua expressão será fogosa como a de todos os Cavaleiros.

Como vimos no capítulo "A Grande Viagem", os Paus correspondem ao Fogo; as Copas, à Água; as Espadas, ao Ar; e os Discos ou Moedas, à Terra. Também vimos as correspondências entre os Cavaleiros e o Fogo, as Rainhas e a Água, os Príncipes e o Ar e as Princesas e a Terra. Podemos, então, considerar cada uma das 16 Figuras da Corte como a combinação de dois elementos, tal como se descreve no quadro a seguir.

Sabemos que o predomínio de um determinado elemento no mapa natal de uma pessoa favorece notavelmente uma determinada personalidade.

Assim, o Fogo acentua tendências impulsivas, a Água favorece um predomínio da emoção, o Ar predispõe para o intelectualismo e a Terra desenvolve personalidades práticas e materialistas. Em termos de personalidade, vejamos a Natureza interna e a expressão das 16 figuras no quadro seguinte:

	Paus	**Copas**	**Espadas**	**Discos**
Cavaleiro	2 vezes Fogo	Aspecto fogoso da Água	Aspecto fogoso do Ar	Aspecto fogoso da Terra
Rainha	Aspecto aquoso do Fogo	2 vezes Água	Aspecto aquoso do Ar	Aspecto aquoso da Terra
Príncipe	Aspecto aéreo do Fogo	Aspecto aéreo da Água	2 vezes Ar	Aspecto aéreo da Terra
Princesa	Aspecto térreo do Fogo	Aspecto térreo da Água	Aspecto térreo do Ar	2 vezes Terra

	Paus	**Copas**	**Espadas**	**Discos**
Cavaleiro	Natureza e Expressão Fogo	Natureza Emocional, Expressão Fogo	Natureza Mental, Expressão Fogo	Natureza Prática, Expressão Fogo
Rainha	Natureza Fogo, Expressão Emocional	Natureza e Expressão Emocional	Natureza Mental, Expressão Emocional	Natureza Prática, Expressão Emocional
Príncipe	Natureza Fogo, Expressão Mental	Natureza Emocional, Expressão Mental	Natureza e Expressão Mental	Natureza Prática, Expressão Mental
Princesa	Natureza Fogo, Expressão Prática	Natureza Emocional, Expressão Prática	Natureza Mental, Expressão Prática	Natureza e Expressão Prática

Equilíbrio nas personalidades:

Fogo e Ar são masculinos e Água e Terra são femininas. Sabemos que o equilíbrio procede da união harmônica dos Princípios Masculino e Feminino. Assim, as Figuras com maior tendência para o equilíbrio são aquelas que conjugam um elemento masculino com outro feminino, e as que se desequilibram com maior facilidade são aquelas nas quais se repete o elemento, especialmente o Cavaleiro de Paus e a Rainha de Copas, duas vezes Fogo e duas vezes Água, respectivamente. Considerando que o Fogo e a Água são os Princípios Primordiais, e o Ar e a Terra são seus filhos, estes últimos terão as características de seus pais. Assim, o Ar, embora masculino, possui as características femininas de sua mãe, a Água, que o Fogo não possui. Na natureza, vemos que o Ar e a Água são fluidos, podem ser guardados em recipientes fechados e, a elevada pressão, podemos liquidificar os gases. Ambos processos impossíveis de realizar com o Fogo. Também como a Água, o Ar tende a encher todos os vazios. Por outro lado, a Terra, feminina, tem características de seu pai, o Fogo, que a Água não tem, como por exemplo seu calor interno, sua tendência a elevar-se, formando montanhas em seus movimentos tectônicos.

Diremos que Fogo e Água são M-alfa e F-alfa, enquanto Ar e Terra são M-beta e F-beta, respectivamente. Podemos dizer que o Cavaleiro de Paus é mais masculino que o Príncipe de Espadas e que a Rainha de Copas é mais feminina que a Princesa de Discos.

Assim, podemos delinear uma seqüência a partir da personalidade mais masculina até a mais feminina:

1. Cavaleiro de Paus Mα Mα
2. Príncipe de Paus Ma Ma, Cavaleiro de Espadas Mα Mβ
3. Príncipe de Espadas Mβ Mβ
4. Cavaleiro de Copas Mα Fα, Rainha de Paus Fα Mα
5. Príncipe de Discos Mβ Fβ, Princesa de Espadas Fβ Mβ
6. Príncipe de Copas Mβ Fα, Rainha de Espadas Fα Mβ
7. Cavaleiro de Discos Mα Fβ, Princesa de Paus Fβ Mα
8. Princesa de Discos Fβ Fβ
9. Rainha de Discos Fα Fβ, Princesa de Copas Fβ Fα
10. Rainha de Copas Fα Fα

As figuras com maior tendência ao equilíbrio são o Príncipe de Discos e a Princesa de Espadas, seguidos do Cavaleiro de Copas e da Rainha de Paus.

Com os quadros anteriores, também podemos decifrar as dificuldades de cada personalidade em função dos elementos que carece. Por exemplo, o Príncipe de Discos (aspecto aéreo da Terra) carecerá de emoções e impulsos instintivos fortes, já que faltam em sua constituição Água e Fogo.

Funcionalidade e Transcendência

Uma segunda consideração é avaliar as figuras segundo sua capacidade funcional, isto é, sua preparação para enfrentar as diferentes situações da vida. Para isso, levaremos em conta os elementos que integram sua composição elementar.

A falta de Fogo sugere personalidades de natureza ou expressão menos impulsiva, ardente, entusiástica, instintiva e espontânea.

A falta de Água determina personalidades menos emocionais e sensíveis, com maior dificuldade para trabalhar seus aspectos emocionais e, logicamente, não conseguirão relacionar-se amorosamente com a profundidade das figuras que têm este elemento na sua composição.

A falta de Ar indica personalidades menos interessadas em questões de ordem intelectual e ideológica.

A falta de Terra sinaliza personalidades desligadas do mundo material e do próprio corpo, faltando praticidade.

Assim, as cartas da diagonal são as personalidades menos funcionais: Cavaleiro de Paus, Rainha de Copas, Príncipe de Espadas e Princesa de Discos, pois nelas só temos um elemento. No entanto, devido ao fato de que em cada uma delas se repete o elemento, estes quatro personagens têm uma maior capacidade de aprofundar-se em seu elemento e, portanto, de transcender.

O superimpulsivo Cavaleiro de Paus, duas vezes Fogo, livre de qualquer consideração emocional, mental ou prática, pode alcançar a mais pura espontaneidade, como somente uma criança ou um Mestre Zen o fazem.

Se não se conecta com os outros elementos, seu dinamismo não será mais do que agitação frenética, insensível às emoções alheias, incapaz de realizações práticas e de tirar lições de seus atos nem de planificar sua vida.

A Rainha de Copas, duas vezes Água, vive num mundo estritamente emocional, no qual submerge profunda e continuamente. Sua sensibilidade ilimitada a leva a unir-se emocionalmente com todos os seres, como uma gota de água se dissolve no oceano, sofrendo, gratificando-se e amando com eles. Seu caminho de transcendência é a pura devoção e desenvolve melhor do que ninguém o amor universal, a intuição e a clarividência.

No pior dos casos, não conseguirá expressar suas emoções, dar-lhes uma saída prática, compreender os mecanismos que as governam, e acabará afogando-se nelas.

O Príncipe de Espadas, duas vezes Ar, é o paladino do intelecto. Sua extrema agudez mental lhe permite elaborar descrições e teorias imparciais a respeito do mundo que o rodeia. Memoriza e peneira um enorme volume de dados, transformando-se num experto em assuntos, quanto mais abstratos melhor. Decifra incógnitas e propõe soluções sem exaltações. Planifica até os menores detalhes de sua vida e toma decisões sem piscar. Pode ser um matemático, um filósofo idealista, um filólogo, um analista de sistemas ou um estudioso dos fenômenos paranormais e dos poderes da mente. Na Índia, será um adepto avançado do AJNA Yoga, que se liberou do *maya* e atingiu a unidade por meio do uso impecável da mente.

Este aéreo erudito pode transformar-se numa biblioteca ambulante ou num orador vazio e sonífero, se não estabelecer mínimos vínculos com os outros elementos.

Finalmente, a Princesa de Copas, duas vezes Terra, transcende do mais concreto até o mais sutil e espiritual, centrando-se em suas sensações físicas e no mundo material. A conexão com seu corpo e suas funções a levam à meditação, e vai adquirindo a sabedoria de quem está profundamente conectado com a natureza.

Se não construir pontes com os outros elementos, acabará sendo uma pessoa insuportavelmente materialista e hipocondríaca.

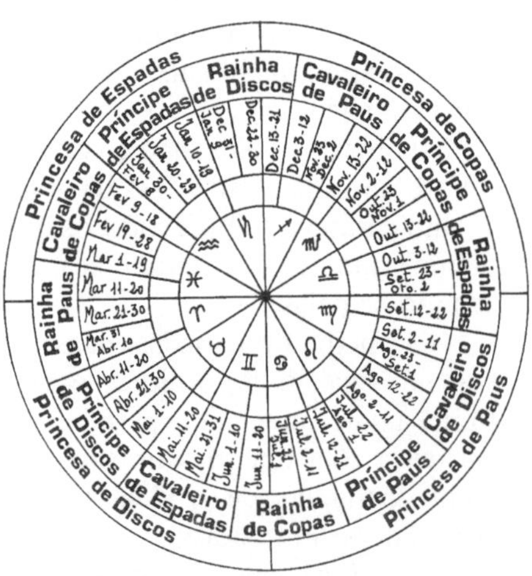

Os Arcanos Menores, os Planetas e os Signos. Anel interno: os signos; Segundo anel: as 36 cartas, desde o 2 até o 10; Terceiro anel: os planetas regentes de cada decanato e a carta correspondente; Anel externo: os Ases.

As Figuras da Corte e os Signos Astrológicos

Estabelecer boas correspondências entre eles é muito interessante, já que a personalidade de cada figura pode ver-se enriquecida pelo conhecimento do signo correspondente. Sendo 16 as Figuras e 12 os signos, teremos de deixar quatro figuras fora da correspondência direta. Dependendo de quais sejam estas quatro cartas, ordenaremos as doze restantes. Crowley exila as Princesas:

"As Princesas não possuem atribuição zodiacal. Claro está que representam quatro tipos de seres humanos. São aquele tipo de pessoas elementares que reconhecemos pela falta de qualquer sentido de responsabilidade e cujas qualidades não parecem ter nenhuma firmeza. Estão divididas segundo o predomínio planetário. Estes tipos foram descritos repetidamente em romances. Como Eliphas Levi escreveu: 'O amor do Mago por estas criaturas é insensato e pode destruí-lo'." (*O Livro de Thoth*)

As cartas restantes são atribuídas a dois signos consecutivos, o último decanato de um signo e os dois primeiros do signo seguinte.

As Figuras da Corte e a Carta Testemunha

A Carta Testemunha representa, como indica seu nome, o próprio consulente. É a Figura da Corte, isto é, o tipo de personalidade que melhor se encaixa ao consulente. Como estamos trabalhando com tipos de personalidade, podemos representar homens com cartas femininas (Rainhas e Princesas) e mulheres com cartas masculinas (Cavaleiros e Príncipes).

A melhor maneira de escolher a Carta Testemunha é por meio da predominância dos elementos (Fogo, Água, Ar e Terra) no mapa astrológico natal do consulente. A presença do Sol, Lua ou Ascendente em determinados signos significará 15% do elemento correspondente ao signo no mapa. Por exemplo, uma pessoa com o Sol em Capricórnio (signo de Terra), Ascendente em Gêmeos (signo de Ar) e Lua em Libra (também Ar) terá 15% em Terra e 30% em Ar. O elemento do signo no qual se encontra Mercúrio proporciona 12% do mapa; Vênus e Marte, 11%; Júpiter e Saturno, 6% e Urano, Netuno e Plutão, 3%.

Exemplo: para uma pessoa com Sol em Capricórnio (signo de Terra), 15%; Lua em Libra (signo de Ar), 15%; Ascendente em Gêmeos (signo de Ar), 15%; Mercúrio em Capricórnio (signo de Terra), 12%; Vênus em Sagitário (signo de Fogo), 11%; Marte em Capricórnio (signo de Terra), 11%; Júpiter em Sagitário (signo de Fogo), 6% Saturno em Capricórnio (signo de Terra), 6%; Urano em Leão (signo de Fogo), 3%; Netuno em Escorpião (signo de Água), 3%; Plutão em Virgem (signo de Terra), 3%. A predominância elementar desta pessoa é Terra com 47%, e depois Ar, com 30%. Restam Fogo, com 20%, e Água com apenas 3%. O elemento predominante determinará a natureza profunda da personalidade. Se predomina Fogo, escolhemos uma carta da família de Paus; se predomina Água, escolhemos uma carta da família de Copas; se predomina Ar, escolhemos uma carta da família de Espadas e, se predomina Terra, será escolhida uma carta da família de Discos. O segundo elemento predominante determinará a função ou expressão da personalidade. Predominando Fogo, temos um Cavaleiro; predominando Água, temos uma Rainha; se Ar é o segundo elemento, temos um Príncipe e, se é Terra, é uma Princesa. No exemplo anterior, representaremos a pessoa com um Príncipe de Discos. Pode acontecer de a pessoa não dispor de seu mapa ou naquele momento não termos como levantar o mapa. Nesse caso, usaremos sempre os dados disponíveis. Se conhecemos o Sol e o Ascendente, consideraremos o elemento do signo no qual está o Sol como a natureza profunda da personalidade, e o elemento do signo em que está o Ascendente como a expressão externa.

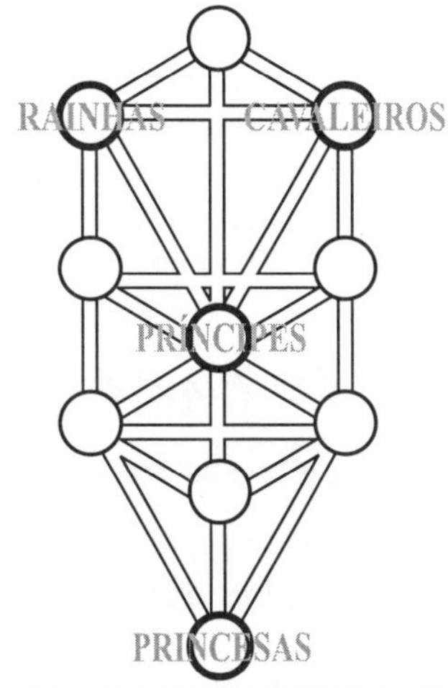

As Figuras e a Árvore

Se só conhecemos a posição do Sol, deixaremos nossa intuição escolher a carta da expressão externa entre as cartas da família do elemento do signo em que está o Sol.

Quando escolhemos a carta a partir do mapa, temos uma excelente compreensão da personalidade do consulente mediante a Carta Testemunha. Esta carta trabalha como uma ponte entre o consulente e o resto das cartas, como um "intérprete num país estranho". Ajuda o resto das cartas a se disporem corretamente.

Se depois de feita a Leitura Terapêutica o consulente se interessa em estudar algum assunto específico, usaremos Cartas Testemunhas ligadas ao assunto. Por exemplo, podemos usar o

Três de Discos (Os Trabalhos) para um assunto profissional, os Amantes para um relacionamento, a Imperatriz para assuntos relacionados à mãe, ou o Dez de Discos (A Prosperidade) se o assunto é finanças.

As Figuras da Corte e a Árvore da Vida

Mac Gregor Mathers, líder da Golden Dawn, deixou escrito que as figuras não estão exatamente acima das *sephiroth*, mas sim a seu lado.

Robert Wang, discípulo de Mathers, explica esta idéia indicando que as cartas não se correspondem totalmente com as *sephiroth*, mas são a extensão de suas qualidades.

Crowley as situa tal como vemos na ilustração da Árvore da Vida.

As Figuras da Corte e o Tetragramaton

As Figuras da Corte representam as qualidades elementares do Tetragramaton nos quatro mundos cabalísticos, chamados: *Atziluth*, plano divino ou arquetípico, *Briah*, plano da criação, *Yetzirah*, plano da formação, e *Assiah*, plano físico. Já que Atziluth corresponde ao Fogo; Briah, à Água; Yetzirah, ao Ar e Assiah, à Terra, não é difícil concluir as correlações, como vemos no quadro seguinte:

	Paus	Copas	Espadas	Discos
Cavaleiro	Yod em Atziluth	Yod em Briah	Yod em Yetzirah	Yod em Assiah
Rainha	He em Atziluth	He em Briah	He em Yetzirah	He em Assiah
Príncipe	Vau em Atziluth	Vau em Briah	Vau em Yetzirah	Vau em Assiah
Princesa	2ª He em Atziluth	2ª He em Briah	2ª He em Yetzirah	2ª He em Assiah

CAPÍTULO 7

As Figuras de Paus

Agora é importante repassarmos as qualidades do Fogo. Como vimos na carta "O Eão", em síntese estas são:

1. Agente de transformação e destruição.
2. Agente purificador.
3. Agente sutilizador.
4. Agente iluminador.
5. Agente calorífico.

Levando estas considerações para os planos humanos, podemos estudar o que o Fogo traz em nossa natureza.

O descobrimento do nosso Ser Espiritual é um impacto tão grande que transforma nossa vida, dando-lhe um sentido mais profundo e fazendo com que certos objetivos e projetos percam nosso interesse e outros sejam despertados. Podemos dizer que nosso lado espiritual possui certas qualidades do Fogo. As faíscas da nossa intuição também iluminam nossa consciência. A energia que exteriorizamos a cada dia, que nos leva a movermos, a realizar, a transformar nosso ambiente, a procurar a satisfação de nossas necessidades vitais e que aparece resplandecente quando nos apaixonamos, é a energia da libido, a energia de raiz sexual, expressão de nossos instintos.

Cavaleiro de Paus

Portanto, a energia instintiva, intuitiva e espiritual é justamente a que move as Figuras de Paus.

Rei de Paus (Marselha e Cosmic)

O Cavaleiro de Paus

Duas vezes Fogo, na Natureza, é o resplendor e a luz do Fogo e também as manifestações mais destrutivas deste elemento, tal como os incêndios, a seca e as explosões nucleares.

O Cavaleiro está dentro de uma armadura completa. A sua mão esquerda segura uma tocha: o Ás de Paus. Seu cavalo negro salta agilmente entre as chamas. A capa do Cavaleiro é de fogo.

Esta carta encarna a impulsividade, a impetuosidade, a ferocidade e a velocidade. Tal como disse Crowley: "Não está capacitado para dar continuidade a suas ações. Entre suas qualidades não está a perseverança nem a capacidade de adaptação; se fracassa no primeiro impulso não terá reservas

Rei de Paus (Rider)

para continuar." (*O Livro de Thoth*)

A ausência de Terra e Água faz com que o processo de transformação ocorra aqui da forma mais violenta: uma explosão. Sem consistência nem profundidade, podemos dizer que o Cavaleiro de Paus é um fogo de palha.

Porém, um Cavaleiro de Paus pode atingir a transcendência indo fundo nos seus impulsos. Sem mente, emoções nem considerações práticas, pode tornar-se a expressão mais pura da espontaneidade.

Na Leitura Terapêutica

Momento atual: O consulente está explodindo. Provavelmente se conteve durante toda sua vida, carregou-se até a saturação. Hoje está jogando tudo para o ar, de uma forma brusca, que pode chegar a ser violenta e autodestrutiva, no pior dos casos, embora sempre represente uma intensa liberação.

A energia expansiva do fogo determina um movimento centrífugo. Duas vezes Fogo indicará um explosivo movimento do centro para a periferia. Muitas coisas são deixadas para trás. Pode indicar o início de uma viagem, de uma fuga ou a ruptura de vínculos matrimoniais, de trabalho ou financeiros.

Âncora: Trata-se de uma pessoa que não consegue se acalmar; sempre está correndo compulsivamente atrás de impulsos inconscientes. Parece que está fugindo da realidade. Se pára, sente-se ameaçado, a ansiedade aumenta e retoma sua cega carreira em direção a lugar algum. É incapaz de conectar-se consigo mesmo por um só instante, nem de ter uma visão objetiva da realidade que o circunda, de maneira que vive se acidentando e se destruindo.

Sua maneira de atuar é tremendamente impulsiva, de forma que jamais consegue realizar ou concretizar coisa alguma, embora possa começar muitas.

Nos mundos práticos, sejam emocionais, de trabalho, mentais ou relativos à consciência corporal, é um desastre.

Sugeriremos o floral de Impatiens. Podemos considerar que sofre de paranóia obsessiva.

Necessidade interna: Faz tempo que o lado instintivo do consulente está preso, almejando tomar uma iniciativa radical. O ser interno está a ponto de explodir. Precisa sair da prisão de seus hábitos e compromissos para dar rédea solta a seus impulsos mais autênticos, expressando-os sem reprimir seus instintos.

Relacionamentos: a) Mostra a separação em um ambiente de falta de consciência: raiva, ciúmes agressivos, impulsos cegos, atitudes exageradas. O floral de Bleeding Heart* o ajudará a aliviar a dor da separação, permitindo que esta seja mais consciente e amistosa. b) O consulente se relaciona sem envolver-se, pula de uma aventura a outra, movido só pela atração física e sem expressar suas emoções, o que era de se esperar devido à sua falta de Água. O floral de Stiky Monkeyflower* lhe facilitará o envolvimento emocional.

Infância: A criança não teve a menor base, o amor nem o apoio necessários para crescer com o mínimo de segurança interna. O ambiente em que cresceu foi violento e explosivo. Viveu de perto brigas, discussões, cenas de ciúmes e violência, separações, mudanças intempestivas de casa, cidade e/ou escola, e se sentiu rejeitada, abandonada e assustada, já que qualquer ação podia dar lugar, e dava, a uma tempestade de fogo, como quem caminha em um terreno minado. Podemos deduzir que sua capacidade de tomar iniciativas, seguir seus impulsos e manifestar sua raiva foi simplesmente liquidada, especialmente se na Âncora temos a Sacerdotisa, o Dez de Paus (a Opressão), o Oito de Copas (a Indolência) ou o Nove de Espadas (a Crueldade). Também é possível que a criança se arme com uma couraça de lutador ou trabalhador incansável para, desconectada de suas emoções e de seus pânicos infantis, mostrar-se forte e poder ser aceita. Cartas na Âncora, como o Imperador, o Cinco de Paus (a Luta), o Nove de Paus (a Firmeza) ou o Mago, confirmariam esta possibilidade.

Método: Aqui a transformação e o crescimento passam pela liberação das emoções presas, a ruptura de vínculos e o abandono de auto-exigências moderadoras, se não abertamente repressivas. A essência de Scarlet Monkeyflower* ajuda a reconhecer, expressar e integrar as poderosas emoções presas, que constituem a "sombra" do consulente. Como provavelmente a emoção reprimida que primeiro aparecerá será a raiva, sua liberação não destrutiva vai exigir certos cuidados. Sugeriremos algumas sessões da Meditação Dinâmica de Osho.[72]

Também pode ser a hora de tirar umas férias, distanciando-se das atividades, compromissos e pessoas habituais para, de fora de seu meio, tendo uma perspectiva melhor e escutando a voz do coração, poder tomar posteriormente as decisões mais apropriadas.

Caminho de crescimento: Estamos diante de uma liberação. A pessoa conseguiu romper as ataduras que amarravam seus impulsos. Deixou de fazer o que não gostava e nesta fase está começando a viver mais espontânea e impulsivamente, deixando para trás uma boa parte de seu passado. Pode indicar também separações, viagens, férias ou uma mudança de domicílio.

Resultado interno: O consulente resgatou seus instintos. Hoje é capaz de viver seus impulsos e seguir sua espontaneidade e intuição.

Resultado externo: Vemos o consulente abordando com entusiasmo suas atividades, entregando-se de corpo e alma à realização de seus impulsos, sem medo de tomar iniciativas, usando sua intuição e decidido a superar os obstáculos que apareçam em seu caminho.

A Rainha de Paus

Representa a parte aquosa do Fogo na natureza, é a cor e a fluidez do Fogo. Também o arco-íris.

A Rainha já não é mais aquela explosão instintiva do Cavaleiro. É mais equilibrada devido à presença do elemento Água, que suaviza e complementa o Fogo.

Sua energia vital, que em toda sua família transborda, está em contato íntimo com suas emoções, de maneira que sua energia possa ser amorosamente direcionada.

A coroa da Rainha irradia fogo e está rematada com o ovo alado, indicando que sua energia é vivificante e, convenientemente direcionada, leva à transcendência e à espiritualização.

72 - Para uma explicação detalhada desta meditação, ver *O Livro Orange*, de Osho (São Paulo, Pensamento, 1985).

Rainha de Paus (Crowley, Marselha e Cosmic)

Seus compridos cabelos vermelhos cobrem sua armadura de guerreira. Está sentada num trono de fogo que tomou, diz Crowley, "forma geométrica sob o influxo de seu poder". As chamas sob seu trono são firmes e fortes. Com a mão esquerda segura uma vara acabada numa pinha, atributo das Bacantes. A pinha, como a hera, representa a continuidade e o crescimento no reino vegetal.

A rainha apóia sua mão direita na cabeça de um leopardo, símbolo de altivez, ferocidade, habilidade e força. Presente no escudo de armas da Grã Bretanha, este predador, o mais veloz dos felinos, representa a casta real e guerreira, especialmente em seu aspecto mais agressivo.

Esta mulher é tremendamente passional. Como uma Bacante, sabe entregar-se como ninguém ao amor. Ela é uma amante realmente fogosa. É firme em suas iniciativas, sabe muito bem o que quer, é gentil e generosa com seus amigos e perigosa com seus inimigos. Adora o poder e é muito atraente.

Os meio-termos a irritam e usa todas suas armas para conseguir o que quer. Não se destaca por sua elaboração intelectual; gosta das coisas claras, o chocolate espesso e os homens a seus pés. Pode mostrar-se autoritária e severa e, embora em casos extremos, pode chegar a ameaçar e manipular; geralmente é franca e leal.

Sua vaidade e tendência a exaltar-se fazem com que às vezes perca o sentido da realidade e a noção de seus limites — não tem Terra em sua composição —, e pode chegar a explodir compulsivamente, embora isso seja raro em seu comportamento.

Na Leitura Terapêutica

Momento atual: Este é um momento de crescimento. A pessoa está resgatando sua energia vital e direcionando-a segundo suas emoções. Está enfrentando com firmeza e decisão os obstáculos e superando-os; está conseguindo viver sua vida como quiser.

Em certos casos em que a segunda carta mostra uma mente extremamente programada e/ou medrosa (Quatro de Espadas — a Trégua, ou Oito de Espadas — a Interferência), que impede que as emoções se manifestem naturalmente, é muito provável que a energia da Rainha seja direcionada para atitudes autoritárias, competitivas e/ou atividades compulsivas.

Âncora: Vemos aqui um ego que precisa mostrar-se firme e forte, autoritário e dominador. Sua energia vital está sendo mais usada para competir que para criar. Este ego imagina que, se abrir seu coração e mostrar suas mágoas, dúvidas e carências, o mundo vai acabar com ele, assim, tenta manter-se sempre por cima, gastando sua energia

Rainha de Paus (Rider)

para mostrar um poder e uma firmeza que na realidade não possui. Suas melhores armas são a sedução e a chantagem emocional. Vive no salão de beleza, na academia e usa roupas bem *sexy*. Quando é contrariada, se inflama com facilidade e usa todo tipo de pressão emocional para conseguir o que quer. Precisa sentir uma aura de desejo sexual à sua volta e conseguir que os outros sejam seus escravos. Às vezes, desacata a razão nas suas exigências só para ver até que ponto controla. Quer ser paparicada o tempo todo. Na necessidade obssessiva de sentir-se poderosa, pode parecer-se com o Imperador, mas os métodos e objetivos finais deste são outros. Ele é basicamente racional e procura enriquecer-se com o trabalho dos outros. A Rainha não está interessada no poder econômico, embora também não vá rejeitar uma jóia. No entanto, preferirá uma viagem a Paris.

A essência de Tiger Lily* ajudará a transmutar estas tendências hostis em cooperação com os outros e a de Vine estimulará a tolerância em relação à liberdade alheia, dissolvendo assim a necessidade de controle e domínio.

Necessidade interna: É preciso que o consulente se conecte mais a seu corpo, trabalhe suas tensões e se permita expressar instintos e emoções para poder resgatar sua energia vital, que está provavelmente estancada.

Relacionamentos: a) Esta pessoa está crescendo dentro da relação, desenvolvendo sua sexualidade e perdendo o medo de entregar-se às suas emoções. b) Mostra uma maneira de relacionar-se muito passional e dominante. Com freqüência, se suas expectativas não são satisfeitas, explode, ameaça e ataca. Não gosta de responsabilizar-se por suas atitudes nem sentimentos. Sempre culpa seu companheiro pelos momentos ruins. Na verdade, o que ela quer na vida é ser amada intensa e fogosamente. Quando isso acontece, sara de suas mágoas, dissolvem-se suas tensões, incorpora a Afrodite e se entrega de corpo e alma ao amor e ao sexo, com possibilidade de orgasmos múltiplos e ininterruptos.

Infância: Neste caso, a Rainha de Paus pode representar muito bem a mãe do consulente. Uma mulher que viveu com dramática intensidade a relação com seu(sua) filho(a).

Se este (a) se comportava "como Deus manda", ela era toda amor, contato, peitos e regaço, carinho, beijos e abraços, sem descartar algumas práticas moderadamente incestuosas, que alegravam e satisfaziam profundamente a ambos.

Mas se a criança cometia algum erro que frustrasse sua mamãe, se deixava de ser a criança bem-educada, obediente, limpa e outras expectativas que ela poderia ter, a fúria dos céus caía sobre ela e chegavam as ameaças, os gritos, os insultos, as manipulações, as chantagens e o descontrole, chegando, em casos extremos, à violência física. A criança, vendo que tem todas as chances de perder enfrentando a sua mãe, acabará submetendo-se. É muito provável que esta mãe não deixe o adolescente em paz e sinta muito ciúmes de seus (suas) namorados(as). Este tipo de mãe cria filhos geralmente masoquistas, com uma considerável dificuldade de ser autônomos, firmes e incapazes de negar-se a satisfazer as expectativas dos outros. Junto com "O Tesão", indicaria uma mãe especialmente sedutora.

Método: Chegou o momento de resgatar o poder interno, conectando e dando vazão aos instintos. É hora de afirmar-se; chega de ser um satélite dos outros. O crescimento passa pela emancipação, pela compreensão dos instintos e pela expressão decidida das emoções.

No caso de uma mulher, trata-se de "liberar o mulherão", de assumir e canalizar os instintos, permitindo-se ser mais sensual e sexual. A dança do ventre pode ajudar bastante. Se um Sete de Espadas (a Futilidade) na Âncora ou nos Relacionamentos indica excessiva influência dos outros, sugerimos o uso do floral de Walnut, que desenvolve a capacidade de tomar decisões independentes. Também podemos indicar o floral de Wild Oat, que ajuda a direcionar a energia ativa, partindo de um profundo referencial interno.

É importante que esta pessoa trabalhe seu corpo e dê maior atenção a seus impulsos, para que sua energia vital possa fluir melhor. Massagens bioenergéticas ou Roldfing podem ser muito efetivas para eliminar os bloqueios de sua vitalidade e, assim, poder ter consciência do que na verdade o corpo está lhe pedindo.

Caminho de crescimento: As situações pelas quais o consulente vai passar vão levá-lo a desenvolver maior contato consigo mesmo, manifestando-se exteriormente com firmeza e autoridade, sabendo cada vez melhor direcionar sua energia para o que realmente quer e o satisfaz.

Resultado interno: Vemos a pessoa desfrutando de sua harmonia interior, fruto do resgate de seus instintos e da conexão com suas emoções. Sente-se dona e senhora de si mesma, firme, segura, determinada e irradiando energia.

Resultado externo: A carta mostra o consulente relacionando-se com o mundo a partir de uma posição de autoridade e firmeza. Faz do trabalho não somente algo pessoalmente gratificante, mas que também possa ter uma vertente social importante.

O Príncipe de Paus

Encarna a parte aérea do Fogo, sua capacidade de expansão e volatilização. O Príncipe aparece nu para ressaltar sua pureza. Sua coroa de chamas está ornamentada com a cabeça alada de um leão, da qual pende uma cortina de chamas. Esta imagem simboliza o aspecto mais elevado e espiritual do leão. Outro leão, símbolo de poder, sabedoria e justiça que, por excesso de orgulho, pode tornar-se um tirano alucinado com seu próprio poder, está empurrando o carro do Príncipe num mar de fogo.

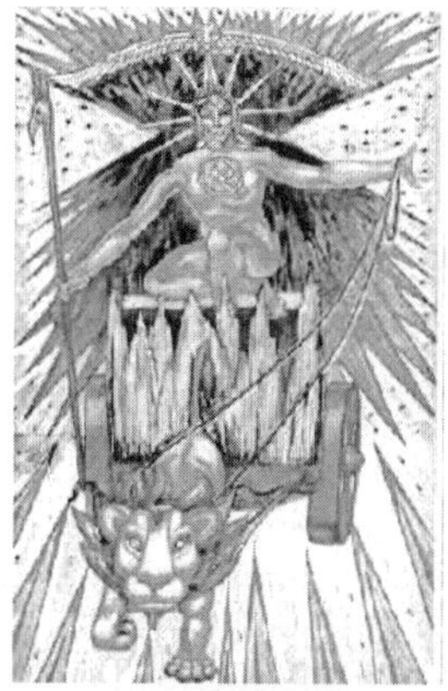

Príncipe de Paus
(Crowley e Cosmic)

Em sua mão direita segura a vara Fênix. Esta ave, segundo contaram os historiadores gregos Heródoto e Plutarco, é um pássaro mitológico que, depois de consumir-se nas chamas, tem o poder de renascer de suas próprias cinzas. Simboliza ressurreição, imortalidade, renascimento através do fogo e reaparição cíclica da vida. Em Madri, pode-se apreciá-lo na Praça da Cibele.

No peito do Príncipe, vemos o símbolo de sete pontas do emblema mágico de Crowley: *To Mega Terion* (A Grande Besta).

Sendo a parte aérea do Fogo, a energia do Príncipe está canalizada para assuntos intelectuais. Ele sempre tem grandes projetos, nos quais se joga de corpo e alma, sem muita noção de seus limites, como cabe à ausência de Terra na composição elementar.

Sempre entusiasmado com seus projetos e ideais, trabalha para divulgá-los, sentindo mais prazer com isto que com o resultado concreto de suas ações. Seu maior problema é o orgulho. Deprecia os mesquinhos e os medíocres, com os quais se mostra autoritário e explorador. No pior dos casos, usa seus projetos e idéias para inflar seu ego. Suas emoções íntimas passam despercebidas para um observador próximo. Só o Cavaleiro de Paus é mais macho e impulsivo que ele.

Na Leitura Terapêutica

Momento atual: Trata-se de uma fase de grande atividade. O consulente está tão envolvido em projetos e grandes ideais que pode estar distanciando-se de seu centro. Ar e Fogo, os dois elementos desta carta, são masculinos, de forma que, se a carta que se cruza não atua como um fator de equilíbrio — como seria a Sacerdotisa, o Ermitão, o Tesão ou o Eão, este momento pode ser exageradamente dinâmico e expansivo, até o ponto de poder representar uma fuga de seu mundo interno.

A essência de Indian Pink* lhe ajudará a estar centrado em meio a tamanha atividade.

Âncora: Mostra uma pessoa hiperativa e tensa, projetada no futuro e em seus projetos. É exageradamente auto-exigente e se identifica tanto com seu trabalho que seu estado de ânimo depende dele.

Este trabalhador compulsivo imagina que, se não se mostrar dinâmico e empreendedor, sempre brilhando e com energia disponível, vai ser rejeitado.

Está mais interessado no reconhecimento social que nos resultados econômicos. Não consegue nem pretende relaxar, pois não aceita seu cansaço, e acaba passando uma imagem de si mesmo totalmente falsa e desonesta.

Sua ausência de Terra supõe uma falta de limites e organização, de maneira que pode muito bem estar envolvido em mil coisas a um só tempo, sem conseguir levar adiante nenhuma.

O floral de Oak o ajudará a respeitar-se e a parar quando seja necessário.

Junto com o Sete de Paus (a Coragem), indica que tem a tendência heróica de assumir responsabilidades acima de suas forças e/ou capacidades, entranhando um sentimento de incapacidade que o desgarra interiormente. Este sofrimento pode ser aliviado com o uso do floral de Elm.

Desconectado de si mesmo, raras vezes expressa suas emoções profundas, vive para sua vaidade e, se não mudar a tempo, pode fabricar uma boa doença cardíaca. Todos os bares têm clientes assim, contando suas historinhas para quem quiser escutar.

Necessidade interna: É importante entrar em ação, dando uma saída criativa à energia vital acumulada e lutando para elaborar e mostrar seus ideais e projetos.

Relacionamentos: a) Podemos dizer que esta relação passa por um momento expansivo e se reforça com projetos comuns, atividades conjuntas e viagens. b) Vende uma imagem de pessoa ocupada e entusiasta, que se relaciona procurando companheiros(as) de viagem que o entendam intelectualmente, apóiem seus ideais e projetos, e especialmente o admirem e alimentem seu ego.

Método: Chegou a hora de sair da passividade, de enfrentar o medo de fracassar e de encontrar dentro de si mesmo o que realmente quer fazer. Sugerimos para isso a meditação da nuvem.

Uma vez achado, tem de confiar nos potenciais internos e levar à prática tais desejos e projetos. A flor de Cayenne* catalisará a vontade para entrar em ação.

Se um Sete de Discos (o Fracasso) aparece na Âncora, denunciando insegurança, baixa auto-estima e medo de fracassar, sugeriremos também o uso do floral de Larch, que regenera a autoconfiança, especialmente na própria capacidade, a espontaneidade e a expressão criativa.

Caminho de crescimento: As portas vão se abrir na medida em que o consulente se lance à ação, perca o medo de tomar iniciativas e lute pelo que realmente quer.

Resultado interno: Perdeu o medo de jogar-se na ação, de apresentar suas idéias, de liderar projetos. Vemos a pessoa brilhando, seguro de si mesma e provavelmente sentindo um grande prazer em suas atividades.

Resultado externo: Vemos aqui esta pessoa liderando projetos e atividades, desfrutando do que faz e avançando na realização de seus objetivos. A essência de Sunflower lhe ajudará a manter o ego em seu lugar.

A Princesa de Paus

Simboliza a parte térrea, a mais sólida, do Fogo, isto é, o combustível, as brasas e as cinzas. Também podemos relacioná-la com o processo de desintegração do átomo. Sendo que o combustível é para o Fogo o que o alimento é para o ser humano, podemos encontrar um paralelismo significativo entre a Princesa e o hexagrama 27 do I Ching: "As Bordas da Boca", imagem da boca aberta que passa uma idéia de nutrição.

A Princesa está saltando numa chama cuja forma lembra a letra *Yod* que, como já vimos, representa o impulso ativo primordial.

Seu movimento é brusco e impulsivo. De sua cabeça saem as penas de avestruz de Maat, para mostrar sua enorme sensibilidade a qualquer estímulo. Está nua, nada está oculto. Leva em sua mão esquerda uma vara rematada por um disco solar. Com a direita, segura o rabo de um tigre, que acaba enroscando-se em seu pescoço. Este felino, que com um tamanho menor aparece na carta do Louco, representa a força instintiva da Princesa.

Parece ser uma sacerdotisa a serviço

Cavaleiro de Paus (Marselha e Rider)

Princesa de Paus
(Crowley e Cosmic)

do altar do Fogo, dourado e adornado com cabeças de carneiro, símbolo de Áries (o aspecto térreo do Fogo), o mais impulsivo, primordial e primitivo dos signos de Fogo. Pula num mar de paixão e vitalidade, simbolizadas pelo fundo vermelho da carta.

A energia da Princesa se expressa como a erupção de um vulcão, isto é, explosivamente e a partir do centro da Terra. Não é mais um fogo de palha, é o fogo da forja do ferreiro, o fogo que cria e constrói. No entanto, se sua energia é usada inconvenientemente, pode destruir e arrasar, como as explosões vulcânicas ou nucleares. Sua força vem das entranhas mais profundas de seu corpo e aparece como o felino sobre sua presa: repentina, violenta e implacavelmente.

Na Leitura Terapêutica

Momento atual: A pessoa está vivendo momentos de forte expressão instintiva. São explosões espontâneas e descontroladas daquilo que escondeu e reprimiu por toda sua vida. Podem, inclusive, manifestar-se compulsivamente, com tendências agressivas e destrutivas. Neste caso, necessitaria de um apoio terapêutico.

A carta contígua nos indicará se estas tendências existem, se a torrente instintiva acaba sendo canalizada pela vertente do amor e criatividade ou se volta a ser reprimida e controlada, talvez devido a fortes sentimentos de culpa. Para ajudá-la a reconhecer e expressar em profundidade esta carga instintiva, sugeriremos o uso de Scarlet Monkeyflower*.

Âncora: Mostra uma pessoa com um enorme e permanente conflito interno, devido ao fato de sua carga instintiva e naturalmente poderosa estar sendo sistematicamente enlatada por padrões de conduta excessivamente repressivos. Esta energia instintiva se expressará distorcidamente e/ou acabará explodindo, geralmente de forma histérica e destrutiva, sem consciência das causas dessa raiva assassina que a leva a querer destruir tudo, inclusive a si mesma. Dessa forma, suas explosões, que poderiam servir para aliviar a pressão interna e levantar um certo questionamento, acabam em nada, pois esta pessoa, sentindo-se intensamente culpada, volta a ser "boa e obediente".

Esta tensão interna a incapacita de amar e seu interesse pelos outros é fundamentalmente material, com tendência à agressão verbal e à hostilidade.

A essência floral de Snapdragon** a ajudará a redirecionar sua energia instintiva por meio de seus canais naturais. Scarlet Monkeyflower lhe fomentará a coragem para aceitar e conseguir expressar seu lado sombrio.

Necessidade interna: O consulente se sente permanentemente a ponto de explodir. Seu ser interno se sente sufocado depois de anos de repressão e precisa urgentemente dar uma saída a toda essa carga.

Relacionamentos: a) A relação está passando por uma fase de brigas e explosões de raiva que provavelmente não só vão acabar com o vínculo, mas também com a integridade física dos parceiros. Sem consciência para assumir a própria responsabilidade dentro do relacionamento, ambos se culpam e pretendem castigar o outro. b) Temos aqui alguém que não consegue relacionar-se, sua extrema auto-repressão faz com que sua energia instintiva não consiga expressar-se de modo fluido e amoroso, mas como explosões carregadas de raiva e desespero. Está claro que seus relacionamentos são agressivos e sem duração. Descarrega nos outros suas insatisfações e passa a se auto-afirmar por meio da humilhação do outro. Em casos extremos (com um Sete de Copas — a Corrupção), pode mostrar tendências ao estupro e ao sadismo sexual.

Infância: As expressões instintivas da criança foram proibidas por pais exageradamente repressores e muitas vezes agressivos. A criança se desenvolveu acumulando raiva e rancor. Seu medo de expressá-los diretamente só deixou-lhe o caminho das explosões histéricas. Seguramente chegará à adolescência com uma carga de rebeldia enorme, que poderá ser direcionada para atividades anti-sociais ou anestesiada com drogas.

Método: Sugerimos integrar os impulsos do inconsciente no cotidiano. Em primeiro lugar, se faz necessário um trabalho de limpeza da raiva, que atua como elemento compulsor de suas expressões sexuais. Para isso, seria muito bom o consulente praticar a Meditação Dinâmica durante pelo menos 21 dias.

Chegou o momento de trabalhar nas recordações dos abusos e experiências dolorosas da infância, que foram escondidos e esquecidos e que das profundezas do inconsciente reprimem e distorcem manifestações instintivas e emocionais.

Pajem de Paus (Rider)

A essência de Golden Ear Drops, que trabalha liberando memórias dolorosas, irá lhe facilitar uma verdadeira limpeza do coração.

Caminho de crescimento: O trabalho consciente de resgate de si mesmo levará esta pessoa a amolecer as armaduras que sufocavam seus instintos. Nesta fase eles começarão a aparecer, inicialmente de um modo brusco e compulsivo, misturados com ansiedade, medo, raiva e culpa.

O consulente não deve assustar-se com isso, pois rapidamente tais explosões irão se transformar num fluxo contínuo de energia e interesse por expressar criatividade.

Resultado interno: O consulente conseguiu liberar sua energia instintiva dos bloqueios que o cercavam. Resgatou sua sexualidade, sua capacidade de atacar e defender-se, e hoje se sente mais seguro em seus relacionamentos e no trabalho criativo.

Resultado externo: Vemos a pessoa expressando fluidamente sua energia e sabendo usá-la também com força e eficácia nos assuntos materiais. Aqui não temos os brilhantes projetos do Príncipe, a ação é menos espetacular, mas chega mais longe no processo de concretização.

Valete de Paus (Marselha)

CAPÍTULO 8

As Figuras de Copas

Referem-se ao elemento Água. Vale a pena ler de novo o que vimos a respeito da Água no Arcano XII. No plano humano, elas representam quatro tipos de personalidade em que as emoções dominam.

O Cavaleiro de Copas

Representa o aspecto fogoso da Água. Na natureza, são as chuvas torrenciais, as enchentes dos rios e os maremotos, as tempestades e todos aqueles fenômenos em que se manifesta o aspecto destrutivo deste elemento.

Também é sua capacidade de dissolução que, como sabemos, é de caráter elétrico. O brilho da água igualmente está contido neste aspecto.

Cavaleiro de Copas (Crowley)

O Cavaleiro de Copas, montado num cavalo branco, símbolo de majestade e vitória, tem asas brilhantes, que indicam transcendência, dinamismo e espiritualidade. Na mão direita segura uma copa, da qual surge um caranguejo, fazendo referência ao signo de Câncer que, por ser cardinal, é o mais impulsivo dos signos de Água.

Rei de Copas (Cosmic)

Embaixo, um pavão abre sua cauda, que se transforma em ondas marinhas e depois nas asas do Cavaleiro. O pavão é a viva expressão do brilho, qualidade fogosa da Água, no reino animal. Em certas tradições esotéricas, esta ave é um símbolo da totalidade, já que reúne todas as cores do arco-íris no leque de sua cauda aberta. Representa o Sol e Krishna. Também é um símbolo lunar, que indica a fugacidade das manifestações que aparecem e desaparecem, assim como o pavão abre e fecha sua cauda. É símbolo de beleza e poder de transmutação, pois acredita-se que as cores de suas penas procedem da transmutação dos venenos das serpentes com as quais se alimenta. Nesta carta, as emoções são expressas de um modo fogoso, impulsivo e às vezes até agressivo. Trata-se das paixões que nos mobilizam cegamente para o objeto de nossos desejos. É aquele tipo de amor mais primitivo, que na carta dos Amantes é definido como amor erótico e que se manifesta com nossos amantes e também com nossos filhos; mobiliza nossos instintos e expectativas até extremos "inconfessáveis", desengatilhando também emoções mais pesadas como raiva, ciúmes, inveja, etc.

Tradicionalmente, esta é a carta do amante que está chegando.

Na Leitura Terapêutica

Momento atual: O consulente vive um momento de exaltação emocional. Suas emoções atingiram um grau de intensidade tal, que não se preocupa com seus limites nem com as conseqüências de seus atos. A carta contígua pode mostrar se se apaixonou por alguém, uma atividade, um ideal ou um objeto.

Rei de Copas (Marselha e Rider)

Âncora: É o sedutor profissional, que está tão carente que o objetivo principal de sua vida é encontrar pessoas que o saciem. Para preencher este vazio emocional desenvolveu, como o pavão, as mais apuradas técnicas de galanteio e sedução. Vive apaixonando-se e, claro, decepcionando-se. Desesperado, corre e corre atrás dos outros e se esquece de si mesmo.

Na verdade, está procurando o colo que faltou na infância, um pai ou uma mãe que lhe dê o aconchego, a proteção e o amor que nunca teve. Procura pessoas que o amem incondicionalmente, por isso tem uma enorme dificuldade para viver um envolvimento adulto-adulto, de modo que seus relacionamentos nunca são duradouros nem profundos. Cada vez que se apaixona, projeta no outro suas necessidades afetivas e a imagem do homem/mulher ideal, que, na verdade, não é nada além que a da mãe ou do pai que gostaria de ter tido. Quando percebe que esta pessoa não tem nada a ver com suas fantasias, se decepciona, se separa de seu companheiro e continua com as fantasias.

Às vezes, esconde suas necessidades afetivas com uma máscara de auto-suficiência exagerada e de falsa independência.

Pode também alimentar uma auto-imagem de especial ou de exótico para atrair suas vítimas, cuja atenção suga sem misericórdia. O floral de Chicory nutre a carência emocional, facilitando o centramento da pessoa.

Assim, podemos ver aqui um ser imaturo, muitas vezes sob a aparência de um paquerador de praia, cuja criança interna o leva a ter um único objetivo em sua vida: abocanhar o peito de sua mamãe. Podemos pensar que o consulente tem uma estrutura de defesa de caráter oral.

A essência de Fairy Lantern** será também adequada.

Necessidade interna: Esta pessoa precisa exteriorizar seus sentimentos e atuar em função dos desejos mais íntimos e dos impulsos mais fogosos de seu coração, especialmente na hora de expressar suas paixões.

Relacionamentos: a) O consulente está apaixonado e se entrega de corpo e alma a seu amor, não lhe importando mais nada. b) É um don Juan que, como o pavão, faz uso de todas as suas habilidades, sem medo de enfrentar qualquer obstáculo, para conseguir o objeto de seu desejo. Incapaz de transformar a si próprio e o relacionamento, quando a paixão dos primeiros dias amaina, se desinfla e sai à procura de outra pessoa. Para ele, conquistar é se auto-afirmar.

Infância: A criança expressava suas emoções com grande intensidade. Apaixonava-se "perdidamente" pelas pessoas, animais, jogos e pela vida em geral. Seus pais começaram a reprimi-la, considerando que a vida não é feita de prazeres e que deve ser levada com mais seriedade, condicionando sua aprovação à aniquilação de tais impulsos. A criança tornou-se séria e triste.

Podemos imaginar também que a criança foi seduzida por um de seus pais (geralmente o de sexo oposto), que a mimava exageradamente e depois a rejeitava. O prazer do contato vinha sempre seguido da dor da rejeição. Assim, a criança decidiu não entregar-se mais, considerando perigoso seguir seus impulsos afetivos.

Também poderia representar o pai do consulente, um homem que não amadureceu e que vive seduzindo para se auto-afirmar. Não se ocupa em trazer dinheiro para casa e, no melhor dos casos, bate uma bola com seu filho ou leva a menina para o parque da cidade.

Método: É importante que esta pessoa se relacione mais e se deixe levar por suas emoções e pela atração sexual, sem colocar obstáculos mentais à expressão de seus impulsos. Como seria absurdo dizer a alguém: "Saia para a rua e apaixone-se!, iremos lhe dizer: "Permita que aconteça. Sem autocrítica, deixe seu coração dirigir o barco. Tome iniciativas a partir de suas emoções. Entregue-se àquilo de que você mais gosta". O floral de Mallow* estimulará a confiança em seus sentimentos íntimos, favorecendo um envolvimento social mais afetuoso, caloroso e sensual. A essência de Califórnia Wild Rose* o ajudará a sentir interesse pela vida e pelos outros. Também lhe sugerimos que dedique seu tempo a atividades que lhe dêem prazer e gerem entusiasmo.

Caminho de crescimento: Pode indicar uma nova relação apaixonada e prazerosa, na qual o consulente se abra mais. Também pode mostrar a aparição de um novo enfoque, mais espontâneo, amoroso e fogoso diante da vida.

Resultado interno: A pessoa conseguiu desfazer os bloqueios que seguravam suas emoções mais fogosas e hoje expressa melhor seus impulsos afetivo-sexuais, vivendo de uma forma mais espontânea, sensual e luxuriosa. A partir daqui, as bases estão assentadas para sua espiritualização, que corre paralela com a transformação de sua vida sexual e afetiva.

Resultado externo: Vemos esta pessoa entusiasmada e/ou apaixonada, dedicando seu tempo a seu deleite pessoal, desfrutando sobremaneira seus relacionamentos e suas ocupações, às quais se entrega de corpo e alma.

A Rainha de Copas

Duas vezes Água, na Natureza representa a capacidade de recepção, assimilação e reflexão que a água tem.

A Rainha está semi-escondida numa espécie de ovo luminoso. Segura uma concha marinha em forma de copa com sua mão esquerda, ao mesmo tempo que com a direita segura uma flor de lótus. Seu trono está sobre as calmas águas de uma lagoa onde está refletida sua própria imagem.

Da palavra latina *bucina* — instrumento produtor de sons —, deriva a palavra "búzio", que significa "concha marinha". Os monges tibetanos usam um tipo de búzio junto com outros instrumentos para, fazendo um tremendo

Rainha de Copas (Crowley, Marselha e Cosmic)

barulho, perturbar e aniquilar a mente e assim poder ter depois acesso à percepção interior do som natural da verdade. Também é um dos instrumentos mágicos dos índios huicholes, do México.

De uma concha marinha nasceu Vênus, como já vimos na carta da Imperatriz. A concha está relacionada com a Água, com a Lua e com os princípios de conservação e fertilidade. Na Índia, é o atributo fundamental de Vishnu, o Princípio da Conservação, às vezes considerado como a contraparte feminina do raio. É símbolo de fortuna, beleza e abundância e, como tal, figura no escudo do Peru. Também simboliza a vagina, a tal ponto que na Argentina e no Chile ambas são sinônimos no linguajar popular.

Saindo do caracol aparece um caranguejo, símbolo lunar, tal como aparece na carta da Lua. Segundo certa tradição um enorme caranguejo provocaria as tempestades marinhas com seus movimentos.

A flor de lótus de Ísis, a Grande Mãe, na iconografia egípcia, é considerada como a primeira aparição de vida sobre a imensidão neutra das águas primordiais. Depois do coração aberto do lótus, aparecerá o Sol.

Esta flor é a vagina arquetípica, a origem das manifestações. Tradicionalmente é desenhada com oito pétalas, número da harmonia cósmica. É muito usada em mandalas e mudras, tal como as que representam os sete *chakras*. Cada uma com um número diferente de pétalas, desde o *Muladhara* (centro basal), com quatro, até o *Sahasrara* (centro coronário), com mil.

O talo e a flor desta planta são um símbolo sexualmente totalizador. O mantra *Om mani padme hum*, não significa outra coisa senão que o diamante — *mani* — está dentro da flor de lótus — *padme*. O masculino está no centro do feminino, como já vimos no disco giratório do Carro.

Aos pés da rainha, sustentada numa pata só, temos uma garça que tem diferentes significados simbólicos. Para os japoneses, junto com a tartaruga e o pinheiro, indica longevidade. No Egito, é um símbolo de prosperidade. Pelo fato de ser uma ave migratória, representa a regeneração cíclica. Por outro lado, na Índia é considerada um símbolo de traição e natureza mentirosa. Provavelmente foi esta a idéia que levou Crowley a colocar esta ave na carta: "é difícil conhecer verdadeiramente a natureza da rainha, pois está refletindo a do observador".

Aqui, as qualidades do aspecto aquoso do ser humano aparecem em grau superlativo: a receptividade, a sensibilidade, a emoção, a intuição, a clarividência, a premonição e a mediunidade. Mas também o lado da confusão e da falta de claridade está presente, indicado pelo fato de que os reflexos não deixam ver com nitidez quem é esta

Rainha. Sempre teremos de tirar uma segunda carta.

Na Leitura Terapêutica

Momento atual: Esta pessoa está passando por um momento intensamente emocional; está muito suscetível a qualquer impacto. A segunda carta indicará se esta extrema sensibilidade está sendo expressa fluidamente ou não. No primeiro caso, irá acompanhada de um extraordinário desenvolvimento da intuição, mediunidade e outros fenômenos paranormais, com prováveis percepções ultrasensoriais, sonhos premonitórios ou que trazem alguma mensagem.

No segundo caso, a falta de firmeza e de centramento fazem com que esta pessoa esteja à deriva, num mar de emoções e sentimentos exaltados; incapaz de direcionar sua vida com a mínima objetividade e sem saber o que realmente quer.

Âncora: A Rainha de Copas nesta posição nos mostra uma pessoa com uma forte carga emocional, mas incapaz de tomar iniciativas claras, diretas e concretas a respeito, nem de expressá-las conceitualmente. Duas vezes Água, ela é o topo da passividade; é tão enrrustida que ninguém sabe o que acha, o que quer e muito menos o que sente. Provavelmente o medo foi a emoção paralisante que marcou sua infância e bloqueou seus canais de expressão espontânea. Pode mascarar suas emoções profundas com hipersentimentalismo teatral e/ou somatizações intensas. Qualquer "não" que recebe é uma agressão muito dolorosa, que é preciso evitar a qualquer preço. Prefere atuar nas sombras, intrigando e manipulando, sem arriscar-se a declarar seus interesses e intenções. Profundamente vulnerável a qualquer impacto emocional, insiste em mostrar-se sempre inocente, com cara de "não fui eu", sem responsabilizar-se por seus atos nem por sua vida. Está desconectada de seu corpo e da realidade que a circunda. Poderíamos ver aqui traços esquizóides em sua personalidade. Quando se sente atacada (coisa nada difícil, já que sua desconfiança do mundo faz divisa com a paranóia), esconde-se ainda mais em sua casca, onde choca suas raivas e desejos de vingança (especialmente se aparece junto com um Cinco de Espadas — a Derrota) sem que ninguém suspeite de nada, além da imagem de vítima que adora representar. O floral de Fuchsia*, facilitando catarses emocionais, lhe permitirá a expressão emocional mais honesta e profunda.O floral de Oregon Grape* a ajudará a romper este padrão paranóico e a relacionar-se amorosamente com o mundo.

Necessidade interna: Mostra que o lado feminino está preso, sufocado pelos bloqueios que mostra a carta da Âncora. É fundamental que todo este potencial emocional, sensitivo, mediúnico e, talvez, artístico seja reconhecido, aceito e desenvolvido.

Relacionamentos: a) O consulente está intensamente mexido em seu lado emocional. Pode tratar-se de um resgate de profundos sentimentos que significam um passo importante no crescimento e afirmação interna desta pessoa. Também poderia ser uma tempestade de emoções que a ligam aos momentos mais dolorosos de sua vida, a fazem perder qualquer sentido da realidade e a deixam perigosamente no limiar do surto psicótico. A necessidade de apoio terapêutico é óbvia e inadiável. b) Internamente é um maremoto, externamente uma lagoa serena que reflete a lua. O pulo de um sapo a leva a crises internas agudas, mas a expres-

Rainha de Copas (Rider)

são externa de tudo isso não vai além de umas ondulações concêntricas.

Infância: A Rainha de Copas pode muito bem representar a mãe (em alguns casos o pai) do consulente; uma pessoa retraída, obscura e tremendamente manipuladora. Em casa ninguém conhecia suas emoções e desejos, mas sempre acabava conseguindo o que queria, usando o silêncio pesado, a intriga, a aparente falta de interesses, a manipulação, as indiretas e a cara de santa.

A criança aprendeu com esta pessoa que é preferível permanecer em silêncio porque qualquer coisa que faça ou diga pode ser usado contra ela e, como sua mãe, acabou trancando suas emoções, dores e raivas e usando os caminhos indiretos para conseguir seus objetivos.

Método: Uma segunda carta nos indicará se é para amolecer os bloqueios deste profundo e escondido turbilhão de emoções, ou realizar um trabalho de desenvolvimento da intuição, mediunidade ou paranormalidade em geral.

Com o Três ou o Nove de Espadas (a Dor e a Crueldade) na Infância, e cartas de forte auto-repressão na Âncora, indicando traumas infantis guardados no inconsciente, aconselhamos um trabalho terapêutico de regressão para acessar memórias que precisam ser limpas. Aqui será recomendável o uso do floral de Black-Eyed Susan*. No segundo caso, a essência de Queen Anne´s Lace** ajudará a desenvolver sua clarividência de uma maneira equilibrada e integrada com suas emoções e instintos.

Caminho de crescimento: Este aflorar emocional é um desafio que deve ser aceito. Junto com este fluxo chega um aumento notável da sensibilidade, que pode manifestar-se como um crescente interesse pelas artes, filantropia e também sonhos, visões, intuições, etc.

Resultado interno: O consulente resgatou seu lado feminino mais profundo; perdeu os medos de assumir suas emoções e as dores da infância, de maneira que agora tem grandes possibilidades de livrar-se deles. O caminho da devoção se abre para seu crescimento espiritual, ao mesmo tempo que emerge sua paranormalidade.

Resultado externo: Vemos o consulente colocando em seu trabalho e relacionamentos todo o seu potencial sensitivo, sua ternura e seu amor. Provavelmente vai dedicar-se a atividades filantrópicas, artísticas e/ou esotéricas.

O Príncipe de Copas

Representa o aspecto aéreo da Água. Na Natureza é o vapor, a elasticidade e a volatilidade deste líquido.

O príncipe está coroado com um elmo, com uma águia de asas abertas que evoca o relâmpago e a cruz estilizada do broto do milho. Também uma grande águia, símbolo de tudo aquilo que se libera das ataduras do mundo material, puxa seu carro, feito de conchas marinhas, em uma lagoa de águas calmas, sob a chuva. Com a mão esquerda segura uma copa metálica, de onde se desenrosca uma serpente, que ele observa atentamente. Esta serpente está representando o inconsciente. A águia e a serpente formam o símbolo do Escorpião. Na mão direita, tem uma flor de lótus, que aqui aparece invertida, indicando que o príncipe precisa integrar, na vida prática, seu lado feminino. Atrás dele, vários redemoinhos de vapor, que parecem tênues ondas, fazem alusão a seu lado espiritual. Usa suas faculdades intelectuais para observar, entender e conceitualizar os mecanismos que regem suas emoções, procurando assim sua verdade interior. Estabelece critérios e teorias a respeito do funcionamento de sua psique.

Este estado de atenção o leva a desenvolver uma grande habilidade e uma profunda sabedoria que pode usar para seu crescimento e para ajudar os outros. Neste sentido representa o psicoterapeuta, embora também possa mostrar aquele que usa seus conhecimentos para manipular o próximo e acumular poder. Este comportamento compromete seriamente seu crescimento. Outra variante desta carta se dá quando a mente é usada para observar e controlar as emoções.

De qualquer maneira, este enfoque analítico e às vezes profundo, pode levá-lo a ser muito exigente consigo mesmo e, por projeção, também com os outros. Às vezes, torna-se necessário relaxar.

Esta mesma profundidade e contato com as forças internas lhe dão uma grande capacidade para resolver situações complicadas e perigosas. Assim, pois, tal como disse Crowley, este príncipe "é uma figura de grande carisma, talento e energia".

Seu hexagrama é Kung Fu, a Verdade Interior (Vento sobre Lagoa): o vento sopra sobre o lago e agita a superfície da água; assim, do invisível se manifestam efeitos visíveis. O coração está aberto à verdade.

Na Leitura Terapêutica

Momento atual: Agora a atenção maior está dirigida para assuntos emocionais. Pode ter sucedido algo que o tocou profundamente e que precisa esclarecer e resolver. A segunda carta pode mostrar a motivação desta atitude ou sua saída.

Âncora: Este ego, o "Grande Controlador de cérebro frio e fios quentes", observa suas emoções para controlá-las. Não confia nelas, não acredita em seu amor, imagina que, se deixe levar por seus sentimentos vai quebrar a cara, assim peneira continuamente seus impulsos. Sua ordem interna é: pensar antes de atuar. Atua premeditadamente. Teme expor-se, mostrar sua vulnerabilidade, suas feridas, carências e/ou medos. Teme ser descoberto, porque sabe que está fingindo. Não diz nem faz o que sente e pode também dizer e fazer o que não sente. É inteligente porque trabalhou sua atenção (especialmente esperto se temos um Seis de Espadas — a Ciência) na Infância ou aqui na Âncora. Aparentemente, tudo está controlado. Sugeriremos a ele Scarlet*, Pink** e Stiky Monkeyflower*. O primeiro para aceitar e começar a integrar sua sombra e para ser honesto emocionalmente; o segundo para abrir-se e se expor com os outros e o terceiro para viver o contato físico e a intimidade sexual com mais amor. O fato de prestar atenção a seu lado interno pode implicar algum conhecimento de como funcionam seus mecanismos emocionais e, voluntária ou involuntariamente, pode tentar manipular o vizinho, transformando-se em alguém perigoso, especialmente para si mesmo, que é o primeiro que se engana.

Um subtipo deste ego se dá quando o "autocontrolado" percebe que

Príncipe de Copas (Crowley e Cosmic)

pode ganhar a atenção dos outros, se se abrir um pouco e "lhes contar sua vida". Isto é, aprende a estabelecer uma comunicação tanto mental quanto emocional-energética autocentrada, onde o sujeito consegue nutrir-se da atenção e da compreensão do próximo e inclusive fazê-lo ocupar-se de seus próprios assuntos e problemas. Se sua estratégia der certo, pode ser que com o tempo e confiança consiga algumas amizades. No pior dos casos, pode transformar-se num psicopata rígido e dominador.

Necessidade interna: Há tempos as emoções são relegadas a um segundo plano, hoje o consulente é um perfeito desconhecido de si mesmo. É urgente voltar-se para dentro, dando-se toda a atenção necessária para deixar de atuar mecanicamente e saber o que realmente quer e que tipo de vida deseja viver.

Relacionamentos: a) Pelo que está vivendo em seus relacionamentos, o consulente está aprendendo a conhecer-se. Pode estar aparecendo toda uma série de questões conflituosas, que o tocam profundamente e lhe exigem transformações, para as quais precisa ter um esclarecimento muito grande a respeito do que realmente quer. Tudo isso pode estar contribuindo sobremaneira para a evolução do casal. b) Temos aqui alguém que não se entrega ao amor; é sensível, pode chegar a amar, mas analisa tanto os prós e os contras de seus impulsos que acaba eliminando-os ou, quando finalmente os expressa, já perderam seu brilho, pureza e fragrância originais.

Infância: O príncipe representa o pai (às vezes a mãe) do consulente. Esta seria uma pessoa de intensas emoções, mas também com uma forte necessidade de autocontrolar-se. Sendo uma pessoa sentimental e sensível, que se exigiu atitudes frias e calculadas, carregou em toda sua vida grandes doses de raiva e frustração que inevitavelmente passou para seus filhos: "Eu me reprimo, logo todos nesta casa vão reprimir-se e autocontrolar-se". A criança ficou com medo de seus próprios sentimentos e começou a manter suas emoções sob controle permanente.

Método: A observação atenta das emoções e impulsos, a integração dos desejos ocultos na vida cotidiana e o estudo dos mecanismos que inibem sua expressão espontânea melhorarão muito a vida da pessoa. Sugerimos que realize algum trabalho de autoconhecimento que, sem dúvida, será facilitado tomando a essência vibratória da flor Black-Eyed Susan*, indicada especialmente para quem tem amnésia emocional e não reconhece aspectos traumáticos e afligidos de seu ser. Assim, será mais fácil reconhecer, aceitar, integrar e transformar partes que consumiam e agora liberam enorme quantidade de energia e potencial criativo.

Caminho de crescimento: O consulente viverá uma série de situações que vão obrigá-lo de algum modo a começar a observar-se. Não sabemos se estas situações vão ser agradáveis ou não; alguma coisa pode ser descoberta nas cartas contíguas. Sabemos que por meio de tal atitude a pessoa vai começar a descobrir-se e a interessar-se cada vez mais por tal aventura, assumindo desejos, resgatando potenciais e agindo mais a partir de sua emoção verdadeira.

Resultado interno: Conseguiu trazer para a luz aquilo que estava nas profundidades de seu inconsciente. Hoje se mostra mais integrado, suas emoções e sua mente estão complementando-se, possibilitando a espontaneidade, a responsabilidade pelos próprios atos e a transcendência espiritual. Sabe o que quer e não tem medo de lutar por isso.

Resultado externo: Vemos a pessoa trabalhando na área do autoconhecimento.

A Princesa de Copas

Esta linda princesa encarna a parte térrea da Água. Na natureza, representa os aspectos mais sólidos dela: os cristais de neve e gelo. Também temos aqui a participação da Água na eclosão e na sustentação da vida. Os biólogos asseguram que a vida apareceu neste planeta no mar (no Grande Mar de Binah), diriam os cabalistas; ali onde o impulso inicial toma a primeira forma. Isso se deve à capacidade que a água tem de permitir e facilitar as reações químicas.

A princesa é uma bailarina com um vestido solto, em cuja borda estão desenhados os cristais de neve. Numa mão tem a flor de lótus, símbolo do poder feminino, e na outra segura uma enorme concha marinha, da qual surge uma tartaruga. Este animal tem um simbolismo riquíssimo. Sua casca abobadada como o céu na parte superior e plana como a terra em sua parte inferior, era considerada não só uma representação do Universo, mas também um mediador entre o espiritual e o material. Assim, a tartaruga é símbolo de adivinhação e sabedoria. Sua força e a idéia de firmeza e poder que evocam suas quatro patas grossas e curvas, firmemente plantadas no chão como quatro colunas, fazem dela o cosmóforo por excelência: aquele que carrega o mundo em suas costas. Segundo a tradição hindu, ela carrega o elefante, em cujo lombo descansa o mundo. É uma forma de Brahma, a energia criadora, que quando emergiu das águas primordiais, levando o mundo em suas costas, tinha a cara verde como uma tartaruga. Sua conhecida longevidade está associada à idéia de imortalidade e também à de sabedoria. "Mais sabe o diabo por ser velho que por ser diabo", diz o ditado.

Cavaleiro de Copas (Marselha e Waite)

A tartaruga representa também a base material da arte. Na mitologia greco-romana, conta-se que Mercúrio confeccionou uma cítara com a casca de uma tartaruga e acalmou as iras de Apolo dando-a de presente a ele. Também em certas tribos amazônicas, tapando com cera de abelha alguns de seus orifícios, é usada como instrumento musical em cerimônias iniciáticas. Para estes indígenas, a tartaruga é a vagina da esposa do sol.

> *"Na filosofia oriental, o cisne se corresponde com a palavra AUM o AUMGM, que é o símbolo de todo o processo de criação".*
>
> *O Livro de Thoth – A. Crowley*

O movimento de sua cabeça para dentro e para fora da casca tem uma forte analogia com a ereção fálica. E o recolhimento em seu interior tem um alto significado espiritual.

Vistos seus símbolos, podemos dizer que a Princesa de Copas é muito mais que uma simples bailarina profana. Ela participa e conclui os processos de criação da existência. Sua ação consiste em dar forma, em materializar suas emoções. Por isso, tradicionalmente esta carta anuncia uma gravidez. A Princesa de Copas é também uma sacerdotisa através da qual o oráculo se expressa. Os primitivos trigramas do I Ching eram obtidos colocando um casco de tartaruga sobre as brasas e observando como se quebrava.

A princesa está coroada por um grande cisne de asas abertas. Esta é a ave da luz, de beleza e brancura imaculadas, às vezes é lunar e feminina, símbolo da virgem celestial que vai ser fecundada, e às vezes masculina, símbolo de Apolo, cujo carro era puxado por cisnes.

Feminino na contemplação, masculino na ação, é símbolo da força do poeta e da poesia, e seu canto representa o desejo sexual. Osho Rajneesh o tomou como seu símbolo.[73]

A princesa baila num mar espumoso, junto com o golfinho de Vênus, que é também um símbolo de adivinhação,[74] sabedoria, prudência e poder criativo. Suas qualidades natatórias fazem dele o Senhor da Navegação.

Sempre Vênus, o amor, o prazer e a beleza, está por trás do processo criativo, representado pela Princesa. Ela vive em êxtase permanente, deixando-se arrebatar pelas forças amorosas internas e externas, às quais se entrega sem a mente. Nesta carta não existe Ar, o intelecto não comanda, a mente tornou-se receptiva, transformou-se em não-mente.

Ela cria por meio da expressão de suas emoções. Sua conexão interna a leva a ligar-se com o Cosmo, a estar no Tao, e no Tao ela se expande e se contrai, inspira e expira. É a voz do oráculo, mas depois guarda silêncio.

Encarna a sensualidade, a voluptuosidade e o amor que o artista expressa em suas obras. Ela é a artista do baralho. Sua entrega total à beleza, ao prazer e ao êxtase pode ocasionar que certos espíritos mesquinhos, que fazem da vida um sofrimento e esperam cegamente alguma recompensa por seu sacrifício, vejam na atitude desta Princesa egoísmo e superficialidade. Na realidade, é pura inveja diante de tanta beleza, ternura, criatividade e graça.

Princesa de Copas (Crowley e Cosmic)

73 - Nostradamus, profetizou que o grande mestre do século XX teria como símbolo um cisne, seus discípulos se vestiriam de vermelho, seria perseguido em inúmeros países e assassinado.

74 - Do golfinho vem o nome do oráculo de Delfos.

A mente cria a ilusão do tempo, enquanto a não-mente vive num eterno presente, transcendendo o tempo. Assim, para a não-mente a adivinhação é algo natural.

Expressando seus sentimentos, sem guardar nada, vivendo criativamente, a Princesa se mantém saudável, bonita, jovem, pura e fiel à sua verdade.

Na Leitura Terapêutica

Momento atual: Esta é uma fase de grande criatividade e capacidade para expressar suas emoções de uma maneira direta, funcional e construtiva. Pode estar envolvida em alguma atividade artística.

Necessidade interna: O ser interno precisa dar rédea solta a seu potencial criativo, participando de atividades artísticas, desenvolvendo os aspectos mais criativos de sua profissão e desfrutando da beleza das coisas. É importante que expresse suas emoções e faça delas o indicador de suas iniciativas práticas.

Âncora: Este ego está envolvido na interpretação contínua de uma farsa absurda e frustrante. Preocupado compulsivamente com o que os outros dirão e com as aparências, não consegue descer do hipotético palco onde interpreta o papel de alguém tremendamente especial, criativo, inspirado e, às vezes, afetadíssimo. Um talento nem sempre reconhecido. Este carente sempre está procurando receber atenção, tem uma necessidade compulsiva de ser adulado. No fundo, é tremendamente inseguro e acaba vendendo-se a quem lhe dá um pouco de segurança e proteção. Para esta pessoa, que vive em função de padrões estéticos alheios, geralmente machos, que degradam a mulher, indicamos o floral Prety Face, que a ajudará a conectar-se com sua beleza interior e a aceitar sua aparência externa.

Valete de Copas

Pajem de Copas (Waite)

Com o Dez de Copas (a Saciedade) ou o Sete de Espadas (a Futilidade) alertando para uma excessiva influência dos padrões familiares e/ou as convenções sociais, aconselharemos o uso do floral de Goldenrod* que, ajudando a pessoa a ligar-se com o Ser verdadeiro, fortalece a convicção interior e a noção de individualidade.

A aparição desta carta para um homem pode indicar uma certa ambigüidade sexual, quando não uma franca homossexualidade, especialmente se aparece junto com o Demônio. A essência de Calla Lily pode ajudá-lo a aceitar-se plenamente.

Relacionamentos: a) Este é um momento de concretização. Esta pessoa está conseguindo expressar de uma maneira mais espontânea, profunda e criativa suas emoções. Sabe melhor o que quer e está levando à prática seus desejos. b) Trata-se de uma pessoa tão carente que é capaz de qualquer coisa para conseguir um pouco de atenção. Provavelmente fala pelos cotovelos, não escuta, tenta sempre destacar-se, sua percepção da realidade está ofuscada por sua extrema vaidade, que também lhe bloqueia o contato com seus instintos. O floral de Sunflower será muito eficiente para restabelecer a noção de sua individualidade.

Infância: A criança foi criada com a expectativa de ser "uma belezinha" e a incorporação deste traço à sua personalidade foi condicionada à aprovação paterna. Provavelmente obrigaram-na a estudar balé ou a tocar piano para as visitas, dando assim satisfação à mamãe. Tratando-se de um menino, poderíamos ver aqui uma certa desvalorização de sua masculinidade, que em alguns casos pode dar lugar a ambigüidade sexual. Desconectada de seus instintos e alucinada com a necessidade compulsiva de ser adulada, a criança acumulou intensas doses de dor e raiva, que é incapaz de expressar para não assustar e ser rejeitada por "seu público". O resultado é um manequim inseguro, superficial e vaidoso.

Método: Temos aqui o trabalho de expressar e dar forma às emoções, tanto no nível artístico e criativo quanto nos relacionamentos. Sugerimos que o consulente pratique biodança para aliviar suas tensões corporais, conectar-se às suas emoções e expressá-las, e perder o medo de relacionar-se, abrindo-se para o grupo. Se este não tem claro que tipo de atividade artística lhe ajudaria a crescer, é importante que faça a experiência de pintar, escrever, modelar, fazer teatro, etc., sendo que a que lhe dê o maior prazer será a indicada. Para vitalizar sua expressão criativa com a energia telúrica é recomendável o floral de Indian Paintbrush*, enquanto que o de Íris* aporta à criatividade elementos de transcendência e espiritualidade.

Se é uma pessoa tímida, como indicaria a Sacerdotisa na Âncora, a essência de Violet* a ajudará a expressar-se com maior sinceridade e profundidade na convivência social e íntima. A de Fawn Lily** faz com que as emoções altamente espiritualizadas tomem corpo físico.

Caminho de crescimento: O desafio é criar, dando forma a suas emoções e desejos. Pode ser uma fase de notável frutificação, em que afloram a sensualidade, a graça e a capacidade de concretizar e materializar.

Resultado interno: A pessoa resgatou sua beleza e criatividade, sua capacidade de expressar espontaneamente suas emoções e de viver a vida como uma dança criativa, cheia de prazer e aventuras. Para um homem, indicaria também o aflorar de seu lado feminino.

Resultado externo: Vemos esta pessoa vivendo de atividades direta ou indiretamente relacionadas com a arte, por meio das quais expressa sua beleza interior e suas emoções.

CAPÍTULO 9

As Figuras de Espadas

As Espadas estão relacionadas com o elemento Ar, considerado o terceiro e, por alguns estudiosos, o último elemento primordial.

Sendo masculino, não é tão *Yang* quanto o Fogo, já que é o fruto da união deste e da Água, e tem caraterísticas dos dois.

O Ar, que para algumas tradições é o pai do Universo, representa o mundo sutil entre o Céu e a Terra, o mundo da expansão, que segundo os chineses é insuflado pelo sopro *K'i*, necessário para a existência de todos os seres.

Para os hindus o Ar (*vayu*) é o sopro vital, o sopro cósmico, o verbo o (*prana*). Existem também tradições que relacionam este elemento com o Espírito: "O ser é, inicialmente, meio fera, meio bosque; mas quando o Ar quer tornar-se Mente, surge o homem."(*A lenda dos séculos*, Victor Hugo)

Consideraremos o Ar relacionado com o intelecto, de maneira que as quatro figuras de espadas mostram quatro formas de manifestação deste elemento na natureza e também quatro atitudes ou modos diferentes de expressão da mente.

O Cavaleiro de Espadas

Encarna a parte fogosa do Ar. Na natureza é o vento, as tormentas e, em geral, o aspecto destrutivo do ar. Crowley o vê como "a força bruta do movimento aplicada a um elemento aparentemente manipulável".

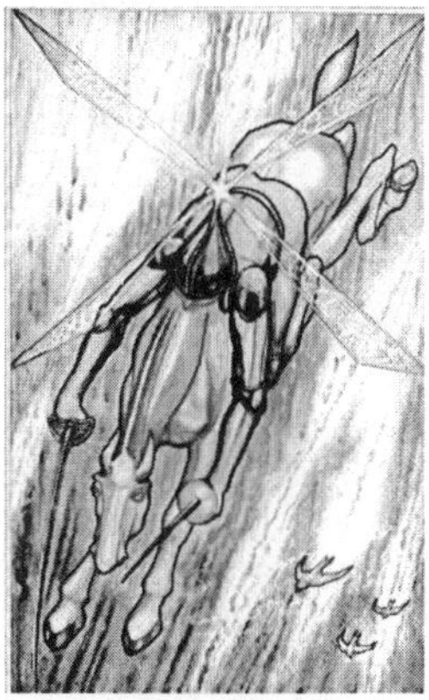

Cavaleiro de Espadas (Crowley)

O Cavaleiro é um guerreiro numa armadura verde, com um casco que tem asas giratórias nas quais estão escritos os nomes das quatro direções principais da Rosa dos Ventos. Ele é o Espírito do Temporal, o Senhor dos Ventos, que desce do céu montado num cavalo sem rédeas, indicando que não existe um controle racional do movimento. O instinto arrasta o Cavaleiro que, com uma espada na mão direita e uma adaga na esquerda (as armas do samurai), está passando uma idéia de ataque ou também de fuga. Três andorinhas voam por baixo dele, indicando que corpo, psique e espírito estão juntos no mesmo movimento.

O fogo afeta de tal modo o Cavaleiro, que este perde toda capacidade de reflexão e raciocínio, e se joga "como um louco" atrás de seus objetivos. Transforma-se num puro impulso, que pode se perder no vazio ou, no pior dos casos, levá-lo à autodestruição.

Rei de Espadas (Cosmic)

Rei de Espadas (Marselha e Rider)

O Cavaleiro representa, pois, uma atitude de extrema exaltação da mente, sem Água para suavizá-la nem Terra para determinar seus limites ou dar-lhe uma certa base. Não existem possibilidades intrínsecas de equilíbrio na união destes dois elementos masculinos: Fogo e Ar. Assim, a atitude do Cavaleiro de Espadas acaba sendo extremista e extraordinariamente impulsiva.

Por outro lado, o excesso de *Yang*, embora seja menor que no Cavaleiro de Paus, facilita a perda de contato com a realidade.

Esta exaltação desconectada da emoção interna e da realidade material lembra os discursos inflamados dos políticos, dos fanáticos religiosos, dos militares e demagogos em geral.

Também pode se tratar de uma reação explosiva e libertadora diante de uma situação sufocante que o Cavaleiro suportava há tempos.

Na Leitura Terapêutica

Momento atual: O consulente está jogando-se atrás de alguma coisa, esquecendo-se do resto do mundo. A carta que se cruza pode mostrar se este impulso é a expressão de suas necessidades internas ou uma reação destrutiva do tipo: “não agüento mais”.

Necessidade interna: Os projetos, idéias, decisões, impulsos e objetivos, que por muito tempo foram adiados e reprimidos, devem desde já ganhar espaço e ser postos em prática.

Âncora: Temos aqui um ego compulsivo, que não se permite parar e observar-se. Sua atitude dominante não é uma dança expressiva, mas uma louca carreira cega e irreflexiva atrás de supostos objetivos que não têm nada a ver com seu ser interno, do qual este Cavaleiro está distante. Assim, galopa para acidentes e problemas sérios em todos os aspectos. Sempre exaltado, é o paladino de causas mais ou menos sublimes, sempre mais importantes que ele mesmo. Ele se entrega com entusiasmo a estas idéias, embora por baixo dos panos possa estar esperando reconhecimento ou recompensas materiais. Sua inconsciência e desconexão com a realidade que o rodeia leva-o a desconhecer inclusive os motivos que o fazem agir assim. É a carta de um fanático que, com um pouco de poder na mão, pode chegar a ser muito perigoso.

A essência de Vervain o ajudará a tomar contato com seu corpo e assim poder enraizar seu entusiasmo. Também será útil o floral de Impatiens que, desenvolvendo qualidades de paciência, observação e receptividade, o ajudará a fluir com o ritmo natural dos acontecimentos.

Relacionamentos: a) Embora seja de uma maneira impulsiva, despeitada e às vezes agressiva, esta pessoa está conseguindo expressar o que acha e o que sente. Será necessária outra carta para saber em que vai dar esta explosão. Pode ser o final da relação, assim como um novo começo. b) Sem Água, a atitude deste Cavaleiro é explosiva e destrutiva; não está nem aí para as conseqüências de seus atos, de maneira que pode fazer sofrer bastante aos que lhe rodeiam. O floral de Yellow Star Tulip**, sensibilizando-o sobre as emoções alheias, especialmente para intuir as conseqüências emocionais de seus atos, o ajudará a desenvolver a necessária empatia com os outros, para poder relacionar-se melhor. Geralmente seus relacionamentos não são duradouros. Se gosta de alguém, voa em cima e o hipnotiza com sua eloqüência e fogosidade. Realizados seus desejos de autoafirmação, desaparece tão rápido como chegou. No fundo, tem medo de ficar e mostrar suas necessidades afetivas e sua vulnerabilidade. Na cama, se é um homem, será (como o Cavaleiro de Paus) um ejaculador precoce, e se é mulher se esfriará tão rapidamente como se excitou. A essência de Stiky Monkeyflower* o ajudará a perder o medo da intimidade, podendo assim abrir-se emocionalmente em seus relacionamentos.

Infância: Este foi um tempo de permanente agitação, sem um mínimo de serenidade, estabilidade e especialmente de segurança de ser amado. Provavelmente viveu em casa discussões violentas, com argumentos dilacerantes, inflamados e agressivos, que lhe fizeram sentir-se permanentemente ameaçado. A carta pode representar o pai do consulente, um sujeito exaltado, talvez alcoólico ou toxicômano, ou membro de alguma seita religiosa fundamentalista.

Método: Chegou a hora de expressar aos quatro ventos o que acha, de lutar por seus ideais e projetos. Talvez não seja ainda possível, a curto prazo, uma concretização material de tudo isso, como seria o caso com a Princesa, mas o importante é decidir-se a sair do bustiê asfixiante e seguir os impulsos instintivos e mentais. O floral de Trumpet Vine* o ajudará a superar suas dificuldades de expressão verbal, tornando-a mais vital e verdadeira, e a de Blackberry* o estimulará a pôr em prática suas idéias.

Caminho de crescimento: A pessoa vai jogar-se com entusiasmo em algum projeto ou assunto particular que exalta sua mente. Se se conteve durante muito tempo, seu pulo pode ser compulsivo e perigoso. Devemos preveni-la para que o entusiasmo não a cegue, inclusive porque, se desobedecer a seus velhos padrões de comportamento, seu ego vai fazer todo o possível para sabotar suas iniciativas e fazer com que volte ao curral, dizendo: "Mamãe tinha razão".

Cuidado com os acidentes. É preciso mais do que nunca ter a noção da medida das coisas e das próprias forças.

Resultado interno: A pessoa conseguiu libertar-se dos condicionamentos internos e externos que a mantinham presa a rotinas e critérios sem vida. Resgatou seus instintos, que hoje voltam a ser a força de seu processo criativo mental. Podemos dizer que o lado emocional e o mental caminham juntos.

Resultado externo: Vemos esta pessoa jogando-se em relacionamentos, projetos e idéias que o excitam instintiva e mentalmente.

Com decisão e valentia, está disposta a enfrentar os obstáculos externos que podem opor-se a seus empreendimentos.

A Rainha de Espadas

Encarna o aspecto aquoso do Ar. Na natureza, representa a elasticidade, o poder de transmissão, a umidade ambiental e as nuvens.

Sentada num trono de nuvens brancas, segura uma espada com a qual acaba de cortar a cabeça de um velho barbudo que segura com a outra mão. Este gesto representa um corte energético e drástico com os velhos padrões autoritários e machistas que governam a sociedade. Sua coroa está formada por estilizados prismas de cristal, símbolo de claridade, entre os quais aparece a cabeça de um criança, o espírito da pureza, inocência e espontaneidade. Toda a carta representa a morte do velho para dar lugar ao novo, num nível predominantemente mental. A mente se libera de caducas crenças, fruto de sua integração com as emoções. Da mesma maneira que a chuva limpa a atmosfera, as emoções não condicionadas chocam com as velhas doutrinas, preconceitos e condicionamentos, dando uma nova direção ao intelecto, que se recria por meio das próprias experiências. Esta Rainha é a mais perceptiva, observadora e inteligente de suas irmãs. Nada se lhe escapa, sua mente se inspira no pulsar de seu coração e podemos chamá-la, com Crowley, "A Libertadora da Mente".

Na Leitura Terapêutica

Momento atual: A pessoa está mudando sua maneira de pensar. Sua mente, invalidada por exércitos de doutrinas e conceitos estrangeiros, está sendo liberada por uma torrente de emoções vivas. Pode estar questionando princípios básicos da sociedade ou de seus relacionamentos, rebelando-se contra o autoritarismo machista ou participando da luta dos oprimidos.

Âncora: Este ego espressa exageradamente idéias, doutrinas e valores. Por trás de sua expressão emocional, está tentando inculcar seus princípios de conduta e padrões moralistas.

Rainha de Espadas (Crowley, Marselha e Cosmic)

A rainha está desconectada de seu corpo físico e pode considerar o sexo sujo e degradante. Acima de sua nuvem, vive no mundo impessoal das idéias e das emoções "corretas". Esta Rainha é crítica com os outros e severa consigo mesma. A essência da flor de Beech a ajudará a ser mas tolerante, e a de "Rock Water", a ser mais flexível e receptiva na sua expressão emocional. Pode ter sofrido algum tipo de abuso sexual na infância, se aparecem o Cinco de Discos (o Sofrimento) e o Sete de Copas (a Corrupção) nesta posição, de maneira que se mostra tímida e/ou hostil para evitar o contato. Recomendamos a essência de Pink Monkeyflower** ou de Poison Oak**, conforme o caso.

Às vezes, pode mostrar-se como uma grande idealista, defensora de causas elevadas, livre de interesses materiais e paixões animais. Nesta categoria de pessoas temos políticos, intelectuais de esquerda, padres de esquerda, algumas feministas e todos aqueles que sublimam suas emoções e desejos, adotando atitudes heróicas, às vezes panfletárias.

São egos geralmente críticos, perfeccionistas, rebeldes e manipuladores das emoções, tanto próprias quanto alheias. Outras vezes adotam atitudes ultraconservadoras, defendendo a moral "dos velhos e bons tempos".

Para uma mulher, indicaremos também o uso do floral de Alpine Lily**, que a ajudará a viver plenamente sua feminilidade, enraizando-a em seu corpo.

Necessidade interna: É urgente que o consulente deixe de obedecer cegamente e de viver em função de padrões sociais e morais vazios, machistas, caducos e frustrantes.

Relacionamentos: a) É um momento em que a pessoa questiona seus relacionamentos. Talvez a necessidade de espaço ou de liberdade para expressar e viver as emoções e desejos, tal como aparecem, ou a percepção de que o relacionamento pouco tem a ver com as expectativas criadas, leva a pessoa a chocar-se com seu parceiro, que prefere um relacionamento mais tradicional, tipo: "a mulher em casa e o homem no bar" ou "eu sou a rainha do lar e você trabalha para mim". O floral Bleeding Heart facilitará um relacionamento fundamentado na liberdade emocional. b) O consulente é uma pessoa aparentemente vanguardista, que critica o casal e a família tradicional, que procura um tipo de relacionamento onde ambos respeitem a privacidade e a individualidade do outro. Às vezes, esta atitude progressista é exageradamente mental e esconde um medo brutal de entregar-se e mostrar sua falta de afeto. Lê Camus na cama.

Infância: Esta Rainha pode estar representando a mãe do consulente, uma pessoa que, apesar de ter uma natureza emocional forte, em função de critérios morais e mentais rígidos bloqueou seus sentimentos e os de seu(sua) filho(a), que não só não recebeu amor, mas foi criticado(a) em suas iniciativas, especialmente naquelas que envolviam expressões instintivas ou emocionais mais profundas. É a mãe fria, distante, crítica, severa, às vezes intelectual, geralmente frustrada sexualmente, que deixou seus filhos com uma forte falta de afeto.

Método: Chegou o momento de assumir as emoções, de seguir os desejos, de lutar pelo direito à sua autodeterminação, enfrentando os caducos padrões de comportamento, os dogmas religiosos, as ideologias machistas e as pessoas que, no ambiente familiar ou profissional, representam e tentam preservar tais idéias arcaicas. O floral de Centaury a ajudará a liberar-se do controle de outras pessoas, especialmente se tem tendências ao servilismo, detectadas pelo Pendurado na Âncora. A essência de Walnut estimulará sua coragem para independentizar-se de padrões e idéias impostos pela família ou pela sociedade.

Caminho de crescimento: Aqui vai suceder toda uma série de rupturas. No plano interno, com as ordens que recebeu e teve de aceitar na infância e que até agora constituíam a base estrutural de seu comportamento.

No plano externo, significa um distanciamento da família, uma atitude mais independente e crítica no trabalho e uma renovação de amizades. Algumas pessoas incapazes de entender estas mudanças podem afirmar que o consulente perdeu seus sentimentos e que atua fria e impiedosamente com os outros. Pode chegar a sentir repulsa pela TV, propaganda e noticiários.

Rainha de Espadas (Rider)

Resultado interno: Esta pessoa liberou sua mente; hoje sua percepção da realidade é mais objetiva, clara e aguda. Sua mente tornou a ser o instrumento rápido, eficiente e sempre disponível de sua vontade, que reflete, conceitualiza e expressa o pulsar de seu coração.

Resultado externo: Dono de uma mente renovada, clara e perspicaz, o consulente está participando do movimento geral de transformação das idéias da sociedade: informação, propaganda, assessoria, ambientalismo, luta pelos direitos dos excluídos, produção de eventos alternativos, etc.

O Príncipe de Espadas

Ar por partida dupla, este Príncipe encarna as qualidades de expansão, volatilização, elasticidade e mobilidade deste elemento. A ausência dos outros três elementos torna o Príncipe de Espadas altamente desinteressado de tudo o que não pertença ao mundo intelectual. Esta é a carta do Intelecto Puro, isolado das emoções, da espiritualidade, do corpo e seus instintos e da realidade material. Em seu carro e suas asas predominam figuras geométricas, indicando que se trata de um ser abstrato, impessoal e mental.

Três crianças puxam seu carro. Alguns vêem aqui a imagem da mente agitada: pensamentos saltando em todas as direções, qual grilos numa gaiola.

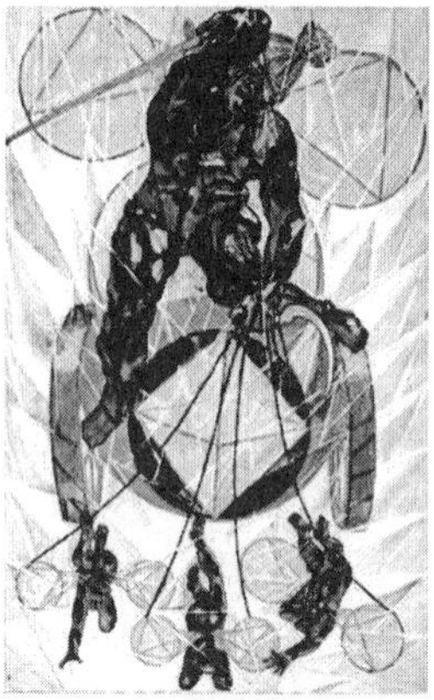

Príncipe de Espadas (Crowley e Cosmic)

Na mão direita, o Príncipe levanta uma espada, símbolo de polaridade. Esta é uma característica fundamental da mente. Quando definimos algo, necessariamente estamos definindo ou inventando seu oposto, como vimos na citação do *Tao Te King* da Sacerdotisa.

O trabalho do iniciado é atingir a unidade existente por trás da polaridade, sendo o caminho da integração, e não o da afirmação de um determinado aspecto em detrimento de seu oposto e complementar, o que leva a alguma parte.

A espada tem dois gumes: com um constrói, impõe a lei, e com o outro destrói. A mente também, com um afirma e com o outro nega. Quando nem afirma nem nega, quando simplesmente é uma testemunha silenciosa ou um executor sem ânsia de resultados dos mandatos da livre vontade, então se transforma em não-mente e conduz à transcendência espiritual. Como a espada que, com os dois gumes, consagra.

Outros autores vêem na espada em punho e nas rédeas a imagem da mente reprimindo, julgando e criticando os impulsos espontâneos das três crianças.

Na mão esquerda, a foice com que, como nos disse Crowley, o Príncipe destrói tudo o que criou com a espada.

> *A função da mente é dividir continuamente. A função do coração é perceber os vínculos, a respeito dos quais a mente está complemente cega. A mente não pode entender aquilo que está além das palavras; somente pode entender o que é lingüística e logicamente certo. A mente não tem relação com a existência, com a vida, com a realidade. A mente em si mesma é uma ficção. Tu podes viver sem mente, mas não podes viver sem coração. E quanto mais profundamente vives, uma parte maior do coração está envolvida.*
>
> *Osho Rajneesh*

Uma mente sem referenciais internos, isto é, emocionais e instintivos, será incapaz de concretizar qualquer coisa, já que a dúvida e a desvalorização são suas constantes.

Este Príncipe é tão racional que se torna irracional, argumentador, e sempre propondo idéias e projetos, sem o mínimo interesse nem capacidade de levá-los à prática. É perigosamente instável e incapaz de discernir entre as inúmeras teses, antíteses, teorias e princípios, entre os quais se perde. Apaixonado pela oratória, adora discutir e defender as idéias mais inverossímeis e insensatas, pelo puro prazer de argumentar. Como certo filósofo espanhol, chega a uma tertúlia e diz: "De que estão falando, que eu discordo?"

Desconectado da realidade, é um formalista puro, que não acredita no que afirma. É incapaz de expressar qualquer emoção ou paixão, pode levantar qualquer bandeira, mas sua falta de fogo impede que sua retórica inflame o público e muito menos a si mesmo.

No melhor dos casos, será um filósofo, um filólogo ou um pesquisador da essência das idéias, ou talvez um praticante adiantado de algum tipo de ioga mental.

Na Leitura Terapêutica

Momento atual: O consulente está debatendo-se mentalmente. No melhor dos casos, conseguirá tomar decisões, embora a priori não sabemos se respondem à sua verdadeira vontade ou não. A segunda carta nos dará maiores informações.

Necessidade interna: Uma atitude mais racional e objetiva precisa ser tomada. É necessário perceber em profundidade o que quer, para poder tomar decisões importantes, que o tirem do redemoinho (que estará definido pela carta da Âncora) onde se acha.

Cavaleiro de Espadas (Marselha e Rider)

Âncora: Temos aqui alguém incapaz de sair da intelectualização. Para tudo tem um argumento com o que compulsivamente justifica seus atos e esconde seus sentimentos e instintos. Se mostra auto-suficiente, insensível e incapaz de aceitar e abrir-se ao amor. Seu discurso carece de emoção, ardor e conexão com a realidade. Lembra os políticos centristas, que adormecem o plenário em cinco minutos. Se tiver poder tentará impor seus critérios. A essência de Nasturtium* traz vitalidade ao processo mental e ajuda o consulente a casar seus argumentos com a experiência prática da vida cotidiana. O floral de Blackberry* lhe ajudará a concretizar seus projetos.

Relacionamentos: a) A vida do casal tornou-se um combate de esgrima intelectual. Ambos dizem: "Eu tenho razão e você tem a culpa". Não há mais amor nem interesses comuns. Esta relação está chegando a seu fim. b) Tem tanto medo de mostrar seus sentimentos que anula seus impulsos emocionais e instintivos com uma densa cortina de princípios, doutrinas e idéias. É incapaz de amar ou de deixar-se amar, tanto que dificilmente vive relacionamentos duradouros e profundos. Sua sexualidade é fundamentalmente cerebral. Procura aduladores para suas idéias.

Infância: Temos aqui o pai do consulente, às vezes a mãe, alguém absolutamente sem emoções, frio como o gelo, impessoal, desconectado da realidade, desinteressado de tudo aquilo que não seja seu universo mental. Quando não é totalmente omisso com seus filhos, critica e invalida suas iniciativas e expressões emocionais, chegando a feri-los cruelmente em sua sensibilidade.

É um frustrado, carregado de agressividade, encoberta por toneladas de argumentos vazios. Para não entrar em conflito com seu pai, a criança escondeu suas emoções, silenciou suas idéias, reprimiu suas iniciativas e acabou parecendo-se cada vez mais com seu pai. No pior dos casos, perdeu seus referenciais internos.

Método: O crescimento passa hoje por um processo de tomar decisões, embora sejam drásticas e dolorosas. Não é momento para sentimentalismos ou apegos a pessoas e/ou coisas. Se é uma pessoa indecisa, que sempre anda procurando os conselhos dos outros, como denunciaria um Sete de Espadas (a Futilidade) na Âncora, lhe sugerimos a essência de Cerato, ao passo que se é um tipo preguiçoso e indisciplinado indicamos o floral de Tansy para ajudá-lo a tomar decisões firmes e práticas.

Se já temos algumas espadas no presente, tal como o Quatro (a Trégua) ou o Imperador na Âncora, pode estar indicando a necessidade de que o consulente tome consciência da máscara de intelectual que usa para defender-se.

Caminho de crescimento: Trata-se de um desafio para usar a mente de um modo mais criativo, tomando decisões que, em princípio, podem não ser muito agradáveis ou fáceis de tomar, mas que são absolutamente necessárias.

Resultado interno: O consulente perdeu o medo de expressar suas opiniões e de tomar suas decisões. Sua mente livre e objetiva, enraizada em seu ser interno, lhe permite captar a realidade e suas leis, e enunciá-las conceitualmente.

Resultado externo: Vemos o consulente avançando em suas propostas, aperfeiçoando-se intelectualmente e desenvolvendo sua originalidade e criatividade na prática. Podemos encontrá-lo em centros docentes, proferindo conferências ou pesquisando em diferentes áreas do pensamento.

Também pode estar trabalhando como advogado ou juiz em tribunais ou discutindo e/ou promulgando leis.

A Princesa de Espadas

Encarna o aspecto mais térreo do Ar. Na natureza, representa a capaci-

Princesa de Espadas (Crowley e Cosmic)

dade de saturação e densificaçao que a atmosfera tem. Está relacionada também com a pressão atmosférica e com o ambiente carregado, pesado, tóxico e poluído de certas megalópoles.

A Princesa é a materializadora das idéias, simbolizando o aspecto mais prático e concretizador da mente. Seu intelecto está direcionado para a resolução de assuntos materiais. Sua mente está especialmente conectada à realidade física das coisas, já que o elemento Terra lhe dá uma referência que o Príncipe não tem. No entanto, a falta de Água e Fogo fazem com que sua mente não consiga voar. Falta-lhe inspiração e sensibilidade para que sua vida seja algo além de pagar suas contas e alimentar suas ambições materiais.

A imagem mostra a Princesa com uma espada na mão direita, disposta a dar um golpe num inimigo invisível, cuja presença ela sente pelo estado tormentoso e carregado do céu e das nuvens que a rodeiam. Com a outra mão, parece proteger um altar de pedra acima de nuvens escuras. Tudo parece indicar a iminência de uma batalha. O altar pode estar representando seus apegos e todo um conjunto de culpas e outras características pessoais que não quer mostrar por considerá-las seus pontos fracos.

Seu elmo está rematado com a Cabeça de Medusa, a única mortal das três Górgonas: Ésteno, Euriale e Medusa, três irmãs, demônios[75] ctonianos que representam a perversão dos impulsos sociais, sexuais e espirituais, respectivamente. Seus cabelos são serpentes enfurecidas e com presas de javali, mãos de bronze, asas de ouro e pescoço coberto de escamas de dragão, petrificava aqueles que nela fixassem a vista. Medusa representa a energia paralisante e mórbida da culpa, muitas vezes exagerada pela vaidade exaltada que inibe o esforço reparador.

Perseu, filho de Zeus e Danae, conta-nos o mito, munido com a espada de Apolo, deus da harmonia, o casco de Hades, que o tornava invisível, e sandálias aladas, mostrando a Medusa sua própria imagem, no polido escudo de Atena, petrificou-a e decapitou-a.

A Princesa projeta seus medos e culpas no mundo exterior e toma uma atitude desconfiada, defensiva e agressiva. Qualquer aproximação representa um perigo que deve ser contra-atacado imediatamente.

Sendo a materializadora das idéias, podemos ver nela a capacidade de lutar contra todos os obstáculos que se interpõem em seu caminho.

Na Leitura Terapêutica

Momento atual: O consulente sente-se ameaçado, como se estivesse a ponto de perder alguma coisa ou de ser flagrado com algo que guardava em segredo. Está disposto a lutar para de-

75 - Na verdade, eram antigas deusas que no novo panteão de Deuses masculinos foram degradadas e marginalizadas até o plano de demônios. Ctonianos faz referência à Terra em seu aspecto interno e obscuro, símbolo de fecundidade, germinação e morte.

Valete de Espadas (Marselha) Pagem de Espadas (Rider)

fender-se ou para pôr em prática suas idéias e intenções.

Âncora: Mostra um ego mesquinho, extremamente apegado às coisas materiais, que não se abre para ninguém porque acha que em qualquer mudança, seja emocional, profissional, material ou inclusive intelectual, vai sair perdendo. Sem emoções à vista, é grosseiro e cerebral na cama. Sua lógica é destrutiva e seu pessimismo e negatividade só atraem problemas e complicações. Sempre está envolvido com advogados, pleiteando por algum assunto material. É como uma formiguinha firme e perseverante, insistindo até conseguir o que quer. Esta Princesa é possesiva e avara, e sua energia atrai os ladrões. Vê perigos em toda parte. Aconselhamos o floral de Oregon Grape*, para ajudá-la a confiar nas boas intenções do vizinho, e o de Star Thistel*, para contrabalançar seu compulsivo materialismo e seu medo de que, com generosidade e capacidade de compartilhar as coisas com os outros, algo lhe falte.

Pode ser consciente de suas atitudes negativas, envolvendo-se em sentimentos de culpa que a aprisionam e que só geram mais raiva e destrutividade.

Necessidade interna: Esta pessoa vai sentir-se muito melhor quando desenbainhar suas armas e se lançar à batalha para desenvolver e materializar suas idéias e projetos. Não pode continuar a deixar-se vencer pelas dificuldades sem antes enfrentá-las.

Relacionamentos: a) Mais parece uma briga para ver quem fica com a mobília e com o carro, num clima de acusações, ameaças e violência, do que um momento de concretizações de idéias e de projetos comuns, que precisaria de um pouco de amor (Água) ou de atração sexual (Fogo). b) Esta pessoa imagina que os outros só se aproximam dela para aproveitar-se; assim, fecha-se sexual e emocionalmente e, se não pode evitar o contato, fria e calculadamente arma sua estratégia para tirar proveito. É intrigante e fala mal de você comigo e mal de mim com você.

Infância: A criança viveu num ambiente especialmente negativo e hostil em que o medo, a culpa e a raiva, a inveja e o ódio eram as emoções mais comuns.

Aprendeu desde pequeno(a), quando seus irmãos lhe roubavam sua mesada, que o mundo e inclusive as pessoas mais próximas eram seus inimigos, diante dos quais era necessário precaver-se e proteger seus pertences. Assim, enclausurou suas emoções e foi transformando-se num pequeno monstro, bloqueado, agressivo e covarde.

Método: Sugerimos agarrar o touro pelos chifres, enfrentando as dificuldades, sem medo de lutar para levar adiante as idéias e projetos, com firmeza e decisão. Podemos pedir que esta pessoa faça uma lista de objetivos em todos os planos, incluindo disciplina na alimentação, horários, metas econômicas, etc; ordenando-os do mais fácil até o mais difícil, para ser levado a cabo como uma maneira de transformar a vida. O floral de Penstemon* a ajudará a enfrentar circunstâncias difíceis, perseverando no esforço até concretizar seus planos.

Caminho de crescimento: Este é um grande desafio. O consulente vai se ver obrigado a defender suas opiniões e sua maneira de trabalhar, provavelmente num ambiente hostil. Seus objetivos serão atingidos só sobre a base da conquista e da luta. Não restam dúvidas de que, neste caminho, esta pessoa vai se fortalecer e se afirmar.

Resultado interno: A pessoa conseguiu liberar-se das identificações e preconceitos que a levavam a bloquear-se e a ficar na defensiva, como uma mola tensa disposta a pular. Hoje confia em si mesma, sabe que o mundo não é seu inimigo, valoriza seu potencial criativo e realizador e atua a partir dele.

Resultado externo: Vemos aqui o sujeito desenvolvendo suas idéias e projetos, enfrentando valentemente os obstáculos e conseguindo atingir suas metas e objetivos.

CAPÍTULO 10

As Figuras de Discos

Os Discos, Moedas ou Pentagramas estão relacionados com o elemento Terra. Se o Ar é o filho do Fogo e da Água, a Terra é sua filha, assim como as Princesas são as filhas da Rainha e do Cavaleiro. Junto com a Água, a Terra é um elemento feminino, receptivo e passivo. No entanto, a Água é um elemento primordial, enquanto a Terra não é. A Água representa o indiferenciado, o oceano anterior à organização do Cosmo e é na Terra que se desenvolveram as manifestações e diferenças.

Na China, a Terra representa a perfeição passiva, isto é, a tendência para a fixação e condensação, enquanto o Céu é a perfeição ativa, a tendência à volatilização e dissolução.

As quatro Figuras de Discos representam quatro maneiras diferentes de abordar a matéria, seja o corpo físico ou os assuntos materiais.

O Cavaleiro de Discos

Encarna a parte ígnea da Terra. Na natureza representa as montanhas, vales e quebradas, os terremotos, o calor interno do núcleo do planeta e a lava vulcânica.

Este Cavaleiro tem um cavalo totalmente diferente dos briosos corcéis de seus pares. Não pula, não voa nem cai do céu; está mais interessado no pasto que em ser o herói de gloriosas façanhas. Suas patas vão engordando à medida que se aproximam do chão, até parecerem troncos firmemente enraizados. O Cavaleiro veste uma armadura negra e uma capa que acaba fundindo-se com o plantio. A viseira de seu elmo está adornada com a cabeça de um cervo, animal que, atribuído a Diana, é símbolo de fecundidade e abundância. Para os alquimistas, representa o mercúrio filosofal. Em certas tradições, como a dos índios Pawnee, o cervo é o anunciador da luz, animal solar, patrono da estação das secas. Para os huicholes, faz parte da trindade divina, junto com o peiote e o milho.

Na mão direita, segura um batedor para debulhar o trigo que cresce a seus pés, indicando que suas tarefas têm a ver com a produção de alimento.

Com seu grande escudo, símbolo de defesa e proteção, o Cavaleiro parece estar protegendo o trigal das possíveis incursões dos animais selvagens e dos vizinhos.

A espiga de trigo, símbolo de Virgem, alimento e promessa de novas espigas, é considerada na mitologia grega como um presente de Deméter, a deusa da fecundidade e iniciadora nos mistérios da vida. As colinas da paisagem estão todas cultivadas.

Cavaleiro de Discos (Crowley)

Rei de Pentáculos (Rider e Cosmic)

Sendo o aspecto fogoso da Terra, a relação deste Cavaleiro com ela é puramente energética. Ele trabalha a terra e ela cobre suas necessidades vitais. É um ser simples, pouco aficionado a pensar (não tem Ar). Sua sabedoria vem de sua integração com a *Pachamama* e seus ciclos. Tampouco se trata de um sentimental ou um artista de alta sensibilidade (não tem Água), no entanto está em contato com suas sensações físicas e mensagens corporais. Pode parecer, à primeira vista, um ser rude e primitivo, mas seu contato com a Terra alimenta seu lado feminino.

É um trabalhador nato, que coloca sua energia, seu Fogo, no mais concreto e sólido, pode ser tanto um camponês como um metalúrgico. No pior dos casos, é uma pessoa exageradamente servil, incapaz de tomar decisões ou de possuir uma certa visão de conjunto, que só sabe cumprir ordens, executando trabalhos manuais, geralmente pesados.

Pode mostrar também uma pessoa que, como o índio amazônico, pertence à selva, cuida dela e dela se alimenta e se carrega de energia, estando harmoniosamente ligado à natureza.

Na Leitura Terapêutica

Momento atual: Toda sua atenção e energia estão direcionadas para o trabalho, para cumprir com suas responsabilidades laborais e financeiro-familiares. Não tem tempo para o amor, para o estudo, a meditação ou *il dolce fare niente*. Talvez umas cervejas aos domingos, enquanto assiste ao futebol na TV. Tampouco parece ser uma fase de muito prazer: a carta contígua pode mostrar se existe criatividade no trabalho ou é algo mecânico e rotineiro. Talvez a situação econômica pela qual o consulente e sua família estejam passando exija esta atitude, mas neste momento seus objetivos não vão além do simplesmente material.

Âncora: É o *workaholic*, o trabalhador compulsivo. Imagina que só será aceito pela sociedade se se mostrar uma pessoa responsável, séria, serviçal e infatigavelmente trabalhadora. Observe que este Cavaleiro está a pleno sol, cuidando dos campos, enquanto provavelmente seus companheiros da aldeia estão dormindo a sesta. Vive para trabalhar e, de um modo muito germânico, faz do trabalho sua religião. Suas emoções, intelecto e espiritualidade foram exilados. O floral de Aloe Vera* lhe ajudará a colocar o coração no que faz, de maneira que sua atividade seja mais criativa, equilibrada e centrada. Na cama, pode ser fogoso, mas não expressa amor nem ternura. Acabou transformando-se num escravo que se vende em

Rei de Ouros (Marselha)

> *A única responsabilidade autêntica é com teu próprio potencial. Sua inteligência e tua consciência é atuar de acordo com ele.*
>
> *Osho Rajneesh*

troca de comida e segurança. Talvez se deixou enganar pela armadilha das compras em prestações, ou pode estar fugindo de seus relacionamentos familiares. Dia a dia repete mecanicamente as mesmas rotinas, os mesmos gestos desconectados, sem prazer nem consciência. O floral de Oak irá ajudá-lo a colocar limites em suas tarefas e saber quanto tem que dizer: "Basta, vou descansar".

Com o Dez de Paus (a Opressão) ou o Pendurado indicaria que sua necessidade compulsiva de agradar o leva a nunca dizer "não", numa atitude degradada, servil e autonegligente. Neste caso, recomendamos também o floral de Centaury.

Com o Quatro de Discos, teríamos alguém que acumula compulsivamente, porque tem medo que algum dia lhe falte. É um avarento que vive para o material. Neste caso, podemos indicar o floral de Star Thistle*.

Necessidade interna: A pessoa precisa responsabilizar-se de suas necessidades materiais e também cuidar de seu corpo físico. Não pode continuar sendo um parasita, com medo de usar seu potencial criativo.

Relacionamentos: a) Só sobrou da relação "o marido responsável" ou "a esposa abnegada", que segura economicamente o lar e cumpre, aos sábados à noite, suas obrigações maritais. Provavelmente, nos dias da semana chega cansado da rotina profissional e só quer assistir à TV. b) Relaciona-se vendendo uma máscara de responsabilidade, seriedade, serviço e eficiência. Teme expressar seus sentimentos e morre de medo de ser rejeitado ou abandonado.

Aqui também será muito eficaz o uso de Pink Monkeyflower.

Infância: O trabalho era sagrado. Seus pais lutaram toda a vida para sair da miséria ou para atingir um nível de vida aceitável.

Em qualquer caso, sempre havia um fator compulsivo relacionado com o trabalho e com o dinheiro. "Olha seu pai, que tanto se sacrificou para você estudar, e agora é assim que lhe paga." Para ser aceito "na empresa familiar", a criança teve de deixar de julgar para cumprir com as exigências impostas.

Método: Sugerimos que o consulente assuma suas responsabilidades, busque um emprego ou trabalhe em alguma coisa.

Deve dar o primeiro passo para satisfazer suas necessidades materiais de sobrevivência e deixar de depender dos outros. Se detectamos preguiça, falta de motivação ou dispersão mental, com tendência a fugas energéticas quando os desafios aparecem, indicados pela presença do Oito de Copas (a Indolência) ou do Sete de Espadas (a Futilidade) na Âncora, recomendaremos a essência de Tansy*, que lhe estimulará a percepção de suas verdadeiras forças e favorecerá atitudes decididas para a conquista de metas concretas.

Caminho de crescimento: Estamos diante de uma fase de especial dedicação ao trabalho. Seu desafio será assumir novas e talvez maiores responsabilidades no âmbito profissional, dedicando-se a trabalhos que tenham a ver com sua natureza, isto é, que lhe dêem prazer.

Resultado interno: O consulente resgatou a confiança em seu potencial criativo. Perdeu o medo de encarar responsabilidades, assumiu sua parte adulta e é capaz de trabalhar com entusiasmo e prazer.

Resultado externo: Vemos o consulente trabalhando, imerso em atividades criativas e produtivas, talvez na agricultura, na manufatura de bens ou prestando serviços.

A Rainha de Discos

Encarna o aspecto aquoso da Terra. Na natureza é a vegetação, a biomassa, a própria *Pachamama*, criando e reabsorvendo todos os seres vivos. São afins a este aspecto as idéias de fertilidade, fecundidade, receptividade e passividade.

A Rainha está sentada num trono de vegetação exuberante. Parece que sua atenção está dirigida para a fertilização do deserto que aparece ao fundo. Numa mão segura uma esfera dourada, símbolo de perfeição e totalidade, onde toda uma série de círculos entrelaçam-se harmoniosamente. Segundo a tradição esotérica islâmica, é da esfera que emanam os mundos.

Na mão direita, segura um bastão acabado num cubo de cristal, em cujo interior temos um hexagrama inscrito num hexágono, indicando que o poder da Rainha está firmemente estruturado, estabilizado e equilibrado. Ela está coroada com os chifres do Markhor, cuja forma espiralada faz referência ao poder gerador. Aos pés da Rainha, outra cabra está parada sobre uma esfera dourada, indicando, nos diz Crowley, que "a Grande Obra é fertilizar".

O macho cabrão representa a potência viril, a força vital, a libido, as forças criativas no nível mais material, tal como vimos no Demônio.

A Rainha é a dona da terra e utiliza seus recursos materiais segundo a voz de seu coração. Ela ama a terra, cuidando e protegendo-a. Está por trás do processo de criação e de crescimento da vida no planeta.

Não é particularmente inteligente nem fogosa, mas, incorporando os dois elementos passivos (Água e Terra), está em contato com suas emoções, sensações corporais e a realidade material que a rodeia.

Esta rainha é prática, sensual, carinhosa, generosa, trabalhadora, serena, sensível, protetora e amante do lar, das crianças e de seu ambiente.

Na Leitura Terapêutica

Momento atual: Vemos o consulente mais ocupado com os outros que consigo mesmo. Cuidando das crianças e trabalhando em organizações assistenciais e ambientais.

A carta que se cruza mostrará se esta atitude de entrega é produto de um sentimento de plenitude interna, onde um cora-

Rainha de Discos (Crowley, Marselha e Cosmic)

ção satisfeito se derrama sobre o mundo, ou se é um comportamento aprendido para conseguir a aprovação do próximo, encobrindo suas frustrações.

Âncora: Este ego tem uma necessidade compulsiva de ser útil aos outros. Sua falta de auto-estima o leva a pensar que só vai ser aceito se morrer para ajudar e cuidar do próximo. Desconectado de seus potenciais criativos, inseguro e carente emocionalmente, quer ser apreciado a qualquer preço. Esta pessoa espera ansiosa que alguém necessite de ajuda, seja material, de cuidados ou de simples companhia, para imediatamente oferecer-se como voluntária e assim sentir-se valorizada e merecedora de amor, ou pelo menos de agradecimentos. Aparentemente, é generosa e simpática, mas os que a conhecem melhor sabem que é uma grande manipuladora e sugadora de atenção. Às vezes, toma atitudes tipo "coitadinha de mim". Exagerando, é a vovó que espera que seus netos fiquem gripados para cuidar deles, sentir-se útil e enfiar o nariz na casa da nora.

O floral de Chicory, especialmente indicado para este tipo de pessoa, reverte a falta de afeto, facilitando um comportamento mais sincero e digno.

Necessidade interna: O consulente precisa assumir-se como dono de seus bens materiais e usá-los como seu coração lhe indica.

Relacionamentos: a) Sendo uma mulher, provavelmente sua vida não passa de "a perfeita dona de casa". Se é um homem, diremos que vê em sua esposa a sua mãe, que lhe dá de comer e lhe lava a roupa. b) Esta pessoa se relaciona como um mendigo de amor, que renuncia a si mesmo, a seus desejos e à sua realização profissional para transformar-se num devoto servidor dos outros.

Infância: Temos aqui uma mãe superprotetora, que impediu que a criança tomasse qualquer iniciativa e massacrou sua independência, autonomia e capacidade de dizer não: "E não responda!" Condicionou seu colo, aprovação e amor à submissão total de seu filho, inoculando medos: "Não saia para a rua, que tem muito tarado à solta!" Chantageou-o para tê-lo preso e dependente: "Melhor ficar em casa que mamãe vai fazer pamonhas para você!"

Assim, a mãe pode sentir-se mais importante e imprescindível para seu filho, e a criança se torna covarde, obediente, totalmente dependente e provavelmente gordinha. Se este padrão de exagerada dependência não foi quebrado, e a pessoa tem dificuldade com as exigências e responsabilidades da vida adulta, como indicaria o Pendurado ou o Aeon na Âncora, podemos sugerir-lhe a essência de Milkweed.

Método: Sugere que o consulente seja mais dono de seu território e use seus poderes materiais em harmonia com seus sentimentos. É importante que invista seu tempo e seu dinheiro em si mesmo, em seu próprio conforto e em atividades que lhe gratifiquem internamente. A presença da Imperatriz na Âncora, indicando uma forte vinculação familiar, pode supor para uma mulher uma necessidade de escolher entre a família e sua carreira profissional. Neste caso, a essência de Pomegranate* será muito eficaz.

O floral de Sunflower* ajudará muito neste processo,

Rainha de Pentáculos (Rider)

centrando a atenção da pessoa em si mesma.

Em certos casos, pais omissos recebem aqui a orientação de dar mais atenção, cuidados e amor para seus filhos. O floral de Mariposa Lily, desenvolvendo a consciência maternal/paternal/afetiva, ajudará a melhor nutrir e cuidar dos filhos.

Caminho de crescimento: O consulente vai entrar numa fase de maior dedicação e entrega, tanto para si mesmo quanto para os que o rodeiam. Sua presença e seus atos vão vivificar e nutrir seu ambiente, com amor, atenção e bens materiais.

Resultado interno: Esta pessoa resgatou sua sensibilidade. Hoje é mais dona de si mesma e sua energia tem uma qualidade muito mais amorosa, bela e criativa.

Resultado externo: Vemos o consulente trabalhando com amor e entrega no desenvolvimento material de sua comunidade e participando de organizações ou atividades que ajudam os mais necessitados e/ou a manutenção da continuidade da vida neste planeta.

O Príncipe de Discos

Encarna o aspecto aéreo da Terra. Na natureza representa suas flores, frutos, sementes, aromas e sons.

Um touro, animal lunar, associado aos rituais de fecundidade, cujos chifres lembram a forma da Lua em seus primeiros dias, está puxando o carro. Por sua força, bravura e o brilho de seu sêmen, é considerado também solar.

O elmo do Príncipe está rematado com um touro alado, mostrando que nele se dão as qualidades do touro no plano mais elevado e transcendental.

Príncipe de Discos (Crowley e Cosmic)

Sua mão esquerda se apóia numa esfera dourada, onde aparecem o Equador e vários meridianos. Em seu centro está um paralelepípedo, referindo-se, tal como disse Crowley, à " função intelectual, aplicada ao trabalho de produção".

Na mão direita, segura um bastão coroado por uma esfera com a cruz de Malta, semelhante à que leva o Imperador, mostrando como sua obra se consuma em nível material. Seu carro está lotado de produtos do mato, frutas, cachos, e o fundo da carta mostra também sementes, flores e espigas, relacionando a carta com a colheita.

A mente deste Príncipe está atenta aos assuntos materiais, observa a Natureza e o mercado, extrai conclusões e conceitualiza as leis de seu funcionamento, que aplica de novo, procurando maiores benefícios materiais.

Se o Cavaleiro de Discos é o trabalhador manual, este Príncipe é o economista, o agrônomo.

Como não tem Água em sua composição, não se importa com os sentimentos alheios nem com a ética inerente a seu trabalho. Pode ser um cruel coletor de impostos, um construtor de hidrelétricas no Alto Amazonas ou o dono de um banco.

Sem Fogo, este homem de negócios dificilmente se exalta. Calculista, frio, reflexivo e geralmente competente, daria um bom Ministro da Fazenda.

Na Leitura Terapêutica

Momento atual: Esta pessoa atravessa uma fase em que toda sua atenção está dirigida para os assuntos materiais. O resto é secundário, quando não inexistente. Pode ser uma maneira de escapar de seus conflitos internos e suas frustrações emocionais.

Também pode estar atrás de um objetivo material muito querido ou pode estar passando por uma situação financeira difícil, que lhe exige toda essa dedicação, especialmente se a segunda carta é o Cavaleiro ou o Cinco de Discos (o Sofrimento).

Âncora: Mostra alguém extremamente materialista, cuja mente não vai além de fazer negócios. Não manifesta outro tipo de objetivos nem expressa emoções, embora possa ser intelectualmente brilhante, dedicado e competente nos assuntos mais práticos. Nega sua espiritualidade e não acredita em nada que não possa medir, tocar e, especialmente, colocar uma etiqueta e vender.

Para ele, o sexo é uma mercadoria e o casamento, um negócio. "O matrimônio foi inventado para salvar e aumentar o patrimônio" diz, com fundamento histórico. O que mais o excita é um belo e ascendente gráfico de lucros. Dedicou toda sua vida a ganhar dinheiro e a estudar como pode lucrar mais. Adora fazer contas.

Sua ética de empresário não é transparente. Sem Água, não acredita na amizade nem no amor.

É competitivo, insensível, ambicioso e só fala de negócios e de seu patrimônio, do qual se vangloria e com o qual se identifica. No fundo, está tão frustrado que gasta um bom dinheiro em compensações, consumindo álcool, cocaína, prostitutas, comidas finamente indigestas, carros esportivos, etc., com os quais se destrói.

Tem tanto medo de mostrar seu interior que já se esqueceu de que existe.

O Sticky Monkeyflower* pode ajudá-lo a abrir-se emocionalmente. Este sério e pesado homem de negócios está precisando do floral de Zinnia* para facilitar-lhe o acesso à alegria, ao bom humor e ao desfrute das coisas simples da vida. Esta tendência a ver o mundo em termos de benefício material pode ser amainada com o uso do floral de Hound´s Tongue, que ajuda a pessoa a ver outras coisas, a maravilhar-se com o mistério da vida e a perceber a espiritualidade nos fenômenos físicos.

Cavaleiro de Ouros (Marselha e Rider)

Necessidade interna: O consulente precisa valorizar mais suas capacidades intelectuais e práticas e trabalhar, conquistando sua independência material.

Relacionamentos: a) Seu casamento se transformou em "Os da Silva Sociedade Ltda.". O vínculo se mantém só por rentabilidade econômica e *status*. b) Só se aproxima do outro quando vê a possibilidade de tirar algum proveito material ou ascender na sua posição social.

Leva sua relação empresarialmente, de maneira fria e calculista. Falta-lhe Fogo para ser um cafajeste, mas tem verbo suficiente para "dar o golpe do baú". Tenta satisfazer suas necessidades sexuais nas casas especializadas.

Infância: Representa o pai do consulente. Um homem de negócios, sempre ocupado, que pode preencher as necessidades materiais do filho e pagar as melhores escolas, mas, desligado de suas emoções, deixa-o carente e abandonado.

Método: Sugerimos que o consulente se esforce para superar-se profissionalmente, para ganhar mais dinheiro, para expandir os negócios e para crescer financeiramente, com atividades que lhe dêem prazer. O floral de Blackberry* o ajudará a organizar seus pensamentos, estabelecer metas e prioridades, enquanto que o de Gentian estimulará sua perseverança e coragem para enfrentar e não deixar-se desanimar com as dificuldades e reveses que possam vir. Se temos na Âncora e no Momento atual muitas cartas de Discos, tais como o Quatro (o Poder), o Nove (o Lucro), o Dez (a Prosperidade) ou o Imperador, alertaremos esta pessoa para que largue a máscara de *homo economicus*, que obviamente o está impedindo de ser ele mesmo, e desenvolva outros aspectos e potenciais de seu ser.

Caminho de crescimento: Aqui o desafio é ganhar dinheiro, trabalhar com proveito e usar os lucros na continuidade do crescimento interior, não se tornando prisioneiro dos negócios e suas leis.

Resultado interno: O consulente conseguiu superar os medos, autodesvalorizações ou preconceitos que bloqueavam seu potencial de trabalho e sua capacidade de crescer no mundo material. Afirmou sua independência econômica e se sente seguro e à vontade com o que faz. Tampouco perde de vista seu corpo.

Resultado externo: Vemos esta pessoa realizando-se nos planos materiais, usando habilmente sua mente para crescer empresarialmente. Pode estar dedicando-se à produção e venda de alimentos ou outros bens necessários para a sociedade. Pode também estar pesquisando e usando novas tecnologias ou sistemas operacionais.

A Princesa de Discos

Representa o aspecto mais sólido e compacto do elemento Terra. Podemos pensar inicialmente que, na natureza, são os metais seus representantes idôneos. No entanto, seus pontos de fusão baixos e sua maleabilidade lhes confere uma excessiva fluidez, que os descarta. O aspecto mais sólido do elemento Terra são os cristais, mais estruturados, difíceis de fundir e impossíveis de dobrar. Entretanto, os cristais têm também um lado sutil, abstrato, conectado às energias cósmicas, um lado que transcende a própria matéria. Penetrando no mais sólido, no mais denso e concreto, acabamos encontrando o abstrato, o elevado e espiritual, cumprindo-se uma vez mais o princípio taoísta de que, submergindo-nos em um aspecto da polaridade, encontramos seu oposto e complementar. Assim, pois, esta carta abrange os dois mundos: o material e o espiritual.

A Princesa de Discos é a mais introvertida de todas as Princesas. Sua atitude, que poderia parecer ser de intensa reflexão, não o é, pois em sua composição não existe Ar. Ela vive conectada ao mundo de suas sensações físicas

Princesa de Discos
(Crowley e Cosmic)

internas. Está em profundo contato com seu corpo, sem mente, sem emoções, sem desejos. Esta atitude a leva a "cair" na meditação, por meio da qual sua espiritualidade desabrocha.

"É nesta profunda aceitação de seu ser natural que está a semente de sua transformação, que quando chega por si mesma implica crescimento." (Osho Rajneesh)

A Princesa só se observa e observa o mundo, sem julgamentos, preconceitos, nem análises, sem conclusões nem princípios, sem exaltar-se, aceitando-se e aceitando. Assim, vai equilibrando os opostos de sua natureza, tal como vemos no disco que segura com a mão esquerda, onde o *Yin* e o Yang geram o Universo, assim como em seu ventre gera uma nova vida.

Com a mão direita, segura uma lança que aponta para o chão e está rematada por um cristal brilhante, um diamante, a pedra de Kether, mostrando a luz mais sublime e pura nas profundidades e escuridão do elemento mais denso. A natureza nos dá também aqui outra lição, mostrando-nos a continuidade do universo: o mais denso e o mais espiritual não estão separados; um vive no coração do outro e vice-versa. A diferenciação em compartimentos estanques dos aspectos da polaridade é produto da ignorância e só conduz ao fanatismo e ao sofrimento.

Os chifres espiralados da geração, abundância e fecundidade adornam a cabeça da Princesa. Sua atitude receptiva permite que seja um canal para as Forças da Vida.

Vive como Artemis nas montanhas, num bosque cujas árvores mostram suas raízes, sugerindo que os mistérios da natureza e os fundamentos da existência estão disponíveis para quem está em contato com sua natureza interior.

Na verdade, deixando que a vida flua através dela, a Princesa se harmoniza com o Universo e se alimenta do Tao.

A seu lado, um altar adornado com as espigas de trigo de Deméter indica sua participação na última materialização do processo de criação. Sem fazer nada, ela realiza.

Na Leitura Terapêutica

Momento atual: Esta pessoa está dedicando-se especialmente a si mesma, cuidando de seu corpo, de sua saúde e de suas necessidades básicas. O resto é secundário, até o ponto em que observadores de segunda fila podem pensar que a pessoa se fechou a sete chaves. Pode ser que o consulente precise resolver um assunto do mapa, coloca o dinheiro na poupança e se permite fazer um excesso comprando uma lata de azeitonas que come em seu aniversário, sem convidar ninguém. Seu medo de se expor, que o leva a viver escondido, pode ser amainado com a essência de Pink Monkeyflower.

Necessidade interna: Um estado crônico de desconexão interna, de desgaste físico-psíquico e de extrema dedicação ao mundo externo está pedin-

Pajem de Pentáculos (Rider)

do a gritos que o consulente se vire para si mesmo, cuide de sua saúde e de seu corpo até que as Forças da Vida voltem a fluir com intensidade.

Relacionamentos: a) O consulente está virando-se para si mesmo, identificando suas sensações verdadeiras a respeito de seus relacionamentos, desidentificando-se dela e deixando de fingir ou de atuar em função de padrões preestabelecidos. Provavelmente está chegando alguma transformação no relacionamento. Tratando-se de uma mulher, pode indicar todo o aumento de consciência corporal e de posicionamento frente à vida que traz a maternidade. b) Trata-se de uma pessoa tão retraída e materialista que não se envolve emocionalmente. No entanto, como não é muito inteligente (falta Ar em sua constituição), pode ganhar a vida alugando seu corpo na zona. Em outros casos, pode tentar satisfazer suas necessidades sexuais por meio da masturbação.

Valete de Ouros (Marselha)

Infância: A criança foi interceptada e invalidada em todas as suas iniciativas, até que se sentiu totalmente incapaz: "Deixe isso que você nunca vai conseguir!" Algum problema de saúde pode ter sido mais um motivo para paralisá-lo: "Fique quieto! Isso é perigoso!" A criança foi ficando cada vez mais tímida, retraída, covarde e insegura. Desenvolveu um mundo interno de exagerada valorização do material, próxima ao fetichismo.

Método: Sugerimos desenvolvimento da consciência corporal, observação atenta das tensões e sensações. Isso deve ser uma forma de meditação que estimule a total encarnação do Ser. Se, como indicaria a Sacerdotisa na Âncora, esta pessoa tem tendência a manter-se no mundo da fantasia ou na espiritualidade, desligada do plano físico. Para isso, aconselharemos o uso do floral de Clematis, para aceitar seu corpo físico.

Se esta pessoa "vive na Lua", com fortes tendências à distração e ao esquecimento, mostrando disfunções na aplicação do pensamento a assuntos práticos, como mostraria, por exemplo, o Sete de Espadas (a Futilidade) na Âncora, recomendaremos o floral de Rosemary*. Uma temporada no mato também a ajudará muito.

Caminho de crescimento: Esta é uma fase de descobrimento do corpo e suas sensações. O consulente está compreendendo como este funciona, os fatores que comandam sua saúde e o que é a doença. Assim, está começando a cuidar e responsabilizar-se pelo corpo, em vez de deixá-lo nas mãos do doutor.

Resultado interno: Por meio da auto-observação e do trabalho consciente com seu próprio corpo, esta pessoa entrou em meditação, começando a resgatar seu lado espiritual, sem preconceitos nem moralismos.

Resultado externo: Vemos a pessoa equilibrada, com um consistente sentido da realidade, de seu corpo e de suas necessidades vitais. A partir de seu centro consegue, sem tensão, levar adiante seus empreendimentos materiais.

CAPÍTULO 11

Os Primos: Mesmos Elementos

Agora que vimos cada uma das 16 figuras, é interessante determo-nos um pouco naquelas que, por ser o produto dos mesmos elementos, podem levar-nos a enganos de interpretação.

Príncipe de Paus e Cavaleiro de Espadas

Os dois conjugam o Ar e o Fogo na sua composição e ambos são igualmente masculinos, com um leve toque feminino: MαMβ.

No entanto, o primero representa o aspecto aéreo do Fogo e o segundo o aspecto fogoso do Ar.

A natureza básica do Príncipe é fogosa. É um personagem instintivo, impulsivo, cheio de energia vital e entusiasta, como toda a família de Fogo. Suas motivacões mais profundas estão além, ou melhor, aquém de qualquer discriminação ou julgamento, de índole moral, prática ou mental.

O canal de expressão de suas qualidades é mental, isto é, expressa toda esta energia sob a forma de pensamentos, de projetos e propostas a ser realizadas, embora a concretização delas não seja seu departamento. Suas idéias estão firmemente arraigadas no instinto, definitivamente em seu interior. Suas elaboracões intelectuais levam seu selo pessoal. Jamais agitará bandeiras alheias e sempre se considerará o centro do Universo, ou pelo menos de seu universo.

O Cavaleiro de Espadas possui uma natureza fundamentalmente intelectual, seu mundo é o mundo da mente, adquire, analisa e rumina informações e idéias, embora não tenha uma grande capacidade de reelaborá-las, como o faz o Príncipe de Espadas. Seu canal de expressão é impulsivo, inconsciente e, como o Fogo, muitas vezes destrutivo. É a mais pura expresão da mente exaltada. Pode mostrar um valente defensor de um ideal ou de uma opinião, personalidade na divisa de um fanático alucinado. A história mostra a pouca profundidade, elaboração e originalidade das teorias mais radicais que os exaltados de todas as doutrinas defenderam, geralmente com um poder destrutivo lamentável.

O Ar é o elemento mais permeável de todos os quatro. Podemos afirmar que somos continuamente invadidos por pensamentos, ideais e crenças que acabamos considerando próprias, quando na realidade não vêm da experiência pessoal. Assim, a este Cavaleiro, cuja tendência é a de jogar-se impetuosamente na ação, bastará qualquer desculpa intelectual, qualquer idéia emprestada, para gritar em praça pública: "Arrependei-vos ou o mundo se acaba".

Embora o Príncipe de Paus possa fazer de suas propostas apenas um meio para chamar a atenção: "Se me tivessem escutado...", suas propostas, estando enraizadas no seu instinto, são geralmente mais verdadeiras, originais, honestas e elaboradas que as de seu primo, o Cavaleiro de Copas.

Rainha de Paus e Cavaleiro de Copas

Nestas personalidades combinam-se os elementos Água e Fogo puros, Mα F. Podemos considerá-los os filhos do Cavaleiro de Paus e da Rainha de Copas. Os dois são igualmente equilibrados na sua proporção de masculino/feminino: M?F?

A natureza profunda da Rainha de Paus, o aspecto aquoso do Fogo, é instintiva, impulsiva e entusiástica. Seu canal para expressar tudo isso é emocional. Apresenta uma fachada emocional sob a qual ferve seu sangue. Sua energia instintiva não se manifesta em seu estado bruto, como no caso do Cavaleiro de Paus, nem centrífuga, como com o Príncipe do mesmo naipe; é refinada, enriquecendo-se com as qualidades femininas da Água. Suas emoções chegam firmemente enraizadas no seu lado instintivo. Esta Rainha é poderosa, extrovertida e centrada ao mesmo tempo. Sua forte conexão interna (Emocional-Instintiva) lhe permite poder viver com mais facilidade seu lado animal, simbolizado pelo leopardo. Como mãe, bate na polícia se quiserem prender seu filho. Como amante, é uma Bacante que se entrega ao amor e ao prazer sexual, com paixão animal, sempre quer mais, esquece horários, contas, obrigações e a comida no fogo. Dá excelentes bailarinas da Dança do Ventre, *stripers* e Destaques de Escola de Samba. Violentas cenas de ciúmes ou para impor seus desejos são freqüentes.

O Cavaleiro de Copas, o aspecto fogoso da Água, é uma personalidade basicamente emocional e, portanto, sensível, que expressa seus sentimentos de maneira ardente e impulsiva. Sua aparência quase agressiva de conquistador latino pode nos enganar, se não sabemos que por baixo de todo esse fogo está a necessidade de viver suas emoções. Esse macho galanteador, uma vez passados seus primeiros arrebatamentos, pode mostrar-se muito mais doce e feminino que o esperado. No entanto, é capaz de qualquer façanha, muitas vezes perigosa, pois, na ausência de Ar e Terra, não pensa nem mede as conseqüências de seus atos para conseguir estar com sua amada.

Se é uma pessoa emocionalmente carente, dirigirá toda sua energia para saciar suas necessidades de amor e atenção, sugando sem piedade suas vítimas. Este tipo aparece com freqüência nas revistas do coração, envolvido em escândalos ou crimes passionais. É o paquerador profissional.

Rainha de Espadas e Príncipe de Copas

FαMβ. A Rainha personifica o aspecto aquoso do Ar, isto é, é uma personalidade intelectual que se expressa emocionalmente. Vive no mundo das idéias, análises, doutrinas, ideais, teorias e leis; no entanto, sua necessidade de expressão emocional a leva a peneirar, questionar e repensar todas essas formas mentais, o que o Cavaleiro de Espadas, na sua compulsão pela ação, é incapaz. O Príncipe de Espadas também elabora, mas não pode sair da mente. A sensibilidade, compaixão e amorosidade da Rainha de Espadas a levam a questionar idéias injustas, critérios e leis caducos, transformando-se numa reformadora da sociedade. Pode ser a teórica de um movimento político, social, ecológico o reivindicativo.

Se foi educada sob um forte padrão repressivo, submetida a inúmeras normas de conduta das quais é incapaz de libertar-se, se sentirá dividida e sofrerá muito, mantendo uma severidade artificial com ela mesma e com o mundo e tentará vender suas idéias com o melhor de seus sorisos. Talvez procure uma válvula de escape para suas emoções, enchendo a casa de animais de estimação ou devotando-se a uma organização de caridade.

O Príncipe de Copas, o aspecto aéreo da Água, não está interessado em leis ou em mudar a sociedade, mas em transformar o indivíduo, começando por ele mesmo. Esta é uma personalidade basicamente emocional que se expressa intelectualmente. Por fora pode parecer um sisudo professor de psicologia ou literatura, no entanto, suas motivações são todas de ordem emocional. Precisa expressá-las e o faz intelectualmente. Se vê obrigado a estudá-las, analisá-las, catalogá-las, discriminá-las e compará-las para poder emitir suas conclusões. Vai descobrindo os mecanismos que as governam e aprende a respeito de si mesmo e dos outros.

Atrever-me-ia a dizer que este Príncipe não só tem maior facilidade para manter-se centrado que sua prima, a Rainha de Espadas, mas é uma das personalidades mais naturalmente orientadas para a procura da felicidade.

Se este Príncipe está carente emocionalmente, ou faz terapia ou tentará manipular emocionalmente os outros, finalmente tem certos conhecimentos obtidos através da auto-observação que facilitariam tais jogos para encher seus buracos.

Princesa de Espadas e Príncipe de Discos

Temos aqui o aspecto térreo do Ar e o aspecto aéreo da Terra, ambos bem equilibrados: Mb Fb.

A Princesa é uma personalidade basicamente intelectual, vive no mundo das idéias, doutrinas e teorias. Sua necessidade expressiva a leva a colocar em prática tudo o que passa pela sua cabeça. "Antes de acreditar em alguma coisa é necessário ver se funciona na prática", diz. Assim ela vai pondo ordem nesse mundo mental, desmascarando os preconceitos, falsidades e doutrinas tendenciosas e reelaborando sua visão de mundo a partir das lições que tira de suas próprias experiências. Não espera que sua mãe, a Rainha, consiga promulgar determinadas leis no parlamento para conquistar um lugar onde aplicá-las de fato. Pode dar um revolucionário partidário da insurreição armada, líder de um movimento de comunidades alternativas, etc.

É o pragmatismo em ação: só perde, neste aspecto, para a Princesa de Discos. Sua ausência de Água e Fogo, elementos que favorecem a aproximação das pessoas, podem determinar um certo isolamento e desconfiança do mundo que a rodeia, importando-se bem pouco se, como resultado de seus atos alguém pode sofrer.

O Príncipe de Discos é um sujeito intrinsecamente conectado à matéria e ao seu corpo físico. Como toda sua família, dá uma atenção prioritária a suas necessidades orgânicas e à sua estrutura material. Sua conexão com este mundo se expressa intelectualmente; assim, observa, investiga, discrimina e propõe leis e teorias a respeito do funcionamento do mundo material. Saúde física e financeira são seus objetivos.

Pode ser um exímio anatomista, consultor financeiro, engenheiro agrônomo, agente tributário ou dono de banco.

A ausência de Água e Fogo pode levá-lo a desenvolver as mesmas características que sua prima, a Princesa de Espadas.

Rainha de Discos e Princesa de Copas

A Rainha de Discos, o aspecto aquoso da Terra, e a Princesa de Copas, o aspecto mais térreo da Água, são $F\alpha F\beta$. A primeira é, na natureza, a vegetação, ali onde esta se mostra mais viva, exuberante e luxuriosa.

Esta personalidade é fundamentalmente prática, está sintonizada com suas sensações físicas e com o prazer que dá possuir as coisas. No entanto, a motivação para a expressão são suas emoções, seu jeito de apresentar-se é emocional.

Suas emoções a impelem a usar o mundo da matéria para se satisfazer. Seu amor pode levá-la a cuidar de um apiário e levar mel para a merenda das crianças da escola. O seu medo pode transformá-la numa mãe superprotetora, que compra a autonomia de seus filhos com presentes e doces.

Se é pouco ou mal-amada, pode mostrar-se generosa em excesso.

A Princesa de Copas, de natureza fundamentalmente emocional, se expressa no mundo material e concreto, levando sua sensibilidade a adquirir as mais variadas formas. Precisa colocar em prática suas emocões e procura canais para realizá-lo. Pode procurar o movimento e achar a dança; as cores e descobrir a pintura; o volume, o som e enveredar-se pelos caminhos da escultura ou da música. Canaliza o que sente diretamente, sem intermediários ou desvios mentais. Pode transcender a mente e os desejos instintivos para derramar seus sorrisos, suas lágrimas, sua compaixão, sem medos nem rancores. Nessa espontaneidade, sua espiritualidade tem o caminho aberto e esta Princesa pode virar a voz do oráculo, como também o foi da dança, da música, da poesia, ou de tudo ao mesmo tempo.

Comove-se com seu ambiente e expressa tanto a alegria como o sofrimento em suas composições. Pode converter-se num perigoso espectador para o sistema, embora nunca teorizará nada.

Bem pode ajudar a sua prima com o mel, mas quando visitem a escola será ela a primeira voz do duo, a neve nos juncos. A primeira terá um jardim de flores das quais extrairá elixires, a segunda pintará as que veja nas suas caminhadas nas montanhas.

Se não resolver seus medos, adotará traços de artificialidade e vaidade. Se temer expor suas emoções, irá se ocultar por trás de rótulos como atriz, modelo ou coreógrafa, que continuará interpretando fora do horário comercial.

Princesa de Paus e Cavaleiro de Discos

A Princesa de Paus, aspecto térreo do Fogo, e o Cavaleiro de Discos, aspecto fogoso da Terra, têm a mesma polaridade: $FbM\alpha$, equilibrada, embora com uma masculinidade levemente maior.

Assim, a Princesa tem uma personalidade fortemente instintiva. Seus impulsos precisam tomar uma expressão prática imediatamente. Se não o faz, estará fabricando uma perigosa panela de pressão que pode explodir a qualquer momento, podendo tomar a forma de crises histéricas altamente destrutivas.

Vive intensamente sua sexualidade, como sua mãe, a Rainha; no entanto, em ausência de Água, os sentimentalismos, envolvimentos emocionais e apegos não fazem parte de seu *script* preferido. Muitas vezes, nem fica para o café da manhã.

É tão direta e objetiva na materialização de suas necessidades vitais que pode parecer agressiva, e, de fato, qualquer ataque ao que ela considera como seus direitos de sobrevivência é respondido imediatamente. É sociável e amiga de festas. A falta de Ar lhe dificulta qualquer planificação e visão a longo prazo, de maneira que, embora seja mais forte que sua comadre, a Princesa de Espadas, esta acaba construindo uma estrutura material mais confortável e estruturada.

É o instinto de sobrevivência levantando muralhas para proteger-se das enchentes.

O Cavaleiro de Discos, como seus familiares, vive firmemente enraizado na matéria, sua motivação básica é ter. E nisso investe sua energia e seu dinamismo de Cavaleiro. Trata de resolver suas necessidades materiais imediatamente, não tem tempo nem cabeça para elaborar planos, tomar decisões importantes, procura emprego e, se este lhe dá o suficiente para comer e para uma vida minimamente confortável, nunca pensará em especializar-se ou procurar um trabalho melhor. Não mede suas forças nem a rentabilidade de seu desgaste energético. Para o observador distante, o Cavaleiro parecerá uma personalidade mais ativa, pois sua expressão é sempre dinâmica, embora seu enraizamento na matéria o leve a ser mais realista e paciente que seus compadres. A Princesa terá uma maior reserva energética que ele e, embora possa parecer mais circunspecta e objetiva, suas motivações são instintivas. O primero trabalha e trabalha até que cansa ou consegue o que quer, podendo se desgastar muito. A Princesa realiza.

Relacionamentos entre as Figuras da Corte

Se partirmos do fundamento de que ficamos atraídos por pessoas que mexem com nosso lado mais íntimo, que nutrem nossa essência, podemos afirmar que uma determinada personalidade fica ligada àquela outra cuja expressão externa coincida com a natureza profunda da primeira. Assim, todas as personalidades de Paus, cuja natureza profunda é Fogo, ficam atraídas pelos Cavaleiros, cuja expressão é também fogosa. A família de Copas se apaixona loucamente pelas Rainhas. A família de Espadas perde a cabeça pelos Príncipes e a de Discos não pode desgrudar das Princesas.

Deixando de lado inicialmente as figuras nas quais se repetem os elementos, Cavaleiro de Paus, Rainha de Copas, Príncipe de Espadas e Princesa de Discos, vejamos como se comportam as outras.

A personalidade Rainha de Paus adora as atitudes impulsivas, decididas e espontâneas dos Cavaleiros. Seu estilo instintivo e direto acende o Fogo interno da Rainha. No entanto, o Cavaleiro de Discos não fica especialmente atraído pela expressão emocional, sensível e terna da Rainha. As manifestações da Rainha são para este Cavaleiro "pão-pão, queijo-queijo", uma frivolidade. O Cavaleiro de Espadas também não se interessa pela Rainha, acha-a "um pouco burra e sem cultura". O Cavaleiro de Paus quer algo ainda mais fogoso. Quem fica apaixonado pela Rainha de Paus é o Cavaleiro de Copas, que se sente mexido e nutrido em sua natureza profunda emocional.

Esse relacionamento Água/Fogo pode tomar a forma de uma incandescente paixão tipo Páris e Helena: irão se enfiar na cama e darão as costas para o mundo. É importante que encontrem alguma forma de evoluir, para não acabarem entediando-se mutuamente. Sugerimos o Tantra para dar um sentido espiritual ao fogo.

A personalidade Príncipe de Paus, como figura de Fogo que é, se interessa pela expressão fogosa dos Cavaleiros. No entanto, o Cavaleiro de Discos não fica atraído pelo Príncipe, que acha pouco conectado à realidade. O de Copas, que se nutre de emoções, também não fica entusiasmado pelas idéias do Príncipe e menos ainda o de Paus, que procura alguém mais impulsivo, direto e instintivo. É o Cavaleiro de Espadas quem se encanta com este Príncipe, que o nutre de idéias.

Este alimenta o Fogo do Príncipe. Assim que se encontrem, elaborarão aéreos projetos e terão maravilhosas idéias, que provavelmente nunca colocarão em prática. Podem abrir um jornal ou uma oficina de idéias e tentar vender seus projetos para deus e para o diabo. Esse relacionamento Ar/Fogo pode ter também uma forte conotação sexual.

A Princesa de Paus, também interessada nos Cavaleiros, acha seu par no Cavaleiro de Discos. O de Espadas, que fica ligado em pessoas de idéias inteligentes e cultas, não dá muita "bola" para esta Princesa, enquanto o Cavaleiro de Copas pode achá-la um pouco tosca e insensível. Para o Cavaleiro de Paus, esta Princesa é séria e prática demais. O Cavaleiro de Discos, sempre vinculado a preocupações de tipo corporal e material, sente-se seguro e apoiado pela Princesa de Paus e admira sua capacidade de materializar as coisas. Nesse relacionamento Fogo/Terra, a Princesa alimenta seu Fogo interior com as atitudes fogosas de seu Cavaleiro. Provavelmente irão para o mato, criarão cabras e galinhas, cultivarão, com suas próprias mãos, uma horta, construirão uma casa, terão um monte de filhos...

A personalidade Cavaleiro de Copas, como vimos, apaixona-se pela Rainha de Paus, embora inicialmente se interesse por todas as Rainhas. Provavelmente, a Rainha de Espadas acha que ele é um idiota romântico e machista, com a cabeça cheia de ilusões. A de Discos acha-o um doido sedutor que não sabe onde pisa. A de Copas acha-o um chato que só pensa em sexo.

A personalidade Príncipe de Copas fica atraída pela rica expressão emocional das Rainhas. No entanto, a Rainha de Espadas o acha pouco fogoso e intelectual demais para seu gosto, e a de Discos, que ele vive no mundo da lua. A Rainha de Copas fica incomodada com a mania do príncipe ficar analisando suas emoções, em vez de deixá-la vivê-las em paz. Quem fica louca por ele é a Rainha de Espadas, que sabe apreciar as idéias de fundo emocional do Príncipe, que alimentam sua natureza mental. As manifestações emocionais, sensíveis e ternas da Rainha tocam em profundidade a natureza emocional do Príncipe. Esse relacionamento Água/Ar, baseado numa intensa troca de carinho e idéias, pode levar este casal a criar uma associação sem fins lucrativos, para dar apoio psicológico a crianças carentes ou deficientes, ou uma empresa para dar consultoria na área de recursos humanos.

A personalidade Princesa de Copas se interessa também pelas Rainhas. A Rainha de Paus nem olha para a Princesa, tão pouco fogosa, tão envolvida com coisas práticas. A de Espadas não tem papo com a Princesa. A Rainha de Copas fica incomodada com o espírito prático demais da Princesa. No entanto, a Rainha de Discos acha nela sua companheira. As manifestações emocionais da Rainha encantam a Princesa que, por seu lado, alimenta a Rainha com sua capacidade de concretizar e materializar. Esse relacionamento Água/Terra pode transformar a Rainha de Discos na produtora artística da Princesa.

O Cavaleiro de Espadas, antes de entender-se perfeitamente com o Príncipe de Paus, fica interessado pelos outros Príncipes. O de Discos o acha completamente maluco, exaltado e sem nenhuma capacidade de levar suas idéias à prática, enquanto o de Copas o ignora por ser insensível e fanático. O de Espadas perde a paciência com as atitudes impulsivas do Cavaleiro e procura um outro auditório onde ninguém dispute a palavra com ele.

A Rainha de Espadas, interessada nos Príncipes, desilude-se com o Príncipe de Paus, que a considera emocional demais e pouco fogosa, e com o Príncipe de Discos, que a acha pouco prática. O de Espadas foge das emoções da Princesa que, segundo ele, avacalham a objetividade mental da Rainha. Como vemos, a Rainha de Espadas acha seu companheiro na personalidade do Príncipe de Copas.

A Princesa de Espadas, atraída pelos Príncipes, é pouco considerada pelo Príncipe de Paus, que a acha pouco *sexy* e muito materialista. O Príncipe de Copas acha-a nada romântica e um tanto ríspida. O Príncipe de Espadas fica incomodado com a mania que a Princesa tem de querer levar suas idéias à prática. Isso não é para ele, que prefere deixar as idéias no mundo das idéias. No entanto, o Príncipe de Discos admira prontamente o poder de concretização da Princesa, que fica nutrida e apoiada, em sua natureza mental, pelas idéias deste Príncipe. Esse relacionamento Terra/Ar pode dar rapidamente uma empresa onde a chefia de produção será da Princesa e a de administração do Príncipe.

O Cavaleiro de Discos, interessado nas Princesas, não se entende bem com a de Copas, que o acha rude e direto demais, nem com a de Espadas, que simplesmente o acha bastante burro. A Princesa de Discos o chama de imprudente e fresco. No entanto, este Cavaleiro se dá bem, como vemos, com a de Paus.

A Rainha de Discos, inicialmente, é ignorada pela Princesa de Paus, que a acha pouco fogosa e melosa demais, e pela Princesa de Espadas, que a acha cafona e curta de idéias. Também a Princesa de Discos não gosta dela, especialmente do modo como se deixa levar pelos sentimentos. Finalmente, esta Rainha se dá bem com a Princesa de Copas.

O Príncipe de Discos leva um fora da Princesa de Paus por ser enjoado, sério demais e pouco fogoso, e da Princesa de Copas, por ser aéreo e sem emoções à vista. Já a de Discos o acha um charlatão. É com a Princesa de Espadas, como vimos, que ele se entende perfeitamente.

Agora, vejamos os mais complicados: o Cavaleiro de Paus se interessa pelos Cavaleiros, sente-se nutrido em seu Fogo interior pelas expressões destes últimos. No entanto, nenhum dos três Cavaleiros quer o Fogo que o de Paus oferece. Por outro lado, a Rainha, o Príncipe e a Princesa de Paus gostam das expressões fogosas dele, mas o que os três têm para dar não satisfaz o Cavaleiro de Paus, como vimos nos casos anteriores. Este tem que encontrar outro Cavaleiro de Paus para entender-se. Esse relacionamento Fogo/Fogo pode chegar a ser exageradamente sexual e explosivo. Pode ser uma dupla invencível de competição de carros ou outros esportes radicais.

A Rainha de Copas gosta das outras Rainhas, que mexem com sua natureza emocional. No entanto, elas não lhe correspondem. É pouco fogosa e passiva demais para a Rainha de Paus, sem idéias para a de Espadas e pouco prática para a de Discos. Quem se interessa por ela são aqueles que têm uma natureza profunda, de tipo emocional, isto é, as figuras de Copas. Como vimos, a Rainha de Copas não se envolve com nenhuma delas. A única opção é outra Rainha de Copas, dando lugar a um relacionamento Água/Água, uma boa dupla de roteiristas de novela.

A personalidade Príncipe de Espadas interessa-se pelos Príncipes. Mas esta será uma atração não correspondida. — Falta-lhe iniciativa, Fogo. — diz o Príncipe de Paus.

— Não expressa suas emoções. —, reclama o de Copas.

— Está fora da real. —, sentencia o de Discos. Por outro lado, o Príncipe de Espadas, descarta, como vimos anteriormente, o Cavaleiro, a Rainha e a Princesa de Espadas, que gostam de suas idéias. Nesse caso, também a solução é outro Príncipe de Espadas. Esse relacionamento Ar/Ar provavelmente não conseguirá sair do mundo das idéias. No melhor dos casos, podem abrir uma escola filosófica, de matemáticas ou de idiomas.

Finalmente, temos a Princesa de Discos, que ficará no pé de suas comadres, as Princesas. Fria demais para a Princesa de Paus, insensível para a de Copas, sem papo para a de Espadas. A Princesa de Discos também não vai gostar do Cavaleiro, da Rainha nem do Príncipe de Discos. Assim, a possibilidade de achar seu companheiro é encontrar outra Princesa de Discos. Esse relacionamento Terra/Terra pode dar uma empresa imobiliária ou uma academia de musculação.

CAPÍTULO 12

Os Arcanos Menores

Os Arcanos Menores numerados expressam momentos particulares do ser humano. Como vimos no capítulo "A Grande Viagem", existem quatro séries, naipes ou *suites*: Paus, Copas, Espadas e Discos, referindo-se cada uma delas aos aspectos que integram a natureza humana:

Paus .... Aspecto Energético
Copas .... Aspecto Emocional
Espadas .... Aspecto Intelectual
Discos .... Aspecto Físico

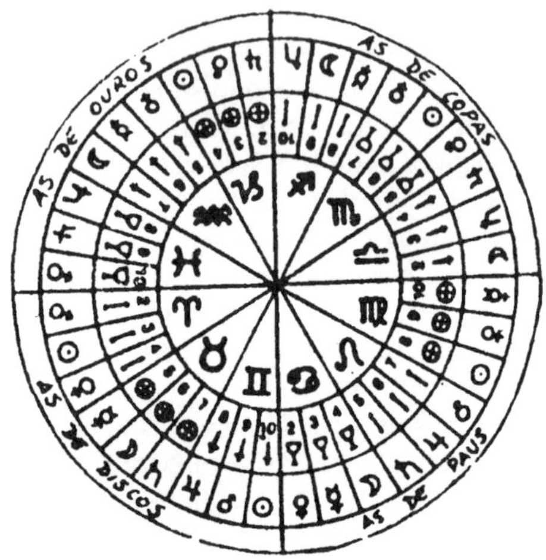

Os Arcanos Menores, os Planetas e os Signos. Anel interno: Os Signos. Segundo anel: As cartas. Terceiro Anel: Os Planetas regentes de cada decanato. Quarto anel: Os Ases.

Atribuições Astrológicas

Uma importante contribuição de Crowley para a sistematização do Tarô foi a introdução de uma correspondência astrológica completa, designando um planeta e um signo para cada Arcano Menor, com exceção dos Ases, a que atribui um quadrante astrológico, como vemos na ilustração.

Os signos de Fogo são atribuídos às cartas de Paus. Áries, o cardinal, às três primeiras cartas: Dois, Três e Quatro. Leão, o fixo, às três segundas cartas: Cinco, Seis e Sete. E Sagitário, o mutável, às três últimas: Oito, Nove e Dez. Do mesmo modo com os signos de Água, que se correspondem às Copas: Câncer, o cardinal, às três primeiras; Aquário, o fixo, às três segundas, e Peixes, o mutável, às três últimas. E assim sucessivamente com as Espadas e os Discos.

Cada signo ocupa trinta graus do Zodíaco e está dividido em três decanatos de dez graus, cada um deles regido por um planeta diferente. Assim, quem governa o primeiro decanato é atribuído à primeira carta.

O segundo planeta será atribuído à segunda carta e o terceiro à terceira. Graficamente, Crowley representou estas atribuições na figura acima.

Observemos que cada Ás corresponde ao quadrante astrológico cujo signo do meio é o signo fixo do elemento que corresponde à série da carta. Assim, o signo central do primeiro quadrante é Touro, signo fixo do elemento Terra. Corresponderá, portanto, ao Ás de Discos.

Correspondências com a Árvore da Vida

Podemos dizer que os Ases pertencem a Kether, os Dois a Chokmah, os Três a Binah, e assim sucessivamente. Sendo que o Ás de Paus será o aspecto fogoso de Kether, o de Copas seu aspecto aquoso, o de Espadas seu aspecto aéreo e o de Discos o aspecto térreo.

Cada série está relacionada com um mundo cabalístico: Paus com Atziluth, o mundo arquetípico, Copas com Briah, o mundo da criação, Espadas com Yetzirah, o mundo da formação, e Discos com Assiah, o mundo físico.

Podemos deduzir com facilidade que o Dois de Paus, por exemplo, encarna a energia de Chokmah em Atziluth, ou o Três de Copas se refere a Binah em Briah.

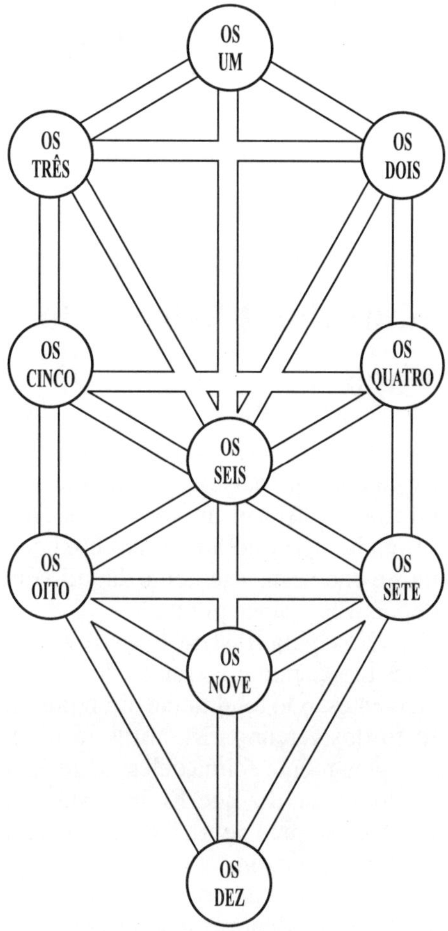

Os Arcanos Menores e a Árvore

A Expressão Energética

As dez cartas de Paus representam diferentes manifestações de nossa energia. São dez modos de expressão de nosso fogo interno.

CAPÍTULO 13

A Série de Paus

Ás de Paus — A Raiz dos Poderes do Fogo

É o aspecto fogoso de Kether. Nesta *sephirah* não existe nenhuma manifestação, só os primeiros hálitos. Nela se inicia algo que ainda não conhecemos e onde está a semente daquilo que depois vai ficar explícito.

Nas palavras de Crowley: "Os Ases representam as raízes dos quatro elementos. São totalmente diferentes do resto dos Arcanos Menores, estando completamente acima deles; do mesmo modo que se diz que Kether está simbolizada só pelo ponto mais alto da *Yod* do Tetragramaton."

Os Ases constituem um elo entre os Arcanos Menores e as Princesas. O Ás de Paus aparece como um falo em chamas, explodindo em todas as direções. Dez grandes línguas de Fogo, em forma de *Yod* e ordenadas segundo a estrutura da Árvore, sobressaem do resto. Esta carta é chamada "A Raiz dos Poderes do Fogo". Nela, a Energia Primordial aparece num estado inicial, sem nenhuma concretização prática. É só um impulso indeterminado, numa direção que ainda não conhecemos.

Na Leitura Terapêutica

Momento atual: O consulente está a ponto de iniciar uma nova atividade para a qual canalizará a maior parte de sua atenção, tempo e energia. Ainda não existe nada concreto, além de certa tensão criativa e entusiasmo, mas tudo está disposto para que a ação suceda. A segunda carta nos dará novos dados a respeito desse direcionamento.

Âncora: Duas leituras são interessantes: a) Esta pessoa tem medo de mudar, de jogar-se em algo novo, entregando-se a seus impulsos e intuições. Essa apreensão com o desconhecido pode ser amainada com a essência de Aspen. b) Este ego é tremendamente compulsivo. Atira de cabeça em qualquer coisa que o exalta, mas à menor dificuldade se desinfla, se cansa e abandona tudo, de maneira que não consegue dar continuidade a nada. O floral de Gentian o ajudará sobremaneira a perseverar em suas iniciativas apesar dos reveses e complicações que possam aparecer, e a ampliar a visão de sua vida, facilitando-lhe assim a extração das lições necessárias.

Necessidade interna: O ser interno está pedindo algo novo. Já basta de atividades rotineiras e vazias. É urgente deixar-se levar pelos impulsos mais íntimos.

Infância: Acontecimentos precipitados e impulsivos, muitas mudanças e inícios que não deram em nada, junto com um comportamento paterno impulsivo, autoritário e falocrata, enfraqueceram a segurança interna da criança, de maneira que hoje foge de qualquer mudança ou aventura.

Ás de Paus (Crowley, Cosmic e Rider)

Relacionamentos: a) Pode estar mostrando o início de uma relação cheia de energia, entusiasmo e atração sexual. b) Temos aqui alguém que inicia relacionamentos com suma facilidade, fogosidade e impulsividade, mas que não consegue, nem pretende, dar-lhes profundidade nem continuidade. São relacionamentos de surfista. Vive na espuma das ondas, enquanto o fundo do mar lhe dá medo. Recomenda-lhe-emos o uso do floral de Sticky Monkeyflower*.

Método: Chegou o momento oportuno para começar alguma coisa, algo que realmente concentre a energia e entusiasmo do consulente numa nova direção, provavelmente no aspecto profissional. O floral de Sagebrush* estimulará o desapego com o velho para encarar melhor uma nova etapa e o de Larch fortalecerá a confiança em sua capacidade.

Caminho de crescimento: As circunstâncias da vida vão levar o consulente a ter de desafiar o medo de começar alguma coisa nova, que provavelmente tem muito a ver com sua natureza.

Resultado interno: Esta pessoa se tocou de que seu trabalho não lhe dá prazer e está jogando sua vida fora. Hoje, venceu o medo de jogar-se naqueles empreendimentos e aventuras que seduzem seu coração.

Resultado externo: Vemos o consulente seguindo seus impulsos internos, com toda sua energia canalizada para um novo objetivo que o entusiasma.

Dois de Paus — O Domínio — Marte em Áries

Este é o aspecto fogoso de Chokmah, o grande estimulador da evolução. A energia que estava direcionada no Ás se polariza no Dois. Formam-se duas linhas de força representadas pelos dois *dorges* cruzados. Este instrumento cerimonial do budismo tibetano representa o raio, símbolo do poder celestial no aspecto mais destrutivo que criativo, isto é, em sua forma primordial, já que podemos considerar a destruição como o passo prévio para a criação ou construção. Seis chamas saem do centro da carta, representando a influência do Sol.

Este Arcano, denominado "O Domínio", mostra o conflito entre duas forças. A polarização não foi harmônica. O aspecto fogoso da já impulsiva e masculina Chokmah desenvolve uma exagerada tendência à competitividade, à luta, ao antagonismo e à divergência. São dois galos que querem ser o único rei do galinheiro e vivem brigando. A correspondência astrológica, Marte em Áries, toca a mesma tecla.

Na Leitura Terapêutica

Momento atual: O sujeito está debatendo-se entre duas tendências. Uma, informada pelo instinto, Marte, de natureza impulsiva e animal, o impulsiona para o que quer e o que sente. A outra é a expressão de suas auto-imposições: "Eu sou assim e tenho De comportar-me de tal maneira." Podemos dizer que instinto e cabeça se opõem, com o conseguinte desgaste de energia.

Âncora: Esta carta mostra uma forte divisão e conflito na personalidade do consulente. A instintividade reprimida se revolta cada vez com mais força contra os padrões coercitivos, enquanto a mente, cada vez mais assustada, impõe condições mais restritivas. O resultado é uma cega e louca compulsividade. O consulente sente-se numa panela de pressão, a ponto de explodir, e tenta, com todas as suas forças, resistir. Destila raiva e frustração em elevadas doses, de maneira que as pessoas mais sensíveis preferem evitá-la, pois o encanta comprar briga.

A essência da flor de Snapdragon** ajudará a redirecionar sua energia instintiva. Junto com o Imperador, denuncia uma necessidade compulsiva de dominar os outros, que pode ser relaxada com o uso do floral de Vine.

Necessidade interna: Basta de autocontrole. É hora de deixar a instintividade manifestar-se.

Infância: Pais especialmente dominadores, repressivos, autoritários e violentos aterrorizaram a criança, massacrando suas iniciativas e espontaneidade. Esta se tornou insegura, covarde e manipuladora. Bloqueou seus instintos e acumulou enormes doses de raiva.

Relacionamentos: a) Esta é uma fase de brigas para ver quem se coloca acima de quem. b) Este pessoa tem uma necessidade cega de dominar e controlar o outro. Relaciona-se para ter alguém que a obedeça. Na verdade, é uma canalização errada da energia sexual. Em vez de dirigir-se para o prazer, é dirigida para o poder.

Está claro que, embora possa ter relacionamentos duradouros — sempre existem masoquistas que gostam da farsa em troca de pseudosegurança —, não podemos dizer que sejam muito profundos. Aqui também será aconselhável o uso do floral de Vine.

Método: É importante que o consulente perceba como a contínua auto-imposição de um padrão hiper-restritivo sobre a natureza animal é uma barbaridade que acaba com a energia disponível, com o bom humor e a criatividade, deixando como seqüela alguns *megatons* de raiva acumulada e uma forte tendência a somatizar e sofrer acidentes.

O primeiro passo será descarregar essa raiva sem perigo, preferencialmente por meio da Meditação Dinâmica. Depois, pode ser muito útil um trabalho de

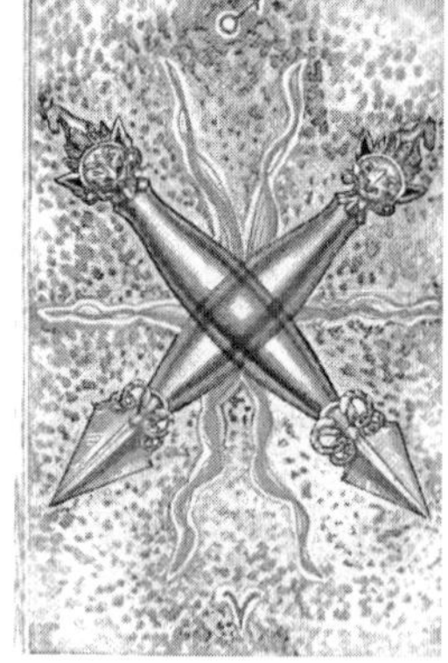

Dois de Paus (Crowley, Cosmic e Rider)

bioenergética que amoleça as couraças musculares que inibem a expressão emocional e instintiva.

Caminho de crescimento: Nesta fase, a pessoa vai perceber até que ponto vive numa tensão interna exagerada, produto de seu autocontrole. Este já é um primeiro passo para enfrentar o desafio dos medos, preconceitos e falsas identificações que abortam a espontaneidade. Também vai conscientizar-se de seus jogos de poder no lar ou no trabalho.

Resultado interno: A pessoa deixou no passado o conflito entre razão e instinto que lhe esvaziava sua energia. Hoje, sente-se mais centrado e capaz.

Resultado externo: Vemos o consulente lutando pela sua libertação, tentando levar adiante seus projetos sem interferência dos outros.

Três de Paus — A Virtude — O Sol em Áries

Refere-se ao aspecto fogoso de Binah, a Grande Mãe, a Potência Feminina do Universo, o útero arquetípico que dá a primeira forma, tremendamente sutil, ao impulso de Chokmah.

Aqui, o masculino e o feminino voltam a complementar-se e integrar-se, dando lugar a uma saída criativa. O resultado é uma frutificação.

A energia flui em direção a objetivos mais transcendentes. É neste sentido que devemos entender o título desta carta: "A Virtude", embora não estaríamos equivocados se a chamássemos: "A Transcendência".

A imagem mostra essa harmonia recuperada: os três bastões estão coroados com flores de lótus, fazendo referência a Binah. O Sol esclarece e espiritualiza a procura de identidade de Áries — "Eu sou."

Na Leitura Terapêutica

Momento atual: O consulente está trabalhando em assuntos tão vinculados com sua verdade interior e com o que realmente quer, que se entrega totalmente. Assim, seu lado espiritual aparece, dando maior sentido ao que faz. Suas atividades estão em concordância com as respostas a: que vida quero levar? Terei uma missão na vida? Para que serve tudo isto? etc.

Âncora: "O elevado" poderia ser o apelido deste ego, que se exige ser um modelo de virtudes, as quais exibe compulsivamente. Do seu pedestal, construído com qualquer material (humildade, entrega, sacrifício, conhecimentos, desapego, coragem, etc.), esta pessoa produz ou participa de grupos de estudo, seminários, retiros, núcleos assistenciais, etc. Internamente, morre de medo de expressar tudo o que não alimenta sua máscara espiritual, interessado fundamentalmente em conquistar o paraíso ou a iluminação. Freqüenta igrejas, templos, ordens esotéricas, onde espera encontrar o(a) parceiro(a) ideal. Reprime seus instintos e emoções "não tão santas" e reza a Deus para ajudá-lo a resolver seus problemas financeiros. A essência de Lótus* será muito útil para amainar esse orgulho espiritual, conectando os centros psíquicos superiores aos inferiores, especialmente ao do coração. Também pode mostrar alguém que direciona sua energia para atividades que são bem-vistas socialmente.

Necessidade interna: O ser interno está cansado de atividades sem gra-

Três de Paus (Crowley, Cosmic e Rider)

ça que lhe sugam a vida. Existe uma ânsia interna para fazer algo que tenha realmente sentido e que lhe dê uma profunda gratificação. Algo que está em harmonia com seus ideais mais elevados e com sua espiritualidade.

Relacionamentos: a) Este é um momento de crescimento do casal, que vive sua sexualidade e outras atividades com consciência espiritual. b) Esta pessoa tem medo de expressar suas necessidades instintivas e afetivas. Aparentemente, transcendeu seu lado animal. Pode fazer apologia do celibato e do jejum em público, mas de noite assalta a geladeira e se masturba, carregando depois um pesado sentimento de culpa.

Provavelmente, seus relacionamentos não vão além de conversas e atividades espiritualistas e/ou assistenciais com os membros de sua fraternidade ou seita.

O floral de Manzanita* o ajudará a aceitar o corpo e o mundo físico, enraizando neles sua procura espiritual.

Infância: A criança teve de engolir consistentes doutrinas, cuja cega obediência era condição *sine qua non* para ser aprovada em casa. Foi-lhe exigido ser uma criança modelo: obediente, limpa, serviçal, inteligente, virtuosa, quase perfeita, com o nariz empinado e a instintividade enterrada. Assim, foi perdendo sua espontaneidade e foi se transformando num pequeno monstro cada vez mais requintado, dando uma de superior e de exemplo para os irmãos.

Método: O crescimento passa por participar de atividades que toquem aspectos mais verdadeiros, elevados e transcendentes de seu Ser. Podemos sugerir-lhe que participe de tarefas assistenciais, campos de meditação, acampamentos nas montanhas, etc.

A essência de Mullein* ajudará esta pessoa a seguir sua voz interior e a de Sunflower* facilitará a expressão de sua individualidade.

Caminho de crescimento: O consulente descobriu seu lado espiritual e está disposto a vivê-lo no seu cotidiano, assim como em atividades específicas.

Resultado interno: O trabalho espiritual está dando seus frutos. A pessoa se acha mais centrada internamente e mais total em suas atividades.

Resultado externo: O trabalho cotidiano do consulente incorpora a consciência espiritual e seus ideais mais elevados. Sem esforço nem ansiedade pelos resultados, vê como seus projetos vão frutificando, facilitando sua vida e a dos outros.

O uso do floral de Mountain Pride* reafirmará sua habilidade para atuar a partir de sua verdade interior e de suas idéias.

Quatro de Paus — A Consumação — Vênus em Áries

Representa o aspecto fogoso de Chesed, esfera onde o abstrato começa a concretizar-se, onde se formulam as primeiras idéias arquetípicas.

A energia fogosa dos Paus, que tinha frutificado no Três, recebe agora a influência do Quatro que, como vimos no Imperador, representa a estabilidade e a ordem que dão limites, canalizam e equilibram os impulsos fogosos. Vemos na carta que cada um dos quatro Paus tem a pomba de Vênus numa ponta e o Ram de Áries na outra. Vênus governa Libra, o signo oposto e complementar de Áries.

A imagem e a correspondência astrológica nos passam uma idéia de equilíbrio e integração entre a amorosidade e delicadeza femininas de Vênus e os impulsos masculinos de Áries. Seu título, "A Consumação", reforça a imagem. Também é conhecida como "A Obra Perfeita". As oito chamas do centro indicam que a energia está equilibrada. Vemos aqui a consolidação e a estabilização da energia ativa através da complementação dos opostos.

No entanto, também podemos encontrar aqui uma certa estagnação e limitação, produto do estabelecimento de uma ordem, de um condicionamento que, se vem do exterior, pode ser artificial, restringindo a natureza impulsiva e sempre mutável do Fogo. Na natureza, vemos que este elemento é o único que não aceita uma forma definida.

Assim, pois, temos duas idéias de certa maneira divergentes: a) Complementação, que leva ao equilíbrio e à conclusão e b) Limitação, que origina tensão.

Devemos estar atentos às cartas contíguas para saber que aspecto predomina.

Na Leitura Terapêutica

Momento atual: Vemos esta pessoa dedicando-se fundamentalmente ao trabalho, estruturando suas atividades e assentando as bases para uma melhora nos frutos de suas ocupações.

Dependendo da segunda carta, veremos prazer, criatividade ou amor [Seis de Copas (o Prazer, O Tesão)] no que faz, ou uma certa monotonia e limitação [Quatro de Espadas (a Trégua), Dez de Paus (a Opressão)].

Âncora: Mostra alguém que durante toda sua vida e especialmente no mundo do trabalho foi exageradamente metódico e ordenado. Viveu para trabalhar e fez de seu trabalho uma prisão. Preferiu limitar-se e trilhar velhos caminhos a se abrir a mudanças, novidades e a qualquer coisa que pudesse mexer com seu esquema profissional, no qual procura

Quatro de Paus (Crowley, Cosmic e Rider)

a segurança que lhe falta interiormente. No fundo, está cansado de suas rotinas e cada vez seu trabalho faz menos sentido. O floral de Hornbeam pode ajudá-lo a aceitar sua rigidez e seus hábitos tediosos e a descobrir que se faz necessário mudar seu estilo de vida.

Necessidade interna: É importante que o consulente ordene sua vida, organize suas atividades para que estas lhe dêem não só prazer, mas também catalisem sua criatividade e sejam lucrativas materialmente.

Relacionamentos: a) Trata-se de uma relação estável e aparentemente harmônica. O casal sabe complementar-se nos planos mais práticos. Não existem discussões nem crises, mas é possível que se tenha perdido um tanto da paixão, espontaneidade e inventividade de outras épocas, deixando a relação num ponto relativamente estático, sem aparente crescimento, começando a ser corroída pelas rotinas e hábitos e chegando a ser, no pior dos casos, enjoada e até pesada. b) Podemos encontrar aqui alguém que se relaciona interessado fundamentalmente em complementar-se e fazer coisas produtivas e lucrativas com seu(sua) companheiro(a).

Infância: A criança cresceu num ambiente em que a lei e a ordem eram sagradas. Tudo tinha uma determinada maneira de ser feito, da qual não se podia sair sem criar sérios problemas. A rotina e os hábitos familiares impregnavam e determinavam todos os momentos e ações da casa. A aprovação e o contato afetivo foram condicionados à obediência cega às normas e a um respeito exagerado com a rotina doméstica.

Num ambiente de aparente harmonia, a criança cresceu aprendendo a controlar-se, a perguntar: "Posso?" antes de tomar qualquer iniciativa e provavelmente se tornou um maníaco da ordem e da organização.

Com um Nove de Espadas (a Crueldade), indicaria que essas normas foram impostas violentamente ou sob o peso de sérias ameaças, com o Três de Espadas (a Dor).

Método: Sugeriremos que o consulente compre uma agenda, estabeleça prioridades em suas atividades, discipline-se em seus horários, seja mais pontual com seus compromissos, não prometa aquilo que não tem possibilidades reais de cumprir e acabe uma coisa antes de começar dez. Deve tentar trabalhar em atividades que lhe dêem prazer e gratificação, e não só dinheiro. O floral de Madia* o ajudará a concentrar-se em cada assunto sem distrações.

Caminho de crescimento: Esta pessoa vai conseguir organizar-se entrando numa nova fase em que a cabeça e as emoções vão andar juntas, possibilitando a edificação de alguma coisa.

Resultado interno: Interiormente em paz, seguro e estável, o consulente perdeu o medo de expressar sua criatividade, amor e beleza em seu trabalho.

Resultado externo: Vemos esta pessoa trabalhando, em harmonia consigo mesma e com seus companheiros, com os quais forma uma equipe organizada e eficiente, com muitas possibilidades de atingir o êxito.

Cinco de Paus — A Luta — Saturno em Leão

Este é o aspecto fogoso de Gueburah, o Senhor do Medo e da Severi-

Cinco de Paus (Crowley, Cosmic e Rider)

dade, o "cirurgião celeste", como o chama Dion Fortune. Esta *sephira* representa o aspecto catabólico ou destrutivo da força.

Binah encerra a força, o impulso masculino na forma feminina. Gueburah, cujo planeta é Marte, destrói todas as formas, com sua energia desintegradora. Esta carta é necessariamente dinâmica e impulsiva.

No entanto, seu impulso se equilibrou (Gueburah está no pilar feminino da Árvore) até o ponto que pode ser canalizado, coisa que era praticamente impossível com o Dois de Paus.

Já vimos no Hierofante que o número Cinco introduz idéias de tempo e movimento que desordenam o sistema estabelecido no Quatro, rompendo seus limites e possibilitando a evolução do sistema. Nesse sentido, o Cinco não só anarquiza e subverte o *status quo*, mas também permite que novos objetivos criativos sejam contemplados.

Esta carta, intitulada "A Luta", mostra cinco varas cruzadas, sendo que a maior é o Caduceu de Mercúrio, indicando que nela existe crescimento e transcendência. O Sol alado leva o selo de sete pontas da Grande Besta. Dois bastões estão rematados pelo símbolo feminino do lótus, tal como o víamos no Três (a Virtude), e os outros dois são o báculo de Thoth rematado com o fênix da imortalidade, que vimos na mão do Príncipe de Paus e também na mão de Hórus, cabeça de falcão, no Eão.

O Cinco de Paus se corresponde com o segundo decanato de Leão, governado por Saturno, que tende a dar forma aos desejos deste signo fogoso. Se tais aspirações chegam do coração, o movimento será evolutivo, dinâmico e impulsivo, sem virar compulsivo nem desgastante.

Se os objetivos leoninos estão mais sintonizados com a vaidade, a auto-afirmação, a competitividade e o poder, esta carta levará a um aumento de tensão, a compulsões e rivalidades desgastantes.

Na Leitura Terapêutica

Momento atual: Com a atenção e a energia direcionadas para o mundo exterior, esta pessoa está lutando para conseguir o que quer. A segunda carta nos esclarecerá de que tipo de luta se trata.

Âncora: Este ego é "um lutador compulsivo", incapaz de dar a menor oportunidade para que as coisas aconteçam por si mesmas, nem de sentir em profundidade o que realmente quer, de maneira que vive projetado e identificando-se com seus objetivos e responsabilidades, que assume além de seus limites, sem sobrar-lhe tempo para respirar, relaxar ou divertir-se. É muito ambicioso, intrigante e desleal com seus competidores, cruel e déspota com seus subalternos. Emocionalmente frio, pode fabricar distúrbios cardíacos e dor nas costas crônica.

O floral de Oak o ensinará a aceitar suas próprias limitações, a respeitar seu corpo, e a suavidade e receptividade femininas irão equilibrando sua impulsividade masculina.

Necessidade interna: Já basta de passividade, o ser interno tem bons motivos para mobilizar-se. É urgente vencer os bloqueios que freiam a ação e estar bem seguro do que se quer.

Relacionamentos: a) Podemos ver aqui um momento de crescimento, produto da luta do casal para realizar objetivos comuns. b) O coração se endureceu até o ponto em que esta pessoa não mostra ternura, amizade nem amor, mas hostilidade e desconfiança. Procura relacionar-se com pessoas de autoridade para conseguir favores. A flor de Oregon Grape* a ajudará a confiar nas boas intenções dos outros, amainando sua hostilidade e facilitando o desenvolvimento de uma atitude mais amorosa e de aceitação com os outros. Seu comportamento sexual sem amor pode mostrar tendências à depravação, especialmente se aparece com o Sete de Copas (a Corrupção). Neste caso, recomendaremos o uso do floral de Sticky Monkeyflower*, que a ajudará a entrar em contato com suas emoções e a expressá-las em seus relacionamentos sexuais.

Infância: "Nesta vida temos que lutar". Esta foi a ordem que a criança recebeu de seus pais e à qual estes condicionaram sua aprovação. Claro que os objetivos da luta correspondiam às expectativas dos adultos e não aos potenciais — e portanto com aquilo que dava prazer — da criança. Esta viu-se forçada a desenvolver seu lado mais masculino, ativo, competitivo e lutador, enquistando seus medos e dificuldades e travando seu aspecto feminino, amoroso e sensível.

Método: Chegou a hora de lutar pelo que realmente se quer. Assim, em primeiro lugar, a pessoa precisa saber muito bem o que seu coração deseja. A "Meditação da Nuvem"[76] pode ajudar muito. Também a essência de Wild Oat será muito útil para descobrir o que realmente se quer, fazendo do propósito interno a atividade prática externa.

Quando estamos no caminho de nosso coração, estamos conectados à nossa Divindade interna e, portanto, a toda a Existência, que será nossa cúmplice. O Universo conspirará a nosso favor, como diz Paulo Coelho no *Alquimista*. Não importa se nossa vocação não é considerada importante pela sociedade. Se a necessidade de reconhecimento externo, detectada pelo Seis de Paus (a Vitória) ou o Sol na Âncora, entra em conflito com a vocação, sugeriremos o uso do floral de Buttercup*.

Caminho de crescimento: O desafio é lutar sem tensão, ir com certo esforço e bastante perseverança, materializando os desejos mais autênticos e a expressão criativa sem deixar-se cair na armadilha da pressa e da ansiedade por atingir resultados.

Resultado interno: Superando auto-invalidações, medos e preconceitos, esta pessoa resgatou sua capacidade de jogar-se na vida com a consciência clara do que quer e de como levá-lo à prática.

Resultado externo: Vemos o consulente lutando e abrindo seu caminho profissional, conseguindo avançar na realização de suas aspirações.

76 - Ver esta meditação no Apêndice III, terceira leitura.

Seis de Paus — A Vitória — Júpiter em Leão

Simboliza o aspecto fogoso de *Tiphareth*, a esfera central e mais equilibrada da Árvore, a única que, estando por baixo do Abismo, recebe a luz sutil de Kether.

Sendo seu planeta o Sol, *Tiphareth* é o vínculo, o ponto de transição entre as quatro esferas que estão por baixo dela e que se referem à personalidade, o eu inferior, e as cinco que estão por cima, das quais quatro representam a individualidade, o eu superior, e Kether, que representa a Centelha Divina ou Divindade Interna.

Aqui, a energia se expressa dinamicamente (como corresponde ao Fogo) equilibrada, fluida e autoconfiante. Depois da irrupção violenta do Cinco, que acabou com o esquema limitado do Quatro, o Seis traz uma nova fase de equilíbrio e harmonia.

A Luta termina com a Vitória. Uma vitória que faz referência especialmente à maneira consciente, fluida e equilibrada com que a pessoa expressa sua energia, e não tanto aos resultados materiais obtidos, embora estes sejam a conseqüência natural desse tipo de ação.

A imagem mostra seis báculos equilibrando-se. Nove (número do elevado e transcendente) chamas luminosas ardem calmamente num ambiente sereno. O fundo violeta passa uma sensação de suavidade, calma e elevação espiritual. O segundo decanato de Leão está governado por Júpiter. Aqui se produz uma expansão dos desejos (eu quero) e da criatividade (eu crio) deste signo.

O esforço e a tensão do Cinco, Saturno em Leão, minimizam-se. Aqui o movimento parece dar-se por si mesmo, naturalmente, sem desgaste, da calma sucede a ação.

Na Leitura Terapêutica

Momento atual: Trata-se de uma fase de êxitos, expansão e criatividade. As portas se abrem e o que há de suceder acontece sem maiores tensões nem preocupações. Parece que o fator sorte (Júpiter) sorri para o consulente.

Âncora: Este é um ego inflado, que esconde seus problemas, dores, medos e falta de afeto por trás de uma máscara de grande senhor que, orgulhosa e aparentemente, consegue realizar com êxito tudo aquilo a que se propõe. Conta sua vida nos bares e prepotentemente quer mostrar sua superioridade diante de um público (geralmente masculino) de seres mais vazios e alienados que ele, enquanto tenta escapar dos desafios que o levariam a crescer e da vida

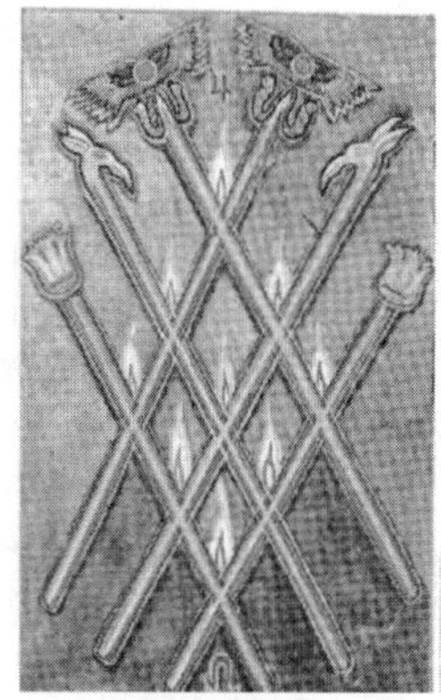

Seis de Paus (Crowley, Cosmic e Rider)

real em geral. Encantam-no a boa mesa e os jogos de azar.

Na verdade, é um perfeito desconhecido para si mesmo, sem outro objetivo que conseguir cada noite alguém que escute seu disco: "eu, meu, me, comigo". A flor de Agrimony o ajudará a ser mais honesto e a reconhecer e trabalhar suas mágoas.

Necessidade interna: O consulente precisa deixar que sua energia flua por si mesma, sem se impor objetivos nem metas. A partir da calma, a ação que se manifesta será realmente uma expressão de sua essência e não uma compulsiva reação à Roda do *samsara*.

Relacionamentos: a) A relação passa por um momento harmônico em que os objetivos, que podem ser transcendentes, estão sendo fluidamente materializados e o relacionamento está sendo um importante veículo de crescimento para o casal. b) Trata-se de alguém que se relaciona como o rei da selva, esperando obediência e adoração, para afirmar-se através de suas conquistas. Adora exibir-se e tem forte tendência à promiscuidade. Seus relacionamentos são superficiais e só duram enquanto seus vassalos inflam seu ego. A essência de Yellow Star Tulip** será muito conveniente para desenvolver sua empatia com as emoções e o ser interno do outro, e colocar este ego orgulhoso em seu devido lugar.

Infância: A criança necessitou mostrar-se como o melhor, o primeiro da aula, o que em qualquer situação consegue o êxito para assim ser aceito por seus pais. Não se sentiu valorizado por sua amorosidade, sensibilidade ou criatividade, mas por suas vitórias, geralmente competitivas e nas quais colocou sua beleza. Assim, a criança acabou usando seus potenciais para satisfazer seus pais e incorporou objetivos e um modo de ser que nada têm a ver com sua própria natureza.

Método: Sugeriremos, em primeiro lugar, que o consulente se certifique de que suas atividades respondem ao que real e profundamente quer. Em segundo lugar, pediremos a ele que trate de encontrar o ritmo mais adequado para levá-las a cabo, isto é, aquele que com o mínimo esforço consegue o máximo de rendimento.

E, em terceiro lugar, que trate de não deixar-se levar pela pressa, nem coloque excessivas expectativas nos resultados, mas trate de entregar-se em cada momento a seu trabalho da maneira mais prazerosa e total possível.

Se a carta da Âncora detecta um ego viciado em trabalho e ação, como seria o caso se aparecesse em tal posição o Imperador, o Três de Discos (os Trabalhos), o Mago ou o Príncipe de Paus, indicaremos o uso do floral de Aloe Vera*, que o ajudará a colocar mais coração no que faz, e o de Impatiens, que o ensinará a fluir com o ritmo dos acontecimentos.

Se, pelo contrário, cartas como a Sacerdotisa, o Oito de Copas (a Indolência) ou o Sete de Discos (o Fracasso) detectam dificuldades para entrar em ação, o floral de Tansy* pode revelar-se muito eficaz, ajudando-o a desenvolver uma atitude mais decidida e com propósitos claramente definidos.

Caminho de crescimento: Cada vez com menos tensão e ansiedade, com maior harmonia e fluidez, esta pessoa vai fazer de seu trabalho uma importante fonte de gratificação pessoal.

Resultado interno: A pessoa resgatou sua maneira original, simples e natural de trabalhar e viver. Interiormente sereno, deixa que as coisas aconteçam por seu intemédio e assim vai desenvolvendo sua espiritualidade.

Resultado externo: Vemos o consulente conseguindo o que se propõe graças à maneira calma, total e prazerosa com que define e encara suas atividades.

Sete de Paus — A Coragem — Marte em Leão

Este é o aspecto fogoso de Netzach, a esfera dos instintos e das emoções, que, ficando tão longe da luz de Kether e fora do pilar central da Árvore, necessariamente sua energia estará desequilibrada.

Podemos dizer que, nas quatro séries, os Setes e os Oitos representam dois tipos de desarmonias opostas. Se o dinamismo do Cinco destrói o mundo ordenado do Quatro, o Sete acaba com o equilíbrio do Seis. A fluidez do Seis de Paus é algo muito prazeroso e transcendente. Tentar manter tal harmonia como algo estático, quando por sua natureza fogosa é totalmente dinâmica, vai produzir tanta tensão que o equilíbrio será destruído. É como aquele que fala para a fogueira: "Você está queimando como eu gosto, por favor, não mude nunca, eu vou controlar o vento, a umidade do ar, a qualidade da lenha, etc., mas, por favor, não mude".

A carta leva por título "A Coragem". Faz referência ao esforço suplementar necessário para impor algo que não sucede naturalmente, seja para mudar ou manter estagnada uma determinada situação. As seis varas da carta anterior estão sendo empurradas e subordinadas a um pau tosco que nos passa uma idéia do uso da força bruta alterando o movimento harmonioso e natural das coisas. A energia está direcionada para um determinado assunto, sem consciência nenhuma do contexto. O resultado é uma forte tensão que se vai acumulando. As chamas já não ardem vertical e serenamente, mas compulsivamente e em todas as direções. Dessa vez é Marte que estimula a vontade leonina, de maneira que esta se torna impulsiva e inconsciente. Temos aqui tanto a necessidade de auto-afirmação quanto de autodefesa, embora possa expressar-se como ataque. Marte nos conduz a atuar apaixonadamente, a realizar proezas, competições, brigas e ciúmes. Exalta o lado mais porfiado e valente do leonino.

Na Leitura Terapêutica

Momento atual: Trata-se de um momento tenso e desgastante. O consulente está forçando a barra, impondo-se uma atitude que exige muita força, coragem, ímpeto, decisão e garra. Pode estar armando uma bomba-relógio.

Sete de Paus (Crowley, Cosmic e Rider)

Âncora: É o "herói". Este ego tem a necessidade compulsiva de mostrar-se forte, valente, audaz e capaz de enfrentar qualquer desafio, quanto mais perigoso, melhor. Toda sua vida foi um esforço permanente e desgastante, procurando passar uma imagem de líder capaz e carismático. Inconsciente dos motivos reais que o levaram a tomar tal atitude, suas atividades e objetivos não têm nada a ver com sua natureza interna e não lhe abrem nenhuma porta para a evolução. Seu excesso de competitividade, fanatismo e agressividade o levam freqüentemente a comprar brigas. Atua apaixonadamente, sem muito respeito pela ética profissional nem por sua saúde. Junto com o Imperador, pode mostrar uma louca carreira pelo poder. Desgasta-se, colocando toda sua energia em um determinado assunto. É um "idéiafix", incapaz de perceber e avaliar o que acontece ao seu redor. Exige ao máximo de suas capacidades e imagina que se cochila um instante vai ser rejeitado, castigado ou exilado. No fundo, está exausto e, quando não pode mais e se sente incapaz de manter-se à altura de seu pedestal e auto-exigências, aparecem sentimentos de fracasso, insegurança e solidão.

Indicaremos a ele o uso do floral de Vervain, que o ajudará a centrar-se e a enraizar seu entusiasmo, ao conectá-lo com seu corpo físico.

Necessidade interna: Com o Imperador, o Mago ou o Cinco de Discos (o Sofrimento), de Espadas (a Derrota) ou de Paus (a Luta) no Momento atual, este Sete indica que o ser interno está submetido a uma tremenda pressão. É tão grande a tensão que o consulente corre o risco de enfermar-se, talvez do coração, ou de sofrer acidentes. Esse estresse que acumula é mais produto do medo de relaxar e olhar-se cara a cara do que devido a circunstâncias externas. Precisa responsabilizar-se por seus atos, tomar o timão de sua vida e ir relaxando.

A Sacerdotisa a Âncora, com o Sete de Espadas (a Futilidade), o Eão, o Príncipe de Espadas ou o Sete de Copas (a Corrupção) no Momento atual, mostraria a necessidade de tomar uma atitude contundente, drástica e decidida.

Relacionamentos: a) Este é um momento de grande tensão, em que um (talvez os dois) dos membros do casal está querendo impor alguma coisa. Talvez se obstine em manter um vínculo que já se esvaziou de amor e de desejo. Talvez queira cortar as asas de seu(sua) companheiro(a). b) Teríamos aqui um sujeito autoritário e agressivo, que usa a força bruta para se impor. Alguém primitivo, grosseiro e incapaz de perceber os sentimentos dos outros.

A essência de Impatiens o ajudará a ser mais compreensivo e tolerante; a de Vine amainará sua necessidade de dominar e a de Yellow Star Tulip** desenvolverá sua receptividade e sua sensibilidade às emoções alheias.

Infância: O papai dizia à criança: "Você é um Albuquerque, não pode ter medo de nada, honre seu sobrenome", "Você tem de conseguir; para um Pinto da Silva nada é impossível".

Para ser aprovada, a criança se tornou um ser competitivo, agressivo, prepotente e orgulhoso por fora e extremamente tenso e covarde por dentro.

O medo de não poder satisfazer as expectativas de sua família é tão grande que acaba por ter medo de ter medo.

Método: Sugere fazer da energia instintiva, especialmente da raiva, o combustível para vencer os medos e transformar sua vida. Tem de agarrar o touro pelos chifres com coragem e garra, quebrando as limitações e vínculos opressivos, e lutar por seus direitos e desejos. Precisa fortalecer sua determinação estabelecendo prioridades, concentrando sua energia e seu ímpeto de preferência numa coisa só. O floral de Borage* estimula o coração, desenvolvendo coragem, entusiasmo e otimismo para enfrentar os desafios da vida, especialmente se as cartas do Momento atual mostram aflição, baixo-astral e/ou adversidades.

A flor de Cayenne* pode ser um valioso complemento, dando à pessoa a faísca para iniciar e manter sua ação.

Caminho de crescimento: O desafio é juntar coragem para enfrentar situações impossíveis de eludir, que necessitam de respostas firmes e decididas. Respostas com uma base instintiva.

O importante não é que situações vão ser vividas, mas a oportunidade de resgatar toda a força interna e animal para tentar resolvê-las.

Resultado interno: Esta pessoa resgatou sua garra. Hoje é capaz de viver sua vida com firmeza e decisão, enfrentando as dificuldades com ímpeto e espírito esportivo.

Liberou, pois, seus instintos que, vividos plenamente, são hoje a força motriz que leva-a a conseguir o que quer e a conservar o que conquistou.

Resultado externo: Vemos o consulente esforçando-se para conquistar seus objetivos, com firmeza e poderosa força de vontade. A tensão está presente, pois não se trata de um passeio dominical.

As resistências e dificuldades que aparecem põem à prova sua firmeza, determinação e perseverança.

Oito de Paus — A Rapidez — Mercúrio em Sagitário

Representa o aspecto fogoso de Hod, a esfera que simboliza a mente concreta associada ao planeta Mercúrio. Aqui, o movimento está especialmente exaltado. O que no Sete de Paus era tensão, no Oito é explosão libertadora. Ambas as cartas mostram, em manifestações opostas, a energia do Fogo. Sabemos que a energia de enlace, que mantém unidas várias partículas numa determinada estrutura, transforma-se em energia cinética quando tal enlace se rompe e as partículas, vendo-se livres da ordem anterior, adotam novas estruturas menos tensas e portanto mais estáveis.

Aqui os Paus são raios. O fogo desta carta é mais etéreo, sutil e luminoso; podemos relacioná-lo com a eletricidade. Os raios em sua expansão configuram formas piramidais, assim como a corrente elétrica dá lugar a um campo magnético. Vemos aqui como a energia sustenta e cria a matéria. Esta carta nos mostra como a forma é só um aspecto da energia. Nela vemos uma transformação, a alta velocidade, da massa em energia sucedendo sob a luz do arco-íris, ponte entre o céu e a terra, produto da interação entre o Fogo e a Água, e símbolo da união entre o micro e o macrocosmo.

No entanto, o arco-íris não é universalmente um símbolo de proteção e bons presságios. Em algumas tradições africanas, simboliza uma serpente nefasta, que rouba crianças e anuncia catástrofes.

No Oito de Paus, o arco-íris está mostrando a interação entre os princípios fundamentais, dando um caráter mais universal e elevado ao princípio de transformação matéria-energia, forma-força que vemos sob o arco-íris.

Seu título é "A Rapidez", fato que concorda perfeitamente com a atribuição astrológica de Mercúrio em Sagitário. Aqui, conjugam-se as características de movimento e rapidez de Mercúrio com as tendências expansivas, aventureiras e transcendentais do centauro, sempre à procura de algo novo e excitante, de maneira que nesta carta é impossível manter algo preso. Toda a energia tem de ser exteriorizada e expressada rapidamente, pois Mercúrio em Sagitário não favorece a paciência.

Na Leitura Terapêutica

Momento atual: O consulente está explodindo. A carta que se cruza indicará se é uma libertação consciente dos fatores que o tinham levado a uma situação de extrema tensão ou de uma reação compulsiva, inconsciente e aparatosa, mas que não resolve nada e que, no pior dos casos, pode ser destrutiva.

Âncora: Teríamos aqui uma personalidade extraordinariamente instável; provavelmente acumulou tanta raiva e/ou dor que ao menor motivo estoura. Entretanto, não resolve nada com suas mostras de hostilidade ou de hiperemocionalismo, já que não tocam as causas reais de sua tensão. Sente-se preso a um relacionamento sufocante e explode com o cachorro do vizinho, que fez suas necessidades no jardim errado. Sua vida pode ser lida nos termos de forte auto-repressão, com freqüentes explosões que o deixam com sentimento de culpa, disposto a conter-se e a ser bonzinho de novo. Com este círculo vicioso de autocontenção e explosões histéricas, evita conectar-se a si mesmo, impedindo qualquer possibilidade de equilíbrio psicofísico. Provavelmente, em seu intento de escapar da tensão interna, conversa compulsivamente, fuma sem parar, não fica quieto um segundo ou vive usando estimulantes.

O floral de Scarlet Monkeyflower o ajudará a descobrir e trabalhar sobre as emoções sombrias que, estando escondidas, são as causas reais de sua tensão.

Não consegue direcionar sua energia com determinação e perseverança. Corre feito uma barata tonta, com quinze projetos debaixo do braço e não consegue levar para a frente nenhum deles. Sua energia está totalmente dispersa e desconectada de seu centro.

Necessidade interna: A pessoa chegou a seu limite de tensão e contenção. Não agüenta mais. É necessário explodir antes de sofrer um acidente ou um ataque cardíaco.

Relacionamentos: a) É a última explosão. Provavelmente depois dela não vai existir nada mais que mantenha o casal unido. b) Poderíamos

Oito de Paus (Crowley, Cosmic e Rider)

ver aqui alguém que tem uma forte tendência a descarregar em seu parceiro tudo o que engole na vida cotidiana. Obviamente, seus relacionamentos não são duradouros e só pessoas extremamente submissas, sem nenhuma auto-estima ou masoquistas convictos aceitam ser seu saco de pancadas.

Infância: Esta etapa de sua vida esteve marcada por súbitos e violentos acontecimentos, explosões e brigas na família, que deixaram a criança sem nenhuma segurança interna, procurando um esconderijo onde sentir-se a salvo. Também pode mostrar que ninguém deu limites e orientações para a criança, que não aprendeu a canalizar sua energia e estabelecer prioridades.

Método: Sugere descarregar a raiva e tensão internas com pleno conhecimento de suas causas. Uma vez mais, a Meditação Dinâmica de Osho Rajneesh será muito apropriada. O floral de Cherry Plum ajudará esta pessoa a dissolver o medo de perder o controle e de fazer barbaridades para, assim, com maior confiança em si mesma, poder entrar em profundidade no caos e na insatisfação interna e passar pelas catarses com mais proveito.

Pode ser também o momento apropriado para romper seus vínculos, ataduras materiais e compromissos sem sentido. Com o Cavaleiro de Paus, pode estar indicando a necessidade de mandar tudo às favas e/ou entrar de férias.

Caminho de crescimento: O desafio consiste em dar-se o direito de viver sem submeter-se aos condicionamentos que criam tensão e frustração.

Resultado interno: A energia que está sendo usada para conter-se, para reprimir-se, vai ser o combustível para evolucionar e atingir os objetivos verdadeiros.

Resultado externo: Irradiando energia, livre de passados e pesados bloqueios, usando a mente com objetividade e rapidez, esta pessoa está caminhando na consecução de seus objetivos.

Nove de Paus — A Firmeza — A Lua em Sagitário

Este é o aspecto fogoso de *Yesod*, a esfera da Lua, que, segundo afirma Dion Fortune, "pode ser descrita corretamente como a Esfera do mecanismo do Universo". Aqui voltamos para o pilar central. Depois da explosão do Oito, a energia se assenta, fundamenta-se sobre bases sólidas e se estrutura. Depois da tempestade, chega a calmaria.

As nove varas estão perfeitamente entrelaçadas numa estrutura sólida, completa e resistente, cuja força está mais em sua capacidade feminina de resistir ou suportar qualquer ataque (a Grande Muralha) do que em tomar atitudes ofensivas ou impulsivas. Em *Yesod*, a força, embora bem estruturada, conserva ainda um certo dinamismo. É só em Malkuth que sucede a saturação, a coagulação final.

Esse aspecto feminino da energia da carta se deve à repetida influência da Lua, que é o planeta atribuído a *Yesod* e também o planeta regente do segundo decanato de Sagitário. Aqui, as varas parecem flechas, oito no fundo, equilibrando-se quatro com quatro e uma maior na frente. As menores têm uma lua na ponta e oito no final. As nove flechas estão apontando para baixo, indicando que o movimento caminha para a densificação da energia, para sua concretização na matéria. As chamas do centro da carta aludem a Malkuth. A Lua faz referência ao lado inconsciente que está inspirando os passos do lançador de flechas em sua procura de alvos e na fascinante aventura de sua viagem. No entanto, esse lado lunar também pode deixá-lo preso ao passado, à programação infantil, às expectativas de sua mãe, transformando-se numa barreira difícil de superar. Esta carta mostra a fortaleza do ser, cujos objetivos estão conectados à esfera de suas emoções e instintos, que fundamentam e dão estrutura e referenciais a seus atos.

Na Leitura Terapêutica

Momento atual: O consulente está expressando sua energia de um modo firme e decidido. Não vai mudar suas intenções com facilidade. A carta que se cruza indicará se realmente faz o que sente ou suas ações têm como objetivo conseguir um mínimo de segurança. Neste caso, o verdadeiro motor de seus movimentos serão seus medos, preconceitos e condicionamentos em geral.

Um Seis de Paus (a Vitória) ou de Copas (o Prazer) reforçariam a primeira interpretação, e um Oito de Espadas (a Interferência) ou o Cinco de Discos, (o Sofrimento) a segunda.

Âncora: Temos aqui alguém especialmente inseguro e vulnerável, que tem tanto medo de mostrar-se tal como é que se reveste de uma máscara de firmeza, segurança, determinação e invulnerabilidade. Nada o sacode, nada o toca, nada o penetra, ninguém sabe de suas feridas abertas. É capaz de suportar estoicamente qualquer dificuldade ou opressão, fazendo disso um grande mérito.

É um trabalhador devotado que não se permite o mínimo erro e quer dar o exemplo para os outros. Imagina-se acabado, se demonstrar suas "fraquezas", sua sensibilidade ou se mostrar flexível e compreensivo. Tem medo de ter medo, enquanto passa uma imagem de "Rambo".

Seus padrões extremamente rígidos podem ser flexibilizados com a ajuda da essência de Rock Water. Assim mesmo, esta alma especialmente sensível terá mais facilidade para abrir-se e expor sua vulnerabilidade fazendo uso do floral de Pink Monkeyflower.

Necessidade interna: Esta pessoa precisa afiançar-se no que quer e no que sente. Tem de deixar que, do mais profundo de seu inconsciente lunar, apareçam os impulsos que determinem o caminho a seguir.

Relacionamentos: a) Trata-se de um momento de afirmação da relação. O casal se sente mais consolidado e unido; novos objetivos comuns profundamente enraizados favorecem seu crescimento e amadurecimento. b) Aqui

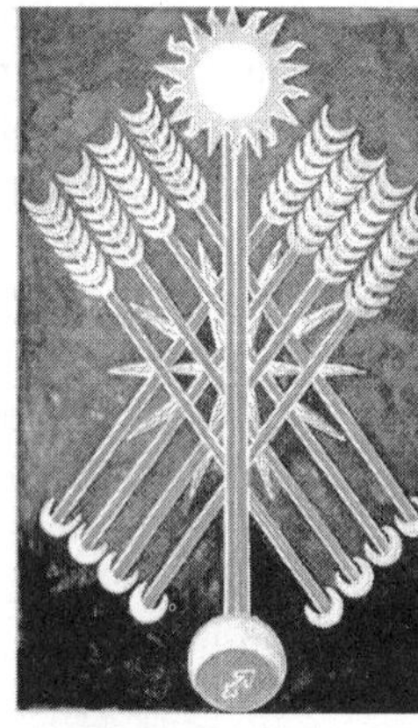

Nove de Paus (Crowley, Cosmic e Rider)

existe um excesso de rigidez na maneira de relacionar-se. Provavelmente, deve-se a uma extrema insegurança que impede qualquer abertura emocional, de maneira que esta pessoa dificilmente conseguirá relacionar-se num nível mais profundo que o dos objetivos e interesses comuns.

Talvez na cama possa perder algo de sua rigidez e mostrar-se mais fogosa, mas não consegue (nem pretende) ser carinhosa nem expressar fluidamente suas emoções. A essência de Sticky Monkeyflower amainará o medo da intimidade, ajudando-a a manifestar suas emoções.

Infância: A criança teve de aprender a ser forte e resistente para poder sobreviver. Foi obrigada a ter de suportar qualquer agressão sem queixas. Tanto as próprias atitudes paternas negativas (rejeição, abandono, culpabilização, invalidação, crítica, violência física, etc.) quanto situações externas, como dificuldades econômicas, fome, frio, falta de conforto, etc. Assim foi construindo uma armadura que resiste a qualquer coisa, mas que não deixa aparecer a menor emoção.

Método: Sugeriremos trabalhar a firmeza interior e a capacidade de levar a porto seguro os objetivos mais verdadeiros. Isso não é possível sem um referencial interno, sem estar em contato com a própria verdade. Assim, um trabalho de auto-encontro, de procura profunda do que realmente se quer, é faz imprescindível. Se esta pessoa é muito influenciável, como seria o caso se encontramos o Sete de Espadas (a Futilidade) na Âncora, indicaremos-lhe a essência de Walnut para desenvolver a firmeza e manter-se em seu próprio caminho. Em qualquer caso, o floral de Gentian o ajudará a desenvolver a perseverança para continuar apesar das dificuldades.

Caminho de crescimento: Toda uma série de situações provavelmente pouco agradáveis, dificuldades e obstáculos vão levar o consulente a questionar se sua vida e seus projetos respondem, ou não, a seus sentimentos e desejos mais verdadeiros. Uma vez que estes sejam definidos, a pessoa vai dispor de toda sua energia para afirmar-se neles e levá-los adiante.

Resultado interno: Esta pessoa resgatou sua firmeza, sua autoconfiança e sua decisão de realizar aquilo que realmente quer.

Resultado externo: Vemos o consulente enfrentando com firmeza e decisão as dificuldades do caminho e atingindo seus objetivos.

Sabe muito bem o que quer, de maneira que pode ser impecável em seus desafios e afortunado nos resultados.

Dez de Paus — A Opressão — Saturno em Sagitário

Estamos diante do aspecto fogoso de Malkuth, esfera que recebe as influências de todas as anteriores e na qual se completa a estabilidade final. As fontes espirituais ficaram muito longe, a correnteza de energia, o impulso fogoso ficaram presos num mundo denso e escuro.

O Dez mostra a situação-limite (não existe Onze nos Arcanos Menores), onde a força dinâmica do Fogo está impedida de avançar.

A única saída é a destruição da forma, de toda a estrutura que a oprime, já que a saturação da força na forma elimina qualquer flexibilidade ou possibilidade de adaptação.

Dez de Paus (Crowley, Cosmic e Rider)

A imagem mostra oito varas cruzadas ao fundo e duas maiores à frente. São os *dorges* do Dois de Paus que se tornaram lanças. Seu movimento se dirige para baixo. Podemos ver os *dorges* pressionando as oito varas, criando assim tensão, que podemos ver também na forma das chamas que explodem retorcidas em todas as direções.

O último decanato do jovem, impulsivo, expansivo e espiritual Sagitário está governado pelo velho Saturno, lento, concretizador e materialista.

Trata-se de duas energias não muito compatíveis, de maneira que todas as possibilidades de movimento e evolução estão tremendamente limitadas, se não impedidas. A corrente de energia chegou a um limite de máxima densificação. Tudo ficou cristalizado. Longe da luz, a energia está exausta, bloqueada, sem direção, cega e autodestrutiva.

O centauro aventureiro e brincalhão ficou preso às obrigações, responsabilidades e tarefas do sisudo e responsável Saturno.

Esta é a carta das restrições, da pressão, da sobrecarga, do final do impulso. A forma acabou com a força, tal como indica o título: "A Opressão".

Na Leitura Terapêutica

Momento atual: Esta pessoa está carregando um monte de responsabilidades, envolvida em afazeres que nada têm a ver com sua natureza e que cada dia lhe resultam mais pesados e desagradáveis. Esta é uma situação-limite; o consulente deve ficar atento, porque logo pode somatizar ou sofrer um acidente com possíveis fraturas.

Âncora: É um ego que precisa compulsivamente que os outros o considerem necessário e importante. Para isso, vive assumindo responsabilidades e obrigações que não lhe dão prazer nem ajudam a crescer. Faz qualquer coisa para satisfazer o próximo: "Se eu não faço, ninguém faz". Sobrecarregado, sem tempo nem energia para o que realmente gosta, vai alimentando sua raiva e frustração, sentindo-se cada vez mais cansado, velho e rabugento. Essa máscara de servilismo será deixada de lado mais facilmente usando a essência de Centaury.

Necessidade interna: É urgente que jogue fora a cruz e se outorgue o direito de viver tal como quer.

Infância: A criança não teve infância, foi "adulterada" logo. Viveu num campo de trabalhos forçados. Não só lhe foram proibidas suas iniciativas, mas teve realizar tarefas e assumir responsabilidades alheias a sua idade, gostos e potenciais. Sentiu-se explorada e oprimida, mas teve de submeter-se para não sofrer maiores ameaças ou castigos. Provavelmente, na adolescência aparecerá uma forte rebelião contra a responsabilidade e a disciplina. Se seus pais fizeram uma apologia do sacrifício, não precisando se impor pela violência, é possível que essa rebelião não suceda e o adolescente continue impondo a si mesmo atividades que nada têm a ver com sua verdadeira natureza.

Relacionamentos: a) É uma carga pesada e frustrante que suga toda sua energia e o impede de viver sua própria vida, realizando seus objetivos, a maioria dos quais ele mesmo desconhece. Sente-se saturado, estagnado e confessa para os amigos que não agüenta mais. Deve ter algum ponto de prazer em tal tortura, alguma vontade oculta ou certa dependência neurótica que faz com que continue preso ao vínculo. b) Dedica-se excessivamente a seu parceiro, cuidando dele, proporcionando-lhe o que acha que ele precisa, tentando "ajudá-lo" em todos os aspectos. No entanto, por trás destas aparentes "boas intenções", escondem-se possessividade e manipulação em função das próprias necessidades e desejos, envolvidas muitas vezes em véus dramáticos de autocompaixão e martírio: "Coitadinho de mim que vivo para você..." Para esta pessoa, relacionar-se é entrar num espaço de obrigações, pois imagina que a única maneira de conseguir o amor, ou pelo menos a aceitação de seu parceiro, é virar um escravo dele, para depois cobrá-las, manipular e dominar seu companheiro.

Assim, qualquer relacionamento acaba sendo insuportável, pesado e desgastante. Sugeriremos a ela o uso do floral de Chicory para acabar com tal hipocrisia e para que, sentindo-se nutrida interiormente, aprenda a respeitar a liberdade do outro.

Método: Sugerimos que o consulente abandone as atividades, compromissos e obrigações que não lhe dão prazer. É importante que perceba que está assumindo compromissos e inventando tarefas para fugir de si mesmo, para não fazer suas vontades e assim não se responsabilizar pelos seus atos.

Essa atitude infantil pode ser revertida com o uso de Fairy Lantern**. Deveria passar para o Ás (10=1+0=1) que, como vimos, significa canalizar toda a energia para algo novo, que lhe inspire entusiasmo. Para melhor passar por esta transição, recomendaremos a essência de Sagebrush*, que favorece o desapego com o supérfluo esclarecendo o que é realmente essencial.

Caminho de crescimento: Neste momento, esta pessoa vai perceber claramente até que ponto está saturada e desgastada de tanto impor a si mesma uma disciplina que não lhe dá nenhum prazer. Este já é o primeiro passo para livrar-se dela.

Resultado interno: O consulente entendeu os mecanismos que o levavam a carregar cruzes e hoje está resgatando sua energia e tentando direcioná-la para atividades que o gratifiquem profundamente.

Resultado externo: Vemos esta pessoa esforçando-se para concluir uma tarefa que não pode interromper e em cuja consecução acha sérias dificuldades. Colocaremos mais cartas para saber se vale a pena semelhante desgaste.

CAPÍTULO 14

A Série de Copas

Como era de se esperar, as dez cartas de Copas mostram dez estados emocionais.

Ás de Copas — A Raiz dos Poderes da Água

Este é o aspecto aquoso de Kether, a *sephirah* anterior ao par de opostos-complementares, onde o ser e o não-ser ainda não estão perfeitamente diferenciados.

O Ás de Copas é o complemento feminino do Ás de Paus e está relacionado com a vagina (*yoni*) e com a Lua, assim como este o está com o pênis (*lingam*) e com o Sol. É a Raiz dos Poderes da Água e nela estão implícitas todas as manifestações emocionais que veremos na seqüência.

"Representa o aspecto mais essencial e original das emoções, apesar de que não existe, ainda, qualquer manifestação específica", diz Crowley.

Como a imagem nos mostra, temos aqui o mais puro florescimento emocional. Uma grande copa azul, adornada com o emblema tricircular que já vimos na mão do Hierofante, é atingida por um hálito de luz branca procedente de Kheter, que faz transbordar os fluidos da copa em todas as direções, numa belíssima gargalhada de cores. Talvez por isso alguns autores dão para esta carta os significados de "a Abundância" e "a Alegria".

A cor azul, símbolo taoísta do não-manifestado, é a cor mais profunda, imaterial, pura e fria. Cria um clima sobrenatural onde o real se transforma em imaginário: o pássaro da felicidade. Disse-nos Kandinsky que o azul tem uma gravidade solene, supraterrenal. Um ambiente azul acalma e tranqüiliza. No entanto, não tonifica, como faz o verde, porque lhe falta sustentação na realidade e pode levar a uma fuga que, com o tempo, pode tornar-se depressiva. Em excesso, conduz à divagação e à ilusão.

Geralmente, a natureza apresenta o azul feito de transparências, isto é, de vazio acumulado. Para os egípcios, que rebocavam em azul-claro as paredes das necrópoles, onde, em ocre e vermelho, plasmavam cenas do julgamento das almas, é a cor da verdade. A base da copa é um lótus, símbolo do poder feminino.

O cálice é uma representação do Graal que, como vimos, simboliza a plenitude do ser, a pureza e a devoção.

Na Leitura Terapêutica

Momento atual: Esta pessoa está passando por um momento de elevada intensidade emocional, provavelmente não canalizada. A segunda carta nos mostrará se é só uma tendência ou se existe algum bloqueio para sua manifestação; se vive imersa em suas emo-

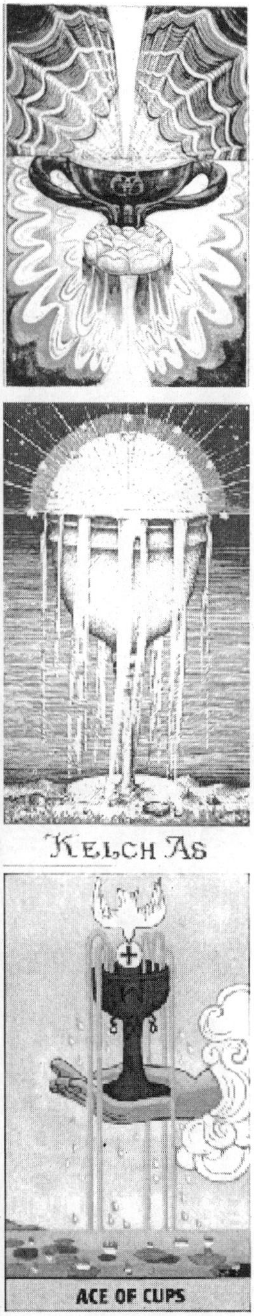

Ás de Copas (Crowley, Cosmic e Rider)

ções ou em que direção prática serão manifestadas.

Âncora: Mostra a incapacidade de integrar as emoções profundas no cotidiano. Uma vida de repressão emocional, com possíveis explosões histéricas, pode ter levado o consulente a uma perda de consciência e objetividade, transformando-o numa bola de pingue-pongue que passa da depressão à euforia, do êxtase ao hospital. Na verdade, esconde sentimentos profundos e geralmente dolorosos com estados de hiperemotividade. A flor de Fushia* o ajudará a conectar-se e expressar seus verdadeiros e mais profundos sentimentos.

Junto com a Sacerdotisa ou a Rainha de Copas, pode mostrar uma pessoa dedicada às atividades de tipo mediúnico, devocional e/ou psíquico, com as quais esconde suas responsabilidades e foge da vida prática cotidiana. Neste caso, o uso do floral Canyon Dudleya a ajudará a apreciar as experiências do cotidiano, enraizando e vitalizando seu psiquismo.

Necessidade interna: As emoções, que há tempo estão contidas, precisam ser desenterradas e expressadas sem censura.

Relacionamentos: a) Este é um momento de intensa tormenta emocional. O casal passa do amor ao ódio, do medo à confiança. Ambos estão tão fortemente mexidos que dificilmente podem ser objetivos e realistas. b) Esta pessoa, de grande sensibilidade, se relaciona sem nenhuma objetividade, suas carências a conduzem a estados emocionais extremos. Não possui uma base sólida para viver funcionalmente sua necessidade de envolver-se emocionalmente, de maneira que nunca dá um caráter duradouro e profundo a seus relacionamentos afetivos.

Acha alguém que lhe parece interessante, projeta nele suas carências, o idealiza e se apaixona loucamente. Quando este último se comporta fora do padrão ideal esperado, vem a grande decepção. Como vimos na Âncora, o floral de Fushia* pode ajudá-la.

Com o tempo, se esta pessoa não nutre a si mesma, de tanto apanhar, provavelmente vai acabar enclausurando-se, evitando qualquer relacionamento e dizendo como papai/mamãe: "Todos os homens/mulheres são iguais".

A essência de Pink Monkeyflower pode ajudá-la a abrir-se emocionalmente a partir de um referencial de auto-aceitação e honestidade emocional mais firme.

Infância: Era uma criança muito sensível e amorosa, que se viu drasticamente podada em suas expressões emocionais naturais. O ambiente emocionalmente exaltado em que viveu também não ajudou em nada, e o resultado foi que, ao menor impacto, se desengatilhavam respostas emocionais exageradas e desequilibradas, com elementos histéricos e paranóicos.

Método: Esta pessoa deve trabalhar seu lado emocional, superando os bloqueios e compulsões que a desequilibram. É importante que esteja atenta a seus impulsos emocionais para deixá-los fluir naturalmente. Podemos sugerir que o consulente pratique Biodança ou Renascimento.

A flor de Black-Eyed Susan a ajudará a resgatar as emoções escondidas e "esquecidas", desenvolvendo a honestidade emocional, especialmente se existiu um trauma ou abuso na infância, que seria detectado pelo Nove de Espadas (a Crueldade), o Cinco de Discos (o Sofrimento) ou o Três de Espadas (a Aflição), etc.

Caminho de crescimento: As couraças estão amolecendo e as emoções, aflorando.

Resultado interno: Temos aqui o resgate da emoção e da sensibilidade. Sem bloqueios nem medos, o consulente é capaz de abrir seu coração e deixar-se levar por suas emoções. Em alguns casos, pode mostrar o desenvolvimento da clarividência e da intuição. O caminho da devoção pode estar abrindo-se para ele.

Resultado externo: A sensibilidade, o amor e o potencial artístico são a base das atividades cotidianas desta pessoa.

Dois de Copas — O Amor — Vênus em Câncer

Este é o aspecto aquoso de Chokmah, cuja força viril dá impulso à manifestação, sendo, junto com Kether e Binah, anterior à própria manifestação. Chokmah é a forma mais abstrata da força, o Princípio Estimulante da Evolução.

Certos antropólogos contemporâneos levantaram a tese de que o fator fundamental para a evolução do primata, até o *homo sapiens*, foi a disponibilidade para o amor. Desde o momento em que a fêmea teve a capacidade de copular a qualquer momento e não só durante o cio, os descendentes dos primeiros primatas deixaram de ser cem por cento escravos dos instintos e começaram a desenvolver o livre-arbítrio, podendo escolher o momento adequado e o companheiro para viver seus impulsos sexuais.

Paralelamente, embora muitos séculos antes, os cabalistas tinham chegado à mesma conclusão quando definiram o aspecto emocional do princípio estimulante da evolução como o amor.

A emoção pura do Ás é polarizada no Dois, os aspectos masculino e feminino se complementam e voltam à unidade por meio dessa união harmônica.

Dois de Copas (Crowley, Cosmic e Rider)

Nesta carta atribuída a Câncer, o mais sensível e receptivo dos signos, apare-

> *Te amo e amo teu gato.*
>
> *Arthur Rimbaud*

ce a influência de Vênus, levando o caranguejo à procura de amor e de união.

A imagem mostra duas copas sobre um mar sereno, transbordando água cristalina e brilhante, que brota de uma flor de lótus. Ao redor de seu talo, entrelaçam-se delicadamente dois peixes que, atribuídos a Vênus, são símbolo de vida e fecundidade.

O deus do amor na Índia é Kama: aquele que tem como símbolo o peixe.

O Dois de Copas mostra a interação entre o masculino e o feminino em seu sentido mais amplo, harmonioso e elevado. É a união cheia de prazer, alegria e êxtase. Aqui a emoção, ainda fresca e pura, não se tornou densa com apegos, rotinas, normas nem possessividade.

Na Leitura Terapêutica

Momento atual: O amor está aflorando na vida do consulente. Provavelmente está apaixonado, irradiando amor por todos os seus poros, amando-se, amando alguém ou amando o mundo.

A segunda carta nos indicará como esse amor é canalizado, e que tipo de amor se trata: erótico, filárquico ou universal.[77]

Âncora: Esta carta mostra uma pessoa extremamente carente, cujo objetivo primordial é encontrar alguém que lhe dê amor e atenção, alguém que se devote totalmente a ela.

Como foram seus pais que o deixaram carente, terá a tendência inconsciente de procurar nos outros o tipo de amor que não recebeu deles: um amor paterno-filial incondicional e que não exija responsabilidades. Assim, esta pessoa é incapaz de relacionar-se como um adulto, já que o que procura são os pais ideais que nunca teve. No entanto, o que sempre acha são pessoas que, como seus pais reais, acentuam ainda mais sua carência afetiva.

Geralmente se disfarça de sedutor e diz que encontrou a pessoa de sua vida, pela qual está loucamente apaixonado.

O floral de Fairy Lantern pode ser muito útil para transformar esse comportamento infantil em algo mais maduro e responsável.

Necessidade interna: O Ser Interno está precisando de um pouco de amor. O consulente tem de olhar para dentro de si e começar a tratar-se com ternura; parar com as auto-exigências prussianas, dar-se carinho e amor, e permitir-se amar e ser amado.

Relacionamentos: a) Apaixonado, entregue e entusiasmado, o consulente está vivendo o início de um relacionamento. A flecha de Cupido atravessou seu coração. Olha nos olhos de seu(sua) amado(a) e esquece o mundo, entrando imediatamente em êxtase. A mente pára, quando o ser se entrega totalmente ao amor. b) No melhor dos casos, trata-se de alguém que vive em amor, que irradia amor e se entrega sem preconceitos, condições nem expecta-

> *Continuamente nos têm ensinado que o amor é um relacionamento, de modo que nos tornamos acostumados com essa idéia. Mas isso não é verdade. Esse é o tipo mais inferior (muito poluído). O amor é um estado do ser.*
>
> *Osho Rajneesh*

77 - Estes três tipos de amor estão descritos nos símbolos dos Amantes.

tivas. Não se vende nem se importa com o futuro.

Está mais atento à qualidade de seu amor que ao objeto de seu amor. Seus vínculos não são possessivos nem materialistas.

Infância: Aparentemente pode indicar uma infância feliz, cheia de amor e apoio. Como isso é difícil, tiraremos outra carta para confirmar. O Sol, o Seis ou o Nove de Copas (o Prazer e a Felicidade) podem confirmar esta idéia. Com naipes como A Imperatriz, o Três, o Quatro e inclusive o Nove de Copas (a Abundância, o Luxo e a Felicidade, respectivamente), indicaria uma criança exageradamente paparicada.

No primeiro caso, desistiremos de procurar na infância elementos geradores da Âncora, que procuraremos na adolescência, colocando algumas cartas para esta nova posição.

Se a segunda carta está muito distante do equilíbrio, podemos pensar que esta criança chegou nesta encarnação com uma enorme dose de amorosidade, e esta carta mostraria que foi o que aconteceu com ela. Um Oito de Espadas (a Interferência) mostra a desvalorização e a castração de suas manifestações amorosas com argumentos, inoculação de dúvidas, normas e proibições.

Com um Cinco de Copas (a Frustração), veríamos que um forte compulsor do tipo: "Não gosto de você assim", fez com que a criança invalidasse sua natureza amorosa e em alguns casos mudasse de sexo.

Método: É necessário que o consulente coloque mais amor em sua vida. Sugeriremos que comece por ele mesmo, tratando-se com carinho, cuidando de seu corpo (recebendo pelo menos uma massagem por semana), de sua alimentação, saúde, ritmos de trabalho, dando-se tempo livre, permitindo-se fazer coisas que o agradam, selecionando suas amizades, procurando relacionar-se com pessoas simples e naturais, pessoas que gostem de dar e receber amor sem se sentirem culpadas.

Com um Cavaleiro de Copas ao lado, poderíamos mandá-lo namorar e tentar apaixonar-se.

A essência de Borboleta Lily* o ajudará a nutrir-se e dar-se calor e afeto.

Caminho de crescimento: Pouco a pouco, o amor vai se expandindo no consulente. Áreas psíquicas que estavam ocupadas por medos, raiva, inveja, frustração, culpa, desejo de poder, etc., serão lavadas e preenchidas pelo amor, que vai passar a permear todos os aspectos de sua vida.

Também pode tratar-se de uma relação na qual o consulente se entrega intensamente.

Resultado interno: A pessoa conseguiu resgatar seu amor, desfez seus bloqueios e hoje se ama e ama a existência. O coração tornou a ser o guia de sua vida.

Resultado externo: Podemos ver esta pessoa vivendo intensamente seus relacionamentos amorosos, apaixonada, entregue e feliz.

Três de Copas — A Abundância — Mercúrio em Câncer

Este é o aspecto aquoso de Binah, o Feminino em seu estado mais sutil.

No Três de Copas se realiza a frutificação do Dois.

A imagem mostra três copas generosamente preenchidas por flores de lótus de vários talos e oito flores.

As copas parecem romãs, símbolo de fecundidade[78]. Na Índia, usa-se o suco de romã para reverter a esterilidade. As flores e as copas flutuam num mar escuro e tranqüilo, característico do melhor aspecto de Binah.

O segundo decanato de Câncer está governado por Mercúrio; a habilidade, capacidade analítica e força de vontade de Mercúrio se projetam sobre o mais receptivo dos signos, levando-o à frutificação, dando-lhe canais à sua criatividade e estimulando-o em seu desenvolvimento.

A carta se intitula "A Abundância" e nos traz idéias de resultados e gratificações, tanto emocionais quanto materiais. Aqui se colhe o que foi plantado no Dois. Os namorados, que no Dois se olhavam amorosamente nos olhos e o sorvete se derretia e escorregava pela manga da blusa sem ninguém perceber, hoje estão desfrutando da vida a dois, acordando um nos braços do outro, cozinhando juntos, tendo acesso aos bens do outro, trocando idéias, e, em alguns casos, ficando "grávidos" e tendo filhos.

Na Leitura Terapêutica

Momento atual: Esta é uma fase de retribuição, onde os investimentos feitos seguindo a voz do coração estão dando seus frutos.

78 - Quando Perséfone foi raptada por Hades, o Senhor dos Infernos, este lhe deu uma semente de romã, que ela comeu, quebrando assim a lei dos infernos, que proíbia comer qualquer coisa e condenando-a a não poder voltar ao mundo dos vivos. Sua mãe Deméter mandou tal seca que Zeus teve de intervir para que Perséfone pudesse passar vários meses do ano na superfície. Podemos ver aqui uma indicação de que a abundância e fecundidade estão enraizadas no inconsciente.

Âncora: Este ego imagina que, se não é generoso, sempre disposto a ser uma vaca de tetas cheias para os outros, ajudando-os emocional e materialmente, se não mostra permanentemente a grandeza de seu coração e de seu bolso, o mundo vai deixar de apreciá-lo. Assim, vive comprando os outros.

A flor de Agrimony o ajudará a deixar de lado essa máscara, a de Goldenrod* amainará sua necessidade compulsiva de agradar e a de Centaury desenvolverá sua capacidade de dizer não.

Também pode mostrar que o consulente nunca acreditou na sua abundância interna, em seus potenciais e sua criatividade. Desvaloriza continuamente e evita qualquer confronto.

Necessidade interna: Na hora em que o consulente der valor a suas emoções e fazer delas seu guia, vai frutificar e enriquecer-se em todos os sentidos.

Quatro de Copas (Crowley, Cosmic e Rider)

Relacionamentos: a) Este é um momento em que tudo floresce dentro do relacionamento, que vai às mil maravilhas. Amor, prazer, bem-estar, projetos comuns estão *in crescendo*. Pode indicar a chegada de filhos. b) Este é o comprador de amor, aparentemente dedicado e entregue a seu(sua) parceiro(a). É como uma mãe que nutre, cuida e manipula. Recomendaremos a essência de Chicory para que possa relacionar-se de uma maneira menos possessiva e o amor possa fluir com mais autenticidade e liberdade.

Infância: Poderíamos ver aqui que a criança não conheceu o amor, mas as compensações materiais. Pode ser um(a) menino(a) mimado(a) ao qual se concedia todo tipo de caprichos e compravam-se montanhas de brinquedos e roupas, por meio dos quais a criança aprendeu a afirmar-se frente a seus amiguinhos, mas seus pais reprimiam suas iniciativas e impulsos espontâneos, especialmente de ordem emocional e afetiva.

"Se você se comportar, vou comprar para você..." Sua família o transformou num piolho de *shopping*.

Método: Sugeriremos a ele que invista em si mesmo, valorizando sua abundância interna, até que seus potenciais naturais frutifiquem. É hora de trabalhar com aquilo que realmente dá prazer, e esta carta tem muito a ver com a expressão artística e a sensibilidade canceriana. O floral de Larch o ajudará a valorizar suas capacidades criativas e expressivas.

Caminho de crescimento: Esta pessoa vai entrar numa fase de frutificação, emocionalmente gratificante e materialmente produtiva. Pode indicar filhos, especialmente se aparece com a Princesa de Copas ou a Imperatriz.

Resultado interno: O consulente se jogou na correnteza da vida. Perdeu o medo de seguir a voz de seu coração e hoje vive sem ansiedade o momento presente, gozando das coisas boas que a vida lhe traz sem apegar-se a elas, deixando-se nutrir e nutrindo seu ambiente.

Resultado externo: O consulente está colhendo com abundância tudo aquilo que com amor plantou. Realizando bons e gratificantes negócios, colocando sua sensibilidade e amor em suas obras e vivendo intensamente seus relacionamentos afetivos.

Quatro de Copas — O Luxo — A Lua em Câncer

Estamos diante do aspecto aquoso de *Chesed*, a primeira esfera subabismal na coluna da força, embaixo de Chokmah.

Num nível inferior mais denso, continua sua obra, organizando e cuidando do que o Pai do Todo impulsou.

Aqui, a ordem, a estrutura e a lei do Quatro informam a emoção, de maneira que esta fica limitada, determinada a certos modos de expressão, que podem implicar uma certa falta de fluidez e naturalidade e, conseqüentemente, artificialidade.

A imagem nos passa a mesma idéia, pois, embora o fluxo da água seja generoso, indicando a existência de abundantes emoções, sua trajetória, desde as folhas, onde se apóiam as copas superiores, até o interior das copas inferiores, é antinatural e forçado, desafiando as leis físicas e passando uma idéia de tensão e esforço para manter uma suposta perfeição.

Essa abundância de fluxo é conseqüência do influxo da Lua sobre Câncer. Ela dispara sua sensibilidade e agita suas emoções. Porém, também acentua seus apegos, dependências e ataduras com o passado, com o lar e com a mãe.

Nesta carta, o casal está pagando o apartamento e estabelecendo normas: "Eu trabalho fora e você cuida da casa e das crianças". Estão dividindo tarefas e inclusive podem estar hipotecando seu presente para conquistar uma certa estabilidade e segurança no futuro.

O amor corre sérios riscos de ficar preso entre as obrigações, normas, limitações, rotinas, repressões, sentimentos de posse, ciúmes, contas, latas da Nestlé e visitas dominicais aos sogros respectivos.

Esta carta leva por título "O Luxo", fazendo alusão à idéia de riqueza e estabilidade emocional.

Autores tradicionais dão a esta carta significados de apatia, abulia, falta de desejos e insatisfação oculta por trás de uma aparente saciedade.

Na Leitura Terapêutica

Momento atual: A pessoa vive um momento de emoções intensas, embora na hora de expressá-las se controle notavelmente. Assim, sua espontaneidade desaparece por trás de normas de comportamento que não tem coragem de questionar nem de desobedecer.

Podem existir também fatores de ordem material, social ou ética que limitam sua expressão emocional.

Âncora: É uma pessoa sensível, mas que carrega um ego limitador, que teme deixar-se levar pelas emoções e se impõe severas normas de conduta. Sua insegurança interna a leva a interessar-se mais em manter seus vínculos, que lhe dão uma certa estabilidade e pseudosegurança, do que seguir seus impulsos. Cuidado com o estômago.

Essa rigidez pode ser amainada com o uso da essência de Rock Water, enquanto o floral de Sagebrush, reforçando a consciência da individualidade, ajuda a desapegar-se de vínculos e de padrões disfuncionais de comportamento.

Necessidade interna: Internamente, esta pessoa está pedindo fluidez e estabilidade emocional. Sair do marasmo compulsivo, seja este de ordem repressiva (em cujo caso a ansiedade resultante da quantidade de desejos insatisfeitos será enorme), ou de ordem explosiva (rebelando-se contra tudo o que representa ordem e autoridade), é urgentemente necessário para poder viver as emoções.

Relacionamentos: a) É um relacionamento bem-estruturado e estável, embora possa encobrir fortes tensões, rotinas sufocantes e acomodações. A atração sexual e o amor podem já ter sumido, empurrados pelas rotinas domésticas e pelas exigências da vida material, que não deixaram tempo livre para alimentar o fogo da paixão e cuidar do amor. Podem ter companheirismo e

Quatro de Copas (Crowley, Cosmic e Rider)

boas razões práticas e financeiras para continuar mantendo o vínculo martrimonial, mas o crescimento de ambos está impedido. É um negócio onde os dois estão se vendendo. b) Temos aqui uma pessoa capaz de qualquer autolimitação e farsa para sentir-se segura, protegida, apoiada e inclusive sustentada. Esse tipo de prostituição é altamente praticado entre as donas de casa mais decentes.

O floral de Bleeding Heart a ajudará a relacionar-se, respeitando sua individualidade e a do outro.

Infância: As emoções e a amorosidade da criança foram drasticamente reprimidas. A aprovação e o contato físico foram condicionados ao bom comportamento, à maneira "correta" de expressar as emoções, de reprimi-las ou de fingir o que não se sente; tudo isso perfeitamente articulado numa fina rede de normas morais e sociais. A criança corre o risco de perder seu referencial interno e se comporta artificialmente manipulando seus pais, com as mesmas armas e argumentos que estes a ensinaram.

Método: Colocando ordem na sua vida emocional, começando por sua relação consigo mesmo, que deve estar caótica, esta pessoa se sentirá melhor.

Quanto tempo por dia dedica a si mesmo? E a seu(sua) companheiro(a)? E a seus filhos? O que a desequilibra emocionalmente? Veremos na Âncora. Eliminando os fatores que causam compulsão, a ordem natural pode aparecer espontaneamente.

A essência de Morning Glory* favorece a eliminação de hábitos desregrados e a ajudará a ordenar a vida em sintonia com os ciclos naturais.

Caminho de crescimento: Veríamos aqui um processo em que a vida emocional do consulente vai-se estabilizando, ordenando-se naturalmente, fluindo melhor. A emoção passa a manifestar-se de um modo construtivo, dando maiores bases à sustentação dos vínculos afetivos e profissionais. Pode acabar em casamento.

Resultado interno: Os fatores que artificializavam a expressão emocional desapareceram. Hoje vemos autenticidade, espontaneidade, fluxo emocional intenso, serenidade e ordem natural neste aspecto da vida.

Resultado externo: A pessoa está construindo seus relacionamentos. Pode ser um vínculo afetivo-sexual, um novo círculo de amizades ou também projetos em que sua sensibilidade e sentido artístico se manifestem.

Cinco de Copas — A Frustração — Marte em Escorpião

Esta carta representa o aspecto aquoso de Gueburah, o Destruidor, o Justiceiro que sacode a ordem e o espírito construtivo de Chesed ou Gedulah.

Depois da calma do Quatro, chegou a hora do Cinco: a transformação é inevitável, tentar conter a mudança é um absurdo, a tensão criada fará com que a destruição seja mais violenta. É a tempestade emocional sugerida pelo título da carta, "A Frustração".

A imagem mostra o fluxo emocional interrompido: a água desapareceu. As copas cristalinas estão vazias e dispostas num pentagrama invertido, indicando que a ausência de consciência dá lugar a uma predominância das forças involutivas, ao sofrimento e à negatividade. Assim, a vontade não pode trabalhar livremente, os quatro aspectos do Ser não se integram e a energia é consumida em conflitos internos e externos, desaparece o amor e a raiva resultante se canaliza para a autodestruição e as brigas com o próximo. O mar morreu, tornando-se um charco de barro a ponto de secar, igual aos lótus que, sob a influência dos ventos tórridos de Marte, estão perdendo suas pétalas.

O primeiro decanato de Escorpião está governado por Marte. A energia mal resolvida alimenta a agressividade, a inveja, a possessividade e os ciúmes, quando não os desejos de vingança, o rancor e a procura de vantagens materiais por meio de chantagens e outros meios não-éticos. O sexo animal não acha o canal do amor para enriquecer-se e elevar-se e se torna, na melhor das hipóteses, uma maneira de liberar tensão e, na pior, uma compensação ou auto-afirmação, que pode inclusive ter uma conotação de procura de poder e domínio sobre o outro.

Na Leitura Terapêutica

Momento atual: É um momento de frustração e de discórdia interna e externa. A pessoa pode sentir-se traída, enganada, raivosa, rejeitada "a pontapés" ou culpa. Em qualquer caso, está bravíssima com o mundo e/ou consigo mesma. Cuidado com os acidentes de carro!

Âncora: Este ego matou a auto-estima. Esta pessoa não se valoriza nem se respeita o mínimo. Não gosta de si mesmo nem pode gostar dos outros. Vai destilando raiva para dentro e para fora quase o tempo todo. Destrói-se compulsivamente e inferniza seu ambiente. Para afirmar-se, procura o sofrimento dos que estão perto dela, como se quisesse vingar-se deles pelas suas frustrações. Seus relacionamentos são jogos de poder, usando a sexualidade para manipular e, se possível, destruir os que por desventura se aproximam.

A essência de Willow a ajudará a aceitar-se e a aceitar as situações pelas quais está passando, a assumir sua responsabilidade por elas, a perdoar e a fluir com os acontecimentos, em vez de ir contra eles. A de Sunflower* a ajudará a gostar mais dele mesmo.

Infância: A criança foi cruelmente censurada, culpabilizada e desvalorizada. Escutou demais coisas como "Você não serve para nada", "Você é ruim e será castigado por isso", "Não gosto de você", "Você é um demônio e vais acabar mal". A criança deixou de gostar de si mesma, negou suas iniciativas e sentimentos e direcionou a raiva acumulada para a destruição de si mesma e dos outros. Também pode indicar (confirmado pelos Amantes) que a separação dos pais traumatizou a criança.

Necessidade interna: O consulente precisa deixar de negar-se, de engolir a raiva, para começar a questionar sua vida e acabar com aquelas atividades e víncu-

Cinco de Copas (Crowley, Cosmic e Rider)

los que ofendem seus sentimentos. É necessário um reencontro amoroso consigo mesmo.

Relacionamentos: a) Aqui não existe mais o vínculo. Trata-se de uma fase de extrema negatividade, onde cada um se dedica a "aporrinhar" o parceiro e culpá-lo por seu próprio sofrimento. É um espaço propício para brigas, insultos, explosões de raiva, vinganças, manipulações e chantagens que, provavelmente, acabarão no hospital, na polícia ou no advogado. b) Deprecia o sexo oposto e se relaciona só para sua satisfação sexual. Deve ter acumulado grandes doses de raiva contra o genitor e irmãos do sexo oposto e a descarrega inconscientemente sobre os outros, procurando vingança. Diz, sem a menor sensibilidade: "Os homens/mulheres só servem para trepar." Tem prazer em fazer o outro sofrer.

Está claro que seus relacionamentos não vão além do puro ato sexual, que pratica sem ternura e com elevada carga agressiva e manipuladora. Não seria impossível que esta pessoa ficasse fortemente atraída pelo departamento sadomasoquista das *sexshop*. Aqui também a essência de Sunflower será muito útil. Seu medo da intimidade pode ser amainado com o floral de Sticky Monkeyflower e a flor de Poison Oak pode ajudá-la a trabalhar sua desconfiança e hostilidade.

Método: Sugere acabar com os vínculos onde o amor e o prazer já não existem. Se o tema da violência está presente em seus relacionamentos [detectada pelo Dois de Paus (o Domínio), o Nove de Espadas (a Crueldade) ou o Cinco de Discos (o Sofrimento) na Âncora ou nos Relacionamentos], sugeriremos o uso de Black Cohosh, que lhe dará a coragem para enfrentar tais situações e libertar-se de envolvimentos abusivos. Indica também que o consulente deve tomar consciência de sua falta de auto-estima e de suas tendências autodestrutivas para manter-se no estado de desconexão interna em que se acha. O floral de Morning Glory pode ajudá-lo a superar seus hábitos destrutivos e o de Black-Eyed Susan desenvolve a honestidade emocional necessária para examinar objetivamente os aspectos obscuros que rejeita e esconde.

Caminho de crescimento: O desafio é romper os laços com atividades e pessoas que, longe de ser gratificantes, o deixam com raiva. Isso vai colocar à prova sua própria auto-estima.

Resultado interno: Esta pessoa conseguiu vencer a negatividade e o forte e arraigado compulsor "Eu não gosto de mim" que trancava sua expressão emocional mais verdadeira. Hoje gosta dele mesmo e é capaz de amar e expressar seu amor.

Resultado externo: Vemos o consulente deixando de lado os aspectos mais negativos de sua vida, acabando com relacionamentos, abandonando atividades frustrantes e libertando-se de atitudes destrutivas.

Seis de Copas — O Prazer — O Sol em Escorpião

Representa o aspecto aquoso de Tiphareth, que é Kether, num arco inferior, e Yesod, num superior. É um ponto de transmutação entre a forma e a força.

O Seis de Copas é a manifestação mais equilibrada, bela e perfeita da emoção. É "O Prazer", tal como mostra seu título.

Trata-se do prazer em seu sentido verdadeiro, isto é, da harmonia das forças naturais que, expressando-se criativamente, levam à paz, ao bem-estar, à gratificação[79] profunda e à elevação espiritual.

Depois das transformações marcianas do Cinco, é possível um novo equilíbrio no Seis. São favorecidos novos relacionamentos e o amor pode fluir sem limitações nem condicionamentos.

Esta carta tem uma dupla relação com o Sol, planeta que governa *Tiphareth* e o segundo decanato de Escorpião. O Sol: a consciência e a energia iluminam a sexualidade e a tendência à transformação do Escorpião, resultando no incremento da corrente vital, da saúde psicofísica, do entusiasmo, da criatividade e no resgate do prazer em todos os níveis.

Esta carta e suas atribuições nos levam a pensar no uso mais consciente da energia sexual, em sua canalização ascendente, conhecida na Índia como tantrismo e na China como taoísmo sexual.

A imagem mostra os talos dos lótus movendo-se graciosamente, numa dança sensual e harmoniosa. De suas flores se derrama a água cristalina, que enche seis copas douradas que não transbordam, indicando que não existe excesso nem desperdício; pelo contrário, esta carta nos mostra graficamente o conceito de retroalimentação ou *feedback*. As ondulações do mar verde são simétricas.

Para alguns autores, como A. E. Waite ou S. Kaplan, esta carta representa o ilusório, as influências do passado que aniquilam a objetividade. Estranhos significados para o aspecto aquoso da esfera mais equilibrada da Árvore e que teriam mais a ver com a Lua de *Yesod*, no Nove de Copas.

Seis de Copas (Crowley, Cosmic e Rider)

Na Leitura Terapêutica

Momento atual: Esta é uma fase de grande prazer e satisfação pessoal. O consulente vê fluir suas atividades e relacionamentos com maior harmonia.

Sua vida sexual também está sendo muito rica e vivida com amor e consciência.

Âncora: Nas palavras de Alexander Lowen:"O importante para ele é divertir-se, parecer que está se divertindo ou pelo menos fazer com que os outros pensem que está se divertindo".

É um ego que precisa mostrar para si mesmo e para os outros que está bem, contente e feliz, precisamente porque está desconectado de seu prazer interno. Fugindo de sua insatisfação interna crônica, co-

79 - Observe-se que gratificação e gratidão têm a mesma raiz. O prazer que justifica interiormente leva automaticamente à gratidão, a sentir-se agradecido à existência. O prazer leva à conexão com o cosmo e, portanto, à espiritualização da vida.

loca em si mesmo uma máscara de alegre e divertido, que sabe desfrutar das coisas boas que a vida lhe oferece, especialmente tudo relativo ao sexo. É sedutor(a) e adora contar para seus amigos(as) os detalhes de suas conquistas.

Esse tipo de diversão compulsiva é a outra cara da moeda do trabalho compulsivo. Assim, entre cervejas, piadas e espetinhos (os domingos ao futebol), procura esquecer os problemas, os conflitos e as emoções dolorosas. Não gosta de responsabilidades nem dos compromissos, pois chocam com sua atitude escapista diante da vida. A essência de Agrimony o ajudará a reconhecer suas mágoas e frustrações e a trabalhá-las honestamente.

Necessidade interna: O prazer foi exilado durante tempo demais, hoje deve ser recuperado. Não é comprando compensações ou procurando diversões ou distrações, mas dando-se carinho, seguindo a voz do coração, sabendo rodear-se de pessoas agradáveis e nutritivas que, pouco a pouco, a criatividade e o prazer vão emergir.

Relacionamentos: a) Este é o melhor momento de um relacionamento. Existe amor, prazer, entusiasmo e atração sexual. Na cama, os amantes são cada vez menos compulsivos e mais amorosos, conscientes e criativos. Com o Sol ou o Três de Paus (a Virtude), poderíamos pensar que o casal está vivendo sua sexualidade de um modo tântrico. b) O consulente procura o prazer, especialmente o prazer sexual, não tanto para afirmar-se, mas como pura diversão. Quando chega a necessidade de assumir compromissos e responsabilidades desaparece, pois não sabe integrá-los com a liberdade que, para ele, é o segredo da felicidade. Seus relacionamentos são do tipo sexo e amizade. Este comportamento infantil pode amadurecer usando-se a essência de Fairy Lantern.

Infância: Poderia estar mostrando uma infância feliz e prazerosa, emocionalmente satisfatória, sem repressão sexual e com um nutritivo contato físico com seus pais. A pessoa que teve tal infância, e em ausência de alguma carta que evidenciaria algum trauma importante na adolescência, mostraria características de auto-estima e prazer que sem dúvida estariam visíveis nas outras cartas. Se isso não acontece, esta carta pode estar indicando que o verdadeiro prazer, aquele que a criança tem quando se sente amada, apoiada em suas iniciativas e escutada em suas opiniões, foi-lhe escamoteado. Em troca, foram-lhe oferecidas diversões, distrações e deliciosas merendas e sobremesas. Aprendeu a compensar-se para esquecer suas frustrações e talvez inventou fantasias, alterando sua percepção da realidade.

Pode indicar também que a criança foi condicionada a teatralizar um comportamento em que o equilíbrio e a harmonia aparentes na expressão emocional foram a nota dominante: " Você é um cavaleiro/uma dama e não pode permitir-se certas liberdades". Neste tipo de educação existiu maior flexibilidade que a indicada pela rigidez do Quatro de Copas e menor crueldade que a apontada na rejeição contínua do Cinco de Copas, mas acabou com a autenticidade da criança do mesmo jeito.

> *Simplesmente faça aquilo que lhe dê prazer (prazer a você e a seu ambiente). Simplesmente faça algo que traga uma canção e crie um ritmo de celebração a seu redor. Esta vida eu chamo de vida religiosa.*
>
> *Osho Rajneesh*

Método: Aconselharemos esta pessoa a criar condições internas e externas que aumentem as doses de prazer na sua vida. O prazer é uma sensação corporal conectada a um fluxo emocional que vem de dentro para fora; não é algo que nos dão nem que podemos comprar, sua aparição é um fenômeno relacionado com a criatividade. O prazer deveria ser o estado natural do ser humano, mas toda uma série de tensões psicofísicas impedem que flua.

Sugerimos então, em primeiro lugar, trabalhos de corpo para amolecê-las, meditação dinâmica e abandono de atitudes destrutivas para que naturalmente o amor e o prazer possam aflorar. Indicaremos também autocuidados, atividades gratificantes e vitalizantes e receptividade com as aproximações afetivas dos outros.

A flor de Lótus pode agir aqui, facilitando o acesso desta pessoa ao mundo interno espiritual, para que seu desenvolvimento não fique só nos níveis materiais.

Caminho de crescimento: Temos aqui uma fase de equilíbrio e prazer, produto de uma maneira mais consciente de relacionar-se consigo mesmo e com o mundo.

Resultado interno: Esta pessoa conseguiu desentupir os canais da expressão de seu prazer. Resolveu seus conflitos emocionais. Sente-se integrada, equilibrada, bonita e sensual, podendo admirar a harmonia, beleza e sensualidade do mundo que a rodeia. É capaz de desfrutar muitas coisas e este prazer profundo dirige seus passos, sem que isso signifique, de modo algum, escapismo diante de responsabilidades e compromissos. Pelo contrário, encara-os de um modo criativo, integrando-os em seu ser e sabendo desfrutar também com o lado saturnino da vida. Irradia paz, beleza e uma grande satisfação interna. É balsâmica e nutritiva com o que está à sua volta.

Resultado externo: Vive com prazer e criatividade, especialmente seus lados emocional e sexual, que, junto com sua sensualidade, estão em alta. Delicia-se com suas atividades e com seus frutos.

Sete de Copas — A Corrupção — Vênus em Escorpião

Este é o aspecto aquoso de Netzach, onde a força ainda se movimenta com uma certa liberdade sob a dupla influência de Vênus, mas nesta altura da Árvore, já muito longe da luz de Kether e fora da coluna central, a energia venusiana corre o risco de virar uma cega, doentia e vã, quando não destrutiva procura de prazer.

Seus efeitos ativam no Escorpião seus lados mais sedutores, deixando-o obcecado na caça de satisfações sensoriais.

Os lótus não jorram mais água, mas uma espécie de lodo verde, venenoso e nojento, que transborda das sete copas e cai pesadamente num pântano.

As copas estão dispostas em dois triângulos invertidos, com uma maior afundando-se no lodo. As flores estão caindo e murchando, tudo indica um movimento descendente.

Embora alguns autores a intitulam "O Êxito Ilusório", Crowley preferiu chamá-la de "A Corrupção".

Tentar manter artificialmente o nível de prazer do Seis de Copas, sem as transformações, adaptações e desapegos que o passo do tempo exige, levam ao desgaste e à loucura, enfim, ao de-

Sete de Copas (Crowley, Cosmic e Rider)

sastre. Esta é a carta dos vícios, drogas, perversões sexuais e compulsividade com a comida, a bebida, a TV, etc. Mostra a incapacidade de integrar o amor e o sexo, e este último é vivido como uma compensação compulsiva da incapacidade de viver o verdadeiro prazer.

Na Leitura Terapêutica

Momento atual: É um momento de desperdício de energia e saúde na procura frenética, inconsciente e desesperada de compensações. Essa situação degradante e involutiva encobre uma profunda frustração e incapacidade de sentir prazer. Pode indicar que a vida afetiva/sexual do consulente foi pelo ralo e este se compensa e foge de sua frustração na mesa, no bar ou assistindo a filmes.

Também pode estar compensando suas frustrações profissionais ou familiares com sexo compulsivo. Cuidado com as enfermidades venéreas, excessos com o álcool e outros tipos de drogas.

Âncora: Incapaz de viver sua sexualidade naturalmente; incapaz de investir seu tempo e dinheiro em atividades criativas; incapaz de sentir prazer, esta pessoa está acabando com sua saúde, seu bolso e seu amor numa carreira compulsiva atrás de satisfações sensoriais. Excessos com drogas, comida, prostitutas, perversões sexuais, estão levando-a à autodestruição física e psíquica. Pode chegar a pensar na morte com certo prazer mórbido e alucinado. Seu desequilíbrio geral acaba com suas defesas orgânicas, de modo que sempre está doente. Geralmente seus sintomas são manifestações de tentativas de limpeza de seu organismo: tumores, abcessos, inflamações, gripes... Temos aqui um sério candidato à AIDS. Aconselharemos a ele o uso de Morning Glory*, para ajudá-lo a romper com os padrões destrutivos, o de Milkweed, se é dependente de drogas, e o Stiky Monkeyflower*, para equilibrar sua expressão sexual e vencer o medo de expressar sentimentos.

Pode mostrar também que foi alguém que reprimiu tanto sua sexualidade [o Demônio e o Nove de Espadas (a Crueldade) na Infância] que hoje convive com graves problemas psicofísicos. Este é o caso de muitos religiosos[80], *voyeurs*, estupradores e outros pervertidos. Em todos os casos, a essência de Basil* será aconselhável.

Necessidade interna: "Pare com a destruição!", é o grito de socorro do ser interno. A energia deve ser conservada e aplicada em assuntos que proporcionem vitalidade, estabilidade e uma nova conexão com a realidade.

Relacionamentos: a) Este é um relacionamento destrutivo, desgastado

80 - São milhões de dólares que cada ano o Vaticano paga em multas judiciais e acordos no mundo todo, devidos a denúncias de pedofilia.

e envenenado pela possessividade, os ciúmes, a inveja, a raiva e uma procura compulsiva de prazer genital-anal. b) Temos aqui alguém que se relaciona com o outro para tirar-lhe proveito. Vai sugando-o até que não fica nada. Quando não lhe dá mais prazer, o descarta.

Infância: Tudo o que cheira a vida e natureza é sujo e não pode ser tocado: brincar com a terra, nem pensar, chupar o dedo não pode (melhor uma chupeta), andar nu ou descalço é perigoso, mamar o mínimo possível, depois mamadeira. Os pais ou tutores colocaram uma montanha de lixo em cima da sexualidade da criança, levando-a a acreditar que o sexo é algo nojento e perigoso. A menor expressão natural neste sentido foi castigada firmemente e a criança foi ameaçada com terríveis enfermidades ou com o inferno.

Esta, cheia de nojos, sentindo vergonha e/ou repugnância do seu próprio corpo, ficou debatendo-se entre o medo, a culpa e suas expressões naturais instintivas, criando um desequilíbrio que dificultará sobremaneira seu crescimento sexual, sua capacidade de relacionar-se e dissociará o sexo do amor, favorecendo comportamentos patológicos, como o celibato ou a promiscuidade compulsiva. Indicamos a essência de Crab Apple. Junto com o Cinco de Discos — o Sofrimento —, pode mostrar uma menina cujo pai abusou sexualmente dela e/ou a explorou, obrigando-a a prostituir-se. Hoje se reprime sexual e emocionalmente. A essência de Evening Primrose pode ajudá-la a relacionar-se sem medos.

Método: Sugerimos o abandono de atitudes extremistas do tipo: "Eu não quero sexo" ou "Eu quero sexo o tempo todo." As cartas da Âncora e da Necessidade interna nos ajudarão muito para compreender o que existe por trás dessas radicalizações.

Em qualquer caso, há um enorme e perigoso desperdício de energia. O trabalho deve centrar-se no resgate da auto-estima, para que o amor e a sexualidade voltem a integrar-se. Terapia corporal bioenergética pode ser muito útil, não só para dissolver bloqueios, mas para recuperar a energia vital. O floral de Sticky Monkeyflower* será útil também neste caso.

Caminho de crescimento: Neste momento, esta pessoa vai compreender até que ponto está desperdiçando sua energia e sua vida com atividades suicidas. Talvez esteja num ponto-limite em que, enxergando de perto as orelhas do lobo, tenha de escolher entre sucumbir no fundo do poço ou começar a se cuidar.

Resultado interno: O consulente conseguiu deixar de lado suas compensações autodestrutivas e agora consegue viver sua sexualidade sem compulsões, fazendo dela uma fonte de energia, prazer e união com seus companheiros(as).

Resultado externo: Indica a ruptura de relacionamentos desgastantes e involutivos. Pode estar libertando-se da dependência de drogas e de outras atividades que envenenavam sua saúde psico-física.

Oito de Copas — A Indolência — Saturno em Peixes

Esta carta encarna o aspecto aquoso de Hod, a esfera onde pela primeira vez a força toma uma forma definida e permanente. É conhecida como "o arquivo de imagens". Sendo Mercúrio seu planeta, o mais próximo e, portanto, o mais iluminado pelo Sol, *Hod* é a *sephirah* da filosofia esotérica e da magia cerimonial. Podemos dizer que o Oito de Copas representa o aspecto emocional do racionalismo mercuriano.

Se no Sete tínhamos uma procura suicida de prazeres, o Oito cai no extremo oposto: invalida o prazer e imagina que qualquer tentativa de senti-lo conduz à dor.

Seu título é "A Indolência", embora também seja conhecida como "O Êxito abandonado".

Aqui nada merece o mínimo esforço, o mundo é um vale de lágrimas e nada se pode fazer para mudá-lo. Nosso destino é sofrer e sacrificarmo-nos resignadamente e, se assim o fizermos, talvez sejamos recompensados no futuro.

A seriedade, lentidão e exigências opressivas de Saturno cristalizam a profunda sensibilidade de Peixes, que cai numa profunda depressão.

A imagem mostra um céu cinzento, carregado e ameaçador. As oito copas estão velhas e quebradas, como uma antiga fonte abandonada há séculos. Só flui água em duas copas, sobre um chão estéril, com alguns charcos.

Nesta carta, Freda Harris brinca de tal maneira com a perspectiva, que nos passa uma imagem totalmente irreal. As duas fileiras inferiores estão no chão, de maneira que dificilmente cairá água das duas copas coroadas pelas flores, que parecem estar num nível mais alto, nas três que estão na frente.

Esta é a carta do desencanto e da apatia total, da indolência e da alucinação depressiva. É a ressaca da farra do Sete.

Na Leitura Terapêutica

Momento atual: Mostra uma fase de intenso desprazer e falta de interesse por qualquer coisa, especialmente por transformar a situação.

A pessoa não está nem aí para si mesma e para o mundo, de maneira que sua tendência é dar cada vez menos atenção a seus relacionamentos e atividades, transformando-se num ser solitário, desvitalizado e deprimido, que se alimenta da idiotice de sua autocompaixão.

Âncora: Este é um "ego deprimido", sério, pessimista, sempre está imaginando que alguma coisa terrível vai acontecer. Lamuriento e supersticioso, carregado de infinitos problemas para os quais não vê nem quer ver solução. Não é mais negativo porque não tem energia para sê-lo, mas acaba sendo igualmente nocivo e destrutivo para seu ambiente.

Sua energia sumiu na contenção de sua carga emocional, instintiva e fundamentalmente de sua raiva enorme. O floral indicado será um Aspen, que amainará suas apreensões, enquanto seu abatimento crônico e falta de vontade de viver podem ser tratados com Wild Rose. Para sua amargura e queixas contínuas, recomendamos o floral de Willow, que o ajudará a aceitar e responsabilizar-se por sua situação, em vez de jogar a culpa nos outros. Com voz cavernosa e monótona, diz: "Estamos aqui para sofrer e aceitar resignadamente o destino que Deus nos manda."

Sofre enfermidades crônicas e seu organismo está debilitado. Prefere ambientes fechados e obscuros e diz, amargamente, que todos o abandonaram sem motivo. Seus amigos, cada vez em número menor, consideram-no um pé frio, e acabam evitando-o. A preguiça aninhou-se em seu coração e sua casa parece um bebedouro de patos.

Necessidade interna: "Tirem-me daqui", pede aos brados o ser interno, que não agüenta mais tanta sordidez,

Oito de Copas (Crowley, Cosmic e Rider)

monotonia e tristeza. O consulente precisa descobrir como sua energia está sendo sufocada, por meio de auto-exigências e rotinas, de relacionamentos desgastantes, de ambientes mórbidos e depressivos.

Relacionamentos: a) Existe unicamente no papel. Não há mais amor, atração sexual, vontade de fazer alguma coisa juntos, comunicação, nada. É a solidão a dois. Talvez, amparando-se em que "mais vale ruim conhecido que bom por conhecer", o casal se acostumou à sua situação e hoje não tem mais força para mudá-la e/ou separar-se. b) Esta pessoa não dá um passo para relacionar-se: não vale a pena. "Todos os homens/mulheres são iguais." Prefere ficar sozinha, reclamando, autocompadecendo-se pela tristeza de sua vida. Em seu íntimo, vive a fantasia de que algum(a) príncipe/princesa está a caminho para salvá-la e fazê-la feliz. No entanto, não se arrisca a beijar os sapos que acha. O que aparece de vez em quando é algum sádico que adora essas maneiras melindrosas.... Deve compreender que todos os príncipes e princesas azuis foram trabalhar em Hollywood e morreram sem deixar descendência.

Esse comportamento apático e falta de interesse por seus semelhantes pode ser revertido com o uso do floral de California Wild Rose.

Infância: Caracterizou-se pela absoluta falta de prazer, como se a criança tivesse sido criada num orfanato ou num internato religioso. De qualquer maneira, em seu lar, o prazer era considerado pecado e, como tal, imediatamente castigado; a alegria era uma ofensa ao pudor e a gargalhada uma grave falta de respeito aos maiores. Com certeza, os adultos da família eram uns frustrados da pesada, que décadas atrás deixaram de fazer qualquer coisa para serem felizes.

Para evitar conflitos e, com esse exemplo, o(a) pequeno(a) acabou convencendo-se de que a resignação seria a melhor atitude para levar a vida adiante sem problemas.

Método: Sugeriremos colocar um pouco de cor e alegria na vida, freqüentar ambientes mais simples e divertidos, aparecer nas festas do bairro e tomar umas cervejas.

Tomar parte de atividades recreativas, jogos, esportes, onde o importante seja participar. Umas férias no mato ou na praia também podem ajudar. Deve tratar-se com carinho e estar atento às suas emoções, assim como às necessidades afetivas. Sugeriremos o uso de California Wild Rose e Borage, que desenvolvem a coragem e o otimismo, e Zannia*, que estimula a jovialidade e a alegria infantil.

Caminho de crescimento: Neste dia, o consulente vai olhar-se no espelho e ver que nem ele mesmo agüenta essa máscara de seriedade, de taciturno inveterado, hipocondríaco crônico. Talvez nesse instante libere uma gargalhada, a primeira em muitos anos.

Resultado interno: Esta pessoa descobriu e desativou os mecanismos psíquicos que o levavam ao desprazer e à indolência. Hoje, é capaz de viver sua vida com alegria e jogar-se com entusiasmo em seus projetos.

Resultado externo: Vemos o consulente jogando no lixo tudo aquilo que ficou velho e caduco, largando vínculos e relacionamentos que há tempos perderam seu encanto. Pode inclusive mostrar uma viagem, que significaria o abandono de envolvimentos com seu tempo anterior.

Nove de Copas — A Felicidade — Júpiter em Peixes

Este é o aspecto aquoso de *Yesod*, esfera cuja função, segundo o *sepher Yetzirah*, é purificar as emanações, prová-las e corrigi-las. *Yesod* é a *Sephirah* dessa substância que chamamos Luz Astral, da qual está formado o corpo etérico.

Estando relacionada com a Lua, seu aspecto aquoso é equilibrado e benéfico. Crowley a intitula "a Felicidade", enquanto que outros estudiosos a denominam "a Felicidade material".

Apesar de não ser uma carta de Discos, em *Yesod* a densidade do fluxo já é compacta.

Podemos ver o Nove como a união do Três com o Seis de Copas (a Abundância e o Prazer), tanto em seus melhores quanto em seus piores aspectos. Por um lado, podemos juntar a harmonia, o equilíbrio emocional e o prazer com os frutos do amor e o desfrute das coisas materiais. Por outro, temos uma necessidade compulsiva de prazer e compensações materiais.

A imagem nos mostra nove copas em três fileiras, numa disposição quadrangular que lembra Chesed-Júpiter, abastecidas por nove lótus. A água que jorra das copas inferiores, de um modo ordenado e gentil, acaba fundindo-se num mar luminoso e calmo. A imagem passa uma idéia de plenitude e equilíbrio.

Diz Crowley: "Esta carta materializa e aperfeiçoa a qualidade aquosa em seu aspecto mais completo e benéfico".

O segundo decanato de Peixes está regido por Júpiter, benevolente e expansivo, que ilumina as profundidades místicas das sensíveis águas deste signo e aflora emoções próximas à alegria, satisfação e felicidade.

Waite nos passa uma imagem de satisfação sensorial e mundana. Parece o gordo dono do bar que, ligeiramente bêbado, depois de uma noite muito lucra-

Nove de Copas (Crowley, Cosmic e Rider)

tiva, excita-se observando a empregada que lava a louça. Eu a vejo mais como "saúde, dinheiro e amor" do que como "vinho, futebol e sexo". De qualquer maneira, o Seis de Copas (o Prazer, Sol, Tiphareth) é mais elevado, harmonioso e transcendente que o Nove de Copas (a Felicidade, Lua, *Yesod*).

Na Leitura Terapêutica

Momento atual: Este é um momento de especial satisfação; parece que tudo está saindo bem. O consulente não se pode queixar, a vida lhe sorri e se sente contente, feliz e satisfeito, tanto emocional quanto materialmente.

Âncora: Este é um ego que está sempre "ótimo". Tem pavor de enfrentar qualquer coisa desagradável e/ou encarar e resolver seus conflitos internos e externos. Prefere fugir e compensar-se, embora o faça de uma maneira muito menos destrutiva que a indicada pelo Sete de Copas (a Corrupção).

Prefere contar e escutar piadas, os prazeres da boa mesa, ler Jorge Amado e, aos domingos, o jogo.

Pode tratar-se de alguém sensível, com talento artístico e potenciais psíquicos que não desenvolve, permanecendo superficial. Não deixa aparecer suas mágoas, de modo que sua alegria acaba sendo falsa. Não precisa de público, como o ego indicado pelo Seis de Copas (o Prazer).

Necessidade interna: A austeridade e a abstinência podem ter seu momento, mas agora o consulente está precisando permitir-se certas satisfações sensoriais: dar-se à boa-vida. É importante que saiba rodear-se de pessoas alegres, de menus saborosos, de roupas alegres; que vá às festas e se mantenha longe da TV, especialmente na hora do Jornal Nacional.

Relacionamentos: a) Este é um momento feliz, as emoções mais positivas estão florescendo em uma profundidade maior e o casal está cada dia mais cúmplice e amoroso. Pode ser uma segunda lua-de-mel. b) Esta pessoa procura só gratificações físico-emocionais. Talvez tenha tido uma primeira infância amorosa, que perdeu abruptamente e hoje quer recuperar. Sugeriremos a ela Fairy Lantern**, especialmente se tem o Louco na Âncora. Na hora das vacas magras, quando teria de assumir responsabilidades, resolver problemas e/ou responder a certas questões, faz uma cena, sai para comprar cigarros, mas na volta já é capaz de uma certa objetividade.

Envolve-se emocionalmente e, quando começa a perder a atração sexual por seu(sua) parceiro(a), compra uma garrafa de bom vinho para estimular-se.

Infância: A criança se criou num ambiente em que todos fingiam que estavam ótimos, muito satisfeitos com a vida: "Nós que aceitamos Jesus somos tão felizes".

De maneira que qualquer questionamento ou queixa era considerado subversivo: "Você não tem direito a reclamar! Se não pode dizer nada agradável, é melhor que cale-se! Seja feliz, sorria!"

Provavelmente, o consumo de doces, TV e presentes foi uma maneira de tentar compensar a falta de amor e de manipular as crianças.

Método: A satisfação e gratificação pessoal no mundo dos relacionamentos e do trabalho devem ser hoje a prioridade desta pessoa. Sugerimos que cultue amizades de pessoas alegres e satisfeitas com a vida e procure atividades recreativas, onde possa desenvolver sua imaginação, criatividade e intuição. Não é momento de sérios e importantes objetivos a serem levados arduamente à prática. Umas férias podem ser ótimas.

A essência de Horbeam pode ajudá-la a viver suas tarefas cotidianas com mais alegria, e a de Impatiens irá direcioná-la para um ritmo mais agradável, com tempo livre para aproveitar as alegrias da vida.

Caminho de crescimento: Pode indicar que se aproxima uma fase de resgate da energia vital, com grandes satisfações, tanto no mundo dos relacionamentos afetivos quanto das atividades em geral.

Resultado interno: Sem medo de ser feliz, esta pessoa expressa suas emoções com profundidade e honestidade, investe em seus potenciais artísticos e se sente satisfeito e no caminho de sua realização.

Resultado externo: Tudo caminha satisfatoriamente: excelente saúde, os assuntos profissionais e afetivos estão trazendo grandes alegrias e intenso sentimento de realização pessoal. O consulente irradia felicidade contagiosa por todos os poros.

Dez de Copas — A Saciedade — Marte em Peixes

Representa o aspecto aquoso de Malkuth, o nadir da evolução, a esfera da Terra e de tudo o que é visível. Os quatro elementos constituem o Ser Planetário, o *chakra* mundano de Malkuth.

É nesta *sephirah*, no plano físico, onde se faz possível a discriminação, a separação do real e do irreal. Quem tenta escapar da disciplina da matéria e, portanto, das leis da vida, terá enormes dificuldades para avançar um milímetro no caminho espiritual, tornando, uma e outra vez (nesta e nas próximas encarnações), a enfrentar as dificuldades das quais está pretendendo escapar.

Em Malkuth se dá a estruturação final onde tudo está determinado, cristalizado, rígido e estático. Esse estado não é compatível com a fluidez da Água. Claro está que a adaptabilidade deste elemento é tão grande que pode cristalizar-se e congelar-se, mas estará pagando o preço de suportar uma tensão interna muito maior. Também sabemos que nas águas mais densas, quase saturadas de moléculas, deram-se as reações químicas básicas para a aparição da vida.

Sempre é no ponto-limite ou de maior tensão que se desengatilha a transformação libertadora. Manter qualquer estrutura como algo definitivo e estagnado gera os fatores de sua própria destruição.

Assim, quando nosso universo emocional está completamente ordenado, disciplinado, estabilizado e, portanto, limitado até tal ponto que não é permitida nenhuma mudança, então a sensação de sufoco começa a exigir novas situações, que naturalmente levam à destruição da ordem anterior.

O título da carta é "A Saciedade", mais no sentido de "não agüento mais" do que de "estou absolutamente satisfeito", tal como Waite e outros autores a interpretam, chamando-a "O Êxito completo".

A imagem nos mostra as copas dispostas nas posições das dez esferas da Árvore, indicando que a ordem alcançou sua estruturação final. A copa superior vai enchendo as outras, com exceção da que ocupa a posição de *Yesod*, que recebe água de *Tipharet* e a de Malkuth, preenchida desde *Yesod*.

A grande flor de lótus que derrama sua água em Kether se tornou vermelha e seus talos formam os 22 caminhos. O mar desapareceu. Em seu lugar, vemos o fundo onde se refletem os raios de Marte, regente do último decanato de Peixes. A energia de Marte não é muito compatível com o pacífico e sensitivo Peixes, que tem sérias dificuldades para facilitar um canal para a integração e a expressão da energia marciana. Toda a estrutura vai carregando-se de tensão, acabando com o prazer e a vitalidade. Sua única saída, como no Dez de Paus (a Opressão) e de Espadas (a Ruína), é a destruição da forma para voltar ao Ás. A expressão emocional ficou tão ordenada e dirigida que acabou com a espontaneidade e a verdade. O amor não pode viver sob essas condições.

Na Leitura Terapêutica

Momento atual: Esta é uma hora em que os compromissos e as obrigações saturam a vida do consulente. De tanto tentar satisfazer as expectativas dos outros (família, chefe, companheiros de trabalho, etc.), mais por necessidade de aprovação e reconhecimento que por interesse material, este não agüenta mais. Aparentemente tudo pode estar perfeito, tranqüilo, ordenado e estável, mas a guerra vai por dentro.

Âncora: Vemos aqui um ego acostumado, que passou sua vida cumprindo deveres, realizando tarefas autoimpostas e suportando vínculos e compromissos afetivos e laborais que não deixaram espaço nem tempo para nada espontâneo e verdadeiro.

Vive preso numa rede (geralmente familiar) de compromissos, vínculos, obrigações e necessidade compulsiva de satisfazer as expectativas dos outros. O consulente acredita que só será aceito caso se submeta a fazer suas as normas e padrões de comportamento da sociedade, especialmente quanto ao que se refere aos relacionamentos e à expressão emocional. "Eu faria tantas coisas", diz. E é verdade, já que sensibilidade não lhe falta. Mas dá prioridade a outras coisas e acaba com seu tempo. Sempre está ocupado visitando um familiar no hospital, comprando material escolar para as crianças, velando um defunto, fazendo um favor a fulano, etc.

Procura segurança por meio de sentir-se aprovado e aceito, de maneira que não toma uma decisão sem consultar a família.

Sua desconexão interna não é tão grande que não perceba suas tensões, e é consciente de que precisa fazer algo, pois, em verdade, não agüenta mais. No entanto, não expressa isso abertamente e continua a farsa, sem questionar nada, sem modificar suas atitudes e atividades e, por medo de agir diretamente, o faz de modo dissimulado. Assim, prefere não

Dez de Copas (Crowley, Cosmic e Rider)

atender ao telefone, do que responder à chamada e dizer "não" à solicitação de plantão no serviço.

Aparenta segurança e calma, mas está terrivelmente inquieto e frustrado por dentro. É um(a) santo(a) que, se explodisse, levaria com ele(a) todo o edifício.

Para ajudá-lo a livrar-se do sistema familiar e dos padrões sociais, traçando seu próprio caminho na vida, sugeriremos o uso do floral de Walnut. Se existem tendências a viver em função dos outros, manipulando-os possessivamente, o floral de Chicory pode ser usado, e se a pessoa é uma esponja das energias e pensamentos alheios, recomendaremos a ela o floral de Yarrow*.

Necessidade interna: Se aparece a Torre ou o Sete de Espadas (a Futilidade- na Âncora), ou o Sete de Copas (a Corrupção) ou o Oito de Paus (a Rapidez) no Momento atual ou nos Relacionamentos, poderíamos ver uma necessidade de criar e fortalecer vínculos, de disciplinar-se emocionalmente ou de se impor certas rotinas e estruturar a vida no aspecto emocional.

Se, pelo contrário, o Imperador, o Quatro de Copas ou de Espadas (o Luxo ou a Trégua) ou o Dez de Paus (a Opressão) aparecem nestas posições, poderíamos pensar na necessidade de parar de se impor atitudes pré-fabricadas que acabam com a autenticidade e o prazer de viver e deixar-se levar pelos impulsos, permitindo a chegada do novo.

Relacionamentos: a) Aparentemente, o vínculo se consolidou e o relacionamento é um exemplo para o bairro, comentado pelo vigário quando fala da família. A verdade é que o amor e o desejo sexual há tempos que desapareceram e só sobrou um conjunto de pesados compromissos, obrigações, fingimentos e disfarces que sufocam e frustram a ambos. No entanto, estão apegados demais à estrutura material e especialmente ao sentimento de segurança dado por saber que nada novo pode chegar e que tudo está sob controle. b) Esta pessoa imagina que cuidar, preocupar-se e dar satisfações a seu(sua) parceiro(a) é a melhor maneira de manter vivo seu amor e assim poder sentir-se segura e tranqüila de que não vai ser rejeitada ou abandonada. Vive se impondo compromissos e rotinas escravizantes, transformando-se no pólo submisso do relacionamento, fomentando, sem querer querendo, que seu parceiro se torne um tirano. Preocupa-se tanto que pode chegar até a inventar perigos para imediatamente correr para protegê-lo. Está claro que esta atitude vela uma tremenda invalidação. É óbvio que com o tempo não agüentará mais, seu relacionamento virará uma tortura e alguma coisa deverá ser mudada. Pedimos que use o floral de Red Chesnut, que desenvolve confiança na vida. Também o de Chicory pode ser útil.

Infância: Era uma "família grude-grude", provavelmente grande e antiga, onde os laços eram tão fortes que não deixavam nenhum espaço para a espontaneidade, criando uma complexa rede de vínculos dos quais a criança ficou dependente. Seus pais se preocuparam muito com que a criança se comportasse e expressasse seus sentimentos como Deus manda. Ficaram dandolhe as ordens oportunas: "Não ande encolhido(a), fique direito", "Não mostre seu corpo", "Não faça nada sem pedir permissão", "Cuidado para que não vejam que..."

Tudo estava regulamentado, padronizado; a criança se transformou num monstro carregado de raiva e dor inexprimíveis, por não poder ser ela mesma.

Método: Sugeriremos um estudo profundo e honesto de cada um dos envolvimentos emocionais que o consulente tem, assim como do uso do tempo em seus relacionamentos familiares, amistosos e afetivo-sexuais, para que tudo aquilo que deixou de ser nutritivo, agradável e estimulante seja largado. É fundamental deixar uma montanha de apegos e entrar numa nova fase. Recomendamos os florais de Bleeding Heart para lidar com a dor da separação, e o de Walnut o ajudará tanto a liberar-se das influências limitadoras e hábitos do passado quanto a firmar-se em seu próprio caminho, e fazer assim esta necessária transição com mais facilidade.

Caminho de crescimento: O consulente vai tomar consciência, talvez por meio de uma determinada situação-limite, de que sua vida emocional está tão organizada que se sente num labirinto sem saída.

Vai tocar-se de que se não acabar com esse mundo de compromissos, vínculos familiares e auto-restrições e resgatar a emoção espontânea, tudo isso vai acabar com ele, deixando-o cada vez mais seco, frustrado e desligado de si mesmo.

Resultado interno: O consulente conseguiu sair do labirinto, sabendo rodear-se de pessoas com as quais pode ter uma relação de crescimento.

Resultado externo: Vemos o consulente estruturando sua vida afetiva, consolidando seus vínculos familiares, criando seus filhos... Outra carta indicará se isso sucede naturalmente ou é algo forçado, em cujo caso a leitura do caminho de crescimento pode ser válida também nesta posição.

CAPÍTULO 15

A Série de Espadas

As dez cartas desta série mostram dez estados diferentes da mente.

Antes de estudá-las, algumas coisas devem estar claras:

"A mente é simplesmente uma coleção de memórias do passado e, a partir dessas memórias, imaginações sobre o futuro. A mente não pode ver a realidade; apenas pode ver suas próprias projeções exibidas na tela do mundo. A mente nada mais é do que condicionamento.

As pessoas vêem as coisas de acordo com seu condicionamento.

A mente pode apenas funcionar com o esperado, com o conhecido. Quando existe algo inesperado, desconhecido, então ela tem de parar.

A mente não pode ficar quieta. Precisa estar continuamente pensando, preocupando-se.

A mente funciona como uma bicicleta: se você segue pedalando, ela continua. Mas, no momento em que você deixa de pedalar, você vai cair.

A mente não existe como uma entidade separada, somente existem pensamentos e eles são alheios, são convidados. Nenhum pensamento é seu, todos são emprestados.

Os pensamentos são como a escuridão, eles só podem entrar se não tem nenhuma luz dentro.

A consciência é como o fogo, quanto mais consciente você se torna, menos pensamentos entram". (Osho Rajneesh)

Ás de Espadas — A Raiz dos Poderes do Ar

Encarna o aspecto aéreo de Kether, é sua expressão no mundo mental. O ente planetário da primeira esfera é Rahasti-Ha-Gilgalim, ou "os Primeiros Redemoinhos", que lembram o que os astrônomos conhecem como "nebulosas".

A experiência espiritual de Kether é a Fusão com o Cosmo, o que no Oriente se conhece como "Nirvana" ou "Iluminação". Esta suprema experiência só pode suceder quando a mente está completamente calma ou receptiva, quando já transcendeu o mundo dos desejos, quando não existe mais futuro nem passado, quando a mente chegou ao estado de não-mente. O Ás de Espadas representa o estado essencial do Ar, da mente, anterior a qualquer manifestação ou pensamento.

A imagem mostra uma espada vertical flutuando sob o céu estrelado de Nuit; a ponta da espada atravessa uma coroa luminosa, que é Kether.

A coroa, símbolo de elevação, poder e iluminação representa também a luz interior, que ilumina a psique daquele que triunfa num desafio espiritual. Segundo uma das várias versões do mito do Minotauro, Teseu, depois de vencê-lo, foi guiado por uma coroa de luz para sair do labirinto.

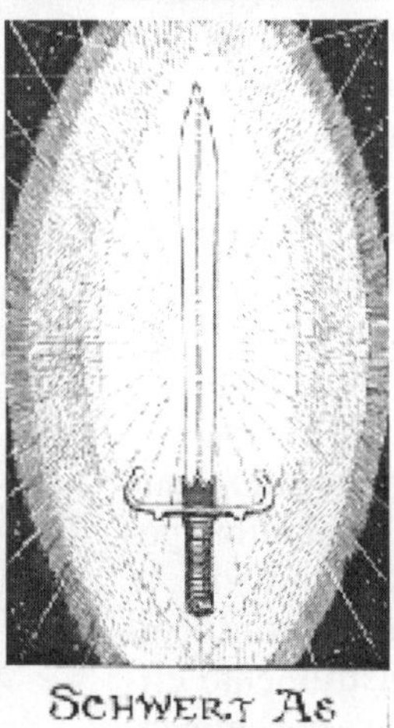

Ás de Espadas (Crowley, Cosmic e Rider)

Para Jung, a coroa radiante é símbolo do mais elevado crescimento espiritual. Na carta, as 22 pontas se referem aos Arcanos Maiores e aos Caminhos da Árvore.

É a Espada dos Magos, com três sóis e duas luas na empunhadura. Nela está escrito, em caracteres gregos, *Telema*, que podemos traduzir como "Vontade": a palavra da Lei recebida por Crowley.

"Tu não tens outro direito se não fazer tua vontade."

"A palavra *Telema* dispersa as nuvens da mente", diz Crowley.

A Espada dos Magos une a Terra e o Céu, o visível e o invisível. Em seu punho se enrosca uma serpente, mostrando que, quando os pensamentos não interferem, os conteúdos inconscientes são acessíveis à consciência.

O fundo da carta mostra o mar de Binah, em seu melhor aspecto, calmo e luminoso.

Assim, pois, o Ás de Espadas mostra a mente em seu melhor e mais essencial aspecto: calma, lúcida e receptiva. Aqui não existe nenhuma idéia formulada, mas todas as possibilidades da mente estão contidas.

> *É a força masculina que em todos os planos deposita a faísca fecundante no óvulo passivo e transforma a latência inerte deste no desenvolvimento ativo do crescimento e da evolução. É a força dinâmica da vida, que é espírito, que anima a argila da forma física... e, dando impulso à manifestação, é anterior à própria manifestação.*
>
> *A Cabala Mística – Dion Fortune*

É a não-mente, aquela que no seu silêncio pode ser um perfeito instrumento ou canal da Livre Vontade.

Sendo esta a espada da magia, a carta mostra o poder da força invocada, enquanto o Ás de Paus representa o poder das forças naturais. Também poderia mostrar a mente perfeitamente focalizada num assunto onde o ser está totalmente presente.

Na Leitura Terapêutica

Momento atual: É um momento de especial claridade mental. O intelecto sereno e receptivo está percebendo muitas coisas que podem dar lugar a transformações e novos inícios na vida do consulente.

Âncora: Este é o ego "supercrânio", a "supermente". É o intelectual por excelência, que se governa exclusivamente pela razão. Não sabe, mas, na verdade, é a programação que o manipula na escuridão do inconsciente. Assim, sempre precisa ou inventa "uma boa razão" para fazer ou dizer alguma coisa. Suas opiniões são geralmente impessoais, como um professor que nunca diz "eu", mas "nós".

Relaciona-se, argumentando, tentando convencer. Vive em função de seus projetos, fora dos quais nada existe.

A carta da infância e/ou uma segunda carta na Âncora nos mostrará o que se oculta por trás dessa máscara de superintelectual, que lembra a do Príncipe de Espadas. Pouco conectado às forças da vida, esta pessoa vive doente, corporalmente rígida, e tem pouca capacidade de realização.

Recomendar-lhe-emos a essência de Nasturtium, que traz calor e vitalidade ao processo mental, e a de Blackberry, que a ajudará a levar à prática suas idéias.

Necessidade interna: Um momento de calma mental se impõe. Talvez assim as verdadeiras emoções possam emergir e tudo fique mais claro.

Relacionamentos: a) A situação atual está levando o consulente a momentos de especial lucidez a respeito de si mesmo, de seu relacionamento e do mundo que o rodeia, de maneira que, à luz dessas compreensões, podem aparecer naturalmente projetos comuns. b) É alguém supercerebral na hora de relacionar-se. É frio, distante e tende a desvalorizar o outro. Projeta acima dele sua imagem mental de homem ou mulher ideal e, claro, acaba decepcionando-se sem muita demora.

O floral de Water Violet pode ajudá-lo a aproximar-se dos outros e o de Pink Monkeyflower** facilitará sua abertura emocional.

Infância: A criança foi tratada de uma maneira fria e impessoal. Não recebeu carinho, cuidados nem estímulo às suas iniciativas e impulsos, se estas não correspondiam às expectativas de seus pais, que, por outro lado, incentivaram suas qualidades intelectuais, tais como a memória, a rapidez de raciocínio e de assimilação de dados e ordens. Condicionaram a aprovação à capacidade de controlar suas emoções e instintos. Sua casa parecia mais um internato vitoriano que um lar verdadeiro.

Método: Propõe acalmar a mente, tentando deixá-la mais contemplativa, receptiva, sem devaneios nem alucinações no passado ou no futuro e, portanto, mais disponível para a Livre Vontade. A meditação Vipasana seria muito recomendável. O floral de White Chesnut a ajudará a descongestionar a mente e torná-la clara e calma. Sugerimos também a essência de Hound´s Tongue, que eleva o pensamento para a espiritualidade.

Caminho de crescimento: Prevê, na medida que o consulente ajude, uma fase de paz e claras percepções que podem mudar suas crenças, desenvolvendo novas idéias e projetos.

Resultado interno: Esta pessoa resgatou um estado mental de maior claridade, lucidez, serenidade e desapego, livre de âncoras no passado e de projeções no futuro. É uma mente silenciosa e alerta que se eleva e aprofunda, que se expande como a brisa matutina, podendo atingir regiões de não-mente.

Resultado externo: O consulente usa a cabeça como instrumento eficaz de sua vontade. Pode estar iniciando novas atividades e projetos, geralmente no mundo intelectual.

Dois de Espadas — A Paz — A Lua em Libra

Temos aqui o aspecto aéreo de Chokmah, o Pai de Tudo, a forma mais abstrata da força.

Para alguns, o *chakra* mundano de Chokmah é Urano e, para outros, Mazloth, o Zodíaco, sendo sua experiência espiritual a Visão da Totalidade. A ação de Chokmah no mundo do

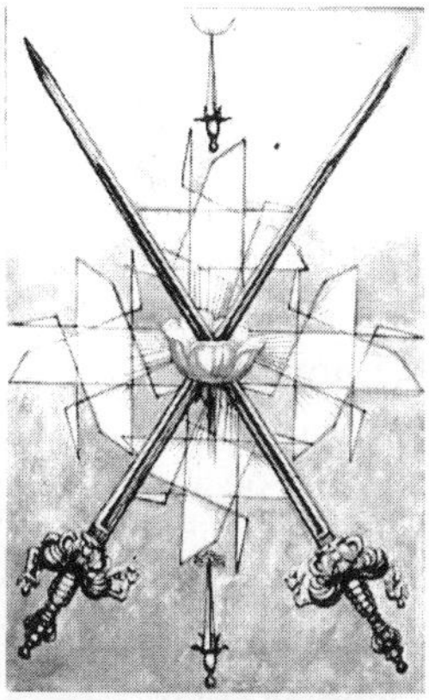

Dois de Espadas (Crowley, Cosmic e Rider)

intelecto faz com que a mente deixe a calma do Ás e entre em movimento. A vibração do Dois polariza a mente, introduz o ritmo, as idéias opostas, o positivo e o negativo, o correto e o errado. Aqui aparecem a ambivalência, a dúvida e a confusão.

A imagem mostra duas espadas cruzadas com suas pontas para o céu, indicando paz, ou melhor, indicando que, por enquanto, não há guerra. As espadas atravessam a lendária rosa azul, de maneira que, se estas se movimentam, a flor é imediatamente destruída. Para evitar isso, força-se um equilíbrio, que, de toda forma, é falso e que lembra os pactos de não-agressão entre as potências século.

A carta leva por título "A Paz", embora também seja conhecida como "A Paz Restaurada".

Confirmamos estas idéias com a atribuição astrológica: a Lua em Libra cria tais tendências ao refinamento, à cortesia, à conciliação e à diplomacia, que acabam dando lugar a concessões e abdicações de idéias, sentimentos e desejos originais, com o fim de manter uma hipotética harmonia ou pelo menos evitar a briga e o escândalo. Nesta posição, a Lua cria uma grande dificuldade para questionar qualquer coisa, para enfrentar o lado feio, grosseiro ou conflitivo das coisas e, especialmente, dos relacionamentos. Inclusive quando as coisas se vêem claras, as decisões estão bloqueadas. A indecisão, a dúvida e a dispersão são habituais neste estado mental, assim como o medo da solidão.

Esta é a carta da mente conciliadora, dos compromissos, da indecisão, embora autores mais tradicionais a interpretem como harmonia, paz interior, resolução de conflitos...

Na Leitura Terapêutica

Momento atual: Este é um momento de conciliações e compromissos que podem estar podando as expressões mais autênticas do consulente e que lhe dificultam atingir as verdadeiras soluções.

Com essa atitude auto-imposta, esta pessoa pretende evitar conflitos (ou pelo menos que o sangue chegue ao rio), porém só os está escondendo e postergando sua resolução.

Âncora: Temos aqui um "ego conciliador", que tenta se dar bem com todo o mundo. Sua segurança interna é tão minúscula que evita qualquer conflito, discussão pessoal ou questionamento.

Vive colocando panos quentes em sua vida e deixando de lado suas opiniões e projetos, para não contrariar nem criar polêmica. Sua vontade é muito fraca e se deixa dominar pelos outros.

A essência de Centaury a ajudará a dizer não e a atuar a partir de seus propósitos particulares.

Não se permite expressar emoções e suas opiniões são pouco definidas, para poder concordar com gregos e troianos. Se é preciso, muda de idéia como de camisa.

Acaba sentindo-se vazio, perdido, um perfeito desconhecido de si mesmo, querendo agradar a todo o mundo. Por fora, parece gente boa, embora meio escorregadio, mas, por baixo dessa máscara, é um manipulador covarde, raivoso e frustrado.

O floral de Larch ajuda a expressar as verdadeiras opiniões e a manifestar as iniciativas sem duvidar da própria capacidade.

Necessidade interna: Parar de conciliar, encarar os desafios e confrontar a vida. É importante parar de destruir-se, de brigar, tanto interna quanto externamente, para aceitar as vontades e opiniões dos outros. Chegar a verdadeiros acordos.

Relacionamentos: a) Pode estar indicando uma reconciliação. O casal chegou a certos acordos no papel e o relacionamento continua, embora já não exista amor nem entusiasmo. Mútuas adaptações ao outro: "Eu cedo aqui, você cede acolá". b) Esta pessoa imagina que só será aceita e talvez amada se disser sempre que sim, reprimindo suas verdadeiras opiniões e vontades. Sua frase mais comum é: "Decida você, querida(o)", enquanto morre de medo de criar algum problema. Se é mulher, provavelmente finge na cama. Desvaloriza-se tanto que perde o sentido de sua individualidade e pode chegar a identificar-se com o outro. Sugerimos a ela o uso do floral de Pink Yarrow, que ajuda a determinar fronteiras saudáveis ao Eu, permitindo-o entregar-se ao outro sem negar a si mesmo.

Infância: Esta criança foi programada para aceitar sem queixas tudo o que chegar. Uma criança modelo, obediente, que sempre se adapta e vive em função dos desejos e expectativas dos pais e professores. Não pode nem deve, chamar a atenção, dar trabalho, nem criar conflitos. Sempre está disposta a compactuar com seus pais para ser aceita.

Método: Deixar de conciliar e de submeter-se aos desejos e opiniões dos outros, sendo mais firme em suas decisões e decidido na expressão de sua vontade, será a sugestão que daremos.

O floral de Cerato ajuda a vencer a indecisão para acreditar mais na voz interior, livrar-se das influências externas e da mania de pedir conselhos.

Agora, se no Momento atual e na Âncora aparecem cartas que indicam muita tensão [como o Sete ou o Cinco de Paus (a Coragem e a Luta) ou o Imperador], interpretaremos esta carta na linha da Necessidade interna.

Caminho de crescimento: A pessoa se afirmou em suas verdades, está mais satisfeita consigo mesma, recuperou seus amigos e está conseguindo o que quer. A partir da sua firmeza no fundamental, pode ser mais flexível com o periférico.

Resultado interno: O consulente assinou a paz consigo mesmo. Dei-

Lembre-se de nunca fazer concessões. Veja as pessoas: elas são infelizes porque fizeram concessões em todos os pontos e não podem se perdoar por tê-las feito. Elas sabem que poderiam ter arriscado, mas se mostraram covardes, aos seus próprios olhos caíram, perderam o auto-respeito. É isso o que causa fazer concessões. Uma vez que você tenha experienciado a beleza de não fazer concessões e a dignidade, a integridade e a individualidade que isso traz, pela primeira vez você sentirá que tem raízes, que vive a partir de um centro que é o seu próprio.

Osho Rajneesh

xou de enganar-se, de destruir-se e sua mente, mais acordada, lhe permite ser mais adaptável às situações.

Resultado externo: Acabaram os esforços e compensações destrutivos, embora com cartas como o Sete de Discos (o Fracasso) ou o Oito de Espadas (a Interferência) possa indicar que tudo segue igual. Com o Oito de Copas (a Indolência) ou a Sacerdotisa, só mudaram as aparências. Em geral, veríamos o consulente trabalhando em atividades relacionadas com a jurisprudência, intermediação, diplomacia ou na discussão de acordos financeiros e/ou políticos.

Três de Espadas — A Dor — Saturno em Libra

Este é o aspecto aéreo de Binah. Para melhor compreender esta esfera, leiamos com atenção este trecho de Dion Fortune:

"Reza uma máxima hermética que a força jamais se movimenta em linha reta, mas sempre numa curva tão vasta quanto o Universo, retornando eventualmente, por conseguinte, ao ponto de onde partiu, só que num arco superior, já que o Universo se expande continuamente.

Portanto, a força que assim procede, dividindo-se e redividindo-se continuamente, e movendo-se em ângulos tangenciais, chegará, eventualmente, a um estado de tensões equilibradas e a alguma forma de estabilidade que será perturbada de novo no curso do tempo, quando novas forças frescas emanem na manifestação e introduzam novos fatores para propiciar o ajustamento necessário.

É este estado de estabilidade, produzido pelas forças interatuantes, quando, em sua ação e reação, chegam a um equilíbrio, a base da forma... É a estabilidade assim conseguida (a qual, observe-se, é uma condição e não uma coisa em si) que os cabalistas chamam "Binah", a terceira esfera. Sempre que existe um estado de tensões interatuantes que atingem a estabilidade, os cabalistas estão referindo-se a Binah".

Agora podemos entender melhor porque os cabalistas afirmam que o Ser Planetário de Binah é Saturno e sua experiência espiritual é "A Visão da Dor".

Em seu aspecto aéreo, Binah não é mais a Grande Mãe, Parvati, mas Kali a que representa seu aspecto mais destrutivo. Estas são as trevas do Grande Mar.

Diz Crowley: "Nesta carta existe uma paixão secreta para criar, mas seus filhos são monstros".

No Três, recolhemos os frutos do que semearmos no Dois. A conciliação hipócrita, a indecisão covarde, a falsa paz

Três de Espadas (Crowley, Cosmic e Rider)

e a procura obsessiva de aceitação nos levam ao sofrimento, à desgraça, à desonra e à perda dolorosa dos amigos.

A imagem nos mostra três espadas: a dos magos ascendente incide em dois sabres iguais. As três armas destroem uma rosa, cujas pétalas caem.

Já não é possível manter as aparências sob a dupla influência do velho desvendador de mistérios, que é Saturno.

A imagem é pesada e obscura, é a tormenta durante a noite, representa a destruição da mentira, a dor por ter de aceitar a realidade tal qual é, e não como gostaríamos que fosse. Saturno não se sente à vontade em Libra, não são energias compatíveis e sua interação favorece separações, processos judiciais, depressão, solidão e falta de reciprocidade afetiva e sexual.

A mente, desconectada de seus apoios, pode caotizar-se e ficar arrasada pela dor, produto de fortes rejeições, abandonos e culpabilizações.

Seu título é: "A Dor".

Na Leitura Terapêutica

Momento atual: Esta pessoa está atravessando um momento de forte dor psíquica, provavelmente por sentir-se rejeitada por alguém que ama muito e ao qual está muito apegada.

Sente-se como se não tivesse onde agarrar-se e sentir-se protegida. Sua auto-estima e independência, que normalmente são poucas, caem no fundo do poço.

Esta situação a faz reviver, inconscientemente, os piores e mais dolorosos momentos de sua infância, de maneira que o sofrimento é o produto de um golpe numa ferida ainda não cicatrizada.

Âncora: O medo de sofrer, de ser golpeada emocionalmente com rejeições, castigos, abandonos, culpabilizações e todo tipo de invalidações foi a gaiola que sempre aprisionou esta pessoa, que vive uma contínua tortura, amarrada precisamente a tudo aquilo de que tenta fugir.

É um "ego aflito" que, quando se abre, é para procurar a piedade do próximo: "Coitado de mim! Como me arrependo!" Podem aparecer problemas renais, frutos de má circulação sanguínea.

Na verdade, é um covarde, que não quer aceitar os desafios que a vida lhe coloca e que prefere contar com a pena dos outros a fazer o mínimo esforço para mudar.

Este medo profundo de ser rejeitado, que geralmente procede de experiências de rejeição ou abandono no útero ou na primeira infância, costuma ser tratado com o auxílio do floral de Evening Primrose**. Se essas experiências dolorosas chegam a apresentar temas de violência, crueldade, abuso sexual, denunciados por cartas como o Dois de Paus (o Domínio), o Cinco de Discos (o Sofrimento), o Nove de Espadas (a Crueldade) ou este último junto com o Sete de Copas (a Corrupção) na posição da Infância, até o ponto de desgarrar a dignidade essencial da criança, sugeriremos o uso do floral de Echinacea*.

Necessidade interna: É preciso sair do sofrimento, não escondê-lo nem publicá-lo, mas atravessá-lo com consciência, reconhecendo suas causas e a parte de responsabilidade que temos nele.

Às vezes, a dor é o sinal de alarme que nos obriga a sair do chiqueiro em que nos enfiaram e onde, acostumados, cegamente repetíamos: "oink! oink!."

Se encaramos a dor e começamos a tomar atitudes construtivas, poderemos atravessá-lo e, mais maduros, resgataremos nossa alegria. A desidentificação com a dor e a afirmação prática de nosso direito a nos sentirmos bem pode ser outra chave do assunto. A volta para si mesmo, os cuidados com o corpo, a expressão da criatividade, qualquer técnica para aliviar as tensões e o apoio nutritivo dos amigos são indispensáveis. Em geral, é contraproducente procurar um novo relacionamento afetivo. A Rosa Mística[81], meditação do Osho, pode dar excelentes resultados.

Relacionamentos: a) A dor se faz insuportável, provavelmente o vínculo vai estourar. b) Para esta pessoa, relacionar-se é sofrer, assim, é melhor não se relacionar. Esconde seus sentimentos e tem medo de se expor. Em algum caso, pode procurar a rejeição de algumas pessoas para consolar-se com outras. Sugeriremos a ela o uso do floral de Pink Monkeyflower. Pode também dar uma de coitadinha.

Infância: Caraterizou-se pelo sofrimento mais psíquico que físico. Escutou vezes demais e num tom raivoso: "Sai de cima! Não perturbe, sai! Deixe-me em paz! Não serve para nada! Sinto nojo de você! Odeio você!", etc.

O ambiente do lar familiar era pesado, carregado de tristeza, raiva e frustração.

A rejeição, a invalidação, o abandono, a perda e a culpa foram o pão nosso de cada dia. O(a) pequeno(a) se tornou totalmente inseguro, indefenso, suscetível e perigosamente carente.

Método: Sugere enfrentar o medo de sofrer tomando atitudes que mexam com sua falta de segurança e de autoestima. Talvez tenha de mudar de emprego, divorciar-se ou questionar explicitamente assuntos escabrosos de seu relacionamento, acabar com amizades e/ou envolvimentos com seitas religiosas. Seus medos e compulsões foram inoculados e alimentados na infância e, embora naquele tempo tenha tido de submeter-se a eles, hoje podem e devem ser encarados e desativados. Sugerimos o uso dos florais de Evening Primrose, que tendem a quebrar o medo à rejeição, o de Pink Monkeyflower, que estimula a coragem para abrir os sentimentos, o de Mimulus, para enfrentar os desafios do cotidiano, e o de Scarlet Monkeyflower, para reconhecer, expressar e transformar as emoções do lado sombrio.

Caminho de crescimento: Prevê separações, perdas de pessoas queridas — e odiadas, em muitos casos —, que trarão consigo importantes lições e desafios que elucidaremos nas cartas desta coluna.

Estas perdas e rejeições são possivelmente conseqüência de atitudes decididas do consulente para melhorar sua vida.

Resultado interno: O medo de sofrer foi superado, o consulente rompeu a corrente de dor, deixando para trás o *karma* do sofrimento, e descobriu e desativou os mecanismos que o levavam a escolher a dor, em vez do prazer e da alegria.

Resultado externo: Vemos o consulente quebrando vínculos, distanciando-se de pessoas e atividades que suportava por medo de criar um drama e que eram um forte obstáculo para sua evolução.

Essa ruptura pode ser dolorosa, mas este saberá superá-la, pois sua vida melhorará em múltiplos aspectos.

81 - A Rosa Mística consiste em três etapas de uma semana cada uma. Durante a primeira, passamos três horas por dia chorando. Na segunda, três horas por dia rindo e, finalmente, na terceira, o mesmo tempo em silêncio.

> *Quando o princípio abstrato que forma a raiz de uma nova atividade é formulada em nossas mentes, estamos operando na esfera de Chesed.*
>
> *A Cabala Mística – Dion Fortune*

Quatro de Espadas — A Trégua — Júpiter em Libra

Este é o aspecto aéreo de *Chesed*, sua expressão no mundo mental. Esta esfera é organizadora, construtiva e edificante. Seu Ser Planetário é Júpiter e sua experiência espiritual é "A Visão do Amor".

No Tarô de Crowley, esta carta é intitulada "A Trégua", embora tradicionalmente seja conhecida como "O Descanso depois da luta".

Temos aqui a influência do número Quatro: a solidificação, a ordem, a lei e as limitações no mundo das idéias. Depois do colapso, do caos e da dor de Kali, procuramos refúgio numa nova estrutura mental, que por sua vez nos serve de base para a aventura que nos pisca um olho.

Quatro espadas, formando uma cruz de braços iguais, atravessam uma flor de lótus de 49 pétalas que, segundo Crowley, representa a harmonia social. Quarenta e nove (7 x 7) indica a culminação de um ciclo, um tempo de transição ou inclusive de espera. No budismo tibetano é o número do Bardo: são 49 dias o prazo necessário para que a alma abandone totalmente o corpo e atinja sua nova morada.

No entanto, a imagem passa uma idéia de fixação e rigidez. Um astrólogo veria aqui quatro corpos celestes (os punhos), formando quatro quadraturas (ângulos de 90°) e duas oposições (180°). Num mapa natal, estes aspectos indicariam muita tensão e sérios bloqueios e conflitos para serem resolvidos.

Por outro lado, temos aqui a dupla influência de Júpiter. Júpiter em Libra predispõe o nativo a preocupar-se com os compromissos sociais, o julgamento imparcial e a elaboração das leis que favorecem harmonia na sociedade. Esta é a carta da mente ordenada. Sem embargo, não é uma ordem dinâmica e mutável [como a que veremos no Seis de Espadas (a Ciência)], mas imposta e rígida, embora às vezes possa ser necessária, como a carta de Waite mostra: um guerreiro convalescente de suas feridas depois da batalha.

Aqui, a mente está presa a normas, critérios e doutrinas. Seu método de funcionamento a impede de dar saltos intuitivos ou chegar a conclusões originais. A atitude mental deste Quatro pode ser tão artificial quanto a do Dois. No entanto, supõe maior tensão, já que neste há uma certa ma-

Quatro de Espadas (Crowley, Cosmic e Rider)

leabilidade e capacidade de adaptação que não existe no Quatro. Se o Dois mostra a mente conciliadora, no Quatro temos a mente rígida e autoritária, que mostra segurança absoluta em suas opiniões. E digo mostra porque, unicamente quando os critérios e opiniões procedem da própria experiência, é quando podemos estar seguros e não precisaremos de rigidez. Mas se nossas crenças procedem de instruções (mais ou menos explícitas) familiares, televisivas ou obtidas de livros, no fundo nos faltará segurança, que encobriremos com rigidez, manipulações e dogmatismo.

O Quatro não deixa de ser uma saída para a mente arrasada pela dor do Três; não obstante, na ausência de experiências próprias que a sustentem, é uma falsa saída. Se a pessoa, em vez de viver a dor e atravessá-la, se põe uma venda e se mete numa seita religiosa, num partido político ou numa torcida para não sentir-se só e ter coisas em comum com outras pessoas que, inclusive, lhe dão certas normas, ideologias e limites onde sentir-se amparado, estará de novo irresponsabilizando-se pela sua vida e vendendo-se.

Alguns autores interpretam esta carta como descanso, solidão, convalescência, exílio, retirada, reclusão.

Na Leitura Terapêutica

Momento atual: A mente está comandando a vida, aplicando normas e critérios que provavelmente não têm nada a ver com a natureza íntima do consulente, de maneira que o prazer, a criatividade e a originalidade possivelmente estão excluídos.

Âncora: De tanto procurar segurança, este ego se tornou uma ovelha que obedece automaticamente às normas de conduta que lhe foram impostas e com as quais se identificou. Mostra a máscara de quem não tem uma dúvida para resolver, mas na verdade sente pânico pelas inovações, jamais mostra seus sentimentos (embora carregue uma bomba de frustração nas entranhas), comporta-se impessoalmente e quando não tem ordens precisas procura o papai, o chefe, o religioso de plantão, o locutor do rádio ou a cartomante para obtê-las. Quando as tem, sempre mostrará argumentos para demonstrar que tem razão e as coisas são como ele diz.

Sugeriremos a ele o uso de Rock Water, para amolecer sua rigidez, e Poison Oak, para facilitar-lhe as aproximações emocionais, mostrando-se mais aberto e vulnerável.

Necessidade interna: É necessário disciplinar a mente, não deixá-la divagar tanto, objetivar as idéias e os projetos, para que a mente possa ser operacional e construtiva.

Relacionamentos: a) Só sobrou a lei, as normas de conduta padronizadas para manter o vínculo e as aparências. b) A pessoa é tão cerebral e organizada que vive seu relacionamento segundo as mais convencionais normas de conduta. Embora possa envolver-se e atar-se duradouramente, jamais vai entregar-se nem apaixonar-se. Para ele, viver a dois é como jogar xadrez.

Sendo mulher, vai conservar a virgindade até a noite de núpcias, e se é um varão não deflorará a sua noiva — com as outras pode ser que não exista este impedimento — até depois da cerimônia. No melhor dos casos, por baixo dessa atitude se esconde um medo muito forte da intimidade e, no pior, uma tremenda vergonha ou até nojo pelo corpo e suas funções, como poderia indicar o Demônio na Âncora. No primeiro caso podemos recomendar o floral de Sticky Monkeyflower* e no segundo, o de Crab Apple, que ajuda a aceitar o corpo.

Infância: Se Moisés recebeu o decálogo de Jeová (nome divino de Chokmah), esta criança recebeu o "milecálogo" de seus pais. Toda expressão e comportamento foram normatizados, tudo passa pela peneira do que é correto e o que não é. Seu referencial interno foi completamente emparedado com toneladas de lixo, e por isso sua espontaneidade e autenticidade desapareceram.

Método: Com outros Quatros — especialmente o Imperador — na Âncora, na Infância ou no Momento atual, podemos sugerir que o consulente faça uma fogueira com o "milecálogo". Que se pergunte honestamente o que sente e o que quer, procurando atentamente agir a partir de sua verdade interna. A essência de Sagebrush* será muito útil para desapegar-se das velhas crenças e padrões, pois propicia um contato mais íntimo com sua essência.

Se, pelo contrário, orbitam cartas que indicam: dispersão (Sete de Espadas — a Futilidade); indolência (Oito de Copas) ou falta de ação (A Sacerdotisa), usaremos as idéias que vimos na posição da Necessidade interna. Neste caso, o floral de Malia* ajuda a manter o pensamento disciplinado, preciso, concentrado e funcional.

Caminho de crescimento: Prevê uma nova ordem mental, fruto da própria experiência, que às vezes pode manifestar-se como um desafio: a desordem é tão grande que a mente precisa estabelecer prioridades, organizar-se, concretizar e nela está o aprendizado.

Resultado interno: Pode-se ver aqui que o consulente se livrou de sua programação mental, dos princípios aos quais se agarrava. São novos e internos os critérios que o ajudam a orientar-se na vida, que vive com maior firmeza, estabilidade, decisão e capacidade construtiva. Sua mente tornou a ser fiel instrumento de sua livre vontade.

Resultado externo: Temos aqui o consulente ordenando sua vida, aplicando seus próprios critérios, sabendo ser prático e concreto, sem perder seus referenciais emocionais. Em seu trabalho é um exemplo de organização e operatividade.

Cinco de Espadas — A Derrota — Vênus em Aquário

É a expressão simbólica do aspecto aéreo de Gueburah, sua manifestação no nível mental. Gueburah é conhecida também como Din (a Justiça, o Pachad, o Medo). Quando alguma coisa está dificultando a evolução do conjunto, aparece a força destruidora de Gueburah, às vezes como um chicote, de forma rápida e ativa; outras como uma corrente lenta e passiva, até que uma nova ordem seja estabelecida. A experiência espiritual desta esfera é "A Visão do Poder".

O peixe representa aqui o passado, a serpente adormecida, a falta de transformações; a coroa invertida, a falta de consciência; o corno do carneiro, a ausência de novos impulsos e que nada será colocado em movimento, e a concha expressa a necessidade de proteção.

O Tarô, o Espelho da Alma – Gerd Ziegler

De novo nos encontramos com o dinamismo do Cinco, que ativa o *status quo* do Quatro, destruindo sua suposta perfeição.

A flor foi destruída e suas pétalas formam um pentagrama invertido, símbolo de ações antinaturais e involutivas. Cada espada tem um punho diferente que mostra a desarmonia em seu próprio ângulo.

Esta carta, intitulada "A Derrota", mostra as conseqüências da rigidez e estagnação da carta anterior. A ordem intelectual se quebrou em pedaços.

O primeiro decanato de Aquário está regido por Vênus. A energia venusiana é generalizada e estereotipada pelo aéreo Aquário, de maneira que as emoções são distorcidas e falseadas.

Esta é a carta da mente destrutiva, negativa, manipuladora, competitiva e totalmente desconectada do coração.

É uma mente mentirosa, traiçoeira, invejosa, degradada e capaz de qualquer coisa para conseguir seus interesses.

Na Leitura Terapêutica

Momento atual: Trata-se de um momento difícil. O consulente pode estar metido numa confusão brava. Sente-se traído e enganado.

Está preso num jogo pesado de mentiras (das quais muitas podem ser suas) e ambições inconfessáveis. Está com tanta raiva que sua energia se direciona para a destruição, esquecendo o que quer no fundo.

O uso do floral de Penstemon ajuda a ter acesso a reservas de coragem para encarar com perseverança situações externas difíceis e dolorosas.

Chega, inclusive, a facilitar a compreensão de que somos nós mesmos que escolhemos as circunstâncias difíceis, pois são elas que nos trazem lições de vida e por meio delas que crescemos.

Âncora: Temos uma pessoa dominada por uma mente destrutiva e negativa. Não consegue ver nada belo e confiável no mundo que a rodeia; pelo contrário, só percebe inimigos que precisa aniquilar para poder sobreviver. Leva ao pé da letra o ditado "Pense mal e acertará". Embora, às vezes, tente teatralizar o papel de vítima, este psicopata afirma, sem pudor, que neste mundo onde cobra come cobra, prefere comer a ser comido, e que a sinceridade e os bons propósitos levam sempre à ruína. Como "Pedro Navaja", sai a trabalhar com dois punhais. Suas paranóias de que o mundo vai devorá-lo poderiam ser revertidas com o floral de Oregon Grape, que desenvolve a confiança e amorosa aceitação dos outros.

Dificilmente consegue o que quer e carrega a amarga frustração da derrota. Freqüentemente paga trabalhos de magia negra, mas geralmente o tiro sai pela culatra.

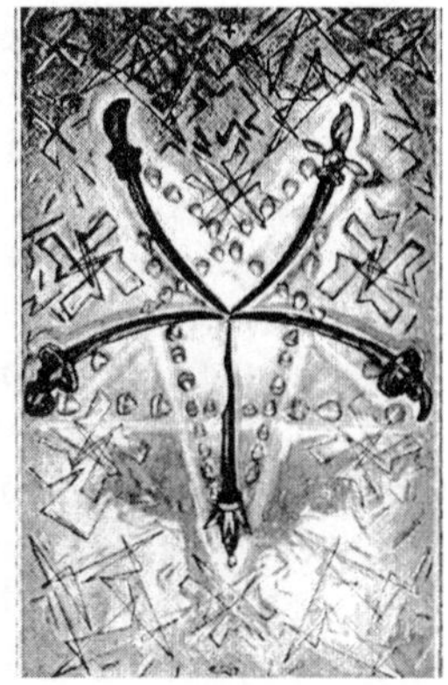

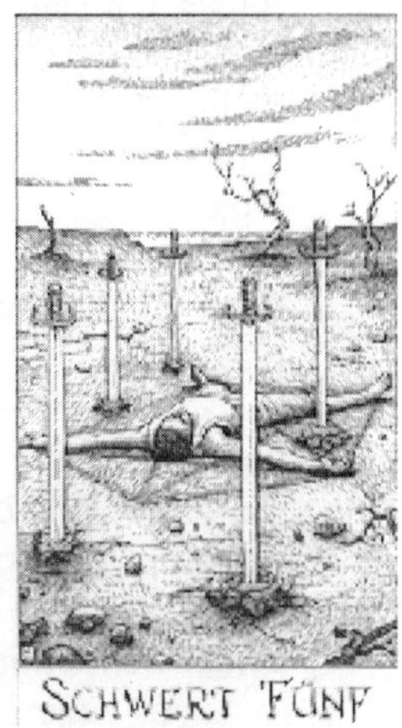

Cinco de Espadas (Crowley, Cosmic e Rider)

Leva nas costas um pesado fardo de amargura, ressentimento e inveja dos que estão numa melhor posição financeira e/ou afetiva. Esse sentimento pode ser aliviado com o floral de Willow, desenvolvendo o perdão, a responsabilidade pela própria situação e a capacidade de fluir com a vida.

Essa visão do mundo foi fomentada e consolidada no passado por traições, abusos e abandonos de seus pais e de pessoas nas quais depositou sua confiança, num ambiente carregado de ciúmes, mentiras, ódio, vinganças próprias e alheias, brigas, calúnias, difamações e todo tipo de jogos sujos. A flor de Black-Eyed Susan abre a percepção consciente para essas lembranças negativas aparentemente apagadas, e que precisam ser reconhecidas e trabalhadas.

O floral de Baby Blue Eyes o ajudará a restaurar a inocência original infantil e a de Echinacea, que trabalha despertando a dignidade essencial do ser, irá apoiá-lo no resgate de sua integridade e identidade.

Às vezes, esse comportamento destrutivo e negativo pode chegar a ser delinqüente, com uma forte rebelião contra os princípios de autoridade, colocados na infância por uma família de ditadores cruéis e culpabilizadores. É denunciada pelo Imperador junto com cartas como o Dois de Paus (o Domínio), o Oito ou o Nove de Espadas (a Interferência e a Crueldade), o Cinco de Discos (o Sofrimento) na Infância. Neste caso, também poderemos indicar o floral de Ságuaro, que ajuda a esclarecer o relacionamento com a figura paterna e a autoridade.

Necessidade interna: Esta pessoa precisa sair urgentemente do ambiente negativo onde está, que o leva à autodestruição e a amizades cada vez mais perigosas.

O Ser Interno não agüenta mais tanta luta, tanta intriga e manipulação. É preferível dar-se umas férias. Para limpá-lo dessa contaminação psíquica que pode chegar à possessão (especialmente se esta pessoa é adicta ao álcool ou às drogas, levando-a a ter sérias dificuldades para pensar claramente por si mesma), podemos indicar o floral de Mountain Pennyroyal, que, agindo como um purgante, clarifica, vitaliza e torna positiva a mente.

Relacionamentos: a) É a ruptura final, onde cada um tenta destruir o outro com as piores chantagens, sinistras manipulações, jogos de poder e mentiras. Tudo é usado contra o outro. A raiva acumulada impede qualquer objetividade e, se têm filhos, estes pagam o pato. b) Temos aqui uma pessoa que carece da mínima autenticidade para relacionar-se. Distorce suas emoções, tenta manipular seu(sua) companheiro(a) para sentir-se a salvo e tirar o maior proveito possível. Vive preso a estados negativos de raiva, suspeitas e inveja. Sente-se separado e ignorado pelo outro e para afirmar-se o desvaloriza, argumentando sem escutar e agredindo-o verbalmente.

Seus envolvimentos são passageiros e concluem sempre em brigas. Podem ser mais duradouros se encontra (para maior refinamento de seu sadismo) alguém que tenha o Dois de Espadas (a Paz) ou o Oito de Copas (a Indolência) nos Relacionamentos.

A flor de Calêndula, que estimula o carinho, pode ajudar, facilitando a receptividade e a comunicação verbal com o outro. A essência floral de Holly pode nutrir afetivamente, ajudando-o a abrir seu coração e levando-o a sentir-se unido e considerado por seu(sua) companheiro(a).

Infância: A criança viveu num ambiente onde o ódio, a falsidade, a inveja, a crítica, a vingança e todo tipo de invalidações e negatividades eram o prato do dia. Sentiu-se traída, humilhada e depreciada pela família. Aí começou a fingir e a atuar sorrateiramente.

Método: Sugerimos que o consulente descarregue lucidamente sua raiva e dor, para assim poder tomar contato com seu amor e seus sentimentos mais profundos, expressando-os sem medo de ser manipulado. A essência de Scarlet Monkeyflower* proporciona a coragem necessária para reconhecer, aceitar, expressar e integrar o lado mais sombrio da alma. Quando existe amnésia emocional ou uma forte tendência a continuar escondendo memórias traumáticas infantis, a essência de Golden Ear Drops se revelará muito útil, limpando o coração, ajudando a chorar as mágoas e a resgatar a criança interior com sua alegria, sua espontaneidade e seus potenciais.

Caminho de crescimento: Situações carregadas de negatividade, jogos sujos, invejas, mentiras e traições o rodeiam, no entanto não se deixa envolver por elas e consegue entendê-las e ver como entrava no jogo. Hoje, são um desafio que lhe oferece a grande possibilidade de resgatar sua honestidade e a confiança em si mesmo.

Resultado interno: O consulente conseguiu sair da autodestruição. Aprendeu a valorizar-se, venceu seus medos e superou os mecanismos sinistros que o amarravam à falsidade, à degradação involutiva, à derrota e à desgraça permanente.

Resultado externo: Mesmo que seja uma situação difícil, o consulente tem capacidade para não identificar-se com ela, assumindo sua própria responsabilidade e superando os problemas, acusações e perigos que o espreitam. Colocaremos mais alguma carta para ver que rumo podem tomar os acontecimentos.

Seis de Espadas — A Ciência — Mercúrio em Aquário

Temos aqui o aspecto aéreo de *Tiphareth*: a harmonia, o equilíbrio e a beleza no nível mental. É a *sephirah* do misticismo, onde a consciência humana, elevando-se pelo Caminho da Flecha, se aproxima de Kether.

Cristo, Dionísios e Osíris são atribuídos a Tiphareth, cuja experiência espiritual é "A Visão da Harmonia das Coisas."

Assim, o Seis de Espadas representa o intelecto em seu aspecto mais harmônico, centrado e equilibrado, capaz de uma visão minimamente objetiva[82], global e operacional de seu entorno.

Crowley a chamou "A Ciência", embora tradicionalmente fosse conhecida como "O Êxito Merecido".

82- Falar hoje literalmente de uma visão objetiva da realidade é algo que os próprios físicos tiveram de abandonar. A própria idéia de matéria como elemento fundamental e constitutivo do Universo pela agregação e partículas sólidas virou um absurdo. Descobriu-se que as partículas são processos energéticos, e não objetos, que debocham de todas as leis da mecânica clássica, comportando-se de um modo totalmente paradoxal, chegando ao desacato de estar e não estar ao mesmo tempo, comportando-se de maneira diferente, dependendo do observador, e aparecendo espontaneamente ou desaparecendo no vazio. A física moderna confirmou que todos os conceitos que utilizamos para descrever a natureza são subjetivos, invenções de nossas mentes presas a nossos sentidos, e que o Universo é um Ser único e indivisível, onde tudo se acha vinculado com tudo, numa rede inseparável de relacionamentos energéticos em contínua mudança.

Seis de Espadas (Crowley, Cosmic e Rider)

A imagem mostra seis espadas, cujos punhos formam um hexágono. Suas pontas se tocam no centro de uma rosa vermelha inscrita no quadrado central de uma cruz dourada, dando a entender que "a Rosa Cruz é o segredo central da verdade científica". (*O Livro de Thoth*)

A rosa, atribuída a Vênus e a Atena, é o símbolo do amor, da paixão, da vida, da perfeição e da elevação espiritual. Nasce onde os opostos (os braços horizontal e vertical da cruz) se complementam. Este símbolo lembra o Caduceu de Mercúrio, que governa também o segundo decanato de Aquário. Aqui se somam a capacidade analítica, a habilidade e a força de vontade de Mercúrio com os ideais e a originalidade de Aquário, resultando numa mente especialmente perceptiva e aguda em suas observações, analítica, especuladora e capaz de extrair conhecimentos e conclusões dedutivas da observação dos fenômenos externos e internos que vive. Não é a mente do meditador, mas a do cientista.

É uma mente inovadora e independente, embora com tendências à excentricidade, ao inconformismo exagerado e à frialdade.

Esta carta indica estudos, conhecimentos adquiridos e viagens. Quando tomamos contato com sociedades alheias à nossa cultura, não só podemos aprender alguma coisa delas, mas, impossibilitados de usar nossos padrões de comportamento social, temos de recorrer a referenciais internos mais profundos, tendo assim uma bela oportunidade de resgatá-los, ao mesmo tempo em que podemos desmascarar nossos próprios preconceitos e crenças absurdas.

Não é por acaso que Waite nos oferece em seu baralho a imagem de uma viagem.

Na Leitura Terapêutica

Momento atual: Existe um predomínio da mente nesta fase. É importante observar a segunda carta para esclarecer até que ponto o consulente está absorvido em sua atividade mental, talvez direcionada para um aprendizado intelectual ou técnico, que não lhe deixa muito tempo para outras coisas, ou um enfoque excessivamente racional, analítico e calculista da vida, que está castrando seu lado emocional e instintivo.

O Mago, o Hierofante, o Quatro ou o Cinco de Paus (a Consumação e a Luta) apontariam para a primeira possibilidade, enquanto o Oito de Copas (a Indolência), o Dois de Paus (o Domínio) ou o Imperador o fariam para a segunda.

Uma segunda carta de Espadas poderia indicar as duas possibilidades juntas.

Âncora: Este é um "ego cartesiano", científico e civilizado. Sua razão de ser é pensar. Tudo está programado pela mente, pondera e analisa suas emoções, mas quem decide é a razão. Perdeu completamente sua espontaneidade, enquanto passa uma imagem de equilibrado, analítico, conhecedor de múltiplos assuntos, cheio de dados e informações científicas.

A diferença entre o Ás e o Seis nesta posição é que o primeiro tem uma tendência maior à elaboração de projetos e fantasias e o segundo, ao questionamento e elaboração de princípios, teorias e técnicas para concretizar os projetos abstratos do primeiro. O primeiro vive num mundo mais mental, com possíveis conotações espirituais, e o segundo é mais funcional. O primeiro é mais filosófico e o segundo é mais técnico.

Participa da vida comunitária em um pedestal de "pessoa de conhecimento", que, quando consultada, dá seu parecer. Geralmente se dedica à investigação científica ou ao magistério, mas não expressa calor nem proximidade em suas atitudes e, quando a conversa toca assuntos mais pessoais, vemos como vai ficando incomodado até que se retira. Poderíamos sugerir-lhe o uso do floral de Water Violet, que ajudará a conectar-se emocionalmente com a família humana.

Essa máscara esconde também uma tremenda vulnerabilidade e insegurança, especialmente no que se refere a se expor, mostrando suas emoções ou seguindo seus impulsos.

A carta da Infância e uma segunda carta para a Âncora nos darão mais detalhes do que este ego está camuflando. Podemos indicar-lhe a essência de Agrimony, que ajudará a conectar-se melhor com seus verdadeiros sentimentos, e o de Pina Monkeyflower**, que, como já vimos, desenvolve a coragem para se expor emocionalmente.

Necessidade interna: Sair dos extremos, tentando ter uma visão mais objetiva da situação pela qual atravessa, analisando seus prós e seus contras, sem rebelar-se compulsivamente contra o que não o agrada, é vital nestes momentos.

Relacionamentos: a) O casal só tem em comum uma certa convergência ideológica e, no melhor dos casos, alguns interesses intelectuais. b) Esta pessoa racionaliza e analisa tanto suas iniciativas que seus relacionamentos não passam de uma mudança de idéias e informação, geralmente técnica. Não existem emoções à vista.

Não obstante, pode ter envolvimentos duradouros com pessoas tão intelectuais quanto ela. Na cama, lêem juntos Borges, depois algo rápido para descarregar a tensão e boa noite.

Infância: O ambiente dessa época foi frio e muito mental. Seus pais, que bem poderiam ser intelectuais, professores ou cientistas, consideravam primitivas e de mau gosto as emoções e os impulsos instintivos. Condicionaram sua aprovação ao desenvolvimento da inteligência, à aplicação escolar e a recitar de cor de uma montanha de fórmulas e datas.

Método: Sugeriremos que o consulente desenvolva seu potencial intelectual, procurando obter uma visão mais clara, profunda e ampla daqueles aspectos do conhecimento humano que lhe interessam. Cursos, viagens, seminários, leituras específicas estarão aqui indicadas. O uso da essência de Nasturtium pode trazer vitalidade e conexão com o mundo físico e prático para seu processo mental, evitando a excessiva aridez e intelectualismo desconectado que o trabalho ou o estudo eminentemente mental pode acarretar-lhe. Também podemos indicar a essência de

Shasta Daisy, que reverte a tendência a ser analítico e fragmentário demais, para desenvolver uma visão sintética e holística.

Caminho de crescimento: Vemos o consulente atingindo um estado de equilíbrio e lucidez mental, desenvolvendo uma clara percepção de seu entorno e sabendo expressar melhor suas idéias e conclusões.

Resultado interno: O consulente conseguiu livrar-se dos preconceitos, doutrinas e crenças que o idiotizavam. Hoje, sua mente trabalha integrada com suas emoções e instintos e está desenvolvendo seus melhores aspectos: originalidade, criatividade e geniosidade.

Resultado externo: O consulente está bem acordado, atento, sabe usar a cabeça com objetividade, perspicácia, habilidade e um agudo sentido prático.

Pode estar envolvido num trabalho científico, de investigação ou simplesmente dando aula.

Sete de Espadas — A Futilidade — A Lua em Aquário

Esta carta representa o aspecto aéreo de Netzach, esfera atribuída a Vênus e cuja experiência espiritual é "A Visão da Beleza Triunfante". Netzach trata da função da polaridade e estabelece a correta relação humana.

A imagem mostra seis espadas descendentes, quebrando os gumes de uma sétima espada que aponta para o alto.

Podemos ver aqui como o movimento ascendente desta última está sendo impedido pelas outras, que poderiam mostrar os piores aspectos dos planetas representados nos punhos, passando uma idéia de falta de complementação e coerência.

O terceiro decanato de Aquário está governado pela Lua. A Dama do Inconsciente imprime seu selo sobre o aéreo, idealista, original e pouco convencional Aquário, que, sem limites nem referências sólidas, se perde, tornando-se fútil, disperso, confuso e superficial e chegando a incorporar crenças e objetivos alheios.

Aqui, o frágil equilíbrio da mente se desfaz, caindo no reino da ilusão. Este é o estado da mente dispersa.

Intitula-se "A Futilidade", embora também poderia chamar-se "A Dispersão". Tradicionalmente, é conhecida como "O Esforço Instável".

Na Leitura Terapêutica

Momento atual: A mente está tão dispersa e confusa que não consegue definir objetivos claros nem chegar a conclusões convincentes. A falta de contato com algum referencial emocional ou instintivo, que lhe daria firmeza e centralização, a deixa à mercê de opiniões, pressões e expectativas alheias.

Âncora: Esta é a mente "esponja" ou mente "sim". O direcionamento de sua vida é permanentemente fragilizado pela necessidade compulsiva de dar satisfação aos outros. Assim, fica completamente desconectado e não sabe o que sente nem o que quer. Vaga entre as vitrines e, antes de comprar, liga para pedir palpite. É vão, fútil e superficial, sem referenciais nem idéias próprias. Seus aparentes interesses e atividades são definidos pela opinião de familiares, professores, chefes e pela propaganda. Fala da novela ou do seriado americano identificando-se com seus personagens e vivendo por meio

Sete de Espadas (Crowley, Cosmic e Rider)

deles. Conhece muito bem a última tendência da moda, com a qual alimenta sua vaidade e esconde sua frustração.

Normalmente vive com sua mãe, confidente e conselheira, da qual em muitos casos depende economicamente. É irresponsável e pode não ter muito claras suas preferências sexuais. É incapaz de questionar sua vida seriamente e fazer alguma coisa prática para mudá-la. No melhor dos casos, pode dar um Travolta. Sempre é um bom sustentador do Sistema.

Sugeriremos a ele o floral de Cerato, que, estimulando a confiança em sua intuição e opiniões, irá desvinculando-o da necessidade de seguir os conselhos dos outros; o de Sunflower*, para fortalecer sua noção de identidade; o de Calla Lily**, para definir-se e aceitar-se sexualmente; e o de Fairy Lantern**, para amadurecer e abandonar comportamentos infantilmente dependentes e frágeis, e encarar a vida como um adulto.

Não seria de se estranhar que um excesso de drogas duras lhe tenha "queimado os neurônios" e seja extremamente dependente da família ou de alguma instituição. Neste caso, detectado pela presença de um Sete de Copas (a Corrupção) e um Cinco de Discos (o Sofrimento) junto com o Sete de Espadas na Âncora, recomendamos a ele o floral de Milkweed**, que ajuda o renascimento da parte da psique que estava regredida, facilitando-lhe assumir responsabilidades e atitudes independentes.

Necessidade interna: É fundamental que esta pessoa deixe de prestar atenção aos outros e tente sintonizar-se com seu ser interno, para sentir o que é que realmente quer e, assim, poder encontrar um caminho que seja realmente seu.

Se temos na Âncora o Imperador, algum Quatro, especialmente o de Espadas (Trégua), o Nove de Paus (Firmeza) ou o Oito de Espadas (Interferência), denunciando uma extrema rigidez, podemos pensar que a presença desta carta pede uma maior flexibilidade mental, escutando as opiniões alheias. Isso serve também para o método.

Relacionamentos: a) Dentro de casa, faz o papel de menino dos recados. Limita-se a seguir as ordens de seu(sua) parceiro(a), de sua sogra... Não sabe o que quer, não tem opiniões próprias e não se responsabiliza por nada. b) O consulente imagina que existe alguma coisa entre ele e outra pessoa. Não sabe muito bem o que é nem o que sente. Provavelmente a outra pessoa não sabe da existência de tal relação, que não passa de uma ilusão. Tipo: "Eu estou namorando a Cida, mas ela não sabe."

Infância: As iniciativas deste(a) menino(a) foram sistematicamente invalidadas, depois foi colocado(a) em frente à TV por horas e horas, até que se transformou num(a) imbecil que procura compulsivamente a aprovação dos outros e fica muito atento(a) às suas opiniões, desejos e ao "que dirão".

Método: O trabalho consiste em disciplinar a mente para não deixá-la ir à deriva, alimentada por opiniões alheias ou propaganda idiotizante. Isso exige interiorizar-se, ligando-se à voz do coração para fazer dela e das próprias experiências os fornecedores da mente e impulsores das iniciativas.

Para essa transição, a mudança de foco de fora para dentro, o floral de Walnut será indicado, pois ajuda a libertar-se de influências estranhas, fortalecendo o propósito e a convicção interna. Também recomendaremos a essência de Sunflower.

Caminho de crescimento: Este é um desafio onde o consulente pode envolver-se num mar de opiniões e pressões alheias, às quais geralmente se acomodava sem questionamentos. Neste momento, a situação chega a tal limite que não só percebe com clareza sua falta de firmeza em geral, mas vê a necessidade de mudar, procurando dentro de si mesmo o que realmente quer, estando disposto a levá-lo à prática.

Resultado interno: Conseguiu superar a superficialidade e a dispersão, deixou de ser manipulado pelos outros. Hoje, suas opiniões estão enraizadas em referenciais internos e tem seus próprios projetos e objetivos.

Resultado externo: Vemos esta pessoa tentando levar adiante suas próprias idéias, embora tenha de enfrentar opiniões contrárias, informações parciais e grupos de pressão. Faz-se necessária uma segunda carta para ver o desenvolvimento desta situação.

Oito de Espadas — A Interferência — Júpiter em Gêmeos

Esta carta mostra o aspecto aéreo de *Hod* (o princípio coagulador no pilar da forma), a esfera que emana de *Chesed*, através de *Tiphareth*. *Chesed* organiza as unidades formuladas por Binah em estruturas mais complexas e interatuantes em Hod, seu reflexo.

A experiência espiritual de *Hod* é "A Visão do Esplendor". Sendo *Hod* a *sephirah* da magia cerimonial, preside o raciocínio lógico. No mundo mental das espadas, leva-nos a uma mente sobre-saturada.

O Oito mostra um aspecto descompensado e complementar do Sete. A imagem leve e evanescente do Sete se transforma numa estrutura pesada, fechada, tensa e escura. Duas grandes espadas apontando para o chão se cruzam com outras seis espadas menores, representantes de diferentes culturas: (ascendendo) o Cris (Filipinas), o Kukri dos Gurkas do Nepal, o Scrama-sax de origem germânica, a Adaga, o Machete (facão latino-americano) e o Yatagan (sabre turco).

As oito armas formam uma espécie de grade que aprisiona o ser. A mente atua aqui como uma teia de aranha que bloqueia qualquer proposta.

O primeiro decanato de Gêmeos é governado por Júpiter, dois tipos de energia pouco compatíveis. Júpiter está em exílio em Gêmeos, de maneira que a procura de transcendência, aventura, conhecimentos e expansão jupiteriana é anulada pelas dúvidas e o racionalismo geminiano.

É a mente castradora e pessimista, cheia de dúvidas, invalidações e críticas que acabam aniquilando qualquer iniciativa, especialmente aquelas que significam entrar em contato com algo novo.

Tradicionalmente, é interpretada como obstáculos, críticas, interferências e impedimentos que dificultam a ação. Sem negar a possibilidade da existência de tais problemas no mundo externo, consideramos esta carta mais como um estado mental interno.

Seu título é "A Interferência", embora também seja conhecida como "A Força Diminuída".

Na Leitura Terapêutica

Momento atual: Tudo está aparentemente travado. O consulente se sente bloqueado em seus propósitos, tanto por impedimentos e dificuldades externas como por dúvidas e invalidações internas.

Âncora: Esta é a mente "grade" ou mente "não" de um "ego sabotador", que sistemática e permanentemente tem boas razões (leia-se desculpas) para não fazer o que aparentemente quer. Quando um impulso está a ponto de manifestar-se sobre a tela do consciente, este ego entra em pânico e bombardeia a mente com todas as paranóias imagináveis, enfraquecendo e paralisando a vontade, que se sente incapaz de levar este impulso adiante. Suas expressões mais comuns são: "Adoraria fazê-lo, mas não posso; tudo é tão difícil." Paranóico, imagina que, se tomar qualquer iniciativa, se seguir a voz de seu coração, vai ser queimado em praça pública e, que se reprimir-se não correrá nenhum risco e os outros não terão nada a dizer. Entrincheira nas suas idéias e sente apreensão antecipada com as opiniões alheias. Tudo isto encobre uma tremenda falta de confiança em sua própria capacidade, que pode ser amainada com o floral de Larch que, ajudando a liberar o potencial criativo, favorece a expressão espontânea.

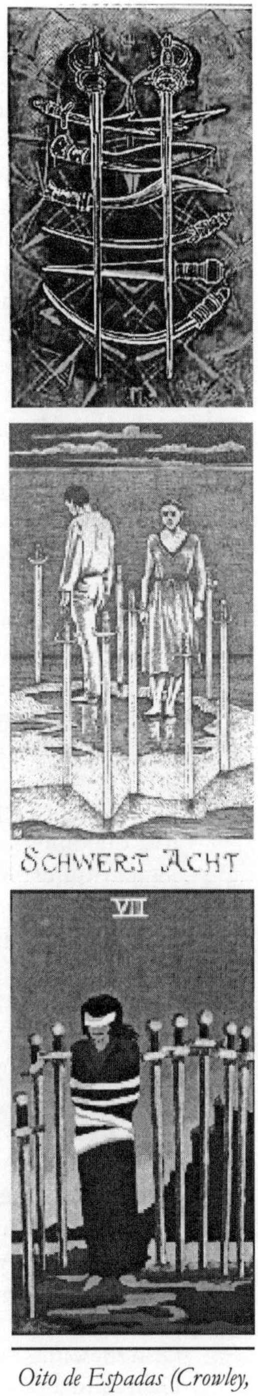

Oito de Espadas (Crowley, Cosmic e Rider)

É óbvio que esta pessoa não mostra suas emoções, senão uma venenosa visão negativista da vida. Aumenta o tamanho de seus problemas e pode chegar a inventar enfermidades para imobilizar-se. É muito carente e pode procurar a piedade dos outros, contando-lhes suas dificuldades. A flor de Heather nutre esse vazio profundo, ajudando a pessoa a abandonar esse mecanismo disfuncional de relacionar-se.

Vive na escuridão de sua gaiola de preconceitos, medos, dúvidas, culpas e desculpas. Tenso e frustrado, nega aos outros a liberdade que não dá a si mesmo. É crítico, dogmático, analítico e perfeccionista. Para ele, tudo é pecado.

Esses padrões excessivamente rígidos podem ser trabalhados com a essência de Rock Water, que os vai abrandando até permitir-lhe contactar suas emoções. Para espantar o fantasma da culpa, recomendamos o floral de Pine, que ensina a auto-aceitação e desenvolve a auto-estima. Nunca programe uma pescaria com ele.

Necessidade interna: O ser interno está hibernando no mais escuro da caverna. Resgatá-lo significaria deixar de ser tão pessimista, crítico e sabotador consigo mesmo para, dando um voto de confiança à existência e a si mesmo, deixar que as coisas aconteçam naturalmente.

Relacionamentos: a) É o final da relação que está impedida de evoluir, pois cada parceiro se dedica a interferir, sabotar e invalidar as iniciativas do outro, qualquer que sejam estas, inclusive as de aproximação afetiva. De maneira que continuar juntos é um sem sentido óbvio. O divórcio está próximo. b) Esta pessoa não se permite relacionar-se e muito menos envolver-se. Sistematicamente, bloqueia todas as possibilidades, seja colocando tantas precondições em seus possíveis parceiros, que ninguém as cumpre, seja projetando injustas expectativas de atitudes e intenções hostis vindas dos outros. Imagina, a priori, que seus encontros com outras pessoas não vão dar em nada, assim, prefere não tê-los. A essência de Oregon Grape facilitará seus relacionamentos, desenvolvendo uma atitude de aceitação dos outros.

Infância: Foi uma prisão, em que suas iniciativas e expressões emocionais e instintivas, seus desejos, suas habilidades e idéias, seu direito a dizer que não, o desenvolvimento de sua independência foi negado. O(a) pequeno(a) não só viveu a repressão e humilhação mais castrante, mas também foi extremamente invalidado(a) e criticado(a). Sofreu muito, escutando coisas como: "Obedeça e cale a boca!", "Não me responda!", "Só serve para me dar trabalho!", etc.

A criança ficou atemorizada, insegura, sem auto-estima, dependente, desconectada de suas emoções, incapaz de tomar iniciativas e escondendo uma bomba de raiva e de dor em seu interior.

Método: Sugerimos ao consulente que tome consciência da atitude sabotadora com a qual se castiga e se destrói. É importante que focalize o mecanismo que, baseado no medo, decepa qualquer impulso. A mente é capaz de fabricar infinitos argumentos para paralisar as iniciativas.

Tem de impedir que este vilão continue sabotando a vida; deve ser detectado e desativado, para poder escutar e seguir a voz do coração.

A essência de Cayenne será muito útil, catalisando a vontade e quebrando a resistência a atuar seguindo seus impulsos. Os florais que vimos na posição da Âncora também podem ser recomendados aqui.

Caminho de crescimento: Atravessando uma área de alta interferência, medos e barreiras internas, esta pessoa vai ter a oportunidade de desativar os pesados mecanismos de auto-invalidação e sabotagem.

Resultado interno: O consulente descobriu que, enquanto tentava ser racional e perfeccionista, estava negando a si mesmo, cortando suas asas, matando seu prazer e seu crescimento.

Hoje, já não é mais escravo dessas atitudes destrutivas.

Resultado externo: Este é um momento de luta contra as interferências externas e dúvidas em suas iniciativas práticas. Embora seja passageiro, este momento indica que uma lição precisa ser extraída. Colocaremos mais cartas para ver como se desenrola a situação.

Nove de Espadas — A Crueldade — Marte em Gêmeos

Representa o aspecto aéreo de *Yesod*, a chamada Casa dos Tesouros de Imagens ou o Éter ou refletor da esfera da Terra. É a esfera da *maya* e corresponde ao inconsciente e à Lua. Sabemos que o Éter Astral tem duas propriedades fundamentais: pode ser modelado pela mente e é capaz de sustentar moléculas de matéria densa, como numa rede. Essas qualidades são muito importantes para trabalhar com magia. No entanto, as chaves que permitem abrir e fechar a Casa do Tesouro e dirigir seus habitantes estão em *Hod*.

A experiência espiritual de *Yesod* é "A Visão do Mecanismo do Universo".

Nesta carta aérea e lunar, a mente se sente perdida e incapaz de entregar-se à vida, e o lado instintivo é negado.

Seu título é "A Crueldade" e também "A Desesperação".

Nove espadas tingidas e pingando sangue apontam para o chão, enferrujadas e lascadas. O fundo da carta mostra lágrimas lunares, indicando o sofrimento do lado feminino.

Se na carta anterior o racionalismo de Gêmeos dificultava o desejo de expansão e crescimento, aqui castra as manifestações instintivas, acabando com a vitalidade. A energia de Marte, o planeta da sobrevivência animal, de nossa força instintiva, está presa, à mente geminiana.

Esta carta, então, mostra um estado mental autodestrutivo e antinatural. Esta mente leva ao suicídio, a acidentes perigosos, a doenças e graves somatizações. Essa bárbara repressão da natureza animal degenera a pessoa, cujas expressões instintivas são cada vez mais compulsivas, raivosas, inconscientes e perigosas. A mente sente cada vez mais terror de soltar tais monstros e os reprime com maior força.

O resultado deste círculo vicioso é uma maior compulsão destrutiva que, como um veneno, vai acidificando o sangue e os órgãos, queimando por dentro e acabando com a vitalidade e a saúde da pessoa.

Na Leitura Terapêutica

Momento atual: É uma fase de sofrimento agudo e desespero. O consulente está matando seus instintos, torturando seu corpo, negando suas necessidades animais e engolindo sua raiva.

Podem existir também fatores externos, como graves problemas econômicos, ameaças e chantagens e/ou violência, que colocam em perigo sua integridade psicofísica.

Nove de Espadas (Crowley, Cosmic e Rider)

Âncora: É a mente "torturadora" de um ego alucinado que imagina que, se não aniquila seus impulsos, seus instintos e sua espontaneidade, esconda, sua agressividade natural e se submeta vilmente aos outros, vai ser rejeitado e condenado a trabalhos forçados. Por fora, parece um coitado que pede permissão para respirar e, por dentro, é um mar de ódio e rancor, que destila sutilmente em seu ambiente. Comenta abertamente: "Meu destino é sofrer", enquanto espera a aposentadoria. Pode disfarçar-se de santo ou de *yogi*, mas assim mesmo viverá numa contínua tensão. Controlando seus instintos e descontrolando-se com as compensações que o destroem, fica doente, atrai acidentes, debilita seu sistema imunológico, etc. É um bom candidato a uma úlcera, doenças hepáticas ou, na pior das hipóteses, um câncer.

Aqui a auto-repressão é mais profunda se no Oito eram negadas iniciativas que apontavam para o desconhecido, para a aventura ou a expansão, para o autoconhecimento e a espiritualidade, nesta carta são suprimidos ou distorcidos os impulsos relacionados com as necessidades instintivas da sobrevivência. Vive num ambiente onde não possui seu espaço vital, seus hábitos de alimentação e sono estão desregrados, em qualidade e quantidade, e sua sexualidade natural está impedida, compensando-se com alucinações pornográficas ou fantasias. Por isso se chama "a Crueldade".

Esse medo de contactar e expressar os aspectos mais instintivos do ser pode ser tratado com o floral de California Pitcher Plant, enquanto a aceitação e expressão da raiva acumulada e outras emoções negativas serão favorecidas com o de Scarlet Monkeyflower.

Não seria de estranhar que este ego sinta repugnância e vergonha de seu corpo, reprimindo brutalmente sua sexualidade, em cujo caso o floral de Crab Apple será muito útil.

Necessidade interna: É vital que esta pessoa deixe de castigar-se, tome consciência para onde a leva esta atitude e o que pretende conseguir em troca de reprimir-se e destruir-se.

Relacionamentos: a) Seu matrimônio está sendo uma tortura e, embora esteja acostumada a submeter-se e reprimir-se, podem vir momentos de explosão violenta [especialmente com um Oito de Paus (a Rapidez)] ou de venenosos e destrutivos jogos de poder [com um Cinco de Espadas (a Derrota)], fazendo com que a relação tome características sadomasoquistas. b) Esta pessoa não acha outro caminho dentro de seus relacionamentos que não seja fazer o papel do mártir, que se inibe covardemente e é tão "boa pessoa" que ninguém pode jogar-lhe a culpa de nada. A repressão de seus instintos pode levá-lo a aceitar comportamentos antinaturais dentro de relacionamentos sexuais, de tipo sadomasoquista.

Se aparece junto ao Cinco de Discos (o Sofrimento), denunciando violência física, o floral de Black Cohosh o ajudará a enfrentar e transformar tais situações.

Infância: Foi uma câmara de suplícios. A criança não recebeu amor, consideração ou respeito. Seus direitos mais básicos foram violados e viveu permanentemente assustada, sob as ameaças mais cruéis, sentindo sua vida em perigo e sendo surrada diariamente. Seus pais e irmãos descarregavam nela sua frustração e ódio descomunais.

As coisas mais doces que escutou foram do tipo: "Teria sido melhor que você não tivesse nascido!", "Eu vou matá-la!", "Você gosta de apanhar!", "Vou lhe dar uma surra que vão sangrar minhas mãos!" "Vou amarrar você sentado em cima de um formigueiro!"

É óbvio que o(a) menino(a) se tornou completamente inseguro(a), sentindo que não tinha direito à vida e ao espaço que ocupava. Acabou sentindo-se ferido(a) com qualquer besteira e trancou a expressão de suas emoções e suas iniciativas, para não dar motivo para que os castigos se repetissem. Profundamente desequilibrado(a), desenvolveu uma estrutura de defesa de caráter esquizóide.

Método: O consulente precisa perceber que com esta atitude só está obedecendo os "Morra!" que escutou na infância, embora pretenda obter algum mérito em troca de sua autocrueldade. Sugerimos terapia, em princípio algo agradável, que lhe proporcione momentos de prazer e relaxamento e aumente sua auto-estima (talvez biodança), para depois poder encarar os aspectos mais perigosos e assustadores de sua programação e ir limpando seu passado.

Os florais indicados na Âncora serão proveitosos também aqui.

Reprime sua sexualidade natural em função de rigorosos padrões religiosos, coisa que seria indicada pela presença do Hierofante na Âncora; poderia tender a formas de sexualidade distorcidas e/ou degradadas. Neste caso, poderíamos sugerir-lhe o uso do floral de Basil.

Caminho de crescimento: Este é um desafio difícil. A situação chegou a um ponto no qual esta pessoa pode perceber com claridade seu comportamento cruel e repressor. Algumas decisões urgentes e práticas devem ser tomadas, pois sua saúde e sua própria vida estão em perigo.

Resultado interno: Esta pessoa logrou liberar-se dos mecanismos psíquicos que o conduziam ao sofrimento e à destruição. Hoje, respeita-se mais e suas expressões instintivas fluem sem castrações.

Resultado externo: Vemos o consulente que compreendeu a natureza destrutiva e covarde de seu comportamento e está lutando para mudar. Outra carta se faz necessária para esta posição, pois a Crueldade também poderia indicar que está sendo objeto de ataques de terceiras pessoas, ou candidato a acidentes e/ou doenças.

Dez de Espadas — A Ruína — O Sol em Gêmeos

Simboliza o aspecto aéreo de Malkuth: a esfera onde culmina e se materializa o fluxo de energia e que representa o resultado final de todas as atividades da Árvore. Malkuth não é somente a esfera da Terra, mas também da alma da Terra, o aspecto mais sutil e psíquico da matéria.

Sua experiência espiritual é "A Visão do Sagrado Anjo da Guarda".

No Dez de Espadas se dá a culminação de toda a energia das idéias. É a última materialização no plano intelectual, a mente densa e saturada, disposta, por meio da destruição, a voltar ao Ás.

A imagem mostra dez espadas cujas empunhaduras ocupam a ordenada posição das *sephiroth* na Árvore e estão dispostas de tal modo que nove delas incidem numa espada central.

A mente não pode ir invalidando os diferentes aspectos do ser sem au-

Dez de Espadas (Crowley, Cosmic e Rider)

todestruir-se. É na integração harmoniosa desses aspectos que estão a saúde e o equilíbrio.

Quanto mais a mente fica obcecada com seus princípios, totalmente estruturada em cima de critérios, normas e códigos de comportamento, mais se dissocia da realidade interna e externa, e menos funcional e mais perigosa se torna. Este é o momento do fim do intelecto. A mente se mostra incapaz de sustentar o que até agora constituía sua visão de mundo, nem de tomar a menor iniciativa. É a loucura total, a ruína da mente. Por outro lado, essa destruição da mente, como um sistema de crenças organizado, é o primeiro passo para um novo enfoque, onde esta ocupe o lugar que lhe corresponde. As espadas são o mordomo que colocou no olho da rua o dono da casa, os milicos que tomaram o poder e que, como não estavam preparados para tais funções, acabaram por ser expulsos, deixando a grande cagada, a ruína econômica, cultural, moral, etc. Por mais caótico que pareça este momento, não deixa de ser a oportunidade para começar de novo. Ou, em palavras de Caetano Veloso: "Fazer desta vergonha uma nação". Aqui está a decepção de toda uma série de esquemas, sobre os quais a mente constrói sua estratégia e tenta encontrar segurança.

O título da carta é "A Ruína". O Sol em Gêmeos abre a porta para uma nova mente, mais lúcida e conectada às fontes da vitalidade do ser.

Na Leitura Terapêutica

Momento atual: O consulente está vivendo uma profunda decepção. Tudo aquilo em que acreditava está rodando pelo chão, seus princípios, valores e crenças se revelaram falsos. Sua visão do mundo se torna inoperante. Provavelmente isso não é o produto de um questionamento intelectual, mas de acontecimentos tais como problemas econômicos ou legais, atitudes de seres queridos ou o descobrimento de fatos passados que estavam escondidos. Aqui, como na Torre, é importante mostrar o lado positivo da situação.

Âncora: Esta pessoa passou sua vida apegando-se a doutrinas, filosofias, ideologias e religiões que sistematicamente se revelaram inúteis e a decepcionaram, deixando-a confusa e perdida. Desconectada de seus referenciais internos, não se atreve nem pode extrair suas próprias conclusões e critérios, e continua procurando padrões alheios nos quais possa proteger-se e amarrar-se, qual ovelha perdida à procura de rebanho e pastor.

A essência de Chesnut Bud o ajudará a extrair lições de suas experiências, cortando esta corrente de decepções. O floral de California Poppy facilitará o desenvolvimento da responsabilidade por si mesma, centrando-a e levando-a a superar a procura absurda de "maravilhosas soluções" em cultos religiosos ou falsos gurus poderosamente carismáticos, que geralmente se alimentam da energia e do bolso de seus discípulos. É incapaz de assumir-se como um ser autônomo, adulto e com um caminho próprio e um potencial para realizar. Sua mente se tornou saturada de pensamentos alheios e de excesso de informações não-funcionais, que o mantém num círculo vicioso de dúvidas, preocupações e tensão. O floral de White Chesnut, desenvolvendo a calma interna através da tomada de consciência de seus sentimentos, o ajudará a esclarecer sua mente. A mania doentia de procurar orientações de vida fora de si mesmo, pode ser revertida com a essência de Cerato, que fortalece a confiança na verdade interior.

Necessidade interna: É importante que deixe de desperdiçar energia, tentando manter em pé uma estrutura intelectual que não somente o reprime e encadeia, mas que faz água por todos os lados.

É hora de aventurar-se a descobrir-se, de ver quais desejos e potenciais se escondem por trás desta engrenagem enferrujada.

Relacionamentos: a) É o final do relacionamento. Cada um descobre no outro coisas que o decepcionam e impossibilitam qualquer continuidade. b) Esta pessoa tem tanto medo de decepcionar-se, de ser enganada e de que se aproveitem dela, que coloca uma barreira tão grande para qualquer relacionamento que estes não sucedem. E quando o tenta, seus temores acabam materializando-se.

Aí diz: "Mamãe tinha razão, todos os homens/mulheres são iguais". Esta insegurança e falta de confiança nos outros podem ser aliviadas com o uso do floral de Mallow.

Infância: Foi uma época de desolação e aflição permanentes. A criança sofreu profundas e dolorosas decepções com seus pais e professores. Seus referenciais foram negados e substituídos por um sistema de valores e códigos de conduta — provavelmente por meio de ameaças e chantagens — que castraram seu prazer e sua alegria de viver. Depois, viu que seus pais não respeitavam o que lhe inculcaram. A criança se tornou desconfiada, insegura e depressiva.

Método: O consulente precisa abaixar a guarda mental; tomar consciência de que o sistema de crenças que governa seu comportamento o está impedindo de viver o caminho de seu coração, desenvolver seus potenciais e se realizar em todos os aspectos. É importante interiorizar e começar a investir seu tempo-dinheiro nas coisas que realmente gosta. Esse processo de desapego de critérios, identificações e padrões de comportamento aprendidos se verá facilitado com o floral de Sagebrush, enquanto a essência de Goldenrod estimula a noção de identidade separada e faz a pessoa menos influenciável às pressões e normas de grupos sociais. Assim mesmo, recomendaremos o floral de Sunflower para fortalecer e equilibrar a individualidade.

Caminho de crescimento: O chão está se abrindo embaixo de seus pés, seus princípios e sua visão de mundo estão sendo destruídos por uma situação provavelmente desagradável. Esta é uma boa oportunidade para transformar sua vida ou para envilecer-se na autocompaixão, de modo que, de alguma maneira, se está abrindo uma escolha.

Resultado interno: A programação mental foi devidamente desmascarada e desativada. A mente não é mais uma lixeira de idéias prestadas, mas um bom ajudante prático no caminho do coração.

Resultado externo: Vemos o consulente tomando consciência da falsidade e interesses ocultos por detrás das doutrinas, projetos e pessoas que o rodeiam. Sua firmeza interior permite encarar estas decepções com a firme decisão de chegar à verdade e fazê-la pública. Pode estar fazendo disso uma luta, seja em nível profissional, político ou doméstico.

CAPÍTULO 16

A Série de Discos

A série de Discos, Moedas ou Pentagramas mostra dez aspectos diferentes de nossa relação com o mundo material, isto é, com o corpo biológico, as propriedades, o dinheiro e as fontes de renda.

Ás de Discos — A Raiz dos Poderes da Terra

O Ás de Discos simboliza o aspecto terrestre de Kether. Esta *sephirah* se corresponde, no microcosmos, com o crânio, a centelha divina e a flor de lótus de mil pétalas, o chakra *Sahasrara*. É o primeiro caminho da Árvore e é conhecido como "A Consciência Mística" (*Sekhel Mufla*).

"Esta é a Luz que foi originalmente concebida e é a Primeira Glória. Nenhuma criatura pode atingir sua excelência.[83]" *Sepher Yetzirah*

A imagem mostra a matéria desde o seu centro mais denso até a periferia mais sutil. No centro da esfera dourada, temos três pequenas circunferências. A que ocupa a parte superior contém um traço vertical que indica a unidade padrão de referência que torna possível medir a matéria ou também pode representar o *lingam* que, junto com a *yoni* (que vemos mais embaixo, representada pelo crescente lunar), mostra a união fecundante dos Princípios Masculino e Feminino, base de toda a manifestação.

Inscrito nas duas circunferências inferiores aparece 666, o número da Besta. As três estão inscritas numa estrela de sete pontas, a estrela de Babilônia, símbolo da Mulher Escarlata cujo número, 667, é a soma de 666 e o 1, e da fraternidade AA (*Astrum Argentum*), sociedade hermética fundada por Crowley em 1905. A estrela está inscrita em dois pentágonos, que dão lugar a uma roda de dez raios, onde está escrito TO MEGA THERION, que em grego significa "A Grande Besta", nome iniciático de Crowley a partir de 1904. Nesta carta, Crowley segue a tradição dos editores e desenhistas de Tarôs medievais, que colocam seu selo pessoal no Ás de Ouros. Do centro metálico mais denso, a matéria vai tomando aspectos mais ligeiros. Assim, aparece como madeira, da qual surgem asas de pássaros, mostrando os três reinos da Natureza: mineral, vegetal e animal.

Em palavras de Crowley: "O velho conceito de Terra, como um elemento passivo, imóvel, inerte e até maligno, tem de desaparecer na Nova Era. As velhas moedas se tornaram discos vivos e pulsantes, da mesma maneira que o átomo não é mais a partícula maciça e morta de Dalton, mas um sistema de forças em rotação comparável à própria hierarquia solar". (*O Livro de Thoth*)

A carta representa o início de uma nova estrutura material e uma relação

83 - Em outras traduções, é a "Inteligência Admirável."

mais consciente e integrada do ser humano com seu corpo. Aqui se abre um caminho para o enriquecimento externo e interno.

Tradicionalmente, esta carta é interpretada como prosperidade, êxito material e segurança. Estes são significados que pouco ou nada têm a ver com a energia de um Ás que, como sabemos, é de início e não de final, e correspondem ao Dez de Discos.

Na Leitura Terapêutica

Momento atual: Mostra o consulente sobre uma nova estrutura material. Pode tratar-se de uma nova casa, especialmente se aparece junto com o Quatro de Discos (o Poder), uma convivência com pessoas diferentes ou uma nova fonte de rendas, com o Quatro de Copas (o Luxo) ou o Nove de Discos (o Lucro), respectivamente.

Com o Dois de Copas (o Amor), pode mostrar a formação de um novo lar e, com o Cavalo de Discos, indicaria um novo trabalho.

Âncora: Esta pessoa está dando prioridade aos assuntos materiais; não obstante, nunca consegue atingir resultados concretos e definitivos. Vive iniciando negócios, mudando de trabalho ou de ramo de atividade, sem conseguir fazer decolar suas finanças. Provavelmente, não tem clara sua vocação e trabalha no que pode dar dinheiro, e como no fundo não está de corpo e alma no assunto, não tem capacidade de continuar quando chegam as primeiras dificuldades ou complicações. Sugerimos o floral de Wild Oat, que a ajudará a reconhecer e a investir naquilo que realmente lhe pode satisfazer interior e exteriormente. Também indicaremos o uso de Hound´s Tongue para ampliar sua visão excessivamente materialista da vida e do mundo. Com o Imperador ou o Príncipe de Discos, mostra um ego ávido por *status* e poder material. A essência de Trillium* ajudará a ampliar sua visão do mundo e encontrar satisfação em servir e trabalhar pelo bem comum.

Necessidade interna: Sua estrutura material é uma barreira para seu crescimento. É necessário mudar a relação com o corpo físico e o domicílio para ter um território próprio, escolhendo como e com quem compartilhá-lo; e/ou investir numa atividade que não seja só uma nova fonte de recursos, mas também algo em que seus potenciais criativos possam realizar-se.

Relacionamentos: a) O casal parece estar unido e interessado num novo projeto comum, de natureza material. Talvez estejam construindo uma casa ou abrindo uma sociedade. O ímpeto e entusiasmo que traz o Ás nos faz pensar que estes projetos estão enraizados no amor e no desejo de estarem juntos. b) Temos aqui alguém que procura, acima de tudo, se-

Ás de Discos (Crowley, Cosmic e Rider)

gurança e estabilidade material, de maneira que seu objetivo na vida é casar-se e estruturar um lar.

Junto com o Demônio, poderia mostrar uma pessoa interessada fundamentalmente no corpo. Seus relacionamentos não são muito duradouros, embora possam ser vários, já que, quando consegue o que quer, vai embora.

Infância: A criança viveu num clima de insegurança material constante. Mudaram de casa, bairro ou cidade freqüentemente, passaram por momentos economicamente difíceis, talvez um de seus pais se ausentava durante temporadas largas. Quando a criança cresceu, procurou encobrir sua insegurança interna com a posse de coisas e pessoas.

Método: A saúde, os hábitos alimentícios, os ritmos de trabalho, o território que ocupa, os vínculos laborais e afetivos, tudo o que constitui a estrutura biológica e material deve ser questionado e renovado.

Caminho de crescimento: É uma nova vida de ordem material. Pode ser que a pessoa se mude para uma nova casa, um novo lar, família ou comunidade.

Com o Dez de Discos (a Prosperidade), pode indicar entradas de dinheiro; com o Três de Discos (os Trabalhos), indicaria uma nova atividade profissional e, com o Ermitão, um tempo com a atenção direcionada para si mesmo.

Resultado interno: Esta pessoa conseguiu superar suas auto-invalidações, bloqueios e medos que a impediam de desenvolver suas capacidades práticas e resolver o lado material. Hoje é independente economicamente e cuida de seu corpo com mais amor.

Resultado externo: Novos negócios, novo casamento, nova visão do lado material das coisas, novas fontes de renda; em suma, nova estrutura material.

Dois de Discos — A Mudança — Júpiter em Capricórnio

Este é o aspecto terreno de Chokmah. Esta esfera corresponde ao lado esquerdo da cara e no *Sepher Yetzirah* é chamada de "A Consciência Resplandecente" (*Sekhel Maz'hir*). É a Coroa da criação e o resplendor da unidade homogênea que"se exalta por cima de tudo como a Cabeça".[84]

Seu título tradicional é "A Mudança Harmoniosa". Crowley preferiu chamá-la simplesmente "A Mudança".

Os dois discos da carta aparecem aqui sob a forma do emblema chinês *Yin* e *Yang*. No superior, banhado em luz branca, se complementam os elementos Fogo, em amarelo, e Água, em verde, os dois componentes do casal primordial, girando em sentido anti-horário. No inferior, com o fundo escuro, giram em sentido horário os elementos Ar e Terra. À volta destes símbolos, uma serpente verde e coroada morde seu rabo. É uma forma do Uróboro, símbolo da estabilidade no meio do movimento, de plenitude, no qual os processos de criação e destruição estão unidos.

Todas essas imagens, inclusive os círculos do fundo, que parecem expansões energéticas da serpente, nos passam a idéia do movimento harmonioso, produto da interação dos opostos.

A mudança é a base da estabilidade. Aquilo que muda, que sabe se adaptar aos novos tempos, permanece; aquilo que rigidamente tenta manter-se imóvel, se quebra.

84 - Os mestres da Cabala a chamam de "Segunda Glória". Também "Inteligência Iluminadora".

> *O imutável é a mutação.*
>
> *I Ching*

Sabemos que algo é mais estável quando interiormente contém menos tensões. Aquilo que se adapta e muda frente às pressões externas, incorporando-as a seu ser, permanece sem tensão, enquanto que aquele que não muda e luta contra tais pressões, vai carregando-se de tensão.

O primeiro decanato de Capricórnio está governado por Júpiter. São duas energias opostas e complementares. Quando os opostos se alternam no predomínio de sua força, dando lugar ao movimento, atinge-se uma estabilidade em contínua transformação, que facilita a vida: "uma metamorfose ambulante".

Esta carta mostra mudanças materiais harmoniosas (e não transformações drásticas nem bruscas), produtos da adaptação consciente às situações. Aqui se desenvolvem a firmeza e a estabilidade interna e externa.

Na Leitura Terapêutica

Momento atual: Esta é uma fase de transformações materiais paulatinas e geralmente desejadas e conscientes, por meio das quais esta pessoa se adapta a novas situações e cria bases para sua estabilidade material e equilíbrio psicofísico.

Âncora: Temos aqui alguém que não consegue integrar as mudanças no seu cotidiano, nem adaptar-se às contínuas transformações das coisas e ao passo do tempo, mantendo também sua individualidade. Pode ter medo de mudar ou pode ter a mania de querer mudar tudo, incapaz de fixar-se num trabalho, cidade ou relacionamento. Poderíamos também ver um ego que oscila continuamente entre os extremos, incapaz de integrá-los em algo estável.

Necessidade interna: Os tempos mudaram e a pessoa não. Isso está criando fortes tensões que desestabilizam sua vida e sua saúde. É urgente mudar, vivendo plenamente as novas situações e tirando delas o máximo proveito possível.

Relacionamentos: a) O relacionamento está mudando e amadurecendo, seus integrantes são mais independentes economicamente e seguros de si mesmos, de maneira que este corre mais flexível, firme e com maior capacidade de adaptação. Construindo o sonho comum. b) Pode indicar que esta pessoa é, dentro da relação, como um catalisador numa reação química: impulsiona as transformações necessárias que o outro precisa viver para mudar e crescer.

Também pode mostrar alguém que não suporta a rotina e precisa que o relacionamento mude. Quando isso não acontece, muda de parceiro(a).

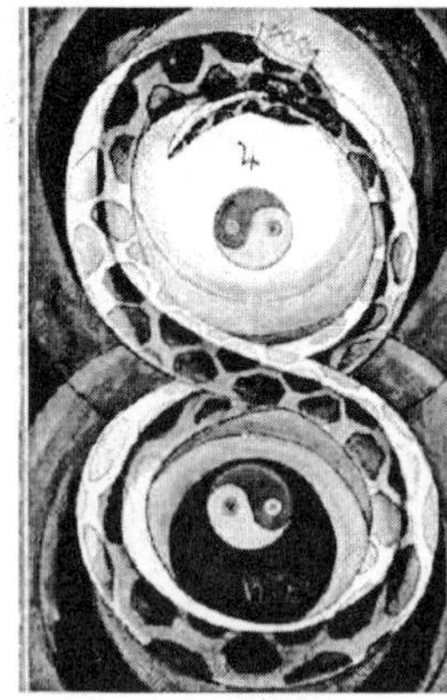

Dois de Discos (Crowley, Cosmic e Rider)

Infância: A criança se viu obrigada a viver um conjunto de mudanças que não contemplavam suas necessidades de estabilidade, proteção e referenciais sólidos. Este vaivém contínuo deixou o(a) menino(a) inseguro(a) e com uma atitude defensiva diante das naturais transformações da vida.

Método: As mudanças não podem ser adiadas por mais tempo. É importante acabar com o velho, o decrépito e sem vida, onde quer que se tenha instalado. Aquilo que dificulta a evolução deve ser deixado de lado, para dar possibilidade para que o novo apareça. De novo a essência de Sagebrush*, que outorga discernimento entre o essencial e o supérfluo, ajudará esta pessoa nessa difícil transição. Se se sente muito preguiçosa e sem energia para nada, como seria o caso se temos um Oito de Copas (a Indolência) na Âncora e, quando pressionada, entra em letargo, recomendaremos a ela o floral de Tansy, que estimula a percepção consciente de suas verdadeiras forças e propósitos. Em primeiro lugar, devem ser questionados e mudados elementos de ordem material: hábitos de alimentação, rotinas domésticas, trabalho, residência, guarda-roupa, penteado, etc.

Caminho de crescimento: Prevê todo um conjunto de mudanças que, hoje, se apresentam como inadiáveis, tanto no aspecto corporal quanto no financeiro, e que aumentarão sua estabilidade, firmeza, auto-estima e sua capacidade de adaptação.

Resultado interno: O consulente, como um Tai Jin [praticante de Tai Chi Chuan (como a carta de Waite parece indicar)], resgatou seu equilíbrio, sua estabilidade e se afirmou em seu centro. Hoje, sabe adaptar-se à impermanência das coisas, transformando-se interiormente, programando as mudanças externas e levando-as a cabo suavemente, compassadamente: expansão, recolhimento, inspiração, expiração...

Resultado externo: Vemos a pessoa transformando sua vida em geral, e sua situação material e financeira em particular, sabendo adaptar seus negócios e empreendimentos aos novos tempos. Introduzindo sua procura de novidades e seu desejo de transcendência e crescimento interior nos aspectos práticos e concretos das coisas.

Três de Discos — Os Trabalhos — Marte em Capricórnio

Esta carta representa o aspecto térreo de Binah, a Mãe da Forma. Esta esfera é o terceiro caminho, chamado no *Sepher Yetzirah* de "A Consciência Santificada" (*Sekhel Mekudash*). É o fundamento da Sabedoria Original e é chamada "Fé Fiel". Suas raízes são AMeN. É o pai da fé e de seu poder a fé emerge".[85]

Corresponde ao lado direito da cara. Aqui a função de Binah concorda com a energia dos Discos, de maneira que, nesta carta, se revela o aspecto mais positivo de sua influência e a matéria toma forma. Em outras palavras: a influência de Binah no elemento Terra determina a forma básica do Universo.

No nível humano, é por meio do trabalho que a matéria toma forma. Esta carta, conhecida como "Os Trabalhos Materiais", é chamada por Crowley simplesmente "Os Trabalhos".

A imagem mostra um tetraedro visto de cima, símbolo geométrico do

85 - Também "Inteligência Santificada".

Três de Discos (Crowley, Cosmic e Rider)

crescimento da vida. Nos vértices de sua base, três rodas de doze raios (número da totalidade) estão girando. Cada roda leva em seu centro um dos símbolos dos três Princípios Fundamentais que movimentam o Universo: Enxofre, Mercúrio e Sal; *Sattvas*, *Rajas* e *Tamas*, na nomenclatura hindu, como já vimos ao estudar os símbolos da Roda da Fortuna.

O segundo decanato de Capricórnio é governado por Marte, planeta que se acha em exaltação neste signo. Assim, a energia instintiva marciana está introduzindo seu dinamismo na capacidade capricorniana de manipular o lado mais denso e concreto da matéria. A energia de Marte se direciona para a construção e os resultados práticos, com a perseverança e capacidade de organização caprinas. Pode existir um certo controle ou sublimação da sexualidade para o trabalho.

A pirâmide está flutuando no mar de Binah, na Noite do Tempo (Saturno é o planeta desta esfera), mas a concretização chegou a tal ponto que o mar se solidificou.

Esta carta mostra, pois, o direcionamento da energia vital para a transformação da matéria por meio do trabalho.

O desafio de Capricórnio é superar as provas e exigências da matéria para poder ocupar-se do autoconhecimento, dos mistérios e inclusive da magia.

Tradicionalmente, esta carta é interpretada como aumentos materiais, trabalho artesanal, construção e, inclusive, a fama e a glória, produtos do trabalho bem-feito e acabado.

Na Leitura Terapêutica

Momento atual: A atenção fundamental do consulente está dirigida para o trabalho. Se a segunda carta é também de Discos, podemos pensar que seu envolvimento com as atividades materiais está impedindo que viva outros aspectos vitais. Com o Três de Paus (a Virtude), o Ermitão ou a Sacerdotisa, poderia indicar um trabalho de terapia corporal.

Âncora: É um *homo faber* que não trabalha para viver, mas vive para trabalhar. Está viciado em trabalhar, é um *workaholic*. Não pára um instante, para assim não entrar em contato com suas carências emocionais, mágoas, frustrações e conflitos internos.

A flor de Aloe Vera o ajudará a equilibrar sua energia e conectar sua tremenda força de vontade à voz profunda do coração. Sublima sua sexualidade no trabalho e cria barreiras, às vezes, de hostilidade, para evitar ser invadido emocionalmente.

A flor de Poison Oak o estimulará a vencer seu medo do contato íntimo, facilitando-lhe o envolvimento emocional com os outros.

Sua auto-afirmação está em proporção direta com sua capacidade de desenvolver esforço e transformar as coisas materiais sente-se assim; necessário e seguro. Sua vitória é sair no quadro de empregado modelo da empresa todos os meses.

Geralmente, anda cansado e imagina que, se for vítima de uma redução do quadro de funcionários, vai morrer na miséria e solidão. Essa energia marciana, direcionada compulsivamente para o trabalho, leva-o a forçar suas resistências e, embora tente mostrar-se todo-poderoso, chegará o dia em que terá de reconhecer que não agüenta mais.

A essência de Oak o ajudará a perceber e aceitar seus limites, equilibrando as forças marcianas com o lado feminino.

Necessidade interna: O ser interno está precisando urgentemente pôr seus potenciais criativos em movimento, encarar o mundo da matéria e produzir alguma coisa.

Pode também indicar a necessidade de tomar um conjunto de medidas para melhorar sua saúde e sua forma física.

Relacionamentos: a) Neste momento, o relacionamento não passa de objetivos comuns na área do trabalho e da matéria. A energia vital, que deveria estar fluindo naturalmente para o amor e o sexo, está sendo sublimada para o trabalho, de maneira que o relacionamento está empobrecendo-se paulatinamente. b) Para esta pessoa, envolver-se é trabalhar mais, pois se exige ser o elemento provedor das necessidades materiais do casal. Também pode mostrar aquele que vende uma imagem de trabalhador que procura sócios nos seus emprendimentos.

Infância: No lar infantil, adorava-se o deus Trabalho. "Aqui ninguém pode ser um folgado!", "Todos, não importa a idade, têm uma função e serviços a cumprir!", repetiam seus pais em tons não muito amorosos. O carinho e a aprovação foram condicionados a que a criança cumprisse suas obrigações que, geralmente, nada tinham a ver com seus potenciais, desejos e predisposições. A criança se acostumou a não fazer sua vontade, mas a dos outros, e a mostrar-se eficiente no trabalho para ser aceita. Não seria de estranhar que encontremos um Dez de Paus (a Opressão) ou uma Torre na Âncora. No primeiro caso, se submeteu e, no segundo, se rebelou.

Método: Sugeriremos que o consulente observe que tipo de atividades despertariam seu entusiasmo e cuja realização leve a um crescimento material e a uma superação interna. É hora de trabalhar, de deixar de depender dos outros e de materializar alguma coisa. O floral de Blackberry o estimulará a entrar em ação com propósitos claramente direcionados, e o de Fairy Lantern o ajudará a desenvolver sua independência.

Caminho de crescimento: Esta pessoa entrou numa fase de importante dedicação ao trabalho. Talvez se faça necessário sair da rede e pôr as mãos na massa, usando sua criatividade, seus conhecimentos e potenciais para poder sobreviver.

Resultado interno: O consulente conseguiu superar seus medos, invalidações e/ou preconceitos que o impediam de investir sua energia no trabalho.

Resultado externo: O vemos esforçando-se, levando com coragem, afinco, seriedade, responsabilidade e perseverança seu trabalho que, em verdade, realiza mais por prazer que por dinheiro ou outras razões. Neste processo vence, cresce e produz.

Quatro de Discos — O Poder — O Sol em Capricórnio

Este é o aspecto terra de *Chesed*, o quarto caminho, conhecido como "A Consciência Estabelecida" (*Sekhel Kavna*), que é chamado assim porque todos os poderes espirituais emanam dela como as mais etéreas dentre as emanações. "Emanam um de outro mediante o poder do Emanador original, bendito seja".[86]

Sua correspondência no microcosmo é o braço esquerdo.

Esta carta mostra o elemento Terra em seu aspecto mais ordenado, fixo e limitado. Os Discos se transformaram nas torres quadradas de uma fortaleza também quadrada, rodeada por um fosso cheio de água. Os castelos simbolizam poder, proteção, segurança, transcendência e realização. A imagem passa a idéia do poder material firmemente assentado, dominando e estabilizando o Universo com métodos pacíficos. Cada uma das quatro torres leva o signo de um elemento, recalcando o firme assentamento e a estruturação da corrente de energia em todos os níveis da matéria. O terceiro decanato de Capricórnio está governado pelo Sol, sua luz e energia permeiam o mais prático, materialista e concretizador dos signos, fazendo com que este transforme o mundo material numa estrutura ordenada, fixa, poderosa e estável[87].

Como nos diz Crowley: "Qualquer idéia de revolução é alheia a esta carta". Tradicionalmente é conhecida como "O Poder Material". Crowley a intitulou "O Poder".

É a carta da estabilidade, da ordem e da construção material da qual emana um determinado poder. Podemos ver neste castelo o centro do poder de onde o senhor governa seu território, ou a cadeia que subjuga o prisioneiro. Em alguns casos, ambos são a mesma pessoa. Aqui se manifesta o poderio material do *status quo*.

Tradicionalmente é interpretada como segurança material, heranças, presentes e também avareza e apego material, como mostra a imagem de Waite.

Na Leitura Terapêutica

Momento atual: Vemos esta pessoa fortemente determinada por uma série de exigências materiais, dedicando sua atenção a organizar seu patrimônio, aumentá-lo ou defendê-lo, de maneira que outros aspectos de sua vida estão em segundo plano, se não totalmente negligenciados.

Essa atitude desequilibrada estaria reforçada por cartas como o Imperador, o Três e o Oito de Discos (os Trabalhos e a Prudência), levada para a autodestruição com o Cinco de Discos (o Sofrimento) ou o Nove de Espadas (a Crueldade), e equilibrada com o Três de Paus (a Virtude), a Rainha de Discos ou o Três de Copas (a Abundância).

Âncora: Este sempre viveu para suas posses. Seu objetivo prioritário é a segurança, a estabilidade, o poder e o conforto que dão as coisas materiais. Sua obsessão é que um dia possa faltar o necessário para viver. Assim, vive contando seu dinheirinho ou lendo revistas especializadas para descobrir qual é o investimento mais seguro do

86 - Também "Inteligência Coesiva ou receptiva".

87 - É como o eixo firme e fixo da roda que não determina o movimento, mas faz com que este possa ser aproveitado.

momento. Pode ser um frio especulador, que jamais produziu nada em sua vida, exceto ajudar a subir os preços.

Seus sentimentos e instintos não têm importância; o próximo é um concorrente e um inimigo que pode desbancá-lo. Exageradamente desconfiado, é incapaz de qualquer iniciativa espontânea e desinteressada. Não se arrisca nem nos negócios. Desde os 40 anos está pagando, em cômodas prestações, seu enterro e seu mausoléu, para assegurar-se que seus vizinhos ou seus herdeiros não o queimem ou o joguem no lixo. Essa tendência a passar a vida contando dinheiro e medindo sua segurança em termos de riqueza material pode ser revertida com o floral de Star Thistle que, nutrindo sua segurança interior, desenvolve a generosidade e a consciência da abundância interna.

Junto com o Sete de Paus (a Coragem), mostra uma exagerada e desgastante competitividade, que poderia ser amainada com o floral de Tiger Lilly*, ao passo que, com o Imperador, acusa avidez por poder material e *status*, que pode ser tratada com a flor de Trillium*. Com o Dois de Paus (o Domínio), detectaremos uma forte tendência a usar o dinheiro e o poder para controlar os outros.

A essência de Vine, ensinando a verdadeira humildade, transformará essa obsessão em liderar tiranicamente os outros, na intenção de conduzi-los ao encontro de seu próprio poder e autopercepção conscientes.

Necessidade interna: É importante ordenar os aspectos materiais da vida. Cuidar da saúde, disciplinar os hábitos alimentícios, assentar as finanças, o lar e o trabalho sobre bases sólidas.

Relacionamentos: a) É a mútua acomodação com que o casal se protege do mundo, vivendo unicamente para sentir-se seguro e com o máximo de conforto possível. O resto são normas, exigências mútuas, acordos tácitos e possessividade. O amor e a paixão desapareceram há tempos e, hoje, o relacionamento é uma prisão à qual se acostumaram. b) Esta atitude não favorece nenhum envolvimento, já que existe demasiado medo de abrir o coração, o bolso ou o zíper das calças. Pode indicar virgindade, sob a aparência de "eu sou um castelo a ser conquistado". Também pode indicar aquela pessoa que nos relacionamentos procura fundamentalmente a segurança.

A essência de Rock Water ajudará a descartar os padrões de rigidez de seu comportamento, enquanto a de Pink Monkeyflower**, a sair da casca onde se esconde, a abrir-se emocionalmente e a começar a fazer experiências de amor e contato com os outros.

Infância: A criança viveu num ambiente muito fechado e cheio de normas, onde a segurança material era o objetivo básico e o pivô central

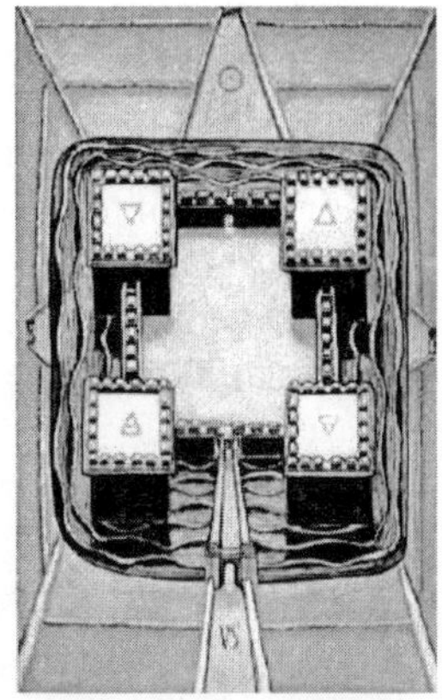

Quatro de Discos (Crowley, Cosmic e Rider)

da vida, e o medo de ladrão, a ameaça contínua. A criança tinha todas suas iniciativas reprimidas, pois tudo era perigoso ou prejudicial para a saúde. Faltou amor, liberdade e poder brincar à vontade. Não podia trazer os amigos da escola para casa, nem lhe davam permissão de sair para rua. Provavelmente, se não teve irmãos, sua infância foi muito solitária. Acabou submetendo-se e cortando as asas de sua autonomia e seu prazer para poder ser aceito. Cresceu inseguro e dependente, procurando nas coisas materiais e na família a confiança e segurança que lhe faltavam dentro de si.

Método: Sugerimos que o consulente se organize para que suas atividades sejam mais produtivas e respondam melhor a seus estímulos internos. Seria importante aproveitar esta fase para melhorar, estabilizar, estruturar e ordenar sua situação material.

A essência de Wild Oat ajudará a encontrar sua verdadeira direção na vida, fora da qual nada tem sentido. A de Morning Glory* facilitará a recuperação de sua energia, regularizando seus hábitos.

A presença do Carro na Âncora, indicando uma pessoa incapaz de fixarse num lugar, num trabalho, num relacionamento, etc., fará com que o floral de Sweet Pea* seja indicado para fortalecer seus vínculos e estruturar-se num determinado local.

Caminho de crescimento: Vemos o consulente estruturando-se física e materialmente.

Resultado interno: Esta pessoa conseguiu recuperar a saúde e resgatar sua autoconfiança e segurança interna.

Resultado externo: Está investindo seu esforço em edificar uma empresa sobre bases objetivas, vinculada a seus desejos profundos de realização.

Cinco de Discos — O Sofrimento — Mercúrio em Touro

Esta carta representa o aspecto terra de Gueburah, o quinto caminho: "A Consciência Arraigada" (*Sekhel Nihsrash*), chamada assim porque é a essência da Unidade homogênea. É unificada na Essência do Entendimento que emana do domínio da Sabedoria Original".[88] Corresponde ao braço direito.

Tudo o que não muda é destruído, a introdução do movimento do Cinco quebra a rígida e aparentemente sólida estrutura do Quatro.

Cinco discos de chumbo formam um pentagrama invertido. No fundo, outra série de discos escuros estão quebrando-se por efeito de uma violenta tensão. Parece uma engrenagem oxidada que, longe de responder a um impulso dinâmico, acumula tensão, até que explode em pedaços.

Os símbolos que aparecem nos cinco discos são interpretados assim:

"Triângulo vermelho: sua própria energia está bloqueada.

Quadrado amarelo: seus pensamentos continuam movendo-se à procura de uma saída.

Crescente azul-claro: a situação toca as profundidades de seu subconsciente.

Disco oval negro: buraco negro, sem saída, desesperança.

Círculo azul: sua sabedoria interna adverte para fazer alguma coisa." (*O Tarô: Espelho da Alma*, Gerd Ziegler)

Há quem veja aqui os cinco elementos da tradição chinesa.

88 - Também "Inteligência Radical".

Cinco de Discos (Crowley, Cosmic e Rider)

Mercúrio em Touro é a atribuição desta carta. Essas energias têm grande dificuldade para complementar-se e dar um resultado criativo. O dinamismo elétrico de Mercúrio é travado pelos apegos às estruturas rígidas, à intolerância e falta de flexibilidade do touro. O resultado é tensão, incapacidade para avançar e, finalmente, destruição das estruturas materiais. Num nível interno, mostra o estado de tensão, desgaste e tortura que sofremos quando nos impomos desenvolver atividades práticas que nada têm a ver com nossa natureza, desejos profundos e potenciais. No melhor dos casos, temos um máximo de esforço para um mínimo de rendimento. Tradicionalmente, esta carta é interpretada como sérios problemas materiais, miséria, pobreza espiritual, perdas, fracassos, fome, etc. Autores mais folclóricos, talvez influenciados pelo ditado popular: "Azar no jogo, sorte no amor", vêem aqui a consumação de um matrimônio.

Seu título é "O Sofrimento", tradicionalmente chamada "O Conflito Terrestre".

Na Leitura Terapêutica

Momento atual: Esta pessoa está muito tensa e angustiada, insiste em dedicar sua vida a atividades e empreendimentos materiais que são uma verdadeira tortura, exigindo cada vez mais esforço e sacrifício, mas que não trazem consigo nenhum retorno material nem prazer. Pode estar também com sérios e agudos problemas de saúde.

Âncora: O consulente jamais realizou seus desejos. Devido a circunstâncias externas ou para conseguir a aprovação do mundo, impôs a si mesmo atividades, tarefas e objetivos incompatíveis com sua natureza. Indo assim contra si próprio, sua vida virou um constante sofrimento, angustiante e autodestrutivo, sempre envolvido em graves problemas econômicos, enfermidades psicossomáticas e acidentes.

Provavelmente está repetindo um padrão destrutivo infantil ligado a abusos físicos, circunstâncias extremamente duras ou talvez estupros, denunciados por um Nove de Espadas (a Crueldade), um Dez ou um Sete de Paus (a Opressão e a Coragem) na Infância. A essência de Dogwood* ajudará a respeitar mais seu corpo, tratando-o com mais carinho. Essas constantes dificuldades o deixaram com muita raiva e frustração, de modo que criou uma forte revolta que o empurra para a autodestruição e para a marginalidade social, que pode ser suavizada e revertida com o uso do floral de Saguaro.

Necessidade interna: É preciso abandonar as atividades onde não se sente à vontade. Não pode continuar desgastando-se e carregando-se de tensão assim. Escolher a vida que deseja levar é um direito inato de todo ser humano. Perguntaremos ao consulente se acredita que merece passar por tamanha tortura. Se este não é o caso, como sinal de respeito consigo mesmo, seria bom esclarecer e abandonar aquilo que mais o desequilibra, seja o emprego, o casamento, um negócio, as drogas, etc.

Relacionamentos: a) Podemos ver aqui a destruição da estrutura formal do relacionamento, que neste ponto não é mais que uma briga para ver quem fica com o apartamento, o carro, etc. Sendo que cada um gostaria de deixar o outro na miséria mais cruel. b) Temos aqui alguém que inconscientemente procura sofrer em seus relacionamentos e para isso se envolve com pessoas destrutivas, de mau caráter, quando não viciados em drogas ou bandidos.

Assim, depois de sofrer as piores humilhações, sai correndo dizendo: "Mamãe tinha razão, os homens/mulheres só querem se aproveitar". Sugerimos o uso do floral de Black Cohosh, que desenvolve a habilidade para enfrentar e transformar estas situações, em vez de resignar-se.

Infância: O(a) menino(a) foi obriga-do(a), com as piores ameaças, a não só ir contra seus desejos, mas a assumir tarefas contrárias à sua própria natureza e idade. Este(a) começou a somatizar, aparecendo problemas de dicção, tremores em todo o corpo, etc. Criado talvez na miséria de uma favela, como um escravo na base das porradas, pode ter sido iniciado em atos anti-sociais. Se aparece com um Sete de Copas (a Corrupção), poderia indicar que a criança foi violentada sexualmente e/ou obrigada a prostituir-se para contribuir economicamente em casa. Cresceu desequilibrada, aterrorizada e com traços esquizóides em sua personalidade.

Outro caso seria o de uma criança que sofreu doenças ou acidentes graves e que ficou, durante largos períodos, incapacitada para brincar e viver como uma criança normal. Isso determinou uma superproteção e castração tão grande que dificultou ainda mais o desenvolvimento saudável de sua personalidade. Uma Rainha de Discos confirmaria este caso.

Método: Em primeiro lugar, sugeriremos que o consulente descubra por que sempre tenta andar por caminhos que não são os seus, nos quais geralmente acaba mal. Perguntar-lhe-emos se está procurando sua destruição, para ganhar a piedade *post mortem*, ou não sabe o que realmente quer e se enfia na primeira confusão que aparece? Sua atitude pode provocar a explosão de uma perigosa somatização que já está alimentando. Antes disso acontecer, será bom que esta pessoa se trate com o floral de Scarlet Monkeyflower*, que dá o valor para se aceitar honestamente e cuidar de todo esse acúmulo de emoções negativas. Seu crescimento, sua saúde psicofísica e talvez sua vida estão dependendo de que dê um salto, aprenda a escutar sua voz interior, se afirme em seus desejos e mude radicalmente de atividades.

A essência de Wild Oat se faz necessária para que esta pessoa ache e siga sua verdadeira vocação. A de Morning Glory* lhe facilitará libertar-se de padrões de comportamento destrutivos, hábitos desregrados e abusos consigo mesmo. Também a essência de Borboleta Lily* a ajudará a desenvolver uma consciência nutritiva, feminina e afetiva, que irá curando as feridas da criança interna. Os florais que vimos na Âncora também podem ser recomendados.

Caminho de crescimento: É um desafio bem bravo. As situações externas o pressionam a tomar atitudes que se opõem cada vez mais à sua consciência e sentimentos. Neste ponto-limite, ele tem de escolher: passa o trator por cima dos restos de sua dignidade ou, resgatando sua auto-estima e respeito por si mesmo, faz o esforço para tomar seu próprio caminho. Este é um momento no qual o consulente percebe claramente como está se machucando.

Resultado interno: A pessoa conseguiu libertar-se de suas atitudes autodestrutivas e contrárias à sua natureza. Abandonou drogas, remédios, compulsões alimentícias, sexuais e/ou laborais...

Resultado externo: Vemos a pessoa enfrentando problemas materiais e/ou de saúde. Faz-se necessária outra carta. Pode indicar a indispensável reestruturação de seu negócio, num momento de crise que lhe exige tomar decisões que não são muito agradáveis. Pode indicar também a perda do emprego, a qual não deixa de ser uma possibilidade para resgatar os potenciais adormecidos e investir numa atividade mais criativa e prazeirosa.

Seis de Discos — O Sucesso — A Lua em Touro

Temos aqui o aspecto térreo de *Tiphareth*, isto é, a realização plena desta esfera no mundo material. É o sexto caminho chamado no *Sepher Yetzirah* a "Consciência do Influxo Transcendental" (*Sekhel Shefa Nivdal*), chamada assim porque, mediante ela, se acrescenta o influxo da Emanação (*Atziluth*). Outorga este influxo em todas as bênçãos, que se unificam em sua essência"[89].

O Seis de Discos mostra o elemento Terra em seu aspecto mais equilibrado, harmonioso, belo e vital, ponte para níveis superiores.

A imagem mostra seis esferas azuis luminosas, cada uma com o símbolo de um planeta formando um hexágono, em cujo centro aparece o Sol, sob a forma da rosa na cruz de braços iguais, ou Cruz da Natureza, que representa o poder em equilíbrio. No fundo, uma estrela de seis pontas completa uma estrutura perfeitamente contrabalançada e centrada no Sol que, como sabemos, é o *chakra* planetário de Tiphareth.

O segundo decanato de Touro está governado pela Lua, que neste signo está exaltada. As melhores qualidades da Lua e de Touro se manifestam e complementam-se aqui: sentido prático, perseverança, afetividade, sensualidade e sensibilidade artística.

Esta carta é conhecida tradicionalmente como "O Êxito Material"; Crowley a intitula "O Sucesso".

Esta é a carta em que o lado material se mostra em seu melhor e mais equilibrado aspecto. Aqui, o corpo físico está saudável, vital e belo, capaz de proporcionar a seu dono a base biológica necessária para submergir-se na aventura da vida. Este é o estado em que, sem maiores esforços, só permitindo a expressão prática das forças inconscientes, os assuntos materiais se auto-regulam e seus resultados se constituem como uma sólida plataforma, para dar continuidade a outros desafios mais sutis e transcendentais.

Esta carta não implica necessariamente a acumulação de bens materiais ou de dinheiro, como seria com o Nove (o Lucro) e especialmente o Dez (a Prosperidade) desta série. No entanto, a carência material está descartada.

Certos autores mais tradicionais interpretam esta carta como filantropia, generosidade, presentes, recompensas, obtenção de novas propriedades, etc.

89 - Também "Inteligência Mediadora".

Na Leitura Terapêutica

Momento atual: Mostra uma excelente forma física e uma boa situação financeira, na qual, com um pequeno esforço, esta pessoa obtém o rendimento suficiente para ficar tranqüila. Suas emoções estão participando ativamente nesse processo, dando-lhe direção e sentido e fazendo com que a satisfação chegue além do sensorial. A segunda carta pode indicar se o consulente está aproveitando essa situação favorável para desenvolver outros aspectos de sua vida ou se fica só no lado material.

Âncora: A pessoa dedicou sua vida a conseguir o êxito material. Este ego inflado precisa mostrar para o público que está satisfeito com seus sucessos materiais: exibe-se com seu carro último modelo, adora aparecer na coluna social do jornal, só se veste com grifes importadas que estão na crista da moda e esbanja grana em festas e coquetéis. Com todo este teatro, pode chegar a gastar mais do que tem. Por trás dessa necessidade compulsiva de *glamour* e aduladores, esconde-se carência, insegurança e frustração internas, assim como uma séria dificuldade para contactar-se e expressar suas emoções mais profundas, das quais foge constantemente. Sugerimos a ela o floral de Agrimony para reconhecer suas mágoas, procurar a paz e satisfação internamente e não por meio de um tipo de comportamento falso, embora aprovado socialmente. Também o floral de California Poppy pode amainar sua mania de comprar e de tentar dar sentido a sua vida a partir do externo. Sua visão desequilibradamente mundana e materialista da vida pode ser ampliada com o floral de Hound´s Tongue*, que abre a dimensão espiritual das coisas.

Necessidade interna: É importante que o consulente resgate sua vitalidade, equilibre suas energias físicas e sua alimentação e concretize seus impulsos e potenciais. É hora de resolver seu lado econômico, encontrando uma relação esforço/rendimento apropriada, investindo em atividades afins com sua natureza.

Relacionamentos: a) Este é um momento de harmonia. As emoções se expressam fluidamente e são o guia para as iniciativas práticas, de maneira que a situação econômica do casal está melhorando e permite liberar tempo para o amor e o lazer. b) Vende uma imagem de sucesso econômico e profissional para seduzir e também pode tratar de melhorar sua situação econômica por meio de seus relacionamentos.

Infância: No lar infantil, a prioridade eram as aparências, tudo devia passar uma idéia de família satisfeita e feliz ou, pelo menos, sem nenhum problema financeiro que pudesse estragar a imagem de pessoas de sucesso que seus pais mostravam publicamente. Em função

Seis de Discos (Crowley, Cosmic e Rider)

dessa vida social, talvez o bebê tenha se sentido abandonado por seus pais e quando cresceu lhe foi imposto um comportamento hipócrita, que acabou com a autenticidade e espontaneidade do jovem.

Método: Sugeriremos colocar as coisas materiais em seu devido lugar, procurando o equilíbrio entre atitudes extremas. Nem viver para ter nem fazer da austeridade um princípio de vida. Nem absorver-se totalmente na matéria nem dar-lhe as costas. Nem cultivar vaidosamente a aparência corporal nem desidentificar-se do corpo.

A transformação passa também por ser independente economicamente, por meio de atividades que dêem prazer e suponham um crescimento interior. Se a presença do Quatro de Discos (o Poder), do Imperador ou, em geral, qualquer carta de Discos na Âncora mostra que a pessoa é predominantemente materialista, sugeriremos os florais que citávamos em tal posição.

Se, pelo contrário, temos cartas que indicam falta de interesse no mundo material, então poderemos indicar o floral de Clematis, para que a pessoa esteja mais no aqui e agora, deixe de divagar e possa canalizar construtivamente seus sonhos. Se estes sonhos não são mais do que fantasias, com as quais encobre uma profunda apatia e/ou resignação crônicas, indicada pelo Oito de Copas (a Indolência) na Âncora, o floral de California Wild Rose* será o mais indicado para devolver-lhe o interesse pela vida e para fazer coisas.

A Sacerdotisa na Âncora pode mostrar que esta pessoa considera o corpo e o mundo físico depreciáveis comparados ao mundo espiritual. Neste caso, o floral de Manzanita**, direcionando seu foco espiritual para o interior do corpo, a ajudará a integrar ambos os mundos. Em todos os casos, o floral de Hornbeam ajuda a envolver-se com mais alegria nas tarefas diárias.

> *Ela (Netzach) e Vênus distraem dos negócios mais sérios da vida e nos convidam a dar uma olhada às vidas de Cleópatra, Heloísa e Guinevere para compreender que Vênus, no plano físico, tem por lema "por amor renuncio ao mundo".*
>
> *A Cabala Mística – Dion Fortune*

Caminho de crescimento: Prevê uma série de êxitos em assuntos materiais que trazem satisfação interna e o equilíbrio econômico.

Resultado interno: Esta pessoa resgatou sua harmonia interna, sua autoestima e sua saúde. Hoje se sente mais satisfeita e segura, centrada, equilibrada e realizando-se materialmente.

Resultado externo: Soube usar seus potenciais e sua sensibilidade de uma forma prática e equilibrada. Hoje está satisfeita com seu trabalho e suas finanças. Provavelmente, a sociedade a reconhece como uma pessoa que se realizou materialmente.

Sete de Discos — O Fracasso — Saturno em Touro

Este é o aspecto térreo de Netzach, o Sétimo Caminho, chamado no *Sepher Yetzirah* "A Consciência Oculta" (*Sekhel Nistar*) porque é o resplendor que ilumina os poderes transcendentais que se vêem com o olho da mente e a ilusão da Fé. Esta esfera, que representa a força vital da natureza e que na série de Paus dava lugar à Coragem, exerce, no plano térreo, uma influência perturbadora.

Também não é menos certo que, quanto mais amor colocamos em nossas atividades, geralmente melhores são os resultados que obtemos. Na sociedade industrial de nossos dias, na qual aproximadamente a metade da população vive em grandes cidades, a maioria das atividades economicamente produtivas exige colocar de lado as emoções, os instintos e o prazer, para pensar só na sobrevivência material. Não se trata de rejeitar a matéria como algo degradado, ilusório e pernicioso[90], para nos dedicarmos ao amor espiritual; nem bloquear os sentimentos e a sensibilidade para podermos realizar atividades materiais automaticamente. Como sempre, a saída está na integração dos diferentes aspectos da realidade.

Os discos aparecem aqui como falsas moedas de chumbo, três atribuídas a Saturno e quatro a Touro, planeta e signo conferidos a esta carta, cujo fundo nos mostra uma vegetação morta, sem flexibilidade nem movimento, como se estivesse fossilizada. A imagem passa uma sensação de peso, de cristalização e de falta de energia dinâmica. Saturno e Touro são lentos, presos à Terra e apegados a caducos esquemas rígidos. A expressão de idéias, emoções e impulsos instintivos estão impedidos. Esta posição de Saturno dá lugar também a problemas materiais, egoísmo, exagerada cautela e desconfiança, obstinação e sentimentos de posse ridículos e contraproducentes. Esta carta, que Crowley intitula "O Fracasso", é conhecida também como "O Sucesso Incompleto" e mostra os condicionamentos mais severos, os liames mais determinantes da matéria. Aqui, a perseverança só conduz ao desperdício inútil de energia, pois o movimento está impedido pelo excesso de bloqueios físicos e psíquicos, internos e externos; finalmente, os objetivos terão de ser abandonados. Alguns autores interpretam este Sete como a perda de dinheiro, caos e dificuldades materiais, outros como aprendizado, trabalhos manuais, modéstia, etc.

Sete de Discos (Crowley, Cosmic e Rider)

Na Leitura Terapêutica

Momento atual: Vemos esta pessoa impossibilitada de continuar seus projetos, presa a condicionamentos físicos de índole biológica e/ou financeira que a impedem de resolver graves problemas materiais, por maiores esforços que tente fazer. Suas faturas estão vencidas, os interesses se acumulam e aparentemente nada se pode fazer. Junto com algumas cartas de Copas, pode indicar o fracasso para manter um vínculo familiar.

Âncora: Sua vida está cheia de iniciativas e objetivos abandonados, de

90 - A separação não salvável entre espírito e matéria foi desenvolvida no Ocidente por Platão.

trabalhos inacabados e de relacionamentos fracassados. Tudo lhe resulta difícil, sem saída, sente-se com os horizontes fechados e cada vez com menos energia vital.

Sua atitude diante da vida é pessimista demais e suas expectativas negativistas acabam sempre cristalizando nos planos físicos e co-determinando o fracasso final ou a desistência, antes de começar.

O caso extremo seria alguém que passa esta imagem de fracassado usando alguma doença ou acidente que o deixou parcialmente incapacitado, ou com a mente enfraquecida pelo abuso de drogas, para viver a expensas da família ou do governo. Neste caso, detectado pela presença do Cinco de Discos (o Sofrimento), podemos indicar a essência de Milkweed, que ajuda a resgatar esse aspecto central do ser que estava regredido.

A flor de Larch, liberando o potencial criativo e favorecendo sua autoconfiança, reverterá suas expectativas de fracasso.

Outro fator importante pode ser a auto-sabotagem, já que os objetivos que se coloca nada têm a ver com sua natureza interna. Outra vez, a essência de Wild Oat será muito útil. Pode mostrar também distúrbios fisiológicos relacionados com a expressão e o movimento.

Um caso interessante é quando aparece o Seis de Paus (a Vitória) na Infância e o de Discos (o Sucesso) na Âncora. Procurando a aprovação, teve de mostrar-se vitorioso em suas atividades. Internamente, foi alimentando um terrível medo de fracassar, pois poderia decepcionar a sua família.

Por outro lado, as metas a conquistar eram determinadas pelas expectativas de seus pais e nada tinham a ver com seus potenciais. De maneira que, mais cedo ou mais tarde, o fracasso assomará às orelhas e irá se instalar na vida da pessoa.

A necessidade compulsiva de vencer implica o outro lado da moeda e conduz inexoravelmente ao fracasso e à doença. Também, se aparece junto com o Cinco de Paus (a Luta), indica que a pessoa se esforça ansiosamente e até heroicamente, mas a apreensão de não atingir seu objetivo lhe vai minando as forças até que fracassa. Sugerimos o floral de Elm, que estimula a confiança, integrando a capacidade natural de trabalhar, na visão mais ampla e desapegada que proporciona o Eu Superior.

Necessidade interna: O consulente precisa entrar em movimento, acreditar em seus potenciais e capacidades e ir dissolvendo seu medo de fracassar.

Relacionamentos: a) Por mais que os cônjuges tentem salvar o relacionamento, a inércia e a negatividade impossibilitam qualquer coisa que não seja a separação. b) Esta pessoa tem um medo tão grande de sentir-se presa dentro do casal que não se envolve. E, quando consegue estabelecer algum tipo de contato, sua timidez, desconfiança e negatividade fazem com que não dê em nada.

Infância: A criança viu todas as suas iniciativas reprimidas. Um ambiente pesado, sórdido e frustrante, caracterizado por dificuldades econômicas contínuas sem saída e atitudes anuladoras de seus pais que repetiam em tons ameaçadores: "Você não é bom para nada!", "Você não presta mesmo!", "Você é uma desgraça!", etc, deixaram-na insegura, sem vontade nem objetivos próprios e paralisada pelo medo de errar e fracassar.

Com um Seis de Espadas, pode mostrar pais tão "inteligentes e sem defeitos" que, ao lado deles, seus filhos eram uns perfeitos idiotas.

Método: Ajudaremos o consulente a investigar e descobrir de onde vem esse medo de fracassar que o leva a sabotar-se permanentemente.

Sugeriremos que abandone as atividades que o desgastam.

Pode fracassar por medo ou aversão às responsabilidades de adulto, preferindo manter-se dependente.

Neste caso, a essência de Fairy Lantern será eficiente.

Os florais da Âncora podem ser usados também.

Caminho de crescimento: É um desafio. As situações cada vez mais difíceis nas quais esta pessoa se mete não só alimentam seu medo de fracassar, mas a estão levando a ter de abrir mão de negócios, propriedades ou vínculos que não dão mais em nada.

Resultado interno: Venceu seu medo de fracassar, de ficar no meio do caminho, longe de qualquer segurança, sem poder avançar nem retroceder, com uma mão na frente e outra atrás.

Resultado externo: O consulente está debatendo-se numa situação difícil, na qual condições materiais adversas o impedem de avançar para suas metas e lhe sugam a energia.

No entanto, seu enfoque da situação é muito mais consciente do que seria se esta carta aparecesse no Momento atual e, sua possibilidade de resolvê-la está contida na carta do Resultado interno.

Mesmo assim, torna-se necessário colocar uma segunda carta. Se esta é o Oito de Copas (a Indolência) ou o Dois de Espadas (a Paz), é melhor que abandone seus empreendimentos antes que desperdice mais energia com eles.

Oito de Discos — A Prudência — O Sol em Virgem

Este é o aspecto térreo de *Hod*, o Oitavo Caminho que, no *Sepher Yetzirah,* é chamado "A Consciência Perfeita" (*Sekhel Shalem*), porque é a Disposição Original. Não há raiz mediante a qual se possa ponderá-la, exceto as câmaras da Grandeza[91], que emana da essência de sua permanência."

Corresponde às pernas. *Hod* é a *sephirah* onde são construídas as formas que restringem a natureza instintiva, cuja energia procede de Netzach. Em outras palavras, aqui as forças naturais são canalizadas para os objetivos desejados, ganhando assim em organização. No Oito de Discos temos a mente (*Ho*d e Mercúrio) aplicada a organizar a matéria.

Os discos se tornaram flores de uma grande árvore cujas folhas as protegem, e suas raízes se afirmam na terra fértil de Virgem. A imagem passa idéias de firmeza, vitalidade, beleza, fertilidade, proteção, delicadeza e abundância. Nesta carta se juntam as melhores qualidades de Mercúrio (*chakra* planetário de *Hod*) e de Virgem (também governado por Mercúrio), signo que está sendo iluminado e energizado pelo Sol, regente de seu primeiro decanato. Diz Crowley: "Isso significa inteligência carinhosamente aplicada aos assuntos materiais, especialmente os relativos ao agricultor, ao artesão e ao engenheiro".

Temos aqui a expressão de várias qualidades, como: habilidade prática, capacidade analítica, método, espírito de serviço, entrega e afetividade.

91 - Refere-se a Chesed.

Oito de Discos (Crowley, Cosmic e Rider)

Esta é a carta da mente que constrói metodicamente nos planos materiais. O produto não pode ser somente útil, mas também belo. Tanto a tradição quanto Crowley coincidem em chamar esta carta de "A Prudência". Levemos em consideração que esse processo de florescimento dos discos é algo delicado, que precisa de cuidados e de respeito com os ciclos da natureza, evitando os extremos, a euforia e a pressa por atingir os resultados finais. Nesta carta de notável significado alquímico, a árvore está em flor, ainda não deu seus frutos. Uma geada ou um vendaval podem malográ-los; é necessário a prudência de quem caminha sobre as águas geladas de um lago.

Na Leitura Terapêutica

Momento atual: É um momento construtivo e criativo. O consulente faz o que quer, edificando passo a passo algo concreto e material. Com o Três ou outras cartas de Discos, indicaria que não sobra tempo e/ou energia para outras atividades nas quais seja mais importante a qualidade do momento que os resultados materiais.

Âncora: Este ego vive para construir. Precisa compulsivamente mostrar suas realizações, à procura de reconhecimento e adulação. Carrega uma máscara de inteligente e capaz. Suas produções são as melhores do mercado e é tremendamente crítico com os outros, especialmente com a concorrência.

A essência de Beech o ajudará a ser tolerante e a aceitar as diferenças e imperfeições alheias. Seu impulso, exageradamente competitivo para os negócios, pode ser transformado em confiança e cooperação com o floral de Tiger Lily.

Sua obsessão pela utilidade e pela eficiência pode ser revertida com a flor de Íris, que introduz e restaura o sentido da beleza da vida e das coisas.

Para que consiga aproveitar as coisas boas da vida com umas gotas de bom humor, sugerimos a essência de Zannia* e, para superar o medo de mostrar suas emoções e "baixar a guarda", aconselhamos o floral de Poison Oak**.

Necessidade interna: Os potenciais criativos do consulente não podem continuar sem expressão. Chegou a hora de construir alguma coisa, de realizar-se profissionalmente, de fazer negócios, de produzir.

Relacionamentos: a) Este está basicamente sustentado em objetivos materiais comuns que, pelo visto, estão sendo atingidos. Talvez essa interação funcional com o mundo da matéria seja um bom catalisador para o amor e a atração sexual. b) Pode tratar-se de alguém que dia a dia vai construindo o relacionamento, afirmando-o por meio do carinho, da sensibilidade, dos cuidados e procurando também objetivos e resultados comuns nos quais a criatividade do casal ache um caminho de manifestação.

Infância: "O que você trouxe, Zé?" Sua família parecia mais uma empresa que um ninho de amor. Para ser aprovado teve de mostrar-se produtivo, assumir suas tarefas e cumpri-las, em detrimento de brincadeiras e outras atividades próprias da idade.

Perdeu sua infância e foi transformando-se em alguém cada vez mais servil, organizado e pseudo-responsável. Talvez tenha sido a irmã maior que cuidou e criou todos os irmãos.

Método: Esta pessoa não pode continuar fugindo dos desafios da matéria. Para isso, deve ativar suas melhores qualidades (amor, beleza, inteligência, inspiração, criatividade, etc.) e direcioná-la para atividades que lhe dêem prazer e resultados materiais. Sugerimos o uso do floral de Blackberry, que a ajudará a organizar seus pensamentos e intenções em metas específicas e executá-las.

Também o de Borage pode ser útil para desenvolver a coragem e a alegria para enfrentar as adversidades e dificuldades.

Caminho de crescimento: Prevê uma fase de produção, criatividade e resultados práticos, fruto de sua capacidade analítica e de organização.

Resultado interno: O consulente resgatou sua confiança na capacidade de cristalizar sua beleza interna e seus conhecimentos no mundo da matéria.

Resultado externo: Está construindo, produzindo objetos, aperfeiçoando suas obras, passo a passo, com cuidado e carinho.

Nove de Discos — O Lucro — Vênus em Virgem

Simboliza o aspecto térreo de *Yesod*, o Nono Caminho, que no *Sepher Yetzirah* é conhecido como "A Consciência Pura" (*Sekhel Tahor*), porque purifica as *sephiroth*. Prova o decreto de sua estrutura e a essência interna de sua unidade, fazendo-a brilhar.

Corresponde aos órgãos reprodutores. Esta carta é a expressão, no mundo da Terra, do magnetismo etérico de *Yesod*, que se manifesta como uma grande força e firmeza, que conduz ao lucro material.

A imagem mostra três discos centrais entrelaçados e dispostos num triângulo ascendente, indicando a integração entre o amor (disco rosa), a sabedoria (disco azul) e a criatividade (disco verde). Os três estão unidos pelo amor, visível através dos outros dois. Nesta carta, Frieda Harris faz referência à sua relação triangular com Crowley e Israel Regardie. Nos outros seis discos, gravados com suas correspondentes atribuições planetárias, estão rascunhados os rostos dos três. Crowley aparece nos discos atribuídos a Saturno e Júpiter, Regardie, nos de Mercúrio e Marte e Frieda, nos referidos à Lua e Vênus, expressando assim as qualidades dos três.

Observem que a disposição planetária e geométrica destes últimos seis discos é equivalente a que vimos no Seis de Discos (o Sucesso), passando, pois, uma idéia de equilíbrio e realização. Apesar da tensão inerente deste *ménage à trois*, não cabe dúvida de que eles realizaram um grande sonho em co-

Nove de Discos (Crowley, Cosmic e Rider)

mum; assim, este triângulo amoroso foi um grande benefício. Vênus governa o segundo decanato de Virgem. A resultante destas duas energias é uma canalização para os assuntos práticos da natureza afetiva que, em alguns casos, pode perder certa espontaneidade, em função do espírito analítico e organizado de Virgem. Em outros, pode favorecer a prestatividade e a entrega à vida. Esta carta mostra os benefícios materiais que obtemos quando colocamos o amor, a beleza e o espírito de união e da fraternidade em tudo o que fazemos, desde fritar um ovo até dirigir uma equipe de futebol ou um município. Aqui, mistura-se a matéria densa com a emoção e a procura do prazer, de maneira que, em certos casos, o resultado não é muito saudável, tal como veremos em algumas posições. Em outros casos teremos um aumento de vitalidade.

Alguns autores, como Waite o S. Kaplan, interpretam esta carta como solidão e prazer não compartilhado ou culminação material, segurança e discernimento, respectivamente. Seu título tradicional é "O Benefício Material". Crowley a chama simplesmente "O Lucro".

Na Leitura Terapêutica

Momento atual: Vemos o consulente obtendo lucrativos resultados em seus negócios e empreendimentos. Mostra também que gosta do que faz e o faz com carinho, colocando também nas tarefas sua sensibilidade e bom gosto.

Âncora: Esta pessoa viveu sempre para o lucro e o dinheiro. Usou e provavelmente abusou de todos aqueles que a rodeavam, seduzindo-os e manipulando-os sem nenhuma ética. "Unamos meu charme e seu dinheiro." (Groucho Marx). Depois, usa o dinheiro para continuar manipulando.

Essa obsessão pela grana pode ser revertida com o floral de Fileiraree*, que ajuda a colocar esse aspecto material dentro de uma visão mais ampla. Sugeriremos também o uso do floral de Vine para entregar-se mais à vida, em vez de estar ansiosamente tentando controlar os outros. O floral de Deerbrush* pode ajudá-lo a fortalecer seus padrões éticos.

Esse tipo de manipulação pode ser tratado com o floral de Chicory que, nutrindo profundamente a pessoa, leva-a a dar seu amor e usar seu dinheiro sem esperar nada em troca e respeitando a individualidade dos outros.

Também poderíamos ter aqui alguém que acha que dinheiro só se consegue com esforço e sacrifício e que jamais vai conseguir progredir economicamente em atividades que lhe proporcionem prazer.

Necessidade interna: É importante que o consulente procure cobrir suas necessidades materiais por meio de atividades onde fluam naturalmente seu amor, sua sensibilidade artística e seu prazer. Também indica que deve dar mais carinho a si mesmo.

Relacionamentos: a) Este é um momento de incremento do amor e do prazer que o casal sente quando estão juntos, de maneira que todos os seus empreendimentos materiais se desenvolvem sem problemas e podem gerar lucros. b) Só se relaciona com pessoas por meio das quais vai melhorar sua situação financeira. Pode ser um profissional do golpe do baú.

Infância: Possivelmente, a criança encarnou numa família de comerciantes empedernidos, onde o lucro era o deus adorado, dentro e fora do horário comercial. Desde pequena, teve que servir a Mammon,[92] transformando-se no Miguelito de Mafalda.

Método: Chegou a hora de desenvolver os potenciais criativos e investir em atividades realizadas com amor e prazer, nos quais a pessoa expresse toda sua beleza interna, até transformá-la na principal fonte de renda.

A essência de Íris* se mostrará aqui muito útil, trazendo inspiração e criatividade a esse processo e impelindo-a a cultivar a beleza e a arte, em si mesma e no mundo.

Caminho de crescimento: Esta pessoa conseguiu sanear sua economia, por meio de benefícios obtidos com atividades criativas, realizadas com amor e prazer.

Resultado interno: Resgatou a confiança em suas emoções e em suas capacidades artísticas, que hoje guiam seus empreendimentos materiais. Sente-se bonita, criativa e capaz de concretizar com sucesso suas qualidades internas.

92 - Mammon é um termo aramaico que significa riqueza e que é usado na literatura hebraica em sentido pejorativo. Seria o dinhero no seu aspecto escravizante da humanidade.

Resultado externo: Vemos esta pessoa extraindo lucros, levando seus potenciais artísticos à prática e melhorando sua situação afetiva e financeira.

Dez de Discos — A Prosperidade — Mercúrio em Virgem

Este é o aspecto térreo de Malkuth, o Décimo Caminho. No texto *yetzirático* é chamado "A Consciência Centelhante" (*Sekhel MitNotzetz*), "porque se eleva a si mesma e se senta no trono do Entendimento. Brilha com o resplendor de todas as luminárias e concede um influxo de incremento ao Príncipe do Rosto".[93]

Corresponde aos pés e ao ânus. À medida que vamos abaixando na Árvore, a força vai ficando prisioneira na forma. Assim, em Malkuth a força se consumiu totalmente, não existe mais impulso.

Este Dez representa a última solidificação. Podemos considerá-lo, nos Arcanos Menores, como o Universo, nos Maiores. Neste, a máxima concretização saturnina leva à transcendência e, no Dez de Discos, conduz a uma transformação que neste caso é dual. Se a riqueza só é usada para continuar acumulando, sem dar-lhe uma saída mais criativa ou que reverta positivamente no bem-estar da comunidade, então, diz Crowley, a tendência natural será a dissipação e as perdas. Por outro lado, a estabilidade material pode ser uma boa base para descobrir e avançar para outros níveis mais elevados e transcendentes.

93 - O Anjo de Kheter.

> *Nela (Malkuth) se completa a estabilidade. Todas a outras sephiroth são, em algum grau, dinâmicas e é na ciência de Malkuth que repousam suas virtudes.*
>
> *A Cabala Mística – Dion Fortune*

Dez de Discos (Crowley, Cosmic e Rider)

Os Discos viraram moedas douradas e inertes, ocupando as posições das *sephiroth* na Árvore. A que ocupa a posição do Décimo Caminho é a maior, indicando um firme enraizamento de toda a estrutura. Quase todas as moedas levam diferentes símbolos de Mercúrio, governante do terceiro decanato de Virgem. A que ocupa a posição de *Hod* leva gravado um emblema solar, indicando que apenas por meio da consciência, podemos sair do impasse do esgotamento da força. Na moeda central está escrito Rafael, arcanjo de *Tiphareth*, e na moeda maior as letras *Shin*, *Aleph* e *Mem* (relativas aos elementos Fogo, Ar e Água, respectivamente) completam a quatrinidade com a Terra do metal da moeda. No fundo, uma chuva de moedas que perderam seu brilho sugere a futilidade das coisas materiais, um dia ordenadas e estáveis e outro desorganizadas e caóticas.

Aqui se manifestam as melhores qualidades de Mercúrio e Virgem. Esta é a carta da prosperidade material, fruto do desenvolvimento prático da capacidade analítica e da facilidade de comunicação, assim como do espírito de serviço. Não se trata do equilíbrio material autorregulado do Seis de Discos (o Sucesso), pois o Dez exige uma contínua atenção e capacidade de mudar para manter-se. A diferença entre ambos é paralela à que existe entre o indígena ou o camponês integrado nos ciclos da natureza e o astuto investidor da bolsa.

Conhecida tradicionalmente como "A Riqueza", Crowley a intitula "A Prosperidade".

Na Leitura Terapêutica

Momento atual: A atenção está direcionada para grandes somas de dinheiro. Podem ser dívidas ou investimentos, dependendo da segunda carta.

Âncora: Não sabe viver sem seu dinheiro, com o qual se identifica, e com o poder que este lhe dá. Seus sentimentos estão escondidos por trás de atitudes puramente calculistas e de sua ambição pelo poder econômico. Pode tratar-se de uma pessoa muito insegura internamente, com muito medo de perder seus bens. Exige de si mesma um esforço constante, um bloqueio permanente de suas emoções que pode acabar com seu bom humor e com sua saúde. Pode ser generoso com seus colaboradores e até pode patrocinar grupos assistenciais ou culturais, sempre que seja deduzido do imposto de renda, claro. Esta procura de fortuna e fama como fins últimos da vida pode ser colocada em seu lugar usando o floral de Sunflower*. A essência de Hound´s Tongue ajudará a ampliar essa visão cegamente materialista e a conscientizar-se da importância do interno e da beleza da vida enquanto o floral de Trillium amainará sua necessidade compulsiva de posses materiais e sua autovalorização em função de suas riquezas. Também e com o propósito de recuperar sua sensibilidade e emoções, podemos recomendar-lhe o floral de Yellow Star Tulip.

Necessidade interna: É importante mudar a relação com o dinheiro, sabendo colocá-lo no seu devido lugar. Ele não é nem a razão última de nossa vida nem o "vil metal" que nos contamina, mas o retorno que a sociedade nos dá pelo nosso trabalho e, usado conscientemente, um poderoso aliado em nosso crescimento. É hora de libertar-se das amarras do mundo material, não fugindo para as florestas, mas aprendendo a ganhar dinheiro de um modo criativo e prazeroso.

Relacionamentos: a) Só sobraram o vínculo material, o conforto e a segurança material que a relação gerou. O amor e a atração sexual acabaram, fazendo com que o relacionamento seja enjoado e monótono. b) Esta pessoa só quer proteção e segurança econômica. Seus envolvimentos com os outros não passam de investimentos financeiros.

Infância: A situação econômica foi de maior importância. A necessidade de trabalhar, de ganhar dinheiro, de garantir a segurança econômica foi colocada no primeiro plano. Faltou amor, contato físico e apoio. Se foi criada na prosperidade, a criança teve muitos brinquedos para compensar suas carências. Se a situação econômica foi difícil, teve de sair a procurar seu sustento quando era a hora de brincar.

Método: Chegou o momento de ganhar dinheiro. Sabendo usar a cabeça, levando as idéias à prática e impulsionando, com decisão, os empreendimentos materiais e financeiros, o crescimento passa hoje por atingir a prosperidade. Como isso não pode ser atingido saudavelmente sem uma visão ampla e sensível do mundo, sugeriremos a essência de Fileiraree* e a de Madia*, que ajudam a disciplinar e concentrar a mente.

Caminho de crescimento: Vemos o consulente sabendo usar sua mente concreta e racional para fazer bons negócios e vencer os desafios do mundo material, concretizando seus potenciais até atingir a prosperidade.

Resultado interno: Resgatou sua autoconfiança, sua saúde e sua capacidade de vencer os desafios do mundo material. Hoje percebe este lado com uma visão ampla e desapegada.

Resultado externo: Vemos o consulente fazendo negócios, ganhando dinheiro e vivendo prosperamente.

APÊNDICE I

Lições de Vida

A data de nascimento é uma das mais ricas fontes de pesquisa no mundo do autoconhecimento. Entre outras coisas nos fornece as Lições de Vida, as atitudes que nos ajudam a realizarnos integralmente e nos orientam a ser mais nós mesmos.

Para calculá-la:

1. Reduza, isto é, some todos os dígitos de seu ano de nascimento, como no exemplo abaixo:

   1970 = 1 + 9 + 7 + 0 = 17
2. Some todos os dígitos do dia, junto com os do mês: 15 + 01 = 16
3. Agora some os resultados anteriores:

   17 +16 = 33

Se o número obtido é maior do que 78, iremos reduzi-lo de novo.

Se este número é maior que 22 e menor ou igual a 78, obteremos um Arcano menor, que reduzido dá um Arcano Maior. Se este número pode ser reduzido de novo, teremos um segundo Arcano Maior. Assim, em alguns casos teremos lições de vida ilustradas com três cartas (um Arcano Menor e dois Maiores), em outros com duas cartas (um Menor e um Maior) e em outros também com duas cartas (dois Arcanos Maiores), quando o primeiro número obtido é menor do que 23.

No exemplo, obtivemos o número 33, que reduzido dá um 6.

33 = 3 +3 = 6

Às vezes, este último número esconde outro, isto é, existe outro número menor que 22 cujos dígitos somados dão o primeiro número, como é o caso do exemplo:

6 = 1 + 5 = 15

O 15 é o número escondido do 6, porque a soma de seus dígitos 1 e 5 é 6. O Demônio está escondido atrás dos Amantes. Uma forma bem prática de fazer este cálculo é somar 9 ao Arcano Maior obtido.

Este número escondido será o desafio da pessoa. Na lista a seguir a Carta Desafio está em maiúsculas.

A lição de vida para esta pessoa está vinculada aos números: 33, 6 e 15, que na linguagem do Tarô são o 7 de Paus, os Amantes e o Demônio.

Também temos uma Lição de Vida para cada ano natal. Para calculá-la, seguiremos o mesmo procedimento, só que usando o ano de nosso último aniversário.

1. 2000 = 2 + 0 + 0 + 0 = 2
2. 15 + 01 = 16
3. 16 + 2 = 18

No exemplo, o 18, por redução, é também um 9: 18 = 1 + 8 = 9

A lição de vida desta pessoa para seu ano atual é: 18 e 9, que no Tarô são a Lua e o Ermitão.

Calcule os seus.

	1º Nº	Nº Red.	Nº Oculto
Lição de Vida geral			
Lição de Vida anual			

Todos os resultados se encaixam em nove grupos, que por sua vez se desdobram em mais cinco ou seis subgrupos, dependendo dos casos.

A relação entre os números e as cartas é a seguinte:

78: Dez de Discos • O Demônio • Os Amantes
77: Nove de Discos • A Arte • O Hierofante
76: Oito de Discos • A Morte • O Imperador • O LOUCO
75: Sete de Discos • O Pendurado • A Imperatriz • O UNIVERSO
74: Seis de Discos • O Tesão • A Sacerdotisa • O EÃO
73: Cinco de Discos • A Fortuna • O Mago • O SOL
72: Quatro de Discos • O Ermitão • O Louco • A LUA
71: Três de Discos • A Justiça • A ESTRELA
70: Dois de Discos • O Carro • A TORRE
69: Ás de Discos • O Demônio • Os Amantes
68: Princesa de Discos • A Arte • O Hierofante
67: Príncipe de Discos • A Morte • O Imperador • O LOUCO
66: Rainha de Discos • O Pendurado • A Imperatriz • O UNIVERSO
65: Cavaleiro de Discos • O Tesão • A Sacerdotisa • O EÃO
64: Dez de Espadas • A Fortuna • O Mago • O SOL
63: Nove de Espadas • O Ermitão • O Louco • A LUA
62: Oito de Espadas • A Justiça • A ESTRELA
61: Sete de Espadas • O Carro • A TORRE
60: Seis de Espadas • Os Amantes • O DEMÔNIO
59: Cinco de Espadas • A Arte • O Hierofante
58: Quatro de Espadas • A Morte • O Imperador • O LOUCO
57: Três de Espadas • O Pendurado • A Imperatriz • O UNIVERSO
56: Dois de Espadas • O Tesão • A Sacerdotisa • O EÃO
55: Ás de Espadas • A Fortuna • O Mago • O SOL
54: Princesa de Espadas • O Ermitão • O Louco • A LUA
53: Príncipe de Espadas • A Justiça • A ESTRELA
52: Rainha de Espadas • O Carro • A TORRE
51: Cavaleiro de Espadas • Os Amantes • O DEMÔNIO
50: Dez de Copas • O Hierofante • A ARTE
49: Nove de Copas • A Morte • O Imperador • O LOUCO
48: Oito de Copas • O Pendurado • A Imperatriz • O UNIVERSO
47: Sete de Copas • O Tesão • A Sacerdotisa • O EÃO
46: Seis de Copas • A Fortuna • O Mago • O SOL
45: Cinco de Copas • O Ermitão • O Louco • A LUA
44: Quatro de Copas • A Justiça • A ESTRELA
43: Três de Copas • O Carro • A TORRE
42: Dois de Copas • Os Amantes • O DEMÔNIO
41: Ás de Copas • O Hierofante • A ARTE
40: Princesa de Copas • A Morte • O Imperador • O LOUCO
39: Príncipe de Copas • O Pendurado • A Imperatriz • O UNIVERSO
38: Rainha de Copas • O Tesão • A Sacerdotisa • O EÃO
37: Cavaleiro de Copas • A Fortuna • O Mago • O SOL
36: Dez de Paus • O Ermitão • O Louco • A LUA

35: Nove de Paus • A Justiça • A ESTRELA
34: Oito de Paus • O Carro • A TORRE
33: Sete de Paus • Os Amantes • O DEMÔNIO
32: Seis de Paus • O Hierofante • A ARTE
31: Cinco de Paus • A Morte • O Imperador • O LOUCO
30: Quatro de Paus • A Imperatriz • O PENDURADO • O UNIVERSO
29: Três de Paus • O Tesão • A Sacerdotisa • O EÃO
28: Dois de Paus • A Fortuna • O Mago • O SOL
27: Ás de Paus • O Ermitão • O Louco • A LUA
26: Princesa de Paus • A Justiça • A ESTRELA
25: Príncipe de Paus • O Carro • A TORRE
24: Rainha de Paus • Os Amantes • O DEMÔNIO
23: Cavaleiro de Paus • O Hierofante • A ARTE
22: O Louco • O Imperador • A MORTE
21: O Universo • A Imperatriz • O PENDURADO
20: O Eão • A Sacerdotisa • O TESÃO
19: O Sol • A Fortuna • O Mago
18: A Lua • O Ermitão • O Louco
17: A Estrela • A Justiça
16: A Torre • O Carro
15: O Demônio • Os Amantes
14: A Arte • O Hierofante
13: A Morte • O Imperador
12: O Pendurado • A Imperatriz • O UNIVERSO
11: O Tesão • A Sacerdotisa • O EÃO
10: A Fortuna • O Mago • O SOL
9: O Ermitão • O Louco • A LUA
8: A Justiça • A ESTRELA
7: O Carro • A TORRE
6: Os Amantes • O DEMÔNIO
5: O Hierofante • A ARTE
4: O Imperador • A MORTE • O LOUCO
3: A Imperatriz • O Pendurado • O UNIVERSO
2: A Sacerdotisa • O TESÃO • O EÃO
1: O Mago • O SOL • A FORTUNA (impossível de se obter numericamente)

Seqüência do Um

1 - 10 - 19: o Mago, a Fortuna e o Sol.

Se esta é sua seqüência, seu caminho de crescimento passa pela ação. Use e abuse de sua capacidade verbal. Venda seu peixe. Procure as oportunidades para expandir seu universo. Plugue-se na *Internet*. Não abra mão de viajar, seja a passeio, a negócios ou para estudos, que sempre terá um resultado positivo. Invista em suas idéias. Arrisque-se, aventure-se; o desconhecido sempre lhe proporcionará benefícios. Procure não se perder com tanto agito, saiba manter seu mundo interno vibrante, medite, celebre seu ser interior. Cuide de sua espiritualidade.

Florais: Cosmos, Tansy, Lotus, Star Tulip e Sunflower.

A Seqüência do Um pode proceder de:

28 - 2 de Paus. Não se desgaste inutilmente entrando em jogos de poder. Se você represa seus instintos em nome de um determinado "Eu sou assim e não posso expressar isto", entrará num conflito interno que desgastará sua energia vital e deixará seu lado animal extremamente raivoso e frustrado. A essência de Vine o ajudará a afastarse dos jogos de poder.

37 - Cavaleiro de Copas. Não perca seu tempo com atividades que não o inspiram. Você é movido a paixão. Deixe seu coração sinalizar seus objetivos e jogue-se com ímpeto. Nessa direção, você vai ver abrir-se também o caminho da espiritualidade.

Florais: Mallow e Califórnia Wild Rose.

46 - 6 de Copas. Resgate seu prazer. Ele sempre esteve dentro de você. Procure relacionamentos que o ajudem a se equilibrar emocionalmente, a expressar seu prazer, a viver sua sexualidade com maior consciência, amor e espiritualidade. Você vai achar.

55 - Ás de Espadas. Precisa relaxar a mente, parar de costurar pensamentos, para que ela se impregne da sua essência. Logo podem chegar *insights*, a partir dos quais pode elaborar seus planos a médio e longo prazo.

Florais: White Chesnut Hound´s Tongue.

64 - 10 de Espadas. Toda ilusão acaba acarretando desilusão e sofrimento. Cuidado com aderir a religiões ou ideologias. A sua visão de mundo precisa vir de sua própria experiência. Avalie se seu sistema de crenças funciona.

Florais: Sagebrush, Goldenrod e Sunflower.

73 - 5 de Discos. Cuidado com a autodestruição. Não faça seu corpo pagar pelos conflitos que você ainda não resolveu. Preste especial atenção a seus bens materiais, proteja-os. Não entre em operações financeiras ou comerciais arriscadas. Faça o seguro de seu carro.

Florais: Dogwood, Morning Glory e Borboleta Lily.

Seqüência do Dois

20 - 11 - 2: O Eão, o Tesão e a Sacerdotisa.

Não adie suas decisões nem esqueça suas percepções. Saia de velhos úteros limitantes, renasça! Não pense que nesta vida você só nasce uma vez. Estimule seu ilimitado potencial criativo, trabalhando sua auto-estima, desenvolvendo sua sensualidade (se mulher, pratique a dança do ventre), cuidando de seu corpo. Você é movido(a) a tesão. Nunca invista em algo que não gere entusiasmo, se não quer murchar. Não deixe que seu ego capitalize toda essa beleza, medite, vá ao encontro de seu ser interior, preserve seu brilho. Você é um ser completo; embora ganhe o aplauso com facilidade, as fontes de sua gratificação pessoal estão no seu interior. Acredite na sua intuição.

Florais: Red Clover, Cerato, California Pitcher Plant, Indian Paintbrush e Star Tulip.

A Seqüência do Dois pode proceder de:

29 - 3 de Paus. Que seu fazer seja o reflexo de seu ser. Invista em atividades nas quais você se sente mais você mesmo(a). "Parece que inventaram este trabalho para mim."

Florais: Mullein e Sunflower.

38 - Rainha de Copas. Você possui uma enorme sensibilidade; ela pode

levá-lo(a) para o céu ou para o inferno. Observe suas emoções, escreva a respeito, trabalhe sua auto-estima, crie, analise seus sonhos, siga sua intuição e encontrará o céu aqui e agora.

Florais: Black-Eyed Susan e Queen Anne´s Lace

47 - 7 de Copas. Invista em atividades ligadas ao lazer e ao prazer dos sentidos em geral. Abra um restaurante ou uma casa noturna. Trabalhe com a ilusão. Faça com que seus clientes se sintam tomando vinho nos jardins da Babilônia, entre odaliscas e incensos.

Florais: Sticky Monkeyflower.

56 - 2 de Espadas. Preserve sua paz interior. Sua tendência natural a evitar o confronto não deve levá-lo a fechar acordos onde você se sinta lesado(a) ou abra mão de sua verdade. Seja diplomata, mas seja também capaz de brigar com os outros, antes de quebrar sua paz interior.

Florais: Cerato, Larch e Centaury.

65 - Cavaleiro de Discos. Ponha as mãos na massa. Faça você mesmo. Invista com energia e determinação em assuntos materiais. Semeie, adube, capine, molhe, colha: suas reservas energéticas são ilimitadas. Mas não vire um trabalhador compulsivo, avalie sempre quais são suas responsabilidades reais.

Florais: Tansy e Oak

74 - 6 de Discos. Cuide de sua saúde, procure estar em forma. Sua vitalidade é a base para sua realização. Equilibre suas contas. "A gente não quer só comida..."

Florais: Clematis e California Wild Rose.

Seqüência do Três

21-12-3: O Universo, o Pendurado e a Imperatriz.

Se esta é sua seqüência, sua vida estará claramente definida em etapas. Fechar cada uma delas, com paciência e perseverança, significa concluir assuntos, geralmente de ordem material, que logo vão servir de trampolim para decolar a nova etapa. Siga suas emoções, faça delas o rio onde você joga sua canoa e flui. Entregue-se à vida de coração aberto e ela o conduzirá até o mar da realização de sua vocação. Você não pode fazer do dinheiro o objetivo principal de seu trabalho. Dentro de seu coração habita uma causa especial. Você tem o poder de nutrir o mundo, mas primeiro deve nutrir-se a si mesmo.

Atividades artísticas, psíquicas, ambientalistas ou sociais podem muito bem ser sua praia.

Florais: Hornbeam, Deerbrush, California Wild Rose, Íris e Borboleta Lily.

Esta seqüência pode proceder de:

30 - 4 de Paus. Organização, método e disciplina são as chaves de seu sucesso. Compre uma agenda, seja pontual e acabe cada coisa antes de começar dez. O trabalho em equipe pode dar excelentes resultados. Escolha atividades onde seu amor se manifeste naturalmente.

Floral: Madia

39 - Príncipe de Copas. Olhe para dentro, descubra os mecanismos que governam suas emoções. Pesquise. Elabore conclusões e coloque-as à prova. Não use só sua mente analítica, invente, crie, leia ao respeito. O fascinante mundo dos recantos da alma está se abrindo para você. Observe os outros. Talvez você descubra sua vocação.

Floral: Black-Eyed Susan.

48 - 8 de Copas. Não deixe a depressão tomar conta de você. Se mexa, saia a correr. Não perca o Casseta & Planeta. Não se iluda, ninguém vai vir

salvá-lo(a). Não procure a compaixão. Procure seus amigos, mas não fique contando suas desgraças. Procure algo que possa ser celebrado e organize uma festa.

Florais: California Wild Rose, Borage e Zannia.

57 - 3 de Espadas. Seu medo de sofrer, sentindo-se rejeitado, ignorado ou abandonado, leva-o a viver dizendo: “não fui eu”. Não fuja da vida, encare-a. Se sofre, observe a dor, conheça suas causas profundas e, mais amadurecido, saia da dor afirmando-se na prática em seu direito de estar bem. Chegará o dia em que não precise aprender pela dor.

Florais: Evening Primrose, Pink Monkeyflower.

66 - Rainha de Discos. Você tem o ouro, distribuindo-o, seguindo seu coração, você vivifica, fertiliza e protege o seu ambiente, melhora o mundo e o ouro sempre fluirá nas suas mãos. Faça um curso de agricultura ecológica. Você vai gostar. Mas procure manter-se sempre bem nutrido(a); um coração só transborda quando está pleno. Não seja estelionatário emocional.

Florais: Sunflower, Milkweed e Mariposa Lily.

75 - 7 de Discos. Pare de adiar as coisas. Saia da estagnação. Agindo com determinação e evitando se sabotar, vai conseguir liberar-se do medo do fracasso.

Florais: Larch e Cayenne.

Seqüência do Quatro

13 - 4 - 22: A Morte, o Imperador e o Louco.

Você tem vindo aqui para mandar. Organização, método, disciplina e visão de futuro são suas melhores armas. Use-as e as pessoas reconhecerão em você seu carisma de líder. Em primeiro lugar, deve tomar com firmeza as rédeas de sua própria vida. Também precisa saber mudar, deixar de lado crenças e princípios para agir sempre a partir de sua essência e sua verdade, se não quer virar um tirano. Mesmo cheio de responsabilidades, procure temperar sua vida com alegria e brincadeiras. Esteja atento a seu lado infantil. Ele tem idéias geniais para ser desenvolvidas.

Florais: Sagebrush, Walnut Blackberry, Zannia e Baby Blue Eyes.

A seqüência do Quatro pode proceder do:

31 - 5 de Paus. Defina seus objetivos com precisão a partir de sua vontade mais profunda. Objetivos nos quais sua criatividade possa se manifestar. Depois lute com tenacidade, paciência e perseverança para concretizá-los.

Floral: Wild Oat.

40 - Princesa de Copas. Sua riqueza emocional precisa ser expressa tanto no nível de relacionamentos quanto artisticamente. Na sua sensibilidade e capacidade para dar-lhe forma está sua chance de realização. Trilhe o caminho das artes, inclusive na produção: você vai se dar bem.

Florais: Indian Paintbrush e Íris.

49 - 9 de Copas. Gratifique-se com as coisas boas da vida. Saiba se rodear de pessoas que estão de bem com a vida. Procure atividades criativas e recreativas. Vá às festas, celebre, não abra mão do conforto, delicie-se com as artes, inclusive a gastronomia.

Florais: Horbeam e Impatiens.

58 - 4 de Espadas. Ordene seus pensamentos. Não deixe sua mente divagar, delirar e surfar na maionese, para que possa ser operacional e construtiva. Revise seu sistema de crenças, achará algumas ordens que o estão limitan-

do. Inove seus arquivos, estude na sua área, elabore.

Florais: Sagebrush e Madia.

67 - Príncipe de Discos. É para você ganhar dinheiro e juntar bens materiais sabendo usar a cabeça e a imaginação. Que está esperando? Estude administração.

Florais: Blackberry e Gentian.

76 - 8 de Discos. Use sua capacidade de produzir. Faça com que suas obras levem seu selo pessoal. Coloque nelas sua beleza e conhecimentos, sua essência e sua luz. Escolha bem seus afazeres, para que também o amor possa fluir.

Florais: Blackberry e Borage.

Seqüência do Cinco

5 e 14: O Hierofante e A Arte.

Escolha com muita atenção suas atividades, pois devem gerar muito prazer, até o ponto de você mergulhar nelas e virar um com elas. Sem tensão, com tesão, descansando no trabalho, trabalhando no descanso. Assim você vai descobrir muita coisa que algum dia vai ensinar para a gente. Estamos esperando por você, mestre(a)! Mostre para nós a quinta-essência das coisas. O caminho da espiritualidade pode ser o seu.

Florais: Lotus,Wild Oat e Lady´s Slipper.

A seqüência do Cinco pode proceder do:

23 - Cavaleiro de Paus. Seja espontâneo, siga seu impulsos. Use sua enorme capacidade de iniciativa. Expresse seus impulsos para não criar dentro de você uma bomba de raiva e frustração. As viagens e o movimento em geral lhe fazem bem.

Florais: Scarlet Monkeyflower e Cayenne.

32 - 6 de Paus. Permita que sua criatividade se expanda. Não force a barra, sua vitória está em achar o equilíbrio entre o esforço e os resultados: o fluir.

Florais: Aloe Vera e Impatiens.

41 - Ás de Copas. Seu potencial emocional é imenso. Permita que ele desabroche, encare e trabalhe também os aspectos sombrios e atingirá altos vôos de gratificação e espiritualidade.

Florais: Pink Monkeyflower e Black-Eyed Susan

50 - 10 de Copas. Não se deixe prender na rede de relacionamentos que o sufocam. Acabe com a mesmice. Não precisa fingir e dar uma de bonzinho com o mundo tudo, suportando vínculos emocionais que tiram sua espontaneidade e reprimem sua instintividade. Estabeleça distância do sistema familiar e dos padrões sociais, traçando seu próprio caminho na vida.

Florais: Walnut e Yarrow.

59 - 5 de Espadas. Ser crítico e não aceitar qualquer besteira como verdade consagrada ou obedecer a ordens sem sentido é de sua natureza e sempre vai ser positivo. No entanto, evite exagerar, olhando sempre para o negativo, comprando briga ou destruindo as opiniões dos outros, achando que só as suas são válidas. Fuja de ambientes carregados de inveja, ciúme ou competitividade antes de se emaranhar neles.

Florais: Oregon Grape e Willow.

68 - Princesa de Discos. Observe suas sensações corporais, coloque sua atenção na respiração, deixe sua mente se esvaziar. Seu corpo biológico lhe mostrará o caminho. Trabalhe na sua estruturação material. O resto, inclusive a transcendência espiritual, vai vir sozinho.

Florais: Clematis e Manzanita.

77 - 9 de Discos. Invista sem medo naquilo que lhe traz o maior prazer.

Naquilo onde você pode colocar sua sensibilidade e beleza interior. Com certeza, vai ter ótimos lucros. Publique suas idéias, venda seu peixe.

Florais: Íris e Fileiraree.

Seqüência do Seis

6 -15: Os Amantes e o Demônio.

Faça suas escolhas logo. Determine que vida você quer para você mesmo. Vá elaborando o que você contará para seus netos. Não deixe que os outros ou o passado configurem sua vida. Cuide de seu lado animal, desenvolva sua consciência corporal, dê vazão a seus impulsos instintivos, não force seus ritmos de trabalho. Viva seus relacionamentos com intensidade: para você, relacionar-se afetiva e sexualmente é como respirar, mas evite identificar-se com o relacionamento, perdendo assim sua individualidade.

Florais: Wild Oat, Scleranthus, California Pitcher Plant e Poison Oak.

A seqüência do Seis pode proceder do:

24 - Rainha de Paus. Trabalhe seu corpo, cultue sua saúde, resgate sua sensualidade, pratique dança do ventre, se é mulher, ou flamenco, se é homem, e forró em ambos os casos. Procure parceiros(as) com os(as) quais possa viver seu erotismo plenamente. Expresse sua sexualidade da maneira mais amorosa possível. Pratique a meditação *kundalini*. Entranhando amor e sexo, você vai entrar em êxtase.

Florais: Sticky Monkeyflower e Manzanita.

33 - 7 de Paus. Não fique a meio caminho, use sua determinação, resgate sua coragem. Tome atitudes contundentes, drásticas e decididas. Faça da energia instintiva e especialmente da raiva o combustível para vencer os obstáculos e os medos. Eventualmente, force a barra.

Florais: Borage e Cayenne.

42 - 2 de Copas. Por mais que você possa vir a se sentir carente e precisando de um amor na vida, não embarque num relacionamento sem antes se nutrir. Trate-se com ternura, dê para você todo o amor que gostaria de receber do outro, receba pelo menos uma massagem por semana. Ame o que faz ou mude de atividade.

Floral: Mariposa Lily.

51 - Cavaleiro de Espadas. Não deixe suas idéias mofarem no baú das lembranças. Lute por elas. Coloque energia nos seus projetos, procure colaboradores que vistam a camisa, divulgue suas teorias. Arrisque a dar o pulo.

Floral: Blackberry.

60 - 6 de Espadas. Você tem uma mente muito eficiente, use-a. Desenvolva seus potenciais intelectuais. Procure ter uma visão objetiva, clara e profunda das situações pelas quais atravessa, analisando seus prós e seus contras. Cursos, viagens, estágios, leituras técnicas serão muito úteis.

Florais: Nasturtium e Shasta Daisy.

69 - Ás de Discos. Pode arriscar-se a começar tudo de novo que vai dar certo. Investir em novas fontes de renda, nova moradia, nova estrutura material pode ser muito positivo, especialmente se também investe na sua saúde, desenvolvendo uma nova consciência corporal.

Floral: Wild Oat

78 - 10 de Discos. Você é um canal da abundância e da prosperidade do Universo. Use sua capacidade de comunicação e análise junto com seu espírito de serviço e ganhará mais dinheiro do que imagina, especialmente se reverte a riqueza na comunidade. Florais: Madia e Star Thistle.

Seqüência do Sete

7 - 16: O Carro e a Torre.

Toda vez que você largar assuntos ou vínculos que já não geram mais entusiasmo, tesão ou interesse, vai abrir uma boa oportunidade de crescimento. Talvez não saiba muito bem o que você quer, mas sabe o que não quer. Sinta seu coração, escute sua voz para achar o novo caminho. Chegou a hora de mudar, de exercitar o desapego, iniciando uma nova fase de sua vida. Deixe de ser o guardião de sua própria prisão. Prisões externas (vínculos, compromissos, a casa da família, emprego, etc.) e internas (crenças, princípios, padrões de conduta, hábitos, identificações etc.) precisam ser detonadas para poder tomar contato com a realidade.

Florais: Honey Suckle, Sagebrush, Wild Oat e Cerato.

A seqüência do Sete pode proceder do:

25 - Príncipe de Paus. Brilhe, destaque-se, dê uma saída criativa para sua enorme energia vital, elaborando projetos e idéias que estimulem seu entusiasmo. Assim pode perder sua insegurança e baixa auto-estima, que às vezes se traduzem em medo de fracassar.

Florais: Cayenne e Larch.

34 - 8 de Paus. Deixe de usar sua energia para se controlar e use-a para aplicá-la nos seus objetivos, na sua procura de algo novo e excitante, antes de sofrer um acidente ou enfartar. Se apreciar sua vida, não acumule raiva e tensões, pratique a Meditação Dinâmica ou esportes com assiduidade.

Floral: Cherry Plum.

43 - 3 de Copas. Pode acreditar na sua abundância interior. Valorize sua criatividade, conjugue suas habilidades e capacidade analítica com sua sensibilidade. Invista em você com amor, que logo vai estar dando frutos e obtendo resultados tanto materiais como emocionais.

Floral: Star Thistle.

52 - Rainha de Espadas. Lute pelo seu direito à autodeterminação, enfrentando as caducas normas de conduta, os dogmas religiosos, as ideologias machistas e as pessoas que, no mundo profissional ou familiar, representam e agem preservando tais idéias arcaicas. Quer mudar o mundo? Que está esperando para fazê-lo?

Florais: Walnut.

61 - 7 de Espadas. Se quiser ser feliz, pare de dar ouvidos para os palpites, sugestões e pressões dos outros. Você não pode dar satisfação aos outros e a você ao mesmo tempo. Ficar escutando conselhos só fragiliza seu projeto de vida. Procure em seu interior o direcionamento necessário para elaborá-lo.

Florais: Centaury e Walnut.

70 - 2 de Discos. Mude, devagar, mas mude. Sonhe e vá construindo aos poucos, com paciência e perseverança, sua estrutura material. A mudança é a base da estabilidade. Aperfeiçoe seu jogo de cintura, seja uma metamorfose ambulante. Pratique a adaptação consciente às situações.

Floral: Tansy.

Seqüência do Oito

8 - 17: A Justiça e a Estrela.

Evite os extremos e a autodestrutividade, procure ajustar-se às circunstâncias. Seja flexível e equilibrado, mas mantenha sempre sua verdade, sem pretender ser um modelo de virtudes que se gaba de seu comportamento imaculado. Talvez tenha chegado o momento de confrontar seu *karma* (neste caso, use a essência de Self Heal) e adequar-se aos novos tempos. É importante ir renovando permanentemente a visão de mundo, os critérios e as idéias em geral. Vendo se funcionam ou são camisas de força para seu desenvolvimento. Reavaliando seu modo de pensar e descartando aqueles princípios que nunca deram certo, você vai desenvolver uma mente mais universal, atual, e sentir-se uma parte integrada e integrante do universo.

Florais: Morning Glory, Sage e Filaree.

A seqüência do Oito pode proceder do:

35 - Princesa de Paus. Canalize construtivamente sua energia vital. É fundamental que dê vazão a seus impulsos instintivos para evitar que seu lado animal se transforme num monstro destrutivo.

Florais: Snapdragon e Scarlet Monkeyflower.

44 - 4 de Copas. Ordene sua vida emocional, invista na qualidade de um relacionamento e não na quantidade de relacionamentos. No entanto, não faça da estabilidade e segurança emocional uma prisão. Nutra-se permanentemente, dando-se amor e atenção.

Floral: Sagebrush.

53 - Príncipe de Espadas. Você, que tem uma capacidade e habilidades mentais fora do comum, não pode deixar de atingir conclusões e tomar decisões práticas. Evite a masturbação mental.

Floral: Tansy.

62 - 8 de Espadas. Pare de dizer não para você mesmo, pare de se sabotar, inventando sempre desculpas para paralisar suas iniciativas. Acabe com esse pessimismo entrando na ação com consciência e determinação.

Floral: Larch.

71 - 3 de Discos. Você achará grandes satisfações no trabalho. Invista nele, dê forma à matéria, colocando nela sua energia vital. Porém, não exagere, não se transforme num viciado em trabalho: trabalhe para viver, não viva para trabalhar.

Floral: Blackberry.

Seqüência do Nove

0 - 9 - 18: O Louco, o Ermitão e a Lua

Se você obteve esta seqüência, seu caminho passa por confrontar seus medos, desmascará-los e resolvê-los. Comece pelos mais fracos, pela timidez, por exemplo. Você traz muitos potenciais a serem usados, escondidos atrás dos medos. Arrisque-se a dar o pulo no vazio. Sua melhor arma é a auto-análise: seja seu próprio Freud, abra um espaço na sua agenda para refletir a respeito de suas atitudes. Por que não tomou determinada iniciativa ou seguiu aquele impulso? Mas também deixe sua criança se expressar; há tempo para tudo. Brinque, celebre. Compre um diário e escreva a respeito de você e de seus desejos mais ocultos. Narre a batalha e sua vitória contra os medos. Um milhão de pequenos medos podem abrir a consciência para um medo mais básico e real, e, portanto, com maiores possibilidades de ser trabalhado e resolvido.

Florais: Zannia, Baby Blue Eyes, Chesnut Bud, Mimulus e Aspen.

A seqüência do Nove pode proceder do:

27 - Ás de Paus. Invista naquilo que mobiliza sua energia, especialmente se é algo novo. Use sua determinação. Toda vez que você se jogar em al-

guma coisa nova, vai se dar bem e deixar um bocado de medos para trás.

Florais: Cayenne, Sagebrush e Larch.

36 - 10 de Paus. Você não é Jesus para andar carregando cruzes. Cuidado com a sobrecarga. Não assuma responsabilidades dos outros. Aprenda a dizer não, não acumule tarefas para ganhar a aprovação de ninguém. Largue atividades, compromissos e obrigações que não lhe dão prazer. Talvez ande assumindo compromissos e inventando tarefas para fugir de si mesmo, para não fazer suas vontades e assim não responsabilizar-se pelos seus atos.

Floral: Fairy Lantern.

45 - 5 de Copas. Se você não se ama, quem vai amá-lo? Quem é esse personagem interno que vive criticando e invalidando você? Seja capaz de romper os vínculos emocionais que o prendem em relacionamentos destrutivos.

Florais: Willow, Black-Eyed Susan, Sunflower.

54 - Princesa de Espadas. Brigue pelas suas idéias, enfrente com decisão as dificuldades que se opõem à materialização de seus projetos.

Floral: Penstemon.

63 - 9 de Espadas. Evite duvidar de seus impulsos instintivos. Cuide de seu corpo e respeite suas necessidades biológicas. Expresse sua raiva, diga não. Trate-se com ternura. Não é obedecendo a padrões autodestrutivos que você vai se realizar, mesmo se tentar obter a aprovação dos outros.

Floral: California Pitcher Plant.

72 - 4 de Discos. Não perca a oportunidade de investir em bens imóveis. Estruture-se materialmente. Discipline-se, faça exercícios regularmente, controle suas contas, mostre que é você quem manda nelas.

Florais: Morning Glory e Sweet Pea.

Resumindo

0 ou 22 - O Louco

É a Potencialidade Absoluta a ponto de manifestar-se.

Representa a criança com suas características de espontaneidade, pureza, alegria, inocência, amorosidade e potencialidade. Vive o aqui e o agora, instintivamente, brinca e se entusiasma. Sua mente receptiva, não programada, sem conhecimentos prévios, não julga.

Mostra o resgate dos melhores aspectos infantis. Leva a vida menos a sério, descobrindo novos potenciais internos que o levam a dar um salto para o desconhecido.

Também pode mostrar irresponsabilidade, dependência, insegurança, exigência de amor incondicional, com dificuldade de extrair lições das próprias experiências. Sem objetivos, procura aprovação e estabelece relacionamentos filiais.

01 - O Mago

É o Principio Masculino Universal, o *Yang*.

Representa a ação, o uso dos conhecimentos e a habilidade. A vontade, a mente discriminativa, a comunicação, o dinamismo, a capacidade de elaboração criativa e as realizações no plano mental.

Indica intensa atividade, com a atenção e energia dirigidas para objetivos externos; agilidade mental para elaborar projetos e convencer os outros, viagens e novos contatos, geralmente profissionais.

Pode mostrar também um comportamento agitado e ansioso, dificuldade para parar, calar e se observar. Desconectado de suas emoções, representa os perigos de uma excessiva racionalização.

02 - A Sacerdotisa (A Papisa)

É o Princípio Feminino Universal, o *Yin*.

Representa a receptividade, a conexão com o interior, a calma, a ausência de ansiedade e de qualquer tipo de tensão. É a expressão da meditação, da sabedoria interior, do esoterismo, a mente contemplativa, a intuição, a clarividência.

Indica recolhimento, sossego, silêncio, autocurtição, autoconhecimento, mente receptiva, desinteresse pela ação, sensação de plenitude de quem não precisa de nada de fora.

Pode também mostrar a dificuldade para agir e tomar decisões, desconfiança do mundo, as fantasias, a autoinvalidação, a falsa espiritualidade, a repressão sexual, a dama de gelo.

03 - A Imperatriz

É o Princípio Feminino Material.

Representa as Forças da Vida, a Natureza, a mãe e tudo o que vivifica e nutre.

Indica amorosidade, capacidade para vivificar e nutrir seu redor. Investimentos em atividades que preenchem emocionalmente, criação artística, sensualidade, prazer, frutificação, gravidez e entrega amorosa ao mundo.

Pode mostrar a "Supermãe", superprotetora, controladora, manipuladora, que procura aceitação e reconhecimento fazendo favores. Também frivolidade, superficialidade e vaidade artística.

04 - O Imperador

É o Princípio Masculino Material.

Representa o mundo manifestado e suas leis. O trabalho, o dinheiro e o poder econômico. As multinacionais. O pai.

Pega com firmeza as rédeas de sua vida. Indica realizações materiais, liderança carismática, estabilidade e organização, trabalho responsável e realista de quem não se submete a pressões externas.

Desconectado de suas emoções, rejeita seu lado feminino, viciado em trabalho, dinheiro e poder. Frio, autoritário, tenso e agressivo, teme mostrar suas "fraquezas". Traços de caráter psicopático.

05 - O Hierofante (O Papa)

É o Mestre Iluminado. O Poder Ideológico.

Representa os Meios de Comunicação, as Doutrinas.

Mostra um tempo de procura espiritual ou de conhecimentos por meio do estudo. Encontro com o Mestre Interno. Capacidade de integrar o lado espiritual no cotidiano e/ou de passar conhecimentos para os outros.

Desconectado de seus sentimentos e referenciais internos, identifica-se com instituições, seitas, ideologias partidárias, etc. Sempre obedece à doutrina e vive em função de princípios morais ou ideológicos.

06 – Os Amantes

É a Polaridade.

Representa o processo de criação do Universo pela interação dos Princípios Feminino e Masculino. O Amor como agente criativo e evolutivo em todos os níveis.

Predispõe para uma importante escolha: que tipo de vida eu quero para mim? Superação de divisões internas. Reconhecimento e desenvolvimento da polaridade interior feminino/masculino. Relacionamento de crescimento e transcendência. Apaixonar-se.

Anulação, fruto da identificação com o papel vivido dentro de um relacionamento. Ilusões a respeito do casamento. Dificuldade para escolher.

07 - O Carro

É a abertura de um novo ciclo.

Representa a primera iniciação do ser humano no caminho de sua realização pessoal e felicidade.

Proporciona a autoconfiança necessária para seguir a voz do coração, desapegando-se e largando assuntos que já não geram entusiasmo e interesse. A pessoa pode não saber muito bem o que quer, mas sabe perfeitamente o que não quer.

Pode mostrar carência emocional, possesividade, ciúme e medo de envolver-se escondidos atrás de uma máscara de desapego, auto-suficiência e independência. Foge dos compromissos e é alérgico às obrigações. Pode fantasiar-se de exótico ou místico para chamar atenção.

08 - A Justiça (O Ajustamento)

É a lei do *Karma*.

Mostra as Forças que ajustam e equilibram o Universo.

Mostra um reajuste de atitudes que leva a equilibrar-se com o mundo. Representa "o caminho do meio", que foge de radicalismos e atitudes autodestrutivas, procurando chegar a acordos em todas as áreas da vida. Aqui a pessoa toma consciência de seu próprio *karma* e trabalha para transformá-lo.

Autocontrolado, passa uma imagem de "reto e justo", "um santo varão" que teme a crítica e a invalidação. Também a mediocridade.

09 - O Ermitão

É o Princípio da introspecção. O Sábio.

Representa o autoconhecimento por meio da auto-análise.

Predispõe para a procura interior, que leva ao centramento e ao resgate da fertilidade interna. Deixando as ilusões mundanas em segundo plano, estuda seu inconsciente descobrindo seus verdadeiros desejos, motivações e medos. O cultivo da solidão, a austeridade.

Incapaz de se relacionar, de envolver-se e expressar as emoções. Pode mostrar timidez e espírito taciturno. Crítico e manipulador. Defende a castidade e a abstinência.

10 - A Fortuna (A Roda da Fortuna)

É o Movimento e a Expansão Universal.

Representa a Existência oferecendo novas possibilidades.

Influências positivas: mostra a pessoa centrando-se e crescendo por meio da inter-relação com o novo que está aparecendo. Indica expansão em todos os níveis.

Influências negativas: a pessoa vive em função das circunstâncias e das mudanças, sem centrar-se. Também dispersão, falta de disciplina e desconhecimento dos próprios limites. Dificuldade para concretizar. Medo do desconhecido.

11 - O Tesão (A Força)

É a vitalidade, força e brilho de todos os seres.

Representa a integração do lado animal (instintos e emoções) com os aspectos mental e espiritual.

Indica energia transbordante, alegria, prazer, sensualidade, entusiasmo, vitalidade e magnetismo sexual, produtos da plena aceitação dos impulsos instintivos. O resultado é o desenvolvimento da criatividade e da auto-estima. Respeito e cuidados consigo mesmo.

Pode mostrar medo de entregar-se. Combina uma intensa sensualidade e instintividade com fortes padrões repressivos, de maneira que não consegue entregar-se e usa seus atrativos para seduzir, chamar a atenção e manipular.

12 - O Pendurado

É a imersão do espírito na matéria.

Representa a entrega ao fluir universal.

Indica entrega à vida, aceitando e deixando-se levar pelas emoções mais profundas. Abandono de velhos padrões. O ego se dissolvendo a ponto de se render, levando a experiências místicas. Pode ser a dedicação a uma causa ou um ideal.

Pode mostrar a atitude de mártir, que faz da renúncia e do sacrifício um mérito. Indica submissão, esquecimento de si mesmo, que impossibilita a transformação da situação. Manipula usando uma máscara de vítima.

13 - A Morte

É o Princípio Universal da Transformação.

Representa a morte do velho para possibilitar o nascimento do novo.

Traz mudanças internas libertadoras. Aqui são destruídas as máscaras adquiridas na infância, que eram os pilares fundamentais da falsa personalidade. Assim, podem aparecer as primeiras manifestações da Essência do ser.

Mostra aversão a qualquer mudança, especialmente as interiores, apegando-se compulsivamente às velhas normas de conduta, automatismo inconsciente ou doutrinas morais.

14 - A Arte (A Temperança)

É a Fusão profunda dos Princípios Masculino e Feminino.

Representa a ação a partir da calma interior.

Indica iniciativas sincronizadas com os potenciais internos que produzem prazer e crescimento pessoal. Aqui, a pessoa trabalha descansando, pois faz exatamente o que ela gosta. Também pode mostrar o desenvolvimento e fusão das polaridades internas. A Alquimia interior.

Pode mostrar uma máscara de perfeccionismo e a identificação com trabalho, escondendo as verdadeiras emoções. Teme ser rejeitada se não consegue ser um perfeito profissional.

15 - O Demônio

É a Energia Criativa em seu aspecto mais material.

Representa os instintos.

Indica o florescimento da sexualidade, abandonando padrões coercitivos. É o despertar da consciência corporal, que leva a mudanças de alimentação, higiene, cuidados com o corpo e com o território. Contato com as fontes energéticas, vitalidade, bom humor e criatividade nos planos concretos.

Pode mostrar a incapacidade para integrar a sexualidade no cotidiano, a repressão e/ou compulsão sexual. A carga sexual presa que dá lugar à raiva, frustração e tendências para a destruição ou perversões sexuais. Negação do corpo e suas funções. O sexo como compensação e/ou auto-afirmação.

16 - A Torre (A Casa de Deus)

É o Princípio da Destruição.

Representa a aniquilação da ordem material existente.

Mostra a destruição das prisões e a desestruturação da vida organizada. A liberação por meio do rompimento de vínculos, do abandono de falsas identificações, rotinas, ambições e fantasias. Temos aqui crises de transformação, desativação e queda das máscaras. Revela uma situação não-contornável que exige a destruição e tomar contato com a realidade.

Pode mostrar revolta cega e agressiva, que leva a atitudes auto-sabotadoras. Também energia destrutiva como expressão de seus conflitos internos. Incapacidade para construir e consolidar vínculos afetivos ou profissionais.

17 - A Estrela

É o Princípio da Renovação das Categorias.

Representa a mente global ou cósmica.

Indica a eliminação de ultrapassadas crenças e princípios e traz a consciência de ser parte integrante do Universo e do Planeta como um ser vivo (Gaia) e atuar em conseqüência disso. Extração de novas experiências que levam a uma mudança na maneira de pensar. Mente pura e renovada.

Pode mostrar uma excessiva intelectualização e atitudes compulsivamente vanguardistas ou reformistas. Comportamento artificial, que procura salvar as aparências.

18 - A Lua

É a Escuridão do Universo. As forças involutivas. O retorno ao Caos.

Representa as forças da involução e da inconsciência.

Mostra um estado de consciência ofuscada por medos, alucinações e paranóias, que deve ser esclarecido. O Ser manipulado a partir do inconsciente profundo. Pode mostrar também o caminho de resgate das emoções mediante encarar conscientemente os medos, ameaças e culpas colocadas na infância. É a aceitação e a transformação da sombra. Revela situações confusas e perigosas.

Pode mostrar um estado na qual a pessoa se sente presa a seus medos, paranóias e obsessões. Infância de terror.

Pavor de envolver-se. A consciência caiu nesta noite obscura da alma.

19 - O Sol

É a Luz do Universo.

Representa as forças evolutivas. O Ser Verdadeiro, Divino e Essencial: O Ser Superior.

Mostra um estado de expansão da consciência que leva à compreensão da verdadeira natureza do ser. É um momento de lucidez, energia, entusiasmo, prazer e celebração. Também práticas espirituais e sucesso no plano material.

Pode mostrar a necessidade compulsiva de ser o centro das atenções, escondendo um senso de individualidade enfraquecido.

20 - O Eão (O Julgamento)

É a Sucessão das Eras.

Representa um salto qualitativo da consciência.

Novas compreensões levam a decisões que significam um renascimento. Conquista da autonomia e independência.

Mostra a dificuldade para tomar decisões, apego ao que dá segurança e proteção. Não aplica suas percepções à vida e fica criticando os outros.

21 - O Universo

É a Síntese Final e a conseqüente transcendência.

Representa a realização pessoal em todos os planos.

A pessoa vai completar um capítulo de sua vida e abrir outro. É a culminação de certos projetos e abertura de novas possibilidades. Também a liberação e superação de vínculos e condicionamentos da matéria, que abrem uma fase de liberdade, celebração, transcendência e felicidade.

Pode mostrar a pessoa presa a apegos, rotinas e vínculos. Esconde o medo de mudar e dificuldade para concluir qualquer coisa atrás de uma máscara de "tudo está bem".

Também pode revelar uma extrema rigidez de caráter.

23 - Cavaleiro de Paus (Rei de Paus)

Duas vezes Fogo. Na Natureza, é resplendor e a luz do fogo.

É uma personalidade impulsiva, impetuosa, feroz, entusiasta e espontânea.

Sugere a liberação de instintos e impulsos reprimidos, dando lugar a iniciativas radicais que geralmente significam um corte com o passado.

Pode virar um fogo de palha. Extremamente masculino, grosseiro, brusco e compulsivo, é incapaz de parar e concluir o que começou. Pode ser paranóico, explosivo, autodestrutivo. Desgasta-se em explosões. Carece de emoções, sentido prático, sem capacidade de analisar e extrair experiências de seus atos.

24 - Rainha de Paus

O aspecto aquoso do Fogo. Na Natureza, sua fluidez e a cor. A corrente elétrica.

É uma personalidade de natureza instintiva e energia vital transbordante, que se expressa de um modo emocional. É apaixonada, generosa, poderosa, amante fogosa, franca, leal e entusiasta. Sugere lutar pelo que se quer, mostrar-se firme em suas iniciativas, conectar-se e dar vazão aos impulsos instintivos.

Pode virar vaidosa, autoritária, explosiva, exagerada, teatral, apegada aos objetos de seu amor. Vive na ilusão das paixões, é pouco amiga de analisar as coisas, de intelectualizar, falta-lhe sentido prático.

25 - Príncipe de Paus (Cavaleiro de Paus)

O aspecto aéreo do Fogo. Na Natureza, a faculdade de expansão e volatilização do fogo.

Nesta personalidade, a energia vital é canalizada pela mente sob a forma de projetos. Mostra uma notável capacidade de idealização e intenso prazer na realização. É brilhante e decidido. Sugere entregar-se com entusiasmo em suas atividades e projetos, especialmente aqueles onde a criatividade possa se manifestar.

Pode virar orgulhoso, querendo ser adulado por suas idéias e projetos. Não mostra suas emoções e tem mais facilidade para encantar o público com seus projetos do que colocá-los em prática.

26 - Princesa de Paus (Pajem de Paus)

O aspecto terra do Fogo. Na Natureza, o combustível, as brasas e as cinzas. Os vulcões e o fogo do ferreiro.

Temos aqui a explosão dos instintos primordiais, que pode ser construtiva ou destrutiva. Sugere trabalhar no resgate e expressão da energia instintiva, também limpar o lado animal da raiva acumulada. Mostra manifestações da energia da *kundalini*.

As energias instintivas não integradas se manifestam explosiva e destrutivamente. Depois, são de novo sepultadas sob o peso da culpa. Sem emoções à vista nem capacidade de auto-análise, faz-se necessário um trabalho de Meditação Dinâmica ou terapia corporal.

27 - Ás de Paus

É o aspecto fogoso de *Kether*. A Raiz dos Poderes do Fogo.

Sugere direcionar sua energia, sem dispersões, para uma nova atividade. Com entusiasmo e decisão, precisa tomar iniciativas onde sua criatividade possa manifestar-se.

Pode indicar também um resgate da saúde e da disposição para trabalhar, especialmente com coisas novas.

Dificuldade para tomar iniciativas e/ou para dar-lhes continuidade. Também pode mostrar que a pessoa está cheia de energia, mas não sabe para onde canalizá-la, pois no fundo não sabe do que gosta.

28 - Dois de Paus (O Domínio)

O aspecto fogoso de *Chokmah*. Marte em Áries.

A aparição desta carta, que nada tem de positiva, sugere que a pessoa deixe de controlar-se e se permita expressar sua raiva, seus impulsos, sua verdade, seu não, sendo honesta com ela mesma. Pode precisar de apoio psicoterapêutico, como biodança. Pode mostrar também predisposição para a competitividade doentia, lutas de poder e autoritarismo.

Mostra um grave conflito interior entre o instinto e a razão, que leva ao desgaste energético e ao acúmulo de raiva. Esse autocontrole destrutivo pode dar lugar a somatizações graves, como problemas circulatórios e do coração.

29 - Três de Paus (A Virtude)

O aspecto fogoso de *Binah*. O Sol em Áries.

Mostra a pessoa investindo em atividades que refletem a sua natureza interna. Parece que inventaram aquele trabalho para ela. Sente-se mais ela mesma nesta atividade que lhe dá prazer e a leva à realização profissional e à transcendência.

Mostra a falsa espiritualidade como desculpa para não envolver-se com o mundo material. Também pode mostrar investimento em atividades que dão *status* ou aprovação social, mas não proporcionam satisfação profunda.

30 - Quatro de Paus (A Consumação)

O aspecto fogoso de *Chesed*. Vênus em Áries.

O método e a organização levam a concluir assuntos profissionais com sucesso em atividades onde a iniciativa masculina e a sensibilidade e receptividade feminina se complementam.

Sugere que a pessoa se organize e estabeleça seus objetivos e limites. Predispõe para trabalhos em equipe.

Pode mostrar a pessoa presa a métodos e estilos de trabalho ultrapassados. A vida profissional virou um círculo vicioso e rotineiro, sem prazer nem criatividade. A procura de segurança no mundo profissional conduziu à estagnação.

31 - Cinco de Paus (A Luta)

O aspecto fogoso de *Gueburah*. Saturno em Leão.

Mostra um momento de atividade intensa e bem direcionada. A pessoa sabe muito bem o que quer e está trabalhando duro, embora com criatividade, para dar forma a seus objetivos no plano material. Sugere para esclarecer o que realmente se quer e investir logo na materialização dos projetos.

Também pode mostrar que a pessoa se esconde atrás de uma máscara de "lutador", que não pode dar-se um tempo de repouso. Sempre acha algo para fazer e pensa que assim vai ser aceita e reconhecida, pela sociedade.

32 - Seis de Paus (A Vitória)

O aspecto fogoso de *Tiphareth*. Júpiter em Leão.

Representa o sucesso e reconhecimento profissional, produtos não do esforço exagerado nem da competitividade agressiva, mas de elevadas doses de criatividade unidas a uma dosagem equilibrada dos investimentos energéticos e dos objetivos. Fluidamente, o trabalho traz retorno material e prazer. Aqui temos o máximo rendimento com o mínimo de esforço.

Ocultando suas frustrações em outras áreas, a pessoa se exige e se gaba de ser bem-sucedida em tudo o que empreende. Se não conseguir, vai para o fundo do poço.

33 - Sete de Paus (A Coragem)

O aspecto fogoso de *Netzach*. Marte em Leão.

Sugere fazer uso logo de toda a coragem e esforço possíveis para atingir determinadas metas que aparentemente são muito difíceis de alcançar. Também pode indicar a necessidade de trabalhar os medos.

Mostra um momento de grande desgaste energético, produto de um esforço desesperado para forçar os acontecimentos. Pode mostrar a pessoa que se esconde atrás de uma máscara de "herói", que tem a necessidade compulsiva de mostrar-se sobre-humana e encarar qualquer desafio.

34 - Oito de Paus (A Rapidez)

O aspecto fogoso de *Hod*. Mercúrio em Sagitário.

Indica que a energia que era usada na contenção dos impulsos instintivos deve ser o combustível para a realização de objetivos. Pode mostrar a liberação de uma situação de extrema tensão.

Pode mostrar explosões histéricas num quadro de forte repressão. Também pode indicar dispersão da energia e a conseqüente incapacidade para investir com determinação num assunto específico.

35 - Nove de Paus (A Firmeza)

O aspecto fogoso de *Yesod*. A Lua em Sagitário.

Representa a firmeza em assuntos profissionais, produto de atividades que gratificam emocionalmente. Sugere investir em trabalhos que proporcionam prazer e nos levam a resgatar nossa firmeza e confiança interior.

Pode mostrar uma extrema rigidez que mascara vulnerabilidade, insegurança e apego ao passado.

36 - Dez de Paus (A Opressão)

O aspecto fogoso de *Malkuth*. Saturno em Sagitário.

Sugere reelaborar a vida profissional, pois do jeito sobrecarregado e estressado que está só pode levar a problemas de saúde. É importante determinar prioridades e liberar tempo para descansar.

Mostra uma situação-limite, na qual não é possível continuar carregando tarefas e responsabilidades que nada têm a ver consigo mesmo para conseguir a aprovação do mundo. É um esgotamento energético, produto de uma vida de escravo que, para ser reconhecido, vende seu tempo dedicando-se a fazer favores.

37 - Cavaleiro de Copas (Rei de Copas)

O aspecto fogoso da Água. Na Natureza, é o brilho e a luminosidade, e o poder destrutivo deste elemento: torós, tempestades, maremotos, enchentes. Sua capacidade de dissolução.

Representa os aspectos mais fogosos das emoções: a paixão e a exaltação emocional. É o amante, mas também a entrega ao Amado como caminho espiritual. Sugere ser espontâneo e direto na expressão das emoções.

Pode mostrar a dificuldade para observar o mundo ao redor e, como tampouco existe um sentido prático muito elevado, pode dar lugar a confusões. Revela carência emocional, que se esconde atrás da conquista. Relacionamentos superficiais.

38 - Rainha de Copas

Duas vezes Água. Na natureza, representa a capacidade de recepção, assimilação e reflexão deste elemento.

Mostra um resgate emocional profundo de uma personalidade muito sensível, impressionável, sensitiva, receptiva e sentimental. Pode mostrar clarividência, mediunidade e misticismo. A devoção como caminho espiritual.

Pode mostrar a pessoa perdida e confusa num mar de emoções, não conseguindo tomar iniciativas práticas. Acaba ocultando o que sente e o que quer e começa a manipular, geralmente adotando o papel de vítima. Sente-se vulnerável, por isso não se arrisca. Deprime-se e/ou somatiza com facilidade.

39 - Príncipe de Copas (Cavaleiro de Copas)

O aspecto aéreo da Água. Na Natureza, é o vapor, a umidade ambiental, a elasticidade e volatilidade da água.

Mostra uma atitude de observação e estudo das emoções, tratando de esclarecer os mecanismos que as governam. É o terapeuta que, se conhecendo, pode ajudar os outros.

Desconfia de suas emoções e as observa para controlá-las. "Pensar antes de atuar" é seu lema. Sem espontaneidade, usa o que sabe a respeito de si mesmo para manipular os outros.

40 - Princesa de Copas (Pajem de Copas)

É o aspecto térreo da Água. Na Natureza, é a capacidade de cristalização: a neve e o gelo. Os pântanos e o poder que a água tem de sustentar a vida, facilitando as reações químicas.

Concretiza e materializa suas emoções em todos os níveis. Sensual e amorosa, expressa o que sente nos relacionamentos e/ou na arte. É a artista, a bailarina que, sem mente, se expressa. É o êxtase da criação. Sugere investir em atividades artísticas e expressar os sentimentos verdadeiros nos relacionamentos.

Pode mostrar também a procura compulsiva de aceitação, mostrando-se sempre "uma gracinha". Não vai mais além das aparências; sua vida é uma peça de teatro. Tem dificuldade para tomar iniciativas práticas e sua instintividade latente só é usada para seduzir.

41 - Ás de Copas

É o aspecto aquoso de *Kether*. A Raiz dos Poderes da Água.

Mostra uma explosão emocional, o resgate de aspectos emocionais que foram escondidos e que podem vir acompanhados, dependendo das outras cartas, com alegria ou dor. Pode indicar um aumento da sensibilidade e intuição. Também sonhos, visões e o caminho da devoção.

É o sentimentalismo exagerado, que não funciona. A incapacidade de integrar emoções intensas na vida cotidiana.

42 - Dois de Copas (O Amor)

Vênus em Câncer. O aspecto aquoso de *Chokmah*.

Temos aqui a interação entre o masculino e o feminino em seu sentido mais amplo, harmonioso e elevado. Mostra o início de um relacionamento amoroso que leva ao prazer, à alegria e ao êxtase. Sugere tratar-se com mais amor, colocando em cada ato do dia-a-dia o amor que a pessoa sente por si mesma. Também indica seguir a voz do coração.

Pode mostrar uma pessoa extremamente carente emocionalmente, cuja prioridade é encontrar alguém que lhe dê amor e atenção, alguém que, como uma mãe ou um pai, se devote totalmente a ela. Assim, terá tendência a criar relacionamentos de tipo paterno-filial.

43 - Três de Copas (A Abundância)

O aspecto aquoso de *Binah*. Mercúrio em Câncer.

Esta carta mostra a frutificação do amor que pode vir como bem-estar material, lucros ou filhos. Sugere acreditar na abundância interior e expressar as emoções em todas as áreas.

Pode mostrar uma pessoa que não acredita nela mesma, dá as costas para o tesouro escondido no seu interior. Tenta preencher sua carência emocional comprando amor e aceitação e mostrando-se generoso e atencioso.

44 - Quatro de Copas (O Luxo)

O aspecto aquoso de *Chesed*. A Lua em Câncer.

Esta é a carta da vida emocional organizada e estável. Pode indicar um casamento que proporciona segurança emocional e no qual o fluxo amoroso se mantém intenso, embora possa cair com facilidade na rotina.

Temos aqui uma pessoa cujas emoções estão presas a padrões de comportamento rígidos e a vínculos artificiais. Pode mostrar um casamento sustentado apenas pelo medo de perder a segurança e que exige atitudes artificiais.

45 - Cinco de Copas (A Frustração)

O aspecto aquoso de *Gueburah*. Marte em Escorpião.

Sugere romper relacionamentos nos quais o amor morreu e que só trazem constrangimentos e desapontamentos. A pessoa está precisando se nutrir emocionalmente para melhorar sua auto-estima.

Mostra que a pessoa não gosta dela mesma, especialmente no que diz respeito ao seu corpo e à sua sexualidade. Denuncia conflitos internos, produtos de uma baixa auto-estima e que conduzem a uma frustração permanente.

46 - Seis de Copas (O Prazer)

O aspecto aquoso de *Tiphareth*. O Sol em Escorpião.

Esta é a carta do equilíbrio emocional. Mostra um relacionamento feliz e transcendente, cheio de amor e harmonia. A sexualidade é vivida plena e conscientemente, com conotações espirituais.

A pessoa quer mostrar para o mundo que está feliz. Troca o verdadeiro prazer ligado ao amor e à criatividade pela diversão. Gaba-se de que o sexo oposto a adora.

47 - Sete de Copas (A Corrupção)

O aspecto aquoso de *Netzach*. Vênus em Escorpião.

Sugere esclarecer e eliminar as causas que levam a pessoa a procurar desenfreadamente prazer e satisfações sexuais. O prazer poderia vir do uso consciente da criatividade e dos potenciais internos.

A procura compulsiva do prazer leva à degradação, à perda de contato com a realidade, ao desgaste energético e à doença. Autodestruição físico-psíquica, produto do uso compulsivo de drogas, comida, álcool, prostitutas, etc.

48 - Oito de Copas (A Indolência)

O aspecto aquoso de *Hod*. Saturno em Peixes.

Esta carta não tem nada de positivo, no entanto sugere esclarecer as raízes profundas da depressão, que podem muito bem estar na infância, e colocar mais prazer e alegria na vida. Pede para sair de ambientes tristes e deprimentes.

Pode mostrar um estado de depressão crônica e falta de interesse em fazer alguma coisa para melhorar sua vida, preferindo alimentar-se de fantasias. Diz: "Estamos aqui para sofrer e aceitar com resignação o destino que Deus nos manda."

49 - Nove de Copas (A Felicidade)

O aspecto aquoso de *Yesod*. Júpiter em Peixes.

Indica satisfação sensorial e emocional. Mostra um relacionamento feliz que traz gratificações. Saúde, dinheiro e amor.

A pessoa esconde suas frustrações com uma máscara de satisfeito com a vida. Diz: "Não posso me queixar." Também pode mostrar satisfação superficial por meio de compensações não tão destrutivas.

50 - Dez de Copas (A Saciedade)

O aspecto aquoso de *Malkuth*. Marte em Peixes.

Sugere se desvencilhar da rede de relacionamentos emocionais em que a pessoa ficou presa, perdendo sua espontaneidade e represando seus impulsos instintivos, sua raiva e capacidade de dizer não.

Mostra uma situação-limite. Todo um conjunto de envolvimentos, compromissos e vínculos emocionais não deixam outra saída que não seja a destruição dessa ordem sufocante. Procurando a segurança e a estabilidade, encontrou a prisão emocional e a ela se acostumou.

51 - Cavaleiro de Espadas (Rei de Espadas)

O aspecto fogoso do Ar. Na Natureza, representa seu poder destrutivo: tormentas, furacões, tufões.

Sugere expressar e levar para frente, sem perda de tempo, com decisão e firmeza, as próprias idéias ou ideais. É hora de atitudes radicais e rápidas.

É o protótipo da mente exaltada. Com suas idéias expressadas veementemente, pretende mudar o mundo.

Desconectado de suas emoções e da realidade prática das coisas, pode tornar-se um fanático catequizador. Se conseguir certo poder, pode ser muito perigoso.

52 - Rainha de Espadas

É o aspecto aquoso do Ar. Na Natureza, representa a elasticidade e o poder de transmissão do Ar. As nuvens.

Esta Rainha é a libertadora da mente. Assim como a chuva lava a atmosfera, as emoções limpam a mente de crenças e falsos princípios. Firmemente enraizada em suas emoções e sensibilidade, impregna com elas a mente, elaborando projetos que pretendem reformular a sociedade sobre princípios mais humanos (femininos).

Se sua extrema claridade mental não se traduz em ações que lhe dêem satisfação, irá se transformar numa frustrada extremamente crítica, manipuladora, argumentadora e chantagista. Pode ser uma mãe severa, crítica e culpabilizadora.

53 - Príncipe de Espadas (Cavaleiro de Espadas)

É duas vezes Ar. Na Natureza, representa expansão, volatilização, elasticidade e movimento do ar.

Sugere tomar decisões fria e objetivamente.

Mostra uma atitude extremamente mental, racionalista e intelectual, com fortes tendências ao desequilíbrio. Pode ser um grande teórico, excelente argumentador e orador cheio de dados e estatísticas. Sem emoções aparentes, desligado da realidade material, que não lhe interessa, vive no mundo de suas idéias.

54 - Princesa de Espadas (Pajem de Espadas)

É o aspecto mais térreo do Ar. Sua capacidade de saturação, a poluição atmosférica, a névoa, a pressão atmosférica. Os ambientes pesados e tóxicos.

É a materializadora das idéias. A mente trabalhando de maneira mais prática. É decidida e lutadora.

Desconectada de suas emoções e de seus instintos, pode vir a usar a mente de uma maneira mesquinha e sórdida. Falta-lhe confiança em si mesma e no mundo, com o qual está sempre em guarda. Teme mostrar-se e só se relaciona para resolver sua sobrevivência material.

55 - Ás de Espadas

É o aspecto aéreo de *Kether*. A Raiz dos Poderes do Ar.

Representa a mente sem pensamentos. Receptiva e alerta, está pronta para ser fiel instrumento da vontade. Pode sugerir a elaboração de um projeto de vida devidamente organizado em torno de metas a curto, médio e longo prazos.

Pode mostrar uma abordagem estritamente racionalista, que nega emoções e instintos e mata a espontaneidade. Não sabe agir sem um plano perfeitamente elaborado.

56 - Dois de Espadas (A Paz)

O aspecto aéreo de *Chokmah*. A Lua em Libra.

Traz acordos que significam o cessar das hostilidades, nos níveis interno e externo, e que facilitam uma certa paz, mesmo que seja parcial e momentânea. Mostra uma mente adaptável e flexível, que permite adequar-se às circunstâncias.

Pode indicar que a pessoa é incapaz de enfrentar conflitos. Prefere conciliar, de modo que abdica de suas opiniões e desejos para evitar o confronto direto.

57 - Três de Espadas (A Dor)

O aspecto aéreo de *Binah*. Saturno em Libra.

Temos aqui a mente arrasada pela dor, produto de rejeições, perdas emocionais, culpabilizações. O aprendizado passa agora por aceitar este momento de dor sem deixar-se levar por ele, mas tratar de compreender objetivamente, geralmente revendo o passado, por que leva a este poço sem fundo. Pode precisar de apoio terapêutico.

Pode mostrar que o medo de sofrer que esta pessoa tem acaba com a espontaneidade e as iniciativas. Pode usar uma máscara de sofrimento para conseguir apoio solidário dos outros.

58 - Quatro de Espadas (A Trégua)

O aspecto aéreo de *Chesed*. Júpiter em Libra.

Traz uma mente organizada e estruturada em torno de uma série de critérios e idéias próprias. Também pode indicar estudos que levam à elaboração de conhecimentos.

Mostra uma pessoa de extrema rigidez mental que, dando prioridade à estabilidade e à segurança, se fecha a novas idéias, bloqueia suas emoções e mata a espontaneidade. É um escravo que não sabe atuar sem ter ordens.

59 - Cinco de Espadas (A Derrota)

O aspecto aéreo de *Gueburah*. Vênus em Aquário.

Esta carta não mostra um momento positivo, no entanto sugere largar ambientes destrutivos e não se envolver em brigas ou discussões. Também pode indicar uma mente exageradamente crítica, que corre o risco de ver unicamente o lado negativo e feio da vida.

Pode denunciar uma mente destrutiva, manipuladora, cujas armas são a mentira, a culpabilização e a magia negra. Seu combustível é a inveja, o medo, a ambição e os ciúmes. Leva à destruição psíquica e à derrota pessoal.

60 - Seis de Espadas (A Ciência)

O aspecto aéreo de *Tiphareth*. Mercúrio em Aquário.

Mostra a mente em seu melhor aspecto. Equilibrada, realista e científica, sabe extrair dados de sua experiência e aplicá-los à realidade funcionalmente. Também indica a capacidade de aprender ou mudar crenças, seja por meio de estudos ou de viagens.

Pode mostrar que esta pessoa não acredita em nada que não seja "cientificamente comprovado", de maneira que invalida a intuição, a espiritualidade, as ciências esotéricas. Esconde sua falta de desconfiança interna com dados e estatísticas. Jamais se arrisca a tomar uma atitude espontânea.

61 - Sete de Espadas (A Futilidade)

O aspecto aéreo de *Netzach*. A Lua em Aquário.

Sugere fortalecer o próprio projeto de vida, deixando de tentar dar satisfação a todo o mundo que lhe dá um palpite.

Pode mostrar uma pessoa de mente dispersa. É tão vulnerável a opiniões e sugestões alheias que acaba desconectando-se do coração e de seus próprios referenciais instintivos, tornando-se fútil, superficial, dispersa e confusa. É a mente que aceita qualquer lixo e fica escrava da moda, das correntes de opinião criadas pela mídia.

62 - Oito de Espadas (A Interferência)

O aspecto aéreo de *Hod*. Júpiter em Gêmeos.

É importante que a pessoa pare de se sabotar, negando-se a ampliar seus horizontes e a encarar qualquer coisa nova ou diferente.

Mostra uma pessoa com uma mente repressora, que interfere e massacra qualquer iniciativa de expansão usando a dúvida e a invalidação. A pessoa está dentro da gaiola de sua própria mente.

63 - Nove de Espadas (A Crueldade)

O aspecto aéreo de *Yesod*. Marte em Gêmeos.

Nada de positivo traz esta carta. No entanto, indica a urgente necessidade de parar de reprimir a instintividade. A raiva e os impulsos sexuais devem ser expressados logo, antes de gerar doenças.

Mente cruel e suicida, que nega a expressão instintiva do ser, acabando com a sexualidade, a consciência corporal, a alegria e a vida. Somatizações graves e perigo de acidentes.

64 - Dez de Espadas (A Ruína)

O aspecto aéreo de *Malkuth*. O Sol em Gêmeos.

Aparentando ser uma carta negativa ligada a decepções, pode sugerir uma boa oportunidade para mudar todas as crenças que sustentam uma visão de mundo anacrônica e não-funcional.

Mostra uma decepção profunda, que leva a mente a ser incapaz de sustentar uma visão da realidade. É uma situação-limite, que exige mudanças de princípios.

65 - Cavaleiro de Discos (Rei de Ouros)

O aspecto mais fogoso da Terra. Na Natureza, representa os terremotos, as montanhas e quebradas, o calor interno da Terra.

Esta carta mostra uma atitude em que a energia vital está canalizada para a concretização material das coisas. O Rei pode ser tanto o camponês como o trabalhador braçal. Sem grandes sentimentalismos nem afeição pelo mundo intelectual, sua sabedoria e equilíbrio procedem de sua integração com a natureza e seus ciclos.

Pode mostrar um trabalhador compulsivo, que se exige ser responsável e serviçal para conseguir a aprovação dos outros.

66 - Rainha de Discos

É o aspecto aquoso da Terra. Representa, na Natureza, a vegetação.

Esta carta mostra uma atitude onde a pessoa usa seus poderes materiais segundo a orientação de suas emoções. Ama-se profundamente e assim sua energia vivifica e nutre seu ambiente. Protege, cuida dos outros e os estimula a crescer.

Pode mostrar que esta pessoa vive para os outros, esquecendo-se de si mesma. Procura ser aceita ajudando ao próximo e assim vai ficando cada vez mais vazia, frustrada e carente. É uma "mãezona".

67 - Príncipe de Discos (Cavaleiro de Ouros)

É o aspecto aéreo da Terra. Na Natureza, representa os aromas, sementes e frutos da terra.

Toda a atenção mental desta pessoa está dirigida para a matéria. É um administrador que sabe lidar com os desafios do mundo mais denso e obter benefícios. Também mostra uma nova abordagem do corpo, assim como a capacidade de ganhar e acumular bens materiais.

Pode mostrar uma pessoa sem emoções nem fogosidade aparente. Pode ser um frio e calculista homem de negócios, que faz do dinheiro o objetivo principal de sua vida.

68 - Princesa de Discos (Pajem de Ouros)

Duas vezes Terra. Na Natureza, representa os cristais.

A atenção desta pessoa está dirigida fundamentalmente para as sensações corporais e o mundo material. Em silêncio mental, acalmadas suas emoções e desejos, vai se conhecendo e conhecendo o mundo que a rodeia, até que, sem esforço nem intenção, entra em meditação, transcende e se conecta a seu lado espiritual.

Pode mostrar uma pessoa ancorada na matéria, que vive unicamente para satisfazer suas necessidades materiais, identificando-se com seu corpo de um modo superficial. Pode ser hipocondríaca. Vê perigos em toda parte e foge de qualquer relação que não signifique segurança, estabilidade e lado financeiro resolvido.

69 - Ás de Discos

O aspecto térreo de *Kether*. A Raiz dos Poderes da Terra.

Mostra o início de uma nova estrutura material: residência, fonte de rendas, companheiros de vida. Também um novo enfoque do corpo.

Pode mostrar uma pessoa exageradamente materialista. Tem dificuldade para atingir objetivos práticos nos empreendimentos materiais, seja pela incapacidade de tomar iniciativas financeiras ou de perseverar até conseguir seus objetivos.

70 - Dois de Discos (A Mudança)

O aspecto térreo de *Chokmah*. Júpiter em Capricórnio.

Esta carta traz mudanças harmoniosas no mundo material, frutos de uma flexibilidade e capacidade de adaptação às situações mutáveis. Desenvolve assim uma verdadeira estabilidade e equilíbrio. Permite-se sonhar e expandir seu universo e vai dando forma a seus sonhos, com paciência e perseverança.

Esta pessoa tem dificuldade para mudar junto com os acontecimentos. Passa do imobilismo a querer mudar tudo.

71 - Três de Discos (Os Trabalhos)

O aspecto térreo de *Binah*. Marte em Capricórnio.

Esta carta mostra uma pessoa cuja atenção está direcionada fundamentalmente para o trabalho. Tem prazer em trabalhar, e por meio do trabalho cresce e se realiza. Pode indicar terapia corporal.

Esta pessoa está viciada em trabalhar, é incapaz de parar e olhar as outras áreas de sua vida que provavelmente estão estagnadas. Procura aprovação e reconhecimento por meio do trabalho. Sublima sua energia sexual no trabalho.

72 - Quatro de Discos (O Poder)

O aspecto térreo de *Chesed*. O Sol em Capricórnio.

Esta carta mostra estabilidade e segurança econômica, produtos de uma notável capacidade de usar funcionalmente os recursos materiais. Também indica boa forma física.

Pode mostrar uma pessoa muito apegada à matéria, que vive presa às oscilações do mercado. Vive para acumular porque tem medo de que algum dia lhe falte.

73 - Cinco de Discos (O Sofrimento)

O aspecto térreo de *Gueburah*. Mercúrio em Touro.

Nada de positivo traz esta carta, no entanto sugere a necessidade imediata de cuidar do corpo, antes que se apresentem perigosas somatizações. Também é importante que a pessoa deixe de tentar forçar a barra nas suas atividades financeiras e evite qualquer investimento ou transação econômica de risco.

Pode mostrar doenças ligadas a uma forte tensão corporal, produtos de atividades contrárias à própria natureza. Indica perdas materiais, destruição do patrimônio e/ou miséria.

74 - Seis de Discos (O Sucesso)

O aspecto térreo de *Tiphareth*. A Lua em Touro.

Esta carta mostra boa saúde e vitalidade. Também a correspondência entre os benefícios materiais e o trabalho invertido. Reconhecimento social e sucesso econômico.

Pode mostrar uma pessoa que se gaba de ser bem-sucedida nas empreitadas econômicas. Vive para o êxito e o reconhecimento social. Usa seus bens materiais e condições econômicas para chamar a atenção.

75 - Sete de Discos (O Fracasso)

O aspecto térreo de *Netzach*. Saturno em Touro.

Esta carta não mostra nada de positivo. Pode sugerir esclarecer e resolver as causas profundas do medo de fracassar.

Pode mostrar a incapacidade para levar adiante um assunto material. Também a sensação de estar numa rua sem saída: quanto mais se investe num determinado assunto econômico, mais se perde. Indica problemas físicos nas áreas do movimento e da comunicação. Medo de fracassar que coíbe as iniciativas.

76 - Oito de Discos (A Prudência)

O aspecto térreo de *Hod*. O Sol em Virgem.

Este é um momento de produção material, fruto de uma boa capacidade discriminativa, habilidade e entrega ao trabalho e de análises claras e objetivas. Os resultados materiais levam o selo pessoal e a beleza do autor. Também mostra o resgate da saúde e da beleza física.

Pode indicar que a pessoa vive para os resultados de seus empreendimentos materiais e se identifica com eles. Cuida de seu corpo de um modo superficial e vaidoso.

77 - Nove de Discos (O Lucro)

O aspecto térreo de *Yesod*. Vênus em Virgem.

Mostra um bom retorno econômico, produto de um trabalho desenvolvido com amor, sensibilidade e espírito de equipe. Também pode indicar os benefícios na área de saúde e beleza, frutos dos cuidados amorosos com o próprio corpo.

Esta pessoa vive preocupada só com os benefícios financeiros de suas atividades. A ética e a solidariedade não são seus fortes. Mostra também o culto vaidoso à beleza pessoal.

78 - Dez de Discos (A Prosperidade)

O aspecto térreo de *Malkuth*. Mercúrio em Virgem.

Esta carta mostra saúde e prosperidade econômica, frutos do uso brilhante da mente. Indica boas oportunidades em investimentos financeiros. Pode representar legados, heranças ou resultados favoráveis em jogos de azar e loteria. Pode sugerir investimentos em assuntos sociais ou ecológicos.

Mostra uma pessoa prisioneira de suas condições materiais e financeiras, sejam estas boas ou ruins. Vive para o dinheiro e adora a ostentação. Também pode indicar responsabilidades administrativas com negócios familiares, que sufocam a pessoa.

APÊNDICE III

Primeira Leitura

Trata-se de uma senhora nascida às 2 da madrugada do dia 2 de abril de 1925, num município de porte médio, do Nordeste do Brasil.

Signo solar: Áries

Ascendente: Aquário

Lições de vida: Cavaleiro de Paus, Hierofante

Desafio: Arte

Carta Testemunha: O mapa da pessoa mostra um predomínio de Fogo e Ar, usaremos o Cavaleiro de Espadas.

Leitura Terapêutica : Levantadas as cartas, imediatamente chama a atenção que, das seis do "diagnóstico", temos três com forte conotação mental: o Mago, o Príncipe de Copas e os Amantes.

— "Durante toda sua vida, e agora também, você foi exageradamente racional, até o ponto que deixou de ser espontânea. Nunca confiou em suas emoções nem permitiu que se expressassem diretamente sem passar pela peneira do intelecto. Assim, pouco a pouco perdeu a conexão com a voz do seu coração, com suas emoções e desejos profundos e especialmente com o prazer de viver. E você está consciente disso porque, neste momento, está procurando, embora isso também seja intelectual, fazer uma escolha em sua vida com a qual encontre alguma gratificação, alegria e felicidade. Trata-se de escolher a vida que você gostaria de viver no fundo de seu coração, porque ela é a única que lhe pode trazer a felicidade."

A consulente — "Sempre fui muito racional, desde menina foi assim. Meu pai, que era da Marinha, nos tratou como a soldados e nos ensinou a todas assim: 'Vocês vão viver de seu trabalho, porque eu não vou lhes deixar um tostão. Nem pensem que, como feias que são, vai chegar um príncipe encantado que vai resolver suas vidas. Se chegar algum homem, vai ser por interesse e nada mais; assim, esforcem-se nos estudos, que é com isso e com o trabalho que vão resolver a vida de vocês no dia de amanhã.' Ele nunca nos deu amor."

— "Perceba que, apesar de o sargento estar cheio de boas razões, no sentido de querer deixá-la responsável pela própria vida, eliminando as fantasias e assinalando como o trabalho é o instrumento fundamental para resolvê-la, estragou tudo desde o momento em que não deu amor nem contato, tratando-a impessoalmente, como a um soldado.

Este Sete de Copas mostra também que o relacionamento com o próprio corpo foi totalmente podado: as expressões de sensualidade e sexualidade infantil foram proibidas. Inclusive, tal como mostra esta segunda carta para a infância (o Dois de Copas), suas demonstrações de carinho não agradavam ao pai.

Você aceitou, e ainda aceita, que não merece carinho nem nada de nada pelo fato de existir. É um soldado que só merece morrer pela pátria e assim talvez obter uma condecoração *post mortem*. De maneira que você fez tudo para conseguir umas migalhas de amor. Matou seu lado feminino, suas expres-

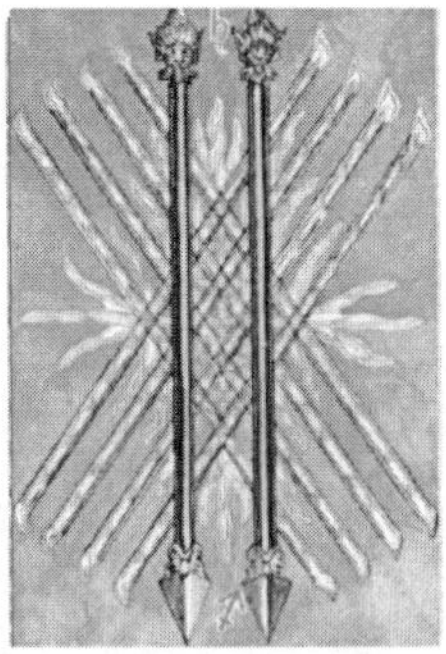

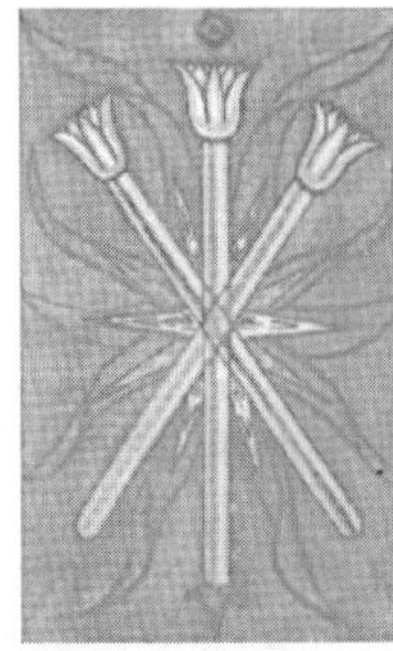

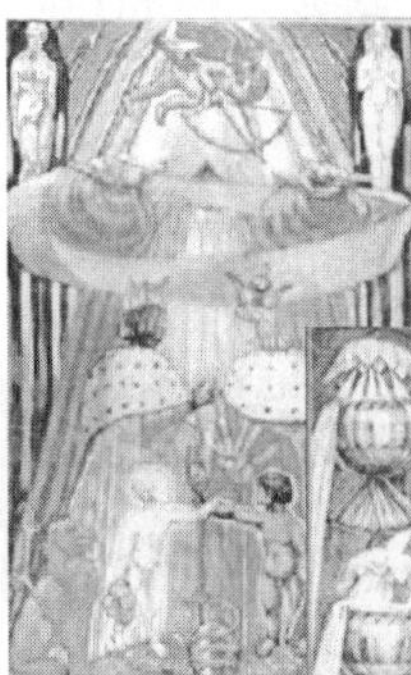

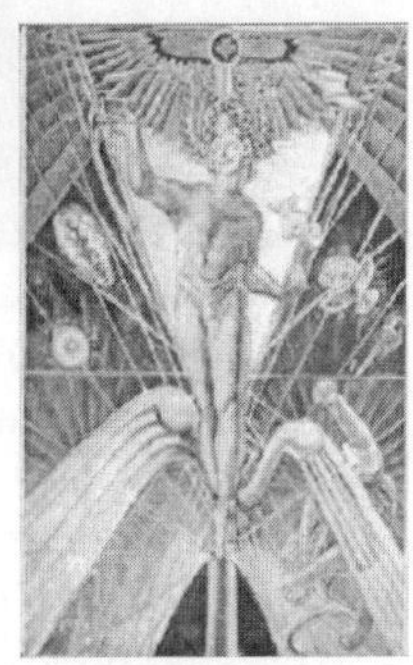

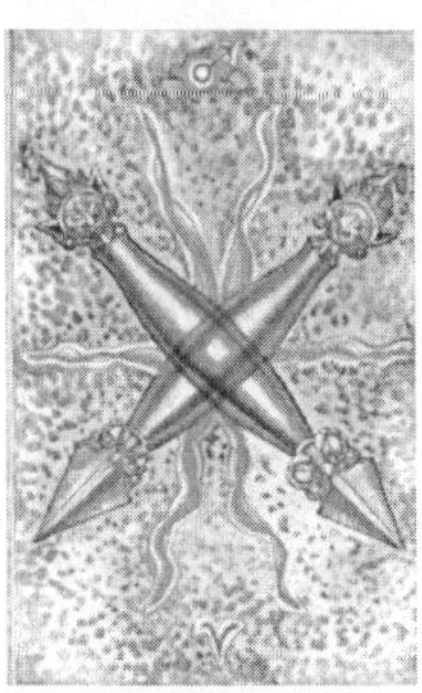

sões afetivas, sua beleza e sensualidade, seu sexo, sua espontaneidade e, sempre com a mente na frente, para ver se suas ações agradavam ao sargento, dedicou-se a estudar e a obedecê-lo. Mas seu pai era irredutível e não passou da aprovação verbal, com a qual você se conformou e acostumou-se. E, mais tarde, você continuou do mesmo modo, procurando a aprovação dos outros no trabalho, na família, de uma maneira cada vez mais automática."

A consulente — "Eu me endivido e enfrento problemas econômicos para ajudar os outros. Hospedo e alimento meu sobrinho, que já tem 35 anos e que é engenheiro. Pago a escola de meus netos. Sempre que viajo, retorno cheia de presentes para todo mundo, menos para mim. Olha como este quarto de hotel é uma porcaria: pois bem, eu estava no melhor quarto e escutei um senhor queixando-se de seu quarto, na recepção. Sem pensar duas vezes, falei: 'Não se preocupe que eu troco de quarto com você'."

— "Veja como você acha que não merece outra coisa que não seja servir e obedecer. Seu coração está vazio, não pode ser de outra maneira, sua falta de cuidados e amor com você mesma a deixou assim. Aparentemente você dá, ajuda, morre pelos outros, mas o faz sem amor. Como um coração vazio e carente pode dar amor? Não pode. Acaba sendo uma maneira de você esperar amor dos outros e, claro, isso nunca sucede. Acostumou-os a usar e abusar de você. Continua querendo conquistar o sargento.

O medo de perder a atenção e o apoio de seu pai se traduz hoje num cuidado imenso para não fazer nada equivocado, leva-a a ser calculista para evitar que alguém lhe coloque o dedo indicador no nariz e a acuse de alguma coisa.

Você imagina que qualquer iniciativa que não seja convenientemente analisada pode levá-la ao mais estrepitoso dos fracassos, ao fundo do poço da rejeição coletiva, de onde nunca mais vai poder sair. Está precisando sair dessa paranóia ameaçadora e o conseguirá agindo a partir dos impulsos de seu coração que, pouco a pouco, devem ser resgatados.

Chegou a hora de transformar a situação, de dar as costas para os outros e tratar de você mesma: de dar-se carinho e atenção, dedicando-se àquilo que lhe dê prazer e alegria. O prazer deve ser a bússola que orienta sua vida. Não estou dizendo que deva sair comprando prazer. Isso não faz nenhum sentido; o prazer está dentro de você e, fazendo determinadas coisas, seguindo a voz de seu coração, o prazer se manifesta. Trate de seu corpo, receba massagens regularmente, cuide de sua alimentação, valorize seu tempo livre, nunca se imponha atividades que, nesse momento, não sejam atrativas. E procure não entrar nos jogos de poder e culpa de seus familiares mal-acostumados. Desacostume-os de uma vez para sempre!

Trabalhando neste sentido, você vai perceber que o céu não vai cair sobre sua cabeça se der, definitivamente, a certidão de óbito a seu pai e fazer sua vida.

Sua mente vai reorganizar-se sobre a base de experiências novas e nutritivas, e um dia, não muito distante, você poderá tomar decisões drásticas em sua vida, cortando definitivamente vínculos e atitudes do passado.

Com um sentimento de satisfação interior, é muito possível que você inicie algum tipo de atividade em que se coloque totalmente no que faz. Provavelmente seja uma atividade manual, de produção de objetos para os quais você vai passar toda sua beleza e bom gosto. É muito importante saber escolher esta atividade, pois sua numerologia mostra uma forte tendência a que, em algum momento de sua vida, você passe para a sociedade uma mensagem interessante, um conjunto de conhecimentos, um descobrimento talvez. E isso não pode proceder de uma investigação de biblioteca, mas de uma experiência vital, à qual você se entregou de corpo e alma, justamente porque esta atividade está tão sintonizada com você mesma que flui naturalmente, sem exigir o mínimo esforço e proporcionando muito prazer.

Uma vez que inicie esta atividade, você vai perceber até que ponto vivia trabalhando e se impondo tarefas e responsabilidades que nada tinham a ver com você e que acabavam com seu tempo e sua energia. E que, no fundo, eram uma maneira de castigar-se e destruir-se para conseguir alguma medalha.

Como resultado interno desse processo, vemos que você resgatou a capacidade bem ariana de jogar-se na vida a partir dos impulsos internos, sem medo de fracassar; de desenvolver novas atividades ou de tomar iniciativas que pedem que nos entreguemos totalmente.

Em sua nova relação com o mundo, o Tarô a vê trabalhando em atividades por meio das quais vai produzir um crescimento interno, inclusive em nível espiritual, e um desenvolvimento da noção de sua própria individualidade.

Seria muito conveniente que você tomasse os florais de Chicory, Pink Monkeyflower, Zannia, Oak e California Wild Rose."

Segunda Leitura

Temos uma mulher nascida em 28 de agosto de 1957, em Brasília.

Signo solar: Virgem

Ascendente: Câncer

Lições de vida: Quatro de Espadas, Morte, Imperador (Sem desafio)

Carta Testemunha: No mapa dela estão predominando a Água e a Terra. Assim, a Carta Testemunha será a Princesa de Copas.

— "Pouco tempo atrás você levou uma forte decepção, que acabou com toda uma série de crenças que, de alguma maneira, constituíam sua visão do mundo e traçavam seus objetivos na vida. Tudo isso derrubou-se e você ficou sem chão, desorientada, procurando novos critérios e esperanças que pudessem substituir os anteriores. Pode ser também que você esteja procurando uma saída nos estudos. No entanto, essa decepção ou desapego a toda uma elaboração mental faz parte de algo mais amplo que seu ser interno está pedindo a gritos. Trata-se de desidentificar-se de instituições, empregos, projetos e fantasias que, durante muito tempo, tomaram conta de você. Você foi a guardiã de uma estrutura que dava proteção diante do risco do desconhecido, mas que hoje oprime a tal ponto que você precisa se libertar dela, como estas figuras humano-geométricas que caem da torre, voltar à realidade, na qual terá a oportunidade de se encontrar e de tomar seu próprio caminho."

A consulente — "Esta estrutura da qual você está falando é o Itamarati, do qual meus pais e eu somos funcionários."

— "Perceba que a coisa já vem de família. Você nasceu dentro de uma instituição que abrigava toda a família. No entanto, sua primeira infância foi triste, sem graça nenhuma e, na sua perspectiva, sem possibilidades de melhorar. Faltou atenção de seus pais, amigos, brincadeiras e o resultado foi uma falta de afeto muito grande, que ainda sente e que se manifesta como insegurança e desconfiança diante do mundo, perante o qual adota uma posição crítica e defensiva. Se alguém se aproxima, já está se defendendo, esperando ser atacada".

— "O pior foi na adolescência, com 14 anos não agüentei mais e fugi de casa. Foi manchete nos jornais. Mas depois voltei e entrei na instituição."

— "Você tentou, mas a insegurança interna pesou mais e você não conseguiu enfrentar o risco de fazer sua vida. Hoje você tem de novo a oportunidade. Você é uma pessoa com um grande carisma, uma elevada capacidade de organização, uma intensa sensibilidade que ainda não floresceu totalmente. No momento em que comece a trilhar o caminho que o coração indica, outras pessoas vão reconhecê-la como sua própria líder e vão dar todo seu apoio para desenvolver seus projetos. Mas isso não acontecerá até que aceite a transformação, que é uma característica de sua vida."

A consulente — "Mas minha vida está cheia de transformações. Europa Oriental, Brasil, África..."

— "Sim, transformações geográficas, externas, inclusive choques, que questionavam sua forma de vida. Mas você continuou na instituição, dando as costas às suas necessidades internas. Eu falo da transformação que significa deixar os velhos padrões de comportamento, os falsos provedores de segurança, rompendo suas couraças de defesa para agir a partir da sua essência, da sua verdade. Chegou um ponto no qual seu ser não agüentou mais, chegou a decepção profunda, chegou a depressão, já não era possível continuar a farsa."

A consulente — "E tive que pedir uma licença médica e estou de férias."

— "Muito bem. Você mesma está vendo como se afastou naturalmente da vaca de generosas tetas. Só que seu leite é um veneno que transforma você no que você não é. O importante é não obrigar-se a voltar e aproveitar o tempo para sentir-se em profundidade e, desta vez, direcionar sua vida para aquilo que tem um profundo sentido para você e possa gerar entusiasmo. E, pelo que aqui aparece, a Existência vai abrir as portas necessárias para sua realização se você chegar até elas e tocar a campainha. No momento em que desgarre o véu da ilusão, das falsas identificações e, enfrentando os medos, centre-se no coração, escute-o e fique disponível para seguir seu caminho, o mundo vai bombardear você com propostas, oportunidades, novas pessoas vão se aproximar, poderá realizar novas experiências que, junto com as do passado, serão reelaboradas, dando uma nova sustentação mental. Tudo depende de você.

Neste sentido e não como uma previsão, o caminho que você pode abrir do outro lado da porta passa por um resgate da vitalidade corporal, pelo equilíbrio da situação econômica, talvez por meio de uma nova fonte de rendas ou do uso mais consciente do que você já tem. Isso pode ser o trampolim para viver sem angústia, tensões nem obrigações. Sua sensibilidade, intuição e comunhão emocional consigo mesma vão desenvolver-se extraordinariamente. A partir de então, parece que naturalmente você vai entrar numa nova etapa da vida, com um projeto que leve a desenvolver um trabalho que, pelo fato de estar sintonizado com a voz do coração, poderá dedicar-se de corpo e alma, sentindo que em tal atividade você está sendo você mesma, crescendo, inclusive espiritualmente. Esta experiência de jogar-se ao que realmente você gosta e mexe com você, sabendo juntar toda a energia para dar o salto, será a vivência que permitirá sair da carência afetiva, pois no fundo será um ato de amor com você mesma.

Assim, também sua atitude frente aos relacionamentos pode mudar. Se hoje você se debate entre a desconfiança e a esperança de que chegue o cavaleiro ideal, dificultando a possibilidade de viver uma relação amorosa nutritiva, proximamente, suas iniciativas no mundo profissional proporcionam o prazer e a satisfação interna necessários para que sua insegurança e falta de afeto se dissolvam, sua auto-estima cresça e possa viver em amor consigo mesma e com o mundo. É a partir daqui que se pode viver em amor com outra pessoa, sem expectativas, sem jogos de poder, sem pretender que o outro preencha seus vazios afetivos.

Poderíamos dizer que o resultado interno de tudo isso é o resgate da capacidade de direcionar sua energia para aquilo que realmente gosta e gera entusiasmo, sem que a mente interfira, bloqueando o impulso.

No nível externo, o Tarô vê você como uma mulher integrada, forte, conectada ao corpo e às emoções, vivendo intensa e apaixonadamente o dia-a-dia e sabendo seguir o coração num caminho em que deverão ser vencidos medos remanescentes da infância ou de vidas passadas.

Seria bom que usasse as essências florais de Borboleta Lilly, Oregon Grape, California Wild Rose e Malia."

Terceira Leitura

Trata-se de uma mulher que nasceu em 6 de julho de 1970.

Signo solar: Câncer

Ascendente: Virgem

Lições de vida: Quatro de Paus e Imperatriz Desafio: Pendurado e Universo

Carta Testemunha: Princesa de Copas

Leitura Terapêutica: "Se existiu algo que caracterizou sua vida, é a falta de prazer. Durante anos sua vida foi de uma monotonia frustrante, nada que gerasse alegria ou entusiasmo, nada que motivasse você. Parece que você estava resignada a dar continuidade a semelhante história quando, de um tempo para cá, começou a sentir uma enorme necessidade de encontrar satisfação na vida, e, portanto, de mudar. Acontece que esta vontade vem sempre acompanhada de um medo muito grande de fracassar, de sair do seguro, da casa de seus pais, quebrar a cara lá fora e ter de voltar com o rabo entre as pernas. Hoje você está vivendo este impasse. Seu ser interno quer decisões, não agüenta mais, não quer esperar mais. Uma parte de você, aquela que está formada pelas piores memórias de sua infância, rejeita o prazer, bombardeia com mensagens que igualam o prazer à dor e que fazem com que todos os seus relacionamentos não sejam satisfatórios.

Esta falta de prazer na vida procede de uma forte desvalorização que você viveu em sua infância. Parece que um de seus pais, ou talvez os dois, eram "excelentes" profissionais, que condicionaram seu amor e aprovação a que você se mostrasse como uma menina muito capaz. Como as expectativas deles e seus potenciais não corriam juntos, você teve sérias dificuldades para se manter à altura e seus pais contrariados, começaram a anular você, especialmente nas coisas que você fazia. Você teve de escutar muitas vezes coisas como: 'Não faz nada bem', 'Melhor ficar quieta', 'Tudo o que você toca, quebra', 'Não serve para nada'. Assim, foram castrando suas iniciativas, deixando-lhe cada vez mais insegura e você foi enclausurando-se, inventando fantasias para tentar compensar um pouco a tristeza crônica na qual estava submergida. Estas fantasias acompanharam-na durante anos. O pior foi que você deixou de gostar de si mesma. Transformou o 'meus pais não gostam de mim' em 'eu não gosto de mim', profunda e fortemente enraizado no inconsciente que se manifesta de uma maneira mais clara em seus relacionamentos e que bloqueia sua sexualidade e sua espontaneidade emocional. Assim, nunca seus relacionamentos são prazerosos, já que partem de uma base que os invalida. Se você não gosta de você mesma, como pode gostar de alguém? Como alguém pode gostar de você? Em todas as ações do outro, vai projetar seu 'não gosto de mim' e vai pensar: 'é certo, ele não gosta de mim'. Assim, o relacionamento está condenado desde o começo.

De tanto viver sem tomar iniciativas, pensando que este mundo é um

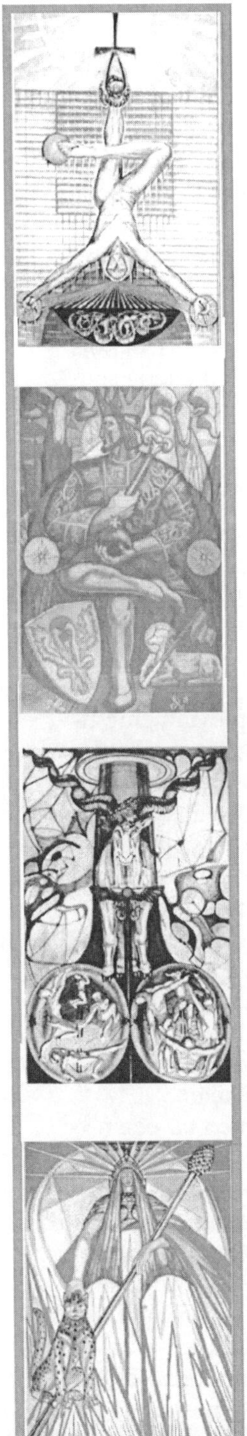

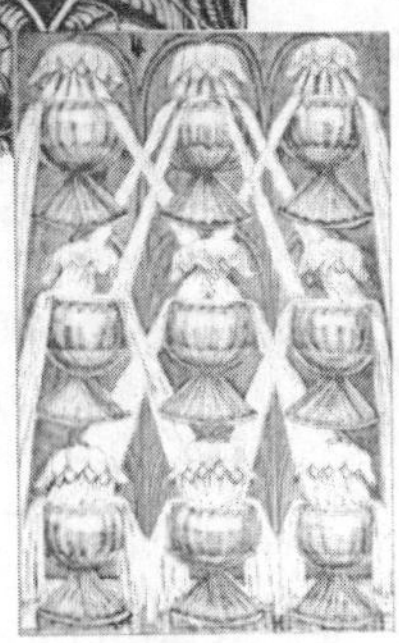

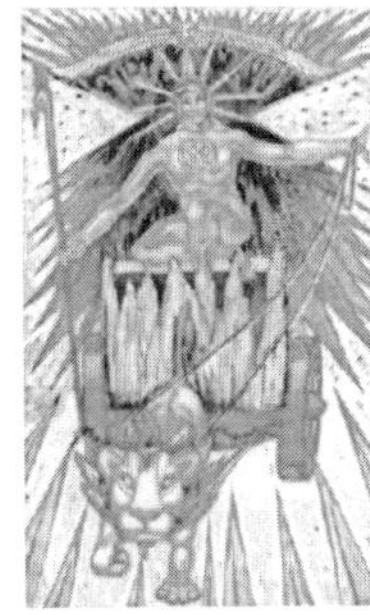

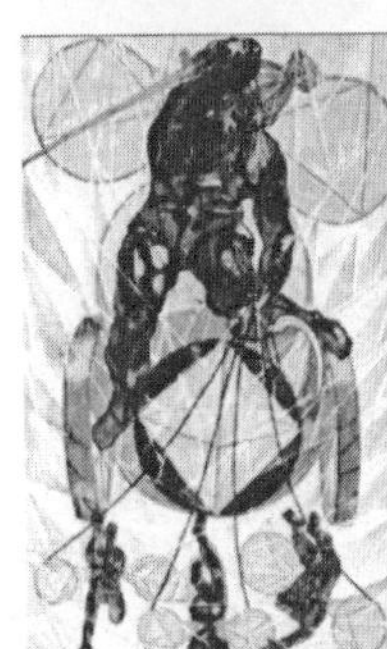

vale de lágrimas, você se esqueceu de fazer uso de sua livre vontade, e esta, como qualquer órgão ou músculo que não é usado, foi-se atrofiando e atrofiando, de modo que hoje já não sabe mais o que você quer. O método que o Tarô sugere para mudar e lograr a satisfação, a alegria e a realização que precisa, é lutar para materializar seus desejos, especialmente no que se refere a atividades onde possa desenvolver sua criatividade. O primeiro passo é descobrir o que realmente você quer, isto é, aquilo que gere entusiasmo e prazer internos. Para isso, pode ser muito útil a meditação da nuvem.

Em primeiro lugar, você se deita num carpete com o sol batendo nas plantas de seus pés. Você se esticará para todos os lados para aliviar as tensões corporais, sempre respirando profundamente. Uma vez que esteja mais relaxada, começará a sentir os raios esquentando e massageando seus pés e, pouco a pouco, vão subindo pela pele, pelos músculos e pelos ossos, ocupando o corpo todo, esquentando-o e relaxando-o ainda mais. Você sentirá prazer, maior consciência corporal e uma agradável sensação de leveza. Imaginará que o corpo está cada vez mais leve até flutuar no ar, elevando-se na direção do sol. Lá embaixo, vão ficando o bairro, a cidade, o país; lá embaixo, ficaram a família, a sociedade, as normas de conduta, os medos. Você vai aproximando-se do sol, enquanto o planeta se torna uma bola azul distante, cada vez mais longe. E o sol, fonte de energia, calor, luz e vida, aceita você totalmente, sem fazer perguntas nem exigir nada em troca. Aceita e se entrega incondicionalmente para você. Então, você verá uma nuvem branca na qual se deitará. Cheia de energia do sol, você começará a concentrá-la no coração e, colocando as mãos sobre ele, sentirá como este pulsa mais à vontade, com maior vitalidade, alegria e firmeza. Nesse momento, você falará carinhosamente para seu coração: 'Meu coração, durante muitos anos eu dei as costas para seus desejos e minha vida foi muito triste. Hoje sei que só agindo juntos poderemos ser felizes, por isso quero, com todas as minhas forças, que você me diga quais são seus desejos.' Repetirá o pedido várias vezes e depois permanecerá receptiva, tentando escutar a voz dele. Quando manifestar os primeiros desejos, não deixe que a mente comece a julgá-los, simplesmente tome nota mentalmente. Não faça este trabalho com seriedade de adulto, mas com empenho e espírito de brincadeira. Quando não aparecerem mais desejos, agradeça ao coração e ao sol e tome devagar o caminho de volta.

Você só abrirá os olhos para escrever num papel, que previamente tinha deixado do lado, todos e cada um dos desejos que se manifestaram. Com eles, elabore uma lista. Alguns dias depois repetirá a operação, e assim sucessivamente, até ter mais ou menos umas seis listas. Então você as colocará sobre a mesa e irá vendo como determinados desejos, que estavam nas primeiras, desapareceram nas seguintes, enquanto outros foram tomando mais e mais força. Estes constituirão o pivô central de sua transformação.

A aparição do Louco na posição do Método indica que este processo passa pela recuperação de seu ser infantil, que, angustiado pelas expectativas paternas e podado em suas iniciativas, não teve a oportunidade de desenvolver-se. Recomendo que brinque, especialmente com crianças, e participe de atividades cujo objetivo não esteja nos resultados, mas em si mesmas. Tente dar toda a importância ao aqui e ao agora, em vez de sonhar com o depois ou com o antes. Trate de rodear-se de pessoas alegres, que sabem desfrutar da vida no presente.

Chegou o momento de dar um salto em sua vida, um salto para o desconhecido, para o absolutamente novo. Seu melhor aliado serão as listas de desejos resgatados e uma atitude mais jovial e espontânea.

A primeira conseqüência de tudo isso será o desenvolvimento da firmeza interior, com um enraizamento profundo nas emoções, que passarão a ser o guia de seus atos, perfeitamente conectadas aos instintos que, resgatados, não só abrirão as portas para uma nova fase nos relacionamentos sexuais, que poderão ser vividos com maior naturalidade e prazer, mas também o relacionamento com o corpo e a procura de um território próprio tomarão maior importância. A partir daqui e baseando-se em referenciais instintivos sólidos, o Tarô mostra que você vai reestruturar sua vida, organizando-se e disciplinando-se, vai assumir tarefas em harmonia com seus potenciais. Assim, sua atitude com seu ambiente vai ser produtiva. Isso dará tal segurança interna que você se entregará a suas emoções e deixará que estas direcionem sua vida. Você vai deixar de achar-se uma "coitadinha", a quem o mundo dá as costas, para sentir-se parte integrante do Universo e, sintonizando-se com ele, escutará seus sinais e chamadas e poderá interessar-se por atividades de caráter social ou ecológico.

Você é uma pessoa muito capaz; a numerologia de sua data de nascimento mostra uma pessoa com um grande potencial de realização, uma notável capacidade para concluir seus empreendimentos. Seu desafio é escutar seu coração, entregando-se à vida, e chegar até as últimas sínteses, para começar uma nova fase, na qual objetivos mais transcendentes serão focalizados. Não se trata, no entanto, de poder realizar qualquer coisa, mas aquilo no qual seu amor, beleza e prazer se manifestem naturalmente. Sua dificuldade, mas ao mesmo tempo a chave de todo este processo, é entregar-se às emoções, sem avaliações mentais, sem preconceitos, sem medos. Investindo firmemente nos desejos mais profundos, está em suas mãos encontrar a necessária segurança interna e autoconfiança para poder fluir com suas emoções.

Como resultados desta transformação, temos internamente toda uma nova relação com o corpo e com o mundo material. Provavelmente, também, um novo lar que seja realmente próprio, e não a casa de seus pais, e uma nova fonte de rendas.

Externamente, o Tarô vê você relacionando-se com o mundo com uma postura ativa, cheia de idéias que geram entusiasmo, fazendo coisas que você gosta com muita energia e empenho.

Recomendo que use os florais de Wild Rose, Willow, Wild Oat, Zannia, Tansy e Borage".

APÊNDICE IV

Quadros

	PAUS	COPAS	ESPADAS	DISCOS
Ás	**Raiz dos poderes do Fogo**	**Raiz dos poderes da Água**	**Raiz dos poderes do Ar**	**Raiz dos poderes da Terra**
Momento Atual	Tomando uma nova iniciativa.	Desabrochar emocional. As emoções guardadas aparecem.	Mente sossegada e clara, que permite a visualização de um novo caminho de vida.	Iniciando uma nova fonte de rendas, novos investimentos, novo lar... Abrindo-se para uma nova consciência corporal.
Âncora	Dificuldade para tomar iniciativas.	Incapacidade de integrar as emoções ao cotidiano. Repressão/explosão emocional. Euforia/depressão.	Incapaz de acalmar a mente. Compulsivamente racional, sempre precisa de uma boa razão.	Incapacidade para tomar novas iniciativas no mundo material. Sem consciência corporal.
Infância	Repressão das iniciativas. "Criança não tem vontade." "Não pode fazer nada novo ou diferente." "Nunca vi."	Repressão da expressão emocional profunda. Ambiente de instabilidade emocional, talvez exaltação.	Tratamento frio e impessoal. Intensas expectativas de desenvolvimento do intelecto. Elaboração do caminho de vida da criança sem sensibilidade para com seus potenciais e vontades.	Novos empreendimentos que nunca davam em nada, nova moradia, nova escola, deixaram-na insegura.
Relacionamentos 1	Início de relacionamento com forte carga instintiva.	Fase de efervescência emocional.	Unidos por um projeto mental.	Unidos em função de um novo projeto de índole material.
Relacionamentos 2		Pessoa sensível, que se altera com facilidade. Sem objetividade, seus relacionamentos não são duradouros.	Vende uma imagem de intelectual, cheio de idéias e projetos mas não se envolve emocionalmente.	Une envolvimento a um projeto de construção material.

	PAUS	COPAS	ESPADAS	DISCOS
Ás	**Raiz dos poderes do Fogo**	**Raiz dos poderes da Água**	**Raiz dos poderes do Ar**	**Raiz dos poderes da Terra**
Necessidade Interna	Tomar iniciativas. Fazer algo novo.	Liberar as emoções.	Acalmar a mente.	Construir sua própria estrutura material. Cuidar do corpo.
Método	Trabalhar a determinação e investir em nova iniciativa.	Trabalhar os bloqueios que reprimem e as compulsões que o exaltam. Renascimento, bioenergética, biodança.	Meditar, sossegar a mente, deixar a ficha cair. Ir elaborando naturalmente a conceitualização de um novo projeto de vida.	Abrir uma nova fonte de rendas. Iniciar a compra de uma casa, de uma terra... Tomar consciência do corpo.
Caminho de crescimento	Iniciando algo novo. Agindo com mais determinação.	Acessando emoções escondidas.	A mente relaxa e novas compreensões se manifestam.	Um novo negócio ou emprego. Uma nova cidade. Mais consciente do corpo.
Resultado interno	Consegue tomar iniciativas ligadas à sua essência. Perdeu o medo de fazer coisas novas.	Liberando e integrando suas emoções profundas. Desenvolvendo um caminho espiritual ligado à devoção.	Mente silenciosa, em contato com a essência, permite novas visualizações.	Venceu os medos de tomar iniciativas no mundo material. Tem consciência corporal.
Resultado externo	Novo trabalho. Investindo no que é prioritário.	Investindo sua sensibilidade, potencial artístico e amor universal no seu trabalho.	Novos projetos sendo levados à prática.	Investindo em novos negócios, novas fontes de rendas, nova estrutura material: residência, terra...

	PAUS	COPAS	ESPADAS	DISCOS
2	**Domínio**	**Amor**	**Paz**	**Mudanças**
Momento Atual	Conflito entre o querer (instinto) e o permitir (mental), que gera desgaste e destruição.	Em amor consigo mesma, com o mundo e/ ou com alguém.	Compromissos e acordos que geram tensão e que dificultam o andamento das coisas.	Mudanças paulatinas e adaptações aos novos tempos, no mundo material. Corpo flexível.
Âncora	Autocontrolado. Usa sua energia para se reprimir. Deixa que os outros o controlem.	Carente crônico, faz qualquer coisa para conseguir atenção e carinho.	Mente conciliadora, que foge do confronto. Gaba-se de dar-se bem com todo o mundo, por baixo pode ser um manipulador raivoso e frustrado.	Incapaz de mudar e de adaptar-se as mudanças externas. Sem sonhos. Corpo rígido.
Infância	Repressão constante do instinto: Não pode expressar raiva, tomar iniciativas, brincar com terra ou água ...	1. As expressões amorosas da criança foram reprimidas. 2. Não teve amor.	Os pais sempre têm razão. Não pode confrontar nem questionar. Nunca falar não. Para ser aceito, precisa obedecer cegamente.	Pais presos no tempo, que se negaram a aceitar as mudanças da criança e do mundo.
Relacionamentos 1	Jogos de poder	Fase de encantamento amoroso	É melhor aceitar as coisas como estão do que partir para o confronto. Reconciliação superficial.	Construindo um sonho comum. Sabendo-se adaptar-se e mudar.
Relacionamentos 2	Reprime-se, deixa-se dominar.	Mostra-se muito amoroso, mas no fundo é um carente que quer ser preenchido.	Dá uma de bonzinho, que aceita sempre as idéias e iniciativas do outro. Geralmente atrai tiranos.	Apresenta-se como um agente do crescimento do outro; se este não muda, arruma outro.

	PAUS	COPAS	ESPADAS	DISCOS
2	**Domínio**	**Amor**	**Paz**	**Mudanças**
Necessidade Interna	Chega de controlar os instintos.	Tratar-se com mais amor.	Deixar de adaptar-se, procurar chegar a acordos verdadeiros.	Sair da mesmice. Fazer projeções criativas para o futuro.
Método	Dar-se permissão para seguir os impulsos instintivos.	Preencher-se de carinho, incluindo no cotidiano atos de amor consigo mesmo: massagem, alimentação, lazer, companhias agradáveis.	Deixar de conciliar e de submeter-se aos outros. Trabalhar a firmeza e a determinação na expressão de idéias e opiniões.	Sonhar e começar a materializar o sonho. Alongamento, Tai Chi.
Caminho de crescimento	Percebendo o autocontrole e começando a desmanchá-lo.	Abrindo-se para o amor interna e externamente.	Largando a indecisão e defendendo suas idéias.	Adaptando-se aos novos tempos, definindo objetivos materiais e indo ao encontro deles.
Resultado interno	Deixou para trás a repressão instintiva.	Em amor consigo mesmo e com o mundo. Deixando o amor guiar seus passos.	Consegue brigar com os outros e fica em paz consigo mesmo.	Capaz de mudar e adaptar-se à impermanência das coisas, visualizando o futuro que quer e materializando-o com suavidade e perseverança.
Resultado externo	Confronto com parceiro, sócios ou com a concorrência.	1. Colocando seu amor no trabalho. 2. Entregue num relacionamento.	Acordos realizados a partir da consciência, do que é essencial e do que é superficial.	Construindo seu sonho material. Adaptando-se com agilidade para aproveitar as oportunidades. Corpo alongado, capaz de driblar as tensões da vida.

	Paus	Copas	Espadas	Discos
3	**A Virtude**	**A Abundância**	**A Dor**	**Os Trabalhos**
Momento Atual	Expressando seu eu por meio do fazer.	Expressando a abundância e criatividade interna e colhendo frutos emocionais e materiais.	Mente arrasada pela dor da rejeição, abandono ou culpa. Não consegue funcionar.	O trabalho como o assunto fundamental, a princípio sem resultados importantes. Pode ser uma sublimação da energia sexual.
Âncora	Exige a si mesmo fazer aquilo que é "bem-visto".	1. Não acredita na sua capacidade e criatividade. Nega sua abundância interna. 2. Exige de si mesmo ser generoso.	O medo a ser rejeitado ou culpado paralisa a pessoa, que é incapaz de tomar qualquer iniciativa. Nunca saberemos o que ele quer ou pensa.	Viciado em trabalhar. Assim, foge de suas reais responsabilidades (filhos, potenciais) de suas emoções e sublima sua energia sexual. Corpo cansado e tenso.
Infância	Direcionado para atividades chiques.	Cheio de compensações materiais. Talvez tenha sido paparicado demais.	Tortura psíquica. A criança foi cruelmente rejeitada, ignorada, culpada, invalidada. Ficou com uma profunda ferida na sua alma.	Adorava o deus Trabalho. "Aqui ninguém pode ser um folgado."
Relacionamentos 1	Relacionamento de transcendência espiritual.	Frutificação do amor: prazer, conforto, satisfação, filhos...	Dor profunda que acaba com o relacionamento.	Unidos pelo trabalho. Realizam atividades complementares.
Relacionamentos 2	Vende o padrão de modelo de esposo(a).	Mostra-se generoso, tende a comprar amor com presentes e dedicação, mas no fundo é um carente possessivo.	Passa uma imagem de coitado que ninguém quer.	Vende uma imagem de trabalhador dedicado, que procura sócios nos seus empreendimentos.

	Paus	Copas	Espadas	Discos
3	**A Virtude**	**A Abundância**	**A Dor**	**Os Trabalhos**
Necessidade Interna	Fazer algo que realmente tenha a ver com o eu.	Expressar sua criatividade e abundância interna.	Enfrentar o medo de ser rejeitado.	Botar a energia e os potenciais criativos no mundo da matéria. Movimentar o corpo.
Método	Estabelecer prioridades, tentando aproximar o fazer do ser.	Expressar sua criatividade e potenciais artísticos.	Observar as raízes da dor, provavelmente na infância, para curar-se trabalhando sua auto-estima.	Sair da acomodação, procurar atividades que gerem tesão e levem à independência e realizações econômicas.
Caminho de crescimento	Fazendo aquilo que gosta mesmo.	Melhorando sua auto-estima, valorizando sua abundância interna.	Rejeições e culpabilizações são agora recebidas pela pessoa sem dor.	Trabalhando em algo que gosta e o ajuda a crescer material e pessoalmente.
Resultado interno	Consegue investir em atividades que são sua cara. Transcendendo.	Sente-se capaz de criar, ciente de seu tesouro interno.	Perdeu o medo da rejeição, abandono e culpa.	Superou o medo e as auto-invalidações que o impediam de entrar no mercado de trabalho ou de trabalhar naquilo que realmente gosta.
Resultado externo	Crescendo por meio de trabalhar em algo que gosta.	Colhendo o que plantou com amor. Trabalhando com criatividade. Filhos.	Enfrentando rejeições que não deixam a pessoa arrasada.	Trabalhando com entusiasmo, afinco e perseverança.

	PAUS	COPAS	ESPADAS	DISCOS
4	**A Conclusão**	**O Luxo**	**A Trégua**	**O Poder**
Momento Atual	Vida organizada. Rotinas.	Envolvido num relacionamento que traz estabilidade e segurança, embora possa ser limitador.	Normas e padrões mentais se impõem a sentimentos e instintos.	Dedicado à construção, melhora a defesa de seu patrimônio ou estrutura material.
Âncora	Incapaz de fazer coisas diferentes. Escravo da agenda.	Procura obsessivamente segurança emocional, apegando-se a relacionamentos estruturados e convencionais.	Mente rígida. Incapaz de agir sem ordens. Preso a princípios impostos de fora. Por fora, seguro e impessoal. Por dentro, covarde e frustrado.	Identificado com seu patrimônio, vive para incrementá-lo ou protegé-lo, pois está obcecado com o medo da perda. Segurança e estabilidade são suas prioridades. Rigidez corporal.
Infância	Cheio de atividades organizadas (algumas podem ser recreativas), sem tempo livre.	Expressão emocional estabelecida dentro de parâmetros de rigidez. Especial cuidado com as aparências. Qualquer coisa menos separar-se.	Rigidez extrema, normas de conduta inflexíveis, crenças. Cuidar das aparências.	Clausura. Lá fora é perigoso. "Não leve seus brinquedos ou seu lanche para a escola ou à casa dos outros."
Relacionamentos 1	Complementam-se nas tarefas cotidianas, cuja realização é a prioridade.	Relacionamento estruturado e estável, embora possa encobrir fortes tensões, rotinas e acomodações.	Só os princípios mantêm o vínculo e as aparências. "O que Deus une..."	Unidos pelo apego à estrutura material. Rigidez e possessividade.
Relacionamentos 2	Vende uma imagem de pessoa organizada e metódica.	Dá prioridade à estabilidade e segurança.	Rígidos padrões de conduta, com os quais esconde seu medo da intimidade emocional e corporal.	"Eu sou um castelo a ser conquistado" — Só dá chance para quem pode trazer segurança e melhoras materiais.

	Paus	Copas	Espadas	Discos
4	**A Conclusão**	**O Luxo**	**A Trégua**	**O Poder**
Necessidade Interna	Disciplina, método, organização, fechar *gestalts*.	Estabilizar-se e estruturar-se emocionalmente. Talvez se casando.	Sair da dispersão mental.	Segurança e estabilidade material. Reservas econômicas.
Método	Concluir atividades. Comprar uma agenda. Organizar-se.	Ordenar a vida emocional. Investir num relacionamento.	Disciplinar a mente. Estruturar a visão de mundo e conhecimentos sobre critérios sólidos confirmados pela experiência.	Investir na estrutura material: bens imóveis. Disciplina corporal.
Caminho de crescimento	Desenvolvendo organização e capacidade de acabar as coisas.	Mais estável e ordenado emocionalmente, pode construir um vínculo afetivo sólido.	Mente ordenada. Ampliando conhecimentos acima de bases sólidas.	Estruturando-se física e economicamente.
Resultado interno	Seguro de si mesmo, estável e organizado.	Sente-se seguro emocionalmente.	Nova ordem mental. Mente estável e disciplinada.	Uma atitude mais objetiva diante dos bens materiais, a segurança, estabilidade e conforto.
Resultado externo	Trabalhando (talvez em equipe) com organização e eficiência. Concluindo o que começa.	Envolvido num relacionamento sólido e estável.	Apresentando propostas, teorias ou teses firmes e bem-estruturadas.	Construindo seu patrimônio sobre bases sólidas. Corporalmente bem-estruturado.

	PAUS	COPAS	ESPADAS	DISCOS
5	**A Luta**	**O Desapontamento**	**A Derrota**	**O Sofrimento**
Momento Atual	Lutando para concretizar objetivos bem definidos.	Frustração que mata a auto-estima, talvez produto do fim de um relacionamento.	Traições, ameaças, brigas, intrigas destrutivas. Ambiente negativo, competitivo, perigoso.	Perdas de dinheiro ou de bens. Tensões corporais. Estresse. Doenças.
Âncora	Lutador compulsivo, incapaz de parar de correr atrás de seus objetivos por um segundo.	Não gosta de si mesmo. Reprime seus instintos e nega sua sexualidade e capacidade de melhorar. Todos seus relacionamentos acabam mal.	Mente negativa, intrigante e destrutiva, mobilizada pela competitividade, os ciúmes, a inveja, os desejos de vingança e ressentimento. Sente-se injustiçado e reclama sem parar.	Tensões, somatizações crônicas ou acidentes, fruto de atividades ou ritmos discordantes de sua natureza. Sempre forçando a barra, numa atitude autodestrutiva. Drogas. Falências, problemas permanentes de dinheiro.
Infância	Não pode perder tempo, a vida é uma luta, tem de estar sempre lutando para atingir as metas.	Os pais não gostavam dele. Desvalorizavam-no, censuravam, rejeitavam, reprimiam o tempo todo.	Ambiente negativo, hipercrítico, onde prevaleciam a falsidade, a desconfiança, a intriga, as acusações, o rancor.	Doenças. Obrigado a assumir tarefas impróprias para sua idade. Sérias dificuldades financeiras.
Relacionamentos 1	Estão lutando juntos atrás de objetivos comuns.	Ruptura, separação, perda.	Acusações mútuas, traições, chantagens, manipulações, caixa 2, que levam à ruptura final.	Fim da estrutura. Falência do casal e/ou briga para ver quem fica com os bens materiais.
Relacionamentos 2	Passa uma imagem de lutador, que sabe o que quer.	Tem prazer em fazer o outro sofrer.	Hipercrítico, desconfiado e manipulador, que se auto-afirma desvalorizando o outro. Argumenta sem escutar e agride verbalmente.	Tendência a envolver-se com pessoas destrutivas, viciados em drogas, em gastar dinheiro.

	Paus	Copas	Espadas	Discos
5	**A Luta**	**O Desapontamento**	**A Derrota**	**O Sofrimento**
Necessidade Interna	Mover-se, ir atrás do que realmente se quer.	Melhorar sua auto-estima. Sair de relacionamentos destrutivos.	Sair de ambientes negativos.	Sair da autodestruição corporal e/ou da miséria econômica.
Método	Definir objetivos e materializá-los	Acabar com vínculos e atitudes auto-destrutivas. Tratar-se com carinho, permitir-se expressar os impulsos.	Descarregar a raiva e chorar a dor: Meditação Dinâmica. Parar de reclamar e de botar a culpa nos outros. Assumir seus próprios erros.	Cuidar da saúde já. Tratar o corpo com carinho. Largar negócios nos quais força a barra. Evitar investimento de risco. Fazer o que gosta.
Caminho de crescimento	Sabendo o que quer e correndo atrás.	Percebe até que ponto não gostava de si mesmo e começa a mudar.	Tomando consciência da negatividade mental e começando a sair dela.	Percebe como se destruía física e economicamente e começa a mudar.
Resultado interno	Perdeu o medo de lutar pelo que realmente quer.	Recuperou sua auto-estima. Capaz de dar fim a relacionamentos que não prestam.	1. Deixou os mecanismos mentais destrutivos para trás. 2. Desenvolveu o lado crítico.	Liberou-se da compulsão destrutiva. Respeita seu corpo e suas iniciativas profissionais estão ligadas à sua natureza.
Resultado externo	Trabalhando intensamente, com criatividade, para concretizar os objetivos mais verdadeiros.	Rompendo um relacionamento frustrante.	Momento crítico em que a pessoa pode se sentir traída ou ameaçada e que a obriga a ser absolutamente clara.	Desafio que obriga a mudar em profundidade atitudes que o levavam a perdas de dinheiro e de saúde.

	Paus	**Copas**	**Espadas**	**Discos**
6	**A Vitória**	**O Prazer**	**A Ciência**	**O Sucesso**
Momento Atual	Em harmonia com seu trabalho. Realizando-se profissionalmente.	Prazer e satisfação pessoal. Sexualidade plena e consciente. Relacionamento harmonioso.	Absorvido em atividades intelectuais, estudos acadêmicos, pesquisas ou elaboração de teorias.	Boa situação financeira. Necessidades "titânicas" resolvidas. Corpo saudável, vital e belo.
Âncora	Exige de si mesmo ser sempre o melhor no trabalho. Para isso, pode desvalorizar os outros. Orgulhoso, pode perder a noção de limites.	Exige-se transbordar prazer e sensualidade. Sedutor compulsivo.	Mente cartesiana, que tudo analisa e pondera. Esconde suas emoções e impulsos instintivos, dando uma de cientista. Sempre tem uma citação pronta.	Faz questão de mostrar sucesso material. Pode gastar mais do que ganha. Cuida exageradamente das aparências: carro, roupa, acessórios, corpo.
Infância	Educado para ser o vencedor.	Negação do prazer, da criatividade, da sensualidade, do sexo.	Ambiente frio e mental. Exigência de precocidade intelectual.	Exigência de se adequar à imagem de sucesso material que a família pretende passar para os outros.
Relacionamentos 1	Harmonia, complementação, criatividade.	Harmonia, complementação, sexualidade consciente. Relação de crescimento.	Convergência ideológica.	Harmonia no relacionamento leva à melhora das condições econômicas e vice-versa
Relacionamentos 2	Veste-se de vitorioso, que merece o aplauso. Usa seus relacionamentos para se autopromover.	Sedutor, que vende prazer.	Paquera exibindo conhecimentos, objetividade; no fundo, é um inseguro que reprime emoções e instintos.	Paquera ostentando um falso sucesso material.

	Paus	**Copas**	**Espadas**	**Discos**
6	**A Vitória**	**O Prazer**	**A Ciência**	**O Sucesso**
Necessidade Interna	Fluir no trabalho, encontrar o equilíbrio entre a energia investida e o retorno.	Ter mais prazer na vida. Viver relacionamentos mais harmônicos. Criar.	Equilibrar a mente, torná-la mais objetiva.	Sair da angústia gerada por problemas econômicos. Melhorar a saúde corporal.
Método	Harmonizar o fazer com o deixar acontecer. Investir na expansão da criatividade.	Identificar e dissolver as tensões que impedem a expressão do prazer. Trabalho de corpo, atividades gratificantes e vitalizantes, lazer de qualidade...	Reavaliar crenças, tornar a mente mais clara, perceptiva e objetiva. Desenvolver o potencial intelectual. Cursos, viagens, leituras, seminários.	Equilibrar as contas. Melhorar a receita com atividades criativas. Encontrar o equilíbrio entre a identificação e a rejeição da matéria, entre o culto vaidoso e a não-identificação com o corpo.
Caminho de crescimento	Deixando as tensões para trás, trabalhando com mais prazer e criatividade.	Resgatando o prazer de viver.	Equilibrando a mente, expressando melhor as idéias.	Melhorando a condição física e econômica por meio de uma atitude mais cuidadosa e consciente com o corpo e o dinheiro.
Resultado interno	Faz do trabalho uma meditação.	Integrada, harmoniosa, irradiando prazer.	Mente lúcida e harmoniosa, que largou preconceitos e desenvolveu originalidade e criatividade.	Atitudes desvalorizadoras do corpo e dos bens materiais ficaram para trás.
Resultado externo	Expandindo seus horizontes profissionais na base de uma maior criatividade. Realizando-se profissionalmente.	Vivendo com prazer, criatividade e sentimento de auto-realização. Relação de crescimento.	Envolvido num trabalho intelectual, com habilidade, originalidade e objetividade.	Boa saúde, sucesso material e reconhecimento social.

	Paus	Copas	Espadas	Discos
7	**A Coragem**	**A Corrupção**	**A Futilidade**	**O Fracasso**
Momento Atual	Investindo num assunto específico com determinação e coragem. Pode estar forçando a barra.	Perda de energia e saúde na procura de compensações.	Pressões externas o deixam disperso, superficial e fragilizado.	Estagnação material. Incapacidade para dar continuidade a negócios. Cansaço ao se movimentar.
Âncora	Síndrome do herói. Sempre indo além de suas forças. Fixado num assunto, mesmo que seja desgastante e sem resultados. Trabalhar é um sacrifício.	Degradação emocional e física, produto de uma vida cega e compulsiva; procura do prazer por meio de comida, drogas, sexo, etc.	Mente esponja, sem idéias próprias. Opiniões, interesses e iniciativas são definidos pela família, pela TV e pela propaganda. Maria-vai-com-as-outras.	Desvalorização crônica e medo de fracassar co-determinaram um histórico de investimentos inacabados, desistências e fracassos. Problemas ósseos.
Infância	Exigência de não ter medo de nada. Tarefas precoces.	Repressão dos impulsos instintivos: a terra é nojenta, o corpo é sujo. Exemplo de procura de compensações.	Sistematicamente bombardeado por idéias, expectativas, pressões, propaganda que teve de incorporar.	Desvalorização contínua da capacidade da criança, repressão de suas iniciativas num ambiente sórdido, com frustrações e dificuldades financeiras, deixaram a criança paralisada pelo medo de errar e/ou fracassar.
Relacionamentos 1	Desgastando-se ao investir compulsivamente em alguém.	Degradação da vida afetiva e sexual.	Relação superficial, fazem o que as respectivas famílias querem.	Sem condições de continuidade. Já deu o que tinha que dar.
Relacionamentos 2	Máscara de corajoso e determinado, quando na verdade é um grosso autoritário.	Sanguessuga corrompido.	Sem iniciativas nem opiniões, desconectado de suas emoções, deixa-se levar pelos outros.	Medo de fracassar impossibilita qualquer envolvimento.

	Paus	Copas	Espadas	Discos
7	**A Coragem**	**A Corrupção**	**A Futilidade**	**O Fracasso**
Necessidade Interna	Tomar uma atitude decidida e enérgica. Sair da dispersão	Sair da compulsão autodestrutiva.	Conectar-se interiormente, sair da futilidade, afirmar-se na própria vontade.	Acreditar em si mesmo e entrar em movimento.
Método	Trabalhar a coragem, definir a prioridade fundamental e agir com determinação.	Descobrir o que está por trás da compulsão.	Parar de incorporar as idéias dos outros e a propaganda. Fortalecer o propósito e a convicção interna.	Aceitar o fracasso em determinados assuntos que só sugam energia/ dinheiro e investir em outros, procurando resolver o medo de fracassar.
Caminho de crescimento	Sentindo-se mais corajoso, determinado e capaz.	Tomando consciência e liberando-se da procura compulsiva de prazer.	Percebendo como sempre foi dependente das idéias e expectativas dos outros e começando a libertar-se.	Descobrindo as raízes de seu medo de fracassar e começando a libertar-se dele.
Resultado interno	Resgatou a coragem.	Largou suas compensações autodestrutivas: drogas, comida, sexo, etc.	Seu mundo mental já não é mais definido de fora.	Superou o medo do fracasso.
Resultado externo	Esforçando-se com coragem e determinação num assunto específico.	Momento de insatisfações, que pode levar a pessoa a procurar prazer de modo compulsivo.	Enfrentando pressões externas que o desafiam a romper de uma vez com velhas atitudes complacentes.	Momento de bloqueio nos empreendimentos materiais, que o desafiam a confrontar seu medo de fracassar.

	PAUS	COPAS	ESPADAS	DISCOS
8	**A Rapidez**	**A Indolência**	**A Interferência**	**A Prudência**
Momento Atual	Libertação explosiva de energia. Dispersão.	Tristeza, depressão. Falta de vontade e interesse.	Dúvidas internas, auto-invalidações ou interferências externas deixam a pessoa travada.	Atenção direcionada para a produção material e os resultados práticos. Cuidados com a beleza corporal.
Âncora	1. Contenção/explosão crônicas. 2. Incapacidade para determinar prioridades, limites ou fixar-se numa atividade. Inconstância.	Depressivo crônico, pessimista, resignado, sem energia para mudar.	Mente grade. Iniciativas de expansão e encontro com o desconhecido são interferidas por desculpas ou invalidações. No melhor dos casos, as adia.	Identifica-se com os resultados de seu trabalho. Procura reconhecimento por meio de suas obras. Perfeccionista, crítico e intolerante, especialmente com a concorrência.
Infância	Explosões. Ausência de limites e orientação. Abandono.	Lar triste e depressivo, cheio de velhos frustrados. Sem outras crianças para brincar.	Tudo era proibido. Sempre existia uma "razão" para castrar as iniciativas ou invalidar as idéias da criança.	Família/empresa que exigiu produção, resultados e responsabilidade, limando brincadeiras e tempo livre.
Relacionamentos 1	Ruptura libertadora	A solidão a dois. Sem energia nem para brigar nem para separar-se.	Relação gaiola, onde ambos interferem, invalidam e reprimem o outro na sua liberdade. Sem chance de diálogo, o relacionamento acabou.	Produzindo coisas juntos, dando-se apoio e obtendo excelentes resultados.
Relacionamentos 2	1. Explosivo que descarga com o parceiro suas tensões. 2. Disperso, promíscuo.	Não dá um passo para relacionar-se, fica em casa reclamando da tristeza de sua vida, no entanto alimenta a fantasia de que algum dia...	Trancado para o relacionamento. Invalida qualquer possibilidade: "não vai dar em nada". Medo.	Relaciona-se apenas com pessoas com as quais possa construir alguma coisa.

	Paus	**Copas**	**Espadas**	**Discos**
8	**A Rapidez**	**A Indolência**	**A Interferência**	**A Prudência**
Necessidade Interna	Descarregar a tensão acumulada.	Chega de depressão.	Sair deste mecanismo mental que sabota a pessoa.	Realização profissional, construindo ou produzindo alguma coisa que reflete o Eu.
Método	Meditação dinâmica. Dar-se umas férias. Sair da dispersão, organizar-se.	Vitalizar o corpo, realizar atividades recreativas, viajar, cultivar flores e amigos. Ver o que há por trás da tristeza.	Focalizar o mecanismo de sabotagem. Definir os argumentos e medos por trás de não fazer o que no fundo quer. Trabalhar os medos.	Colocar seu selo pessoal e seus conhecimentos e capacidade de organização na construção ou produção de algo material.
Caminho de crescimento	Soltando-se. Expressando sua raiva.	Saindo da depressão e das fantasias.	Desmascarando o mecanismo de auto-invalidação e começando a sair dele.	Desenvolvendo sua capacidade de produzir artigos bonitos e úteis.
Resultado interno	A energia que era usada para se conter é usada para atingir objetivos.	Resgatou a alegria de viver.	Joga-se no desconhecido, sem medos.	Sente-se capaz de usar suas habilidades e conhecimentos com bons resultados práticos.
Resultado externo	Irradiando energia, livre de tensões e frustrações. Com objetivos claros.	Desafio que exige deixar para trás o pessimismo nas empreitadas em geral.	Bloqueios externos o desafiam a enfrentar seus medos.	Produzindo eventos artísticos, artesanato, moda, desenho gráfico...

	Paus	**Copas**	**Espadas**	**Discos**
9	**A Firmeza**	**A Felicidade**	**A Crueldade**	**O Lucro**
Momento Atual	Firmemente estruturado e enraizado nas emoções.	Gratificação, satisfação emocional e sensorial. Boa vida.	Sofrimento e desespero, produtos de bloqueio da raiva e/ou de outros impulsos instintivos.	Ganhando dinheiro com prazer. Cuidando de seu corpo com carinho, melhorando a saúde.
Âncora	Rígido, resiste às mudanças. Dificilmente toma iniciativas. É inseguro e vulnerável, preso ao passado, à mamãe ou a emoções não resolvidas.	Mostra-se sempre feliz e satisfeito, empurrando os conflitos com a barriga e se compensando de um jeito não muito autodestrutivo.	Mente cruel e autodestrutiva, que invalida as manifestações instintivas e necessidades corporais, acabando com a espontaneidade e a saúde.	1. Obsessão pelo lucro. Sem ética, usa a manipulação e/ou a sedução. 2. Acha que não pode ganhar dinheiro fazendo o que realmente gosta.
Infância	Teve de ficar forte e resistente a qualquer agressão sem reclamar. Uma rocha.	Tem de se mostrar alegre e feliz. Impedido de reclamar.	Ameaças e castigos corporais. Medo de morrer. Pode ter desenvolvido uma estrutura de caráter esquizóide.	Família ávida de dinheiro, talvez por necessidade, sempre tentando tirar o maior proveito, com pouco senso da ética.
Relacionamentos 1	União consolidada. Ideais comuns.	Estão satisfeitos, curtindo a vida, gostando um do outro. Qualquer problema se resolve na cama.	"Martrimônio." Agressões físicas, ameaças de vida ou espancamento. Sado-masoquismo.	Unidos pelo amor ao dinheiro e aos objetivos materiais.
Relacionamentos 2	Excessiva rigidez que acaba sendo uma barreira.	Passa uma imagem de *bon vivant*, satisfeito e feliz, mas na verdade é um sugador.	Nega a si mesmo para ter a aprovação do outro. Mártir. Procura amor por meio da autodestruição.	Relaciona-se para melhorar sua condição material, quando não para se aproveitar economicamente de suas vítimas.

	PAUS	COPAS	ESPADAS	DISCOS
9	**A Firmeza**	**A Felicidade**	**A Crueldade**	**O Lucro**
Necessidade Interna	Fortalecer-se enraizando as iniciativas nas emoções.	Colocar mais satisfações na vida.	Parar de destruir-se. Expressar o que sente e o que pensa.	Deixar de trabalhar só por dinheiro, fazer e lucrar com aquilo que gosta e gera amor e prazer.
Método	Trabalhar a firmeza interior, definindo com precisão o que realmente quer fazer.	Paparicar os cinco sentidos. Cultuar amizades e ambientes agradáveis. Atividades recreativas. Férias.	Esclarecer e se libertar das ordens de morte e autodestruição que recebeu na infância. Terapia.	Quebrar a maldição: "Ganharás o pão com o suor de teu rosto." Investir em atividades nas quais a sensibilidade, o amor e o senso artístico possam se manifestar.
Caminho de crescimento	Sentindo-se mais firme e seguro	Começando a ficar de bem com a vida.	Percebendo como sempre foi cruel consigo mesmo e começando a desmanchar este mecanismo.	Percebendo que pode ganhar dinheiro fazendo o que dá prazer.
Resultado interno	Resgatou sua autoconfiança, firmeza e autoestima.	Sem medo de ser feliz, transborda satisfação.	Recuperou sua autoestima e respeito pelas expressões instintivas.	Fortaleceu a confiança em si mesmo e quebrou a maldição.
Resultado externo	Atitudes firmes e autocentradas, ligadas às emoções profundas. Pode resistir sem problemas às dificuldades e superar os obstáculos.	Colocando um verniz de otimismo e satisfação em tudo o que faz.	Situação que gera desespero e que o obriga a romper com um velho padrão de contenção da raiva.	Trabalhar se divertindo e ganhando dinheiro. Ócio criativo.

	PAUS	COPAS	ESPADAS	DISCOS
10	**A Opressão**	**A Saciedade**	**A Ruína**	**A Prosperidade**
Momento Atual	Exausto de tanto assumir tarefas que no fundo não gratificam.	Compromissos e vínculos emocionais estão sufocando.	Grande decepção. Aquilo em que acreditava (valores, critérios, pessoas) se derruba.	Toda a atenção dirigida para grandes somas de dinheiro. Podem ser dívidas, investimentos.
Âncora	Pau para toda obra. Sempre cansado. Arruma serviço para ganhar aprovação ou se entope de atividades para não fazer o que realmente gostaria.	Vive preso numa rede de compromissos emocionais que o impedem de ser espontâneo e o deixam sufocado. No fundo, pode ser um inseguro que construiu seu próprio labirinto.	Círculo vicioso de ilusão e decepção com doutrinas ou pessoas, produto de não assumir-se como um ser adulto e responsável. Ovelha à procura de rebanho e pastor.	Escravo do dinheiro. Suas crenças ao respeito o levam a sofrer: 1. Acha que não merece e fica sempre duro. 2. Seu humor acompanha a rentabilidade de seus investimentos.
Infância	Exploração da capacidade de trabalho. Filha mais velha, que depois da escola toma conta da casa.	Família grande, cheia de imposições, cobranças e deveres, o que obrigou a criança a engolir muita raiva e impulsos.	Valores e princípios inculcados pelos pais não eram respeitados pelos próprios pais, deixando-a decepcionada e insegura.	Família próspera, sem tempo nem amor para a criança, que ganhava todos os caprichos, crescendo sem saber o verdadeiro valor das coisas.
Relacionamentos 1	Acaba fazendo tudo para o outro e o torna dependente. Não agüenta mais.	Morreram o amor e o tesão, só sobraram pesados compromissos e fingimentos, que deixam o casal sufocado e frustrado.	Final infeliz: decepção profunda que impossibilita a continuidade.	Unidos só pela fortuna material e pelo *status* e *glamour* que esta dá.
Relacionamentos 2	Vende uma imagem de dedicado, que se esquece de si mesmo, para controlar.	Procura compulsivamente segurança e estabilidade. Gruda na família do outro.	Tendência a iludir-se e depois a decepcionar-se com o outro. Talvez acabe se fechando.	Procura segurança econômica e proteção.

	Paus	Copas	Espadas	Discos
10	**A Opressão**	**A Saciedade**	**A Ruína**	**A Prosperidade**
Necessidade Interna	Descansar.	Sair desta situação de sufoco.	Libertar-se das crenças que determinam uma visão de mundo não funcional e castradora.	Mudar as crenças com o dinheiro para que este não seja um problema, mas a solução.
Método	Minimizar o número de tarefas e compromissos, priorizando aqueles que lhe dão mais prazer.	Romper os vínculos e compromissos sufocantes. A insegurança interna não se resolve com prisões.	Reavaliar a operacionalidade da visão de mundo para mudá-la.	Investir em empreendimentos que dão muito dinheiro. É hora de pensar grande.
Caminho de crescimento	Deixando os fardos.	Percebe como viveu emocionalmente preso a vida toda e começa a libertar-se.	Uma visão de mundo limitante é abandonada.	Mudou sua maneira de pensar e de agir com respeito ao dinheiro, melhorando muito.
Resultado interno	Autorizando-se a viver sem sobrecarga de trabalho.	Saiu do labirinto. Já não cria vínculos de dependência e submissão com as pessoas que se envolve.	Mudança geral da mente, que agora trabalha a partir da própria experiência.	Eliminou as minhocas que o amarravam a uma vida de dureza. Sente-se merecedor de uma vida mais confortável e próspera.
Resultado externo	Excesso de trabalho que precisa de uma reformulação.	Desafio de mandar muitas pessoas às favas.	Percebendo e desmascarando a falsidade atrás de doutrinas ou pessoas.	Fazendo bons negócios, vivendo prosperamente.

	Cavaleiro de Paus	Rainha de Paus	Príncipe de Paus	Princesa de Paus
Tipo de personalidade	Natureza interna e expressão fogosa.	Natureza interna fogosa, expressão emocional.	Natureza interna fogosa, expressão mental.	Natureza interna fogosa e expressão objetiva e prática.
Momento atual	Explosão instintiva reprimida faz tempo. Caindo fora.	Auto-afirmação. Resgate do instinto e da expressão emocional.	Muito envolvido em um projeto que gera satisfação, mas pode desconectá-lo de suas emoções.	A energia instintiva direcionada para atitudes destrutivas ou construtivas.
Âncora	Fogo de palha, incapaz de dar continuidade às suas iniciativas. Desconectado das emoções, sem senso prático nem raciocínio lógico.	Precisa controlar os outros, mostrar-se mais forte do que é na realidade. Competitiva, vaidosa. Falta de senso prático e de raciocínio.	Identifica-se com projetos. Hiperativo, procura mais o reconhecimento que os resultados concretos. Sem senso prático nem emoções. Reprime seus instintos	Explosão destrutiva; depois se enche de culpa e volta a reprimir-se. Sem emoções nem raciocínio lógico.
Infância	Pai explosivo, que acabou com a segurança da criança e com sua capacidade de tomar iniciativas.	Mãe poderosa, manipula dando e retirando amor e contato.	Pai omisso e intelectualmente brilhante, sempre ocupado com outras coisas. A criança sente que não vale nada.	Repressão/explosão no lar familiar. Acumulação de raiva e revolta.
Relacionamento	Supermacho, impulsivo, rapidinho na cama, sem emoção.	Faz tudo para ser desejada, usa o sexo para manipular o outro.	Quer sexo e vende idéias. Busca pessoas que inflem seu ego.	Fase de brigas e explosões, paixões violentas, sexo animal.
Necessidade Interna	Expressar os instintos, tomar iniciativas.	Soltar o mulherão. Conectar-se ao corpo, assumir os desejos instintivos, expressar as emoções.	Desenvolver idéias que representem uma saída criativa à energia vital.	É preciso encontrar uma válvula de escape sadia para tanta energia instintiva reprimida e degradada.

Método	Criar distância com os compromissos que reprimem os instintos.	Auto-afirmar-se, trabalhar a sensualidade e a auto-estima. Fazer dança do ventre, biodança, flamenco.	Partir para a ação, envolvendo-se em projetos que gerem entusiasmo.	Primeiro, catarses: Meditação dinâmica durante 21 dias; depois, integrar os impulsos instintivos no cotidiano.
Caminho de crescimento	Liberação instintiva.	Mais centrada no seu corpo, assume seus instintos e expressa suas emoções.	Tomando iniciativas intelectuais com entusiasmo.	Dando vazão à instintividade, achando saídas construtivas.
Resultado Interno	Resgatou sua capacidade de seguir seus impulsos.	Dona de si mesma, capaz de entregar-se sexual e amorosamente nos relacionamentos.	Perdeu o medo de se expor, expressando as idéias que mexem com seu fogo interno.	Resgatou e limpou sua energia instintiva.
Resultado Externo	Tomando iniciativas radicais. Caindo fora.	Posição de autoridade e firmeza.	Desenvolvendo projetos com entusiasmo e liderança.	Investindo sua energia instintiva para materializar alguma coisa.
	Cavaleiro de Copas	**Rainha de Copas**	**Príncipe de Copas**	**Princesa de Copas**
Tipo de personalidade	Natureza interna emocional, expressão fogosa.	Natureza interna e expressão emocional.	Natureza interna emocional, expressão intelectual.	Natureza interna emocional, expressão prática.
Momento atual	Apaixonado por alguém ou por algum assunto.	Conectando emoções profundas.	Analisando suas emoções, tentando compreendê-las.	Envolvida em atividades artísticas.
Âncora	Carente profissional, sedutor que procura ser preenchido. Sem senso prático nem raciocínio lógico.	Hipersensível. Falsa, manipuladora, somatiza, pode dar uma de vítima. Desligada dos instintos, sem senso prático nem raciocínio lógico.	Intelectualiza as emoções. Pensa antes de deixar-se levar por elas. Manipula. Desligado dos instintos, sem senso prático.	Artista fora do palco. Compulsão para agradar. Preocupação com as aparências. Desligada dos instintos, sem raciocínio lógico.

Infância	Repressão das iniciativas emocionais. Pai galinha.	Paranormalidade reprimida. Mãe manipuladora.	Pai emocional, mas muito controlado, que ensina seu filho a desconfiar das emoções.	Educada para ser uma "gracinha".
Relacionamento	Seduz, mas não se entrega. Quer carinho; vende sexo.	Sofre em silêncio. Papel de vítima.	Manipulador, racionalizador.	Carente e insegura, faz de tudo para chamar a atenção e agradar.
Necessidade Interna	Expressar suas paixões e emoções.	Aceitar, desenvolver e manifestar o potencial emocional e/ou paranormal.	Voltar-se para dentro.	Dar vazão ao potencial criativo. Expressar suas emoções.
Método	Correr atrás de pessoas ou assuntos que emocionalmente o atraem.	Tomar contato com emoções não aceitas. Trabalhar a intuição.	Observar e compreender os mecanismos que governam as emoções. Terapia.	Investir em atividades artísticas e criativas. Biodança.
Caminho de crescimento	Perdendo o medo de entregar-se a suas emoções. Novo relacionamento.	Aumento da sensibilidade. Contato com emoções profundas.	Observando-se. Descobrindo-se.	Criando, desenvolvendo atividades artísticas. Assumindo suas emoções e expressando-as.
Resultado Interno	Soltando suas emoções mais fogosas. Atitude mais apaixonada pela vida.	Resgate do lado feminino. Assumindo suas emoções e desenvolvendo a sensitividade.	Autoconhecimento. Integração entre mente e emoções.	Capaz de expressar suas emoções de um jeito construtivo. Valoriza seu potencial artístico.
Resultado Externo	Novo relacionamento. Investindo em atividades que o satisfazem emocionalmente.	Levando sua hipersensibilidade à prática, em atividades espirituais, mediúnicas ou filantrópicas.	Trabalhando com autoconhecimento, psicologia, autoanálise, arteterapia.	Trabalhando com arte. Expressando sua beleza interior.

	Cavaleiro de Espadas	Rainha de Espadas	Príncipe de Espadas	Princesa de Espadas
Tipo de personalidade	Natureza interna mental, expressão fogosa.	Natureza interna mental, expressão emocional.	Natureza interna e expressão mental.	Natureza interna mental, expressão prática.
Momento atual	Tomando uma iniciativa a partir de uma idéia ou ideal.	Questionando doutrinas ou padrões de comportamento.	Debatendo-se mentalmente. Procurando conclusões.	Materializando uma idéia. Lutando contra as dificuldades.
Âncora	Mente irreflexiva e compulsiva. Fanático paladino de doutrinas que o desconectam de si mesmo. Sem emoções nem senso prático.	Emocionaliza as idéias. Impõe a si mesma e aos outros severas normas de conduta. Desligada dos instintos, sem senso prático.	Não sai da mente, pensa em voz alta, adora ser escutado, vive argumentando e não faz nada. Sem emoções, instintos nem senso prático.	Briguenta, desconfiada, lutadora compulsiva, materialista. Intrigante. Desligada das emoções e do instinto.
Infância	Pai explosivo, fanático, talvez viciado em estimulantes.	Mãe controladora, severa, presa a doutrinas.	Pai frio e desligado da realidade. Quando não é totalmente omisso, invalida o filho mentalmente.	Infância conturbada, cenas de briga e desconfiança.
Relacionamento	Finalmente expressa suas opiniões, mesmo que de um jeito impulsivo. Pode ser o final de um relacionamento.	Questionando seu papel dentro de seu relacionamento.	Com as emoções e os instintos reprimidos, faz contato apenas mentalmente. O intelectual.	Fechada, agressiva diante das aproximações dos outros.
Necessidade Interna	Falar e fazer o que acha.	Mudar a maneira de pensar.	Sair da masturbação mental.	Enfrentar as dificuldades, partir para a materialização de projetos.
Método	Tomar iniciativas a partir de seus ideais mais verdadeiros e convicções mais profundas.	Reavaliar critérios à luz do coração. Lutar pela autodeterminação.	Chegar a conclusões, tomar decisões.	Trabalhar a desconfiança, esclarecer e concretizar os objetivos.

Caminho de crescimento	Aprendendo a jogar-se com entusiasmo numa idéia ou projeto.	Rompendo com as ordens internas.	Aperfeiçoando a mente, chegando a conclusões.	Fortalecendo-se por medo de encarar as dificuldades.
Resultado Interno	Venceu os bloqueios que paralisavam iniciativas a partir de suas idéias ou ideais.	Liberou a mente.	Elaborando seus próprios critérios, expressando suas idéias. Desenvolvendo os melhores aspectos da mente.	Deixou para trás a desconfiança e se sente capaz de materializar seus ideais.
Resultado Externo	Levando uma idéia para frente, com decisão e determinação. Viagem de estudos.	Trabalha participando do movimento geral de transformação das idéias.	Trabalhando com conceitos abstratos: matemática, física pura, filosofia.	Enfrentando dificuldades e levando à prática suas idéias.
	Cavaleiro de Discos	**Rainha de Discos**	**Príncipe de Discos**	**Princesa de Discos**
Tipo de personalidade	Natureza interna prática, expressão fogosa.	Natureza interna prática, expressão emocional.	Natureza interna prática, expressão mental.	Natureza interna e expressão prática.
Momento atual	Botando a energia na matéria. Trabalho braçal.	Cuidando e nutrindo os outros. Trabalhando em organizações sociais ou ambientalistas.	Completamente envolvido em negócios.	Cuidando de seu corpo, saúde e necessidades básicas.
Âncora	Exige de si mesmo ser responsável e serviçal. Vive para trabalhar. Desligado da emoção e do intelecto.	Esquece de si mesma, usa seus recursos materiais para nutrir e proteger os outros. Compra aprovação com ajuda material. Desligada dos instintos, sem raciocínio lógico.	Só pensa no dinheiro. Acha que ele é aquilo que tem. Desligado de emoções e instintos.	Ancorada na matéria, covarde, hipocondríaca, sem Fogo nem Ar para tomar iniciativas. Sem emoções, lenta mentalmente, abafa os impulsos instintivos.
Infância	Aprovação condicionada ao trabalho e à responsabilidade.	Mãe superprotetora, obcecada com a alimentação e a segurança do filho. Compra e compra coisas para ele e exige submissão.	Pai omisso, que só pensa em dinheiro.	Doenças infantis que determinaram superproteção e castração da liberdade e das iniciativas.

Relacionamento	Vende uma máscara de responsável, trabalhador e serviçal.	Compra amor. Toma conta do outro, de suas contas, de suas coisas.	Relaciona-se sem emoções, só por interesse material.	Não abre coração, bolso nem pernas. Só se trouxer vantagens materiais.
Necessidade Interna	Reavaliar as responsabilidades e o jeito de cumpri-las.	Nutrir-se, cuidar-se.	Usando seus potenciais mentais, independentizar-se ou melhorar economicamente.	Conectar-se ao corpo, cuidar da saúde, observar as sensações corporais como base para equilibrar-se.
Método	Trabalhar, assumir responsabilidades.	Usar seu dinheiro consigo mesma, na saúde, no conforto, em atividades que alimentem sua alma.	Arriscar-se, ir atrás do dinheiro e dos bens materiais. Crescer financeiramente.	Desenvolver a consciência corporal, massagem, *grounding*, contato com a natureza.
Caminho de crescimento	Assumindo responsabilidades profissionais, desenvolvendo sua capacidade de trabalho.	A pessoa mais satisfeita em sua natureza interna, pode transbordar cuidados e ajuda material.	Ganhando dinheiro, acumulando bens.	Caindo na real, descobrindo o corpo e suas mensagens. Responsabilizando-se pela sua saúde.
Resultado Interno	Alinhou o trabalho com o desenvolvimento de seus potenciais. Deixou de fugir de suas responsabilidades.	Assumiu-se como um ser que merece cuidados e carinho e que pode também nutrir e melhorar seu ambiente.	Superou medos ou crenças que bloqueavam seu potencial de trabalho e sua ambição.	A partir da consciência corporal, transcendendo para a espiritualidade. Atitude mais cuidadosa com as coisas materiais.
Resultado Externo	Trabalhando com responsabilidade.	Investindo em obras sociais e ambientalistas.	Usando a mente com habilidade, está juntando dinheiro e bens materiais	Trabalhando com o corpo. Economia de sobrevivência no mato.

	Louco	Mago	Sacerdotisa
Significado Geral	A Potencialidade absoluta. O salto do não-manifestado para o manifestado. A Criança.	O Masculino Universal. A ação, a comunicação a criatividade intelectual.	O Feminino Universal. A Receptividade. A Meditação.
Momento Atual	Iniciando una nova fase. Salto para o desconhecido.	Agitando, criando intelectualmente.	Recolhendo-se. Sossego, passividade.
Âncora	Personalidade fixada na infância. Estrutura de caráter oral.	Incapacidade de parar, de conectar-se ao lado interno.	Incapacidade de agir. Sem objetivos.
Infância	Sem infância.	Exigência de ser ativo e inteligente.	Invalidação de iniciativas e da inteligência. Timidez, fantasias, solidão.
Relacionamentos	Unidos pelos filhos. Dando um salto de amadurecimento.	Unidos por idéias e projetos.	Sem relacionamento.
	Procurando mamãe/papai.	Troca idéias, mas não se envolve. Máscara de ocupado e importante.	Pode sentir amor, mas é incapaz de tomar iniciativas. Solidão. Ilusões. Virgindade. Máscara de puritana.
Necessidade Interna	Levar a vida menos a sério, curtindo mais o momento. Iniciar uma nova fase.	Partir para a ação. Expressar suas idéias. Comunicar-se.	Parar, entrar em contato com o lado interior, ser mais receptivo.
Método	Trabalhar o lado infantil. Desenvolver novos potenciais.	Tomar iniciativas, usar os conhecimentos e habilidades. Vender o peixe.	Meditar, desenvolver a intuição.
Caminho de Crescimento	Abrindo-se para nova fase, com espontaneidade e alegria, manifestando potenciais.	Desenvolvendo idéias, projetos, fazendo contatos, agitando.	Saindo do correcorre, conectando-se às emoções.
Resultado Interno	Perdeu o medo de expressar a sua criança.	Resgate da polaridade masculina. Soltou sua criatividade intelectual e sua capacidade para entrar em ação.	Resgate da polaridade feminina. Receptividade e intuição. Sentimento de plenitude.
Resultado Externo	Salto quântico.	Usando poder verbal e conhecimentos, viajando ou em vendas.	Usando intuição e sensibilidade, trabalha com autoconhecimento.

	Imperatriz	Imperador	Hierofante
Significado Geral	O Feminino Material. A Natureza. A Mãe.	O Masculino Material. O Poder econômico e político. O Pai.	O Poder Ideológico. As Doutrinas. Os Meios de Comunicação. O Mestre Iluminado.
Momento Atual	Cuidando dos outros, nutrindo, ajudando a crescer. Arte, prazer.	Pensando em trabalhar e produzir. Liderança, organização.	Envolvido em práticas espirituais. Passando ou recebendo conhecimentos.
Âncora	A mãe do mundo. Vive por meio dos outros.	Tirano, sem emoções à vista. Estrutura de carácter psicopata.	Identificado com doutrinas.
Infância	Mãe superprotetora.	Pai autoritário, que não deu carinho.	Excessivamente doutrinado.
Relacionamentos	Sustentado por uma mãe que toma conta de tudo: filhos e cônjuge.	Estruturado em torno de um pai provedor e mandão.	Doutrinas os mantêm juntos.
	Se homem, procura mãe. Se mulher, é a mãe do outro.	Se mulher, procura um pai. Se homem, vassalos	Procura discípulos.
Necessidade Interna	Nutrir-se emocionalmente. Ter filhos.	Ser mais dono de sua vida.	Desenvolvimento espiritual.
Método	Seja sua própria mãe. Invista naquilo que traz prazer, especialmente em arte. Cuide de seus filhos.	Seja mais disciplinado, defina objetivos, concretize. Assuma mais responsabilidade/liberdade.	Práticas espirituais. Procurar um mestre. Passar conhecimentos.
Caminho de Crescimento	Transbordando amor.	Mais organizado, vai realizando coisas e assumindo autoridade.	Aprendizado acadêmico ou espiritual.
Resultado Interno	Resgatou sua capacidade de nutrir e cuidar dos outros.	Perdeu o medo de mandar.	Achou seu caminho espiritual. Perdeu o medo de ensinar.
Resultado Externo	Trabalhando numa creche, organização social ou ambientalista.	Assumindo responsabilidades e liderança em assuntos econômicos ou políticos. Estruturando-se materialmente.	Passando conhecimentos. Desenvolvendo práticas espirituais.

	Amantes	Carro	Ajustamento
Significado Geral	A Polaridade criando o Universo. Escolha de vida.	A Mudança de ciclo. O Desapego.	O Ajustamento que equilibra o Universo. A Lei de ação e reação. O Karma.
Momento Atual	Tomando uma decisão. Envolvido num relacionamento.	Largando aquilo que não satisfaz mais.	Ajustando a vida.
Âncora	Anulando-se dentro de um relacionamento. Incapacidade para tomar decisões.	Foge de responsabilidades. Máscara de independente.	Modelo de comportamento. Sempre na corda bamba para ser aceito. Rigidez e falsidade.
Infância	Traumatizado pelo relacionamento dos pais.	Foi abandonado.	Exigência de ser um modelo de virtudes.
Relacionamentos	Boa complementação, crescimento mútuo.	Sem mais interesse nem tesão, o relacionamento está à deriva.	Melhorando, ajustando-se à realidade.
	Obsessão pelo casamento. O marido/esposa "perfeito(a)".	Não quer compromissos.	Ajusta-se ao outro, passando uma imagem de pessoa justa, reta e equilibrada.
Necessidade Interna	Fazer uma escolha de vida.	Romper com vínculos afetivos e/ou profissionais e investir naquilo que faz um sentido profundo.	Mudar, ajustar-se aos novos tempos.
Método	Definir objetivos na vida. Investir num relacionamento.	Desapegar-se daquilo que não gera mais entusiasmo.	Recuperar o equilíbrio implica fugir dos extremos, assumir o próprio Karma e adequar-se às circunstâncias.
Caminho de Crescimento	Fazendo uma escolha de vida. Consolidando um relacionamento.	Largando o passado.	Equilibrando-se por meio de mudanças.
Resultado Interno	Resgatando a capacidade de tomar decisões e de entregar-se a um relacionamento.	Teve coragem de se desapegar. Aberto para o desconhecido.	Resgatou o equilíbrio interno, vinculado à capacidade de adaptar-se.
Resultado Externo	Envolvido num relacionamento transcendente.	Desvencilhando-se de compromissos. Viajando.	Trabalhando com assuntos ligados ao direito ou à justiça.

	Ermitão	Fortuna	Tesão
Significado Geral	A Introspeção.	A Expansão e o Movimento.	A Integração do lado animal com o lado mental/espiritual.
Momento Atual	Observando-se, auto-analisando-se.	Expandindo seu universo externo.	Gostando dele mesmo, sentindo-se sensual e criativo. Com tesão pela vida.
Âncora	Ensimesmado. Não quer fazer contato com o mundo. Máscara de asceta.	Na roda viva dos acontecimentos. Incapaz de concretizar ou dar continuidade a seus assuntos.	Sedutora. Afirma-se por meio da conquista.
Infância	Tristeza, solidão.	Mudanças geraram insegurança.	Repressão da sensualidade e do prazer. Desvalorização da criatividade.
Relacionamento	Sem relacionamento.	Descobrindo novas coisas juntos. Viajando.	Melhorando o tesão e a criatividade.
	Não quer relacionar-se.	Incapacidade de ir fundo. Promiscuidade.	Seduz, mas não se entrega.
Necessidade Interna	Observar-se, conhecer-se.	Mudar. Ampliar seu universo.	Expressar a sensualidade. Criar.
Método	Fazer terapia.	Viajar, fazer novos contatos, procurar oportunidades.	Trabalhar a auto-estima, a expressão corporal (dança do ventre, flamenco), a sensualidade.
Caminho de Crescimento	Pesquisando seu interior.	Abrindo-se para o mundo. Descobrindo coisas novas.	Gostando de si mesmo, encarando a vida com tesão.
Resultado Interno	A pessoa perdeu o medo de sua sombra e hoje se conhece em profundidade.	Capaz de mudar, de aventurar-se.	Resgatou o tesão pela vida e por si mesmo. Entrega-se com entusiasmo ao que faz. Integra o lado animal com o espiritual: Zorba e Buda.
Resultado Externo	Trabalhando na área do autoconhecimento.	Expandindo seus negócios. Fazendo novos contatos. Viajando.	Trabalhando e relacionando-se com tesão. Sexualidade plena.

	PENDURADO	MORTE	ARTE
Significado Geral	A Dissolução, a imersão do Espírito na Matéria.	A Transformação.	O Fluir e a Transcendência, produtos da fusão das Polaridades.
Momento Atual	Entregue a seus ideais mais profundos.	Transformando-se internamente. Ligando-se à essência.	Absorto numa atividade.
Âncora	Sem vontade. Mártir, submisso, resignado, auto-anulado.	Incapaz de mudar. Apegado a seus padrões de comportamento. Medo da perda.	Identificado com sua profissão. Perfeccionista.
Infância	Submissão e renúncia. Negação das iniciativas.	Perda de um ser próximo.	Pais perfeitos exigiram eficiência e autocontrole.
Relacionamentos	Entregando-se às emoções mais profundas.	Transformando-se em algo mais verdadeiro.	Se completam e integram. Transcendência.
	Sacrifica-se e se submete ao outro.	Mostra-se como um catalisador da transformação do outro.	Imagem de profissional de mão cheia, para conquistar.
Necessidade Interna	Viver suas emoções sem interferências mentais.	Mudar seus padrões de comportamento, conectar-se à sua verdade interior.	Fluir na vida sem forçar a barra.
Método	Resgatar as emoções. Renascimento e massagem bioenergética. Seguir a vocação.	Desautomatizar o cotidiano. Terapia corporal para romper as couraças defensivas.	Investir em atividades que tenham muito a ver com ela. Trabalhar descansando.
Caminho de Crescimento	Saindo da submissão. Seguindo as emoções mais profundas.	Acabando com atitudes programadas.	Descobrindo o fluir.
Resultado Interno	Capaz de entregar-se à vida e aos ideais. Vibrando no amor universal.	Morte do robô. Contato com a essência.	Transcendendo por meio da fusão das polaridades internas.
Resultado Externo	Seguindo sua vocação. Trabalhando numa causa global.	Trabalha transformando as pessoas e/ ou o mundo.	Sendo um com atividade prazerosa e fluida.

	Demônio	Torre	Estrela
Significado Geral	As Forças Criativas no seu aspecto mais material. Os Instintos.	A Destruição.	A Renovação das Categorias.
Momento Atual	Desabrochando o lado instintivo.	Destruição da estrutura material ou das prisões.	Mudando crenças, valores.
Âncora	Instintividade reprimida, direcionada para o poder, atividades filantrópicas ou espiritualistas, consumismo ou perversões.	Auto-sabotador, autodestrutivo, revoltado, explosões de raiva.	Contestador compulsivo. Apegado a "crenças de vanguarda".
Infância	Repressão instintiva e desvalorização do corpo.	Acidentes, guerras, enchentes, brigas entre os pais, destruição do lar, etc, que quebraram a segurança interna da criança.	Choque entre as crenças da família e as da escola e/ou da rua.
Relacionamentos	1. Descobrimentos e novas experiências sexuais. 2. Carga sexual presa gerando conflitos.	Destruição violenta do vínculo.	Mudando idéias. Abrindo-se mais para o mundo.
	Só quer sexo.	Qualquer vínculo é uma prisão.	Abordagem intelectual com máscara de progressista.
Necessidade Interna	Liberar os instintos.	Chutar o pau da barraca.	Sair da rigidez mental, mudando a visão do mundo.
Método	Cuidar do corpo. Soltar a franga.	Romper as prisões externas e as identificações internas.	Reavaliação de crenças e critérios segundo sua funcionalidade prática.
Caminho de Crescimento	Resgatando os instintos e a espontaneidade animal.	Liberando-se das estruturas limitadoras, vínculos e identificações.	Mudando a maneira de pensar.
Resultado Interno	Soltou o lado animal. Recuperou a vitalidade e alegria.	Rompeu a casca grossa do ego.	Jogou fora falsas crenças e elaborou critérios próprios. Percebe os fenômenos dentro de um contexto universal.
Resultado Externo	Trabalhando em atividades criativas, nas quais expressa seu lado instintivo.	Trabalhando na destruição de estruturas opressivas.	Desenvolvendo atividades ligadas à evolução da humanidade e formulação de novas idéias.

	LUA	SOL	EÃO
Significado Geral	O lado escuro do Universo. A sombra, os medos.	O lado luminoso do Universo. A individualidade, a espiritualidade.	A Sucessão das Eras. O acordar da consciência.
Momento Atual	Confusão, medos, angústia, alucinações.	Lucidez, sucesso, energia. Desenvolvimento da espiritualidade.	Pronto para levar à prática novas compreensões.
Âncora	Bloqueado por medos: do desconhecido, da rejeição, do fracasso, dos desafios, de se expor, de perder o controle, da própria sombra, de crescer, da perda ou de morrer.	Individualidade fraca, que pode manifestar-se como uma necessidade compulsiva de ser o centro das atenções ou uma auto-acusação.	Incapaz de amadurecer. Prefere acomodar-se a arriscar-se. Adia sempre suas iniciativas.
Infância	Tudo era perigoso. Ameaças, chantagens.	Foi superpaparicado ou ignorado.	Superprotegido. Autonomia negada.
Relacionamentos	Unidos pelo medo. De ficar sós, da reação da família, da culpa.	Brilhando. Fortalecimento da individualidade e/ou desenvolvimento da espiritualidade dos cônjuges.	Entrada numa fase mais madura e independente (entre eles e/ou da família).
	Medo de abrir-se com o outro.	Quer satélites que inflem seu ego.	Incapaz de tomar suas próprias decisões.
Necessidade Interna	Liberar-se dos medos, ameaças ou obsessões.	Ser ele mesmo. Conectar-se com o lado espiritual.	Sair do útero.
Método	Fazer exatamente o que teme.	Trabalhar e fortalecer os potenciais e qualidades pessoais. Meditar.	Peitar o mundo. Tomar iniciativas e assumir responsabilidades.
Caminho de Crescimento	Encarando os medos.	Encontrando-se consigo mesmo.	Entrando numa nova etapa de vida, mais maduro, consciente e independente.
Resultado Interno	Resolveu os medos e resgatou emoções escondidas.	Fortaleceu sua identidade. Resgatou seu lado espiritual.	Entrou num novo estado de consciência.
Resultado Externo	Trabalhando em assuntos misteriosos ou escondidos.	Cheio de energia, obtém o sucesso e o reconhecimento.	Rompendo limitações e tomando decisões com uma nova consciência.

	UNIVERSO
Significado Geral	A Síntese Final. A realização pessoal.
Momento Atual	Concretização material, que possibilita a abertura de um novo ciclo.
Âncora	Incapaz de fechar etapas, de concluir assuntos e passar para outra.
Infância	Foi uma prisão.
Relacionamentos	Uma nova fase, mais livre de obrigações e amarras materiais.
	Agora vamos melhorar nossa vida material, depois teremos tempo para o amor.
Necessidade Interna	Abrir uma nova etapa de vida.
Método	Concluir assuntos, atingir os resultados finais de investimentos que servem como trampolim para uma nova etapa.
Caminho de Crescimento	Chegando a sínteses finais em diferentes assuntos.
Resultado Interno	Transcendência.
Resultado Externo	Recolhendo os frutos de seu trabalho que lhe possibilitam iniciar uma nova etapa, mais livre de condicionamentos externos e internos.

Bibliografia

ANTARÈS, Georges. *El arte de la interpretación astrológica*. 2ª ed. Barcelona, Obelisco, 1984.

ARRIEN, Angeles. *The Tarot Handbook*. California, Arcus, 1997.

ARROYO, Stephen. *Astrologia, Psicologia e os quatro elementos*. São Paulo, Pensamento, 1984.

BRODSKY, Greg. *Do Jardim do Éden à Era de Aquario*. 5ª ed. São Paulo, Ground, 1995.

CAPRA, Fritjof. *O Tao da Física*. São Paulo, Cultrix, 2000.

———. *O Ponto de Mutação*. São Paulo, Cultrix, 2001.

CHABOCHE, François Xavier. *Vida e Mistério dos Números*. São Paulo, Hemus, 1997.

CHEVALIER, Jean & GHEERBRANT, Alain. *Dicionário de Símbolos*. 3ª ed. Rio de Janeiro, José Olympio, 1990.

COMPTON, Madonna. *Arquétipos da Árvore da Vida*. São Paulo, Siciliano, 1994.

CROWLEY, Aleister. *El libro de Thoth*. Madri, Luis Cárcamo, [s/d].

———. *The Book of the Law*. New York, Baker USA, 1990.

ESQUENAZI, Enrique. *El Tarot. El arte de adivinar*. Barcelona, Obelisco, [s/d].

FORTUNE, Dion. *A Cabala Mística*. São Paulo, Pensamento, 1984.

HOUSON, Paul. *El Tarot explicado*. Buenos Aires, Dedalo, [s/d].

IGLESIAS Janeiro, Jesús. *La Cábala de la predicción*. Buenos Aires, Kier, [s/d].

LAO-TZU. *Tao Te King*. São Paulo, Madras, 1997.

LEVI, Eliphas. *Dogma e Ritual de Alta Magia*. 2ª ed. São Paulo, Madras, 1997.

LOWEN, Alexander. *Bioenergética*. São Paulo, Summus Editorial, 1982.

———. *Prazer: Uma abordagem criativa da vida*. São Paulo, Círculo do Livro, 1993.

———. *O corpo em terapia*. 4ª ed. São Paulo, Summus Editorial, 1997.

MOTTA, Marcelo. *O Equinócio dos Deuses*. Rio de Janeiro, Astrum Argentum, [s/d].

MOUNI, Sadhu. *El Tarot*. Buenos Aires, Kier, [s/d].

OSHO. *Vida, amor e riso*. São Paulo, Gente, 1991.

———. *Pepitas de Ouro*. São Paulo, Gente, 1992.

PERADEKORDI, Amalia. *La Luna*. Barcelona, Obelisco, [s/d].

RIBEIRO, Anna Maria. *Conhecimento de Astrologia*. Rio de Janeiro, Novo Milênio, 1996.

ROSABIS, Camaysar. *Numerologia*. São Paulo, Pensamento, 1999.

Três Iniciados. *O Cabalion*. São Paulo, Pensamento, [s/d].

VIVARTA, Veet. *O Caminho do Mago*. Rio de Janeiro, Francisco Alves, 1996.

WAITE, A. E. *The Pictorial Key to the Tarot*. New York, Barnes & Nobles, 1993.

WANG, Robert. *O Tarô Cabalístico*. 3ª ed. São Paulo, Pensamento, 1999.

WHAT, William. *Mistérios Revelados de Cabala*. São Paulo, Master Book, 1996.

ZIEGLER, Gerd. *Tarô*: *O espelho da alma*. Rio de Janeiro, J Zahar, 1993.

Para cursos, consultas e contatos com o autor:

E-mail: veetpramad@hotmail.com
Site: www.veetpramad.cjb.net

Este livro foi composto em Times New Roman, corpo 11/12.
Papel Offset 75g – Bahia Sul
Impressão e Acabamento
Prol Editora Gráfica – Av. Papaiz, 581 – Jd. das Naçõ – Diadema/SP
CEP 09931-610 – Tel.: (0_ _11) 4091-6199 – e-mail: prol@prolgrafica.com.br